Morellet

# Morellet

Museum Würth / Swiridoff Verlag

Katalog zur Ausstellung »Morellet«/
*Catalogue to the exhibition »Morellet«*:
22. Januar – 20. Mai 2002
Museum Würth, Künzelsau

Die Ausstellung und der Katalog wurden
durch die großzügige und freundliche
Förderung der Adolf Würth GmbH & Co. KG
ermöglicht

*The exhibition and catalogue were produced
with the kind and generous support of the
Adolf Würth GmbH & Co. KG*

Herausgegeben vom Museum Würth
durch/*edited by*:
C. Sylvia Weber

Realisation der Ausstellung/*Realisation*:
C. Sylvia Weber, Kirsten Fiege, Sonja Klee

Presse- und Öffentlichkeitsarbeit/
*Public relations*:
Beate Elsen-Schwedler

Übersetzungen/*Translations*:
Marina Schneider

Lektorat/*Copy editing*:
Sonja Klee, Christiane Wagner

Ausstellungstechnik/*Exhibition technology*:
Michael Götzelmann, Ursula Kensy,
Gregor Kress, Ralf Maurer,
Klaus-Martin-Treder
unter der Leitung von Hermann Maurer

Restauratorische Betreuung/*Restorer*:
Christoph Bueble, Monika List

Gestaltung/*Design*:
Erasmi & Stein, München

Katalogkoordination/*Coordination
of catalogue publication*: Norbert Brey

Druck und Bindung/*Printing and binding*:
Engelhardt & Bauer

Erstveröffentlichung der Texte/*First publi-
cation of texts*:
Morellet. Editions du Jeu de Paume/
Reunion des musées nationaux, Paris 2000

Titel/*Cover*:
Zufällige Verteilung von 40 000 Quadraten,
50% Rot, 50% Grün/*Random Distribution
of 40 000 Squares, 50% Red, 50% Green*,
1961

© für die Werke von François Morellet
VG Bild-Kunst, Bonn 2002

© 2002 François Morellet,
Museum Würth, Künzelsau und
Swiridoff Verlag, Künzelsau
ISBN 3-934350-67-4

Allen Leihgebern, die für die Dauer der Ausstellung auf ihre Werke verzichten, danken
wir sehr herzlich für ihre Großzügigkeit und
Unterstützung.
Ohne diese wäre die Ausstellung in ihrer endgültigen Form nicht zu realisieren gewesen.

Collection Billarant, Paris

Collection du FRAC, Nord-Pas-de-Calais,
Dunkerque

Sammlung Hoffmann, Berlin

Sammlung Lenz Schönberg, München

Collection Sheila und Jan van der Marck

Sammlung Edzard und Helga Reuter,
Stuttgart

# Inhalt/Contents

**»Die Geometrie wählte ich wegen ihrer Neutralität, das System um die Willkür meiner Entscheidungen einzuschränken.«**

Francois Morellets Werk gehört eindeutig in den Bereich der konkret-geometrischen Kunst. Über selbst gefundene Formgebungssysteme wie Überlagerung, Reihung oder Interferenz entwickelt er seine Serien mit Linien, Quadraten, Dreiecken, Rastern, Rasterkugeln, Klebebändern oder leuchtenden Neonskizzen. Dabei zeigt Morellet innerhalb der Abstraktion eine Eigenständigkeit und Konsequenz, die nicht zuletzt durch seinen eigenwilligen Humor ihre ganz besondere Komponente erhält.

Mit rund 60 Arbeiten aus den 50er Jahren bis heute gewährt die Ausstellung im Museum Würth, die in Kooperation mit der Galerie Nationale du Jeu de Paume Paris und in enger Zusammenarbeit mit Francois Morellet entstanden ist, anhand des eigenen Bestandes und zahlreicher Leihgaben einen grundlegenden Einblick in das facettenreiche Œuvre des in Cholet im Norden Frankreichs lebenden Künstlers.

Die retrospektiv angelegte Schau für einen weiteren Künstler im Umkreis von Denise René in Paris, deren Galeriearbeit die Sammlung Würth schon seit vielen Jahren mit Wertschätzung verfolgt, ergänzt und erweitert zugleich unser abwechslungsreiches, auf unserer Sammlung basierendes Ausstellungsprogramm in Künzelsau. Wie schon bei den Einzelbetrachtungen von Jacobsen, Arp, Poliakoff und Magnelli, der Gruppenausstellung »Position konkret«, in der u. a. Werke von Fruhtrunk, Lenk, Pfahler und Geiger gezeigt wurden, erschließt sich mit der Ausstellung für Morellet jedoch auch eine Entwicklung der würtheigenen Kollektion wie sie mehr und mehr innerhalb der verschiedenen Aspekte des auf insgesamt 6000 Werke angewachsenen Bestandes abzulesen ist. Gaben vor etlichen Jahren mitunter nur vereinzelte Werke das Initial zu einer monographischen Ausstellung, konnte in diesem Fall aus einem hochrangigen, konzis zusammengetragenen Bestand an Werken Morellets geschöpft werden, was für eine schlüssige und transparente Sammlungspolitik spricht.

Bei allen Beteiligten, die am Zustandekommen der Ausstellung mitgewirkt haben, möchte ich mich an dieser Stelle herzlich bedanken. Neben allen Partnern, die in der Organisation tätig waren und den Katalog realisiert haben, danke ich meinem Kollegen Norbert Brey vom Swiridoff Verlag für die termingerechte Fertigstellung der Drucksachen und Sonja Klee, die die Realisierung der Ausstellung kompetent begleitet hat, den Restauratoren, dem Aufbauteam und allen, die gleich zu Beginn des Jahres mit neuem Elan im Einsatz waren.

Insbesondere gilt mein Dank auch Daniel Abadie von der Galerie National du Jeu de Paume in Paris und seinen Mitarbeitern für die Kooperation, Francois Morellet und seiner Familie, die großartig unser Vorhaben unterstützt haben, allen Leihgebern und Autoren, der Galerie Denise René und Dr. Dorothea van der Koelen für die Kontaktvermittlung zum Künstler, Frau Dr. Grossmann vom Haus für konstruktive und konkrete Kunst in Zürich sowie Prof. Dr. h.c. Reinhold Würth aufs Herzlichste für seine souveräne Unterstützung.

*C. Sylvia Weber*
Direktorin Museum und Kunsthalle Würth

**»I chose geometry because of its neutrality, the system capable of limiting the arbitrariness of my decisions.«**

Francois Morellet's work clearly belongs to the field of concrete, geometric art. With the aid of self-developed shaping systems such as overlapping, sequences or interferences he develops his series of lines, squares, triangles, grids, grid-spheres, adhesive tapes and lit neon segments. Morellet's abstraction maintained a degree of radicalism and independence characterized not least of all by a very particular element: a very original sense of humour.

With around 60 works dating from the fifties to today, the exhibition at the Würth Museum, which came about with the assistance of the Galerie Nationale du Jeu de Paume in Paris and in close cooperation with Francois Morellet himself, consists of works from the museum's own stock and numerous loans and offers a fundamental insight into the many-faceted work of the artist who lives in Cholet, Northern France.

The retrospective show for another artist similar to Denise René in Paris, whose gallery work the Würth collection has been following carefully for many years, expands and at the same time enlarges our varied programme of exhibitions based on our collection in Künzelsau. As already seen in the individual reflections on Jacobsen, Arp, Poliakoff and Magnelli, the group exhibition »Position konkret«, which amongst others showed works by Fruhtrunk, Lenk, Pfahler and Geiger, the Morellet exhibition is indicative of the development of the Würth collection, as can be seen increasingly in the various aspects of the stock which has now grown to a total of 6000 works. A few years ago, some monographic exhibitions were initiated by only a few works, but in this case we were able to draw from a high-level, concisely collected stock of Morellet's works, which hints at a conclusive and transparent collection policy.

I would at this point like to thank all those involved in setting up the exhibition. In addition to all our partners who worked with the organisation and who made the catalogue a reality, I would like to thank my colleague Norbert Brey from the publisher Swiridoff for preparing the printed items in good time, Sonja Klee, who has managed the production of the exhibition so competently, the restorers, the layout team and all those who have been active with such élan at the very start of a new year.

My special, heart-felt thanks also go to Daniel Abadie from the Galerie National du Jeu de Paume in Paris and his staff for their cooperation, Francois Morellet and his family, who have supported our plans so wonderfully, all those who provided loans and authors, the Galerie Denise René and Dr. Dorothea van der Koelen for arranging the contact with the artist, Frau Dr. Grossmann from the Haus für konstruktive und konkrete Kunst in Zurich and Prof. Dr. h.c. Reinhold Würth for his great support.

*C. Sylvia Weber*
Director of the Würth Museum and Art Gallery

# Morellets pythagoreische Postmoderne
*Thomas McEvilley*

Die Jahre 1952 und 1953 bedeuteten einen Wendepunkt im Leben von François Morellet. Zu jener Zeit malte fast jeder. Der Gedanke der Concept Art hatte sich noch nicht durchgesetzt, zumindest noch nicht eindeutig. Er war zwar bereits implizit in Marcel Duchamps Werk enthalten, das heißt seit mehr als einer Generation, und latent auch schon in anderen Arbeiten, etwa in John Cages 4' 33" – ein Pianist sitzt 4 Minuten und 33 Sekunden lang auf dem Podium, ohne dabei die Tastatur des Klaviers zu betätigen – und in Robert Rauschenbergs *Erased De Kooning Drawing* aus dem Jahr 1953. Rauschenberg schlägt darin, vielleicht unter dem Einfluss von Cage, die zurücktretende Farbe Weiß als Äquivalent zur Stille vor. Zweifellos sah auch Cage in Duchamp ein Vorbild, bevor er wiederum Rauschenberg inspiriert hat.

So sehen die Anfänge der »Bruderschaft« des amerikanischen Konzeptualismus aus. Es wurde behauptet, dass Ed Kienholz den Ausdruck *Concept Art* oder *Conceptual Art* bereits in den fünfziger Jahren verwendet habe. Der amerikanische Künstler Henry Flynt, Mitglied der Fluxus-Gruppe, sprach von »Concept Art« in *An Anthology*, einer Sammlung der Anti-Kunst von Jackson MacLow und La Monte Young aus dem Jahr 1963; Sol LeWitt hat 1967[1] einem Artikel den Titel »Paragraphs on Conceptual Art« gegeben. Morellet selbst hatte diesen damals zum Durchbruch kommenden Gedanken bereits 1952/53 erahnt, selbst wenn sein Werk nicht den internationalen Ruf genießt, dass man sich daran noch erinnern würde.[2]

Innerhalb der Lawine der in jüngster Zeit veröffentlichten Bücher über die Geschichte der Concept Art, einschließlich derjenigen, die sich besonders mit ihren Anfängen außerhalb New Yorks befassen, wird Morellet nicht einmal erwähnt.[3] Nachdem nunmehr die Kunstgeschichte des 20. Jahrhunderts unter Einbeziehung der Postmoderne umgeschrieben werden muss, ist es wohl an der Zeit, einige Tatsachen richtig zu stellen.

Von dem Ende des Zweiten Weltkrieges bis 1950 malte Morellet empfindsame, vor allem abstrakte Bilder, die eine gewisse Ähnlichkeit mit denen von Paul Klee und Arshile Gorky aufweisen. Um 1950 verschwindet plötzlich alles Bildhafte aus seinen Bildern, die Züge verhärten sich, sie werden geometrischer. Morellet suchte seinen Weg. 1952 hat er ihn schließlich gefunden. Er schien sich auf den Vorposten der jüngsten Entwicklung begeben zu haben, die durch das allmähliche Ende der École de Paris und das Auftreten der New Yorker Schule gekennzeichnet war.

Morellet selbst übersprang die gestische Epoche des Abstrakten Expressionismus und erreichte auf direktem Wege die Geometrische Abstraktion; er setzte auf das Erkenntnisvermögen, übernahm die Form des Minimalismus und anschließend der Concept Art. Diesbezüglich scheint er den entscheidenden Fortschritten von mindestens drei großen, in der Kunstgeschichte gut vertretenen amerikanischen Künstlern zuvorgekommen zu sein: Ellsworth Kelly, Frank Stella und Sol LeWitt.

*Peinture* (Malerei, 1952, Abb. S. 124) und das Werk gleichen Titels von 1953 enthalten bereits die Grundelemente, die Stella in seinen berühmten *Black Paintings* (Schwarzen Bildern) von 1958 und danach einsetzte. *Du jaune au blanc* (Von Gelb zu Weiß, 1953, Abb. S. 127), *Violet bleu vert jaune orange rouge* (Violett Blau Grün Gelb Orange Rot, 1953, Abb. S. 41) und *5 rouges différents* (5 verschiedene Rot, 1953) könnten durchaus auch von Kelly aus derselben Epoche stammen – wer hat nun wen beeinflusst?

*Lignes parallèles* (Parallele Linien, 1957, Abb. S. 12), ja sogar *Parallèles jaunes et noires* (Gelbe und schwarze Parallelen, 1952) kündigen die späteren Arbeiten der so genannten historischen amerikanischen Künstler an, zum Beispiel Kenneth Nolands und Agnes Martins. *4 doubles trames traits minces 0°– 22°5 – 45°– 67°5* (4 Doppelraster aus dünnen Strichen 0°– 22°5 – 45°– 67°5, 1958) lassen bereits LeWitts *Circles and Grids* (Kreise und Gitter, 1972) erahnen. Die Liste könnte durchaus fortgesetzt werden. Morellet war einer der Ersten, der diese Tendenzen, die zu einem späteren Zeitpunkt als »postmodern« oder »spätmodern« bezeichnet wurden, vertrat. Die Einflüsse, denen er Anfang der fünfziger Jahre ausgesetzt war, haben ihn zu einem Verfechter einer modernen, von Grund auf soliden europäischen Tradition gemacht: jener Tradition, die über Max Bills Konkrete Kunst auf Theo van Doesburg und die russischen Konstruktivisten zurückgeht. Somit wurde er zum Bindeglied zwischen der europäischen Geometrischen Abstraktion und der Concept Art.

Ein weiterer Aspekt seines Werkes schließt sich unmittelbar dem von Marcel Duchamp an: Sein Interesse für eine systematische Kunst, die den Eindruck von planmäßiger Schärfe vermittelt, eher der Wissenschaft als der Religion – oder der mathematischen Formel einer Religion, vergleichbar mit dem antiken Pythagoreismus – entstammend. Morellet beteiligte sich an der anti-ästhetischen Bewegung, die die »Ablehnung der Subjektivität in der Kunst«[4] propagierte, er wählte »Zufallszahlen für die Platzangabe von identischen Elementen auf der Oberfläche seiner Bilder«[5], teilte mit Max Bill und den Konkreten Künstlern aus der Schweiz »den Wunsch, das Individuum zugunsten eines Systems verschwinden zu lassen«[6], und war auch einer der Gründungsmitglieder der Groupe de Recherche d'Art Visuel (GRAV) im Jahr 1960. Diese Bezeichnung erweckt den Eindruck, es handele sich um eine wissenschaftliche Gruppe und ruft Duchamps *Trois Stoppages-Étalons* ins Gedächtnis, ein dreimalig wiederholtes Experiment mit einem Faden, der aus einem Meter Höhe fallen gelassen wird und immer neue Formen auf der Unterlage bildet. Die Anleitungen dazu klingen wie aus einem Forschungslabor.

Morellet war eindeutig an dem beteiligt, was man die »andere« moderne Tradition zu bezeichnen pflegt, in dem Bestreben, sie sowohl von den ästhetischen Bedenken von Matisse und der École de Paris wie auch von den transzendental-metaphysischen Tendenzen eines Malewitsch und der sublimen Abstraktion abzugrenzen. So gesehen war er unter ideologischen Gesichtspunkten kein Moderner. Anfang der fünfziger Jahre war er bereits ein Vorreiter der »Postmoderne«, wie man sie später bezeichnen sollte. Victor Vasarely erklärte 1960 zu den Ambitionen der Groupe de Recherche d'Art Visuel:

»Künstler, die ›Stars‹ oder ›einsame Genies‹ sein wollen, gehören der Vergangenheit an«; »die Erfinder der Zukunft« werden sich an »die wissenschaftlichen und technischen Disziplinen« halten.[7] Zu dem Zeitpunkt, da das letzte romantische Aufflackern schließlich dem New Yorker Abstrakten Expressionismus Platz machte, kündigte sich jene Ablehnung dieser romantischen Ideologie an, die sich auf Duchamps Gedanken stützte und aus der sich 20 Jahre später die Postmoderne entwickeln sollte.

Bekannt unter dem Akronym GRAV (frz. »grave«, d.i. ernst), verkörperte diese Gruppe eine der ersten Nachkriegsbewegungen, vergleichbar in etwa den Anfängen der »anderen« Traditionslinie von Dada und weiteren anti-kulturellen Tendenzen, die unter dem Einfluss des Ersten Weltkrieges entstanden waren. »Wir möchten den Begriff Kunst in seiner derzeitigen Bedeutung aus unserem Vokabular streichen«[8], erklärte die GRAV im Jahr 1961. Es handelte sich dabei um eine eindeutig gegen die Kunst gerichtete Bewegung – es versteht sich von selbst, dass eine »Anti-Kunst«-Bewegung natürlich immer gegen die jeweils geltende Kunst gerichtet ist. Ähnliche Tendenzen traten zu derselben Zeit in den Vereinigten Staaten auf: So ist zum Beispiel Robert Rauschenberg erwähntes Werk *Erased De Kooning Drawing* eine verblüffend direkte und zugleich provozierende Geste der Anti-Kunst.

Auch im Japan der Nachkriegszeit wandte man sich von den Grundsätzen einer Kultur ab, die zur Niederlage geführt hatte: Matsuzawa Yukatas Nirvana Schule hat die Anti-Kunst Anfang der sechziger Jahre mit ihren »verschwundenen Gegenständen«, mit ihrer »Ablehnung der Handlung« und ihrer Ausstellung »Anti-Zivilisation« des Jahres 1965 verändert. Das Gefühl, dass sich die Hoffnungen und Ambitionen im Osten wie im Westen dazu hatten fortreißen lassen, »die Zivilisation zu versauen, umzubringen, kaputtzumachen«, wie es Ezra Pound ausdrückte, die schwierige Erkenntnis dieser Tatsache und der Wunsch, sich keine Blöße zu geben, haben die moralisch am meisten vom Krieg betroffenen Länder, wie Japan, Frankreich und die Vereinigten Staaten, beschäftigt.

In Frankreich stellte sich diese Geisteshaltung dreist zur Schau und weigerte sich, der Scham Platz zu machen; der gallische Stolz machte den Weg für den nihilistischen Kult der wilden Gottheit des Absurden frei, während Morellet und seine Mitstreiter in der GRAV Duchamps Humor und Gleichgültigkeit nach der Art der proto-

Morellet und Ellsworth Kelly, New York, 1960

Max Bill und Morellet, Zürich, 1984

François Morellet, 1954

*Parallele Linien*, 1957

konzeptuellen Aktivitäten in den Vereinigten Staaten und in Japan wählten. GRAV wurde 1968 aufgelöst, aber Morellet verfolgte diesen Weg weiter und legte eine analytische Intensität und eine humorvolle Gleichgültigkeit an den Tag, ohne jemals den Ruf eines »Stars« oder eines »einsamen Genies« zu kultivieren.

Zahlreiche seiner Arbeiten haben einen geradezu einzigartigen Bezug zur Architektur: *Désintégrations* (Desintegrationen) getauft, widersetzen sie sich den herkömmlichen visuellen Voraussetzungen und scheinen ihre Stabilität derart zu unterminieren, dass sie zusammenzubrechen und schnurstracks unter der Erdoberfläche zu verschwinden drohen. Wenn die Architektur jedoch zerfällt, so muss das Werk mit seiner Umgebung in Verbindung gebracht werden, aus der es ja seine Voraussetzungen und Formen schöpft. Dieses dekonstruktivistische Anliegen und die enge Verknüpfung mit der realen Welt sind die beiden vorherrschenden Wesensmerkmale der Postmoderne.

In seinen für Ausstellungszwecke konzipierten Arbeiten erforscht Morellet die Sehgewohnheiten. Viele von ihnen zerpflücken das Kunstvokabular auf dem Wege der Analyse, ohne auch nur das geringste kantsche »Ästhetikgefühl« wiederzugeben. *Tirets 4 cm dont l'espacement augmente à chaque rangée de 4 mm* (Striche 4 cm, deren Abstand sich in jeder Reihe um 4 mm vergrößert, 1975, vgl. Abb. S. 163) disloziert die Perspektive, *All Over* (1995) besteht aus einer Anhäufung von Winkeln in einer Art analytischen Zerlegung und *Répartition aléatoire de 1/4 de cercles de néon avec 4 rythmes d'allumage* (Zufällige Verteilung von 1/4 Neonkreisen mit 4 Lichtrhythmen, 1994, Abb. S. 35) aus Bögen. Viele andere Arbeiten verfolgen dasselbe analytische Anliegen in dem Bestreben, bildhaftes Empfindungsvermögen und seine fantastischen Intuitionen zu überwinden.

Dieser anti-moderne Wille, das Museum zu verlassen und die »reale« Welt mit ihrem Verkehr, ihren Fußgängern und ihren Geschäften einzubeziehen, ist auch bei vielen im Freien stehenden Werken zu beobachten. Sie stellen sich nach wie vor mit Hilfe ihrer Farbkombination und Materialauswahl als Kunst dar: die *Trames 3°–87°–93°–183°* (Raster 3°–87°–93°–183°) an der Kreuzung der Straßen Quincampoix und Aubry-le-Boucher in Paris (1970–1971, Abb. S. 81) oder die riesige, tischförmige Struktur von *La Défonce* (1991, Abb. S. 39). Sie scheint vom Himmel auf das Gebäude

der FNAC (Fonds National d'Art Contemporain) gefallen zu sein, das auf der Esplanade de La Défense steht. Hier handelt es sich jedoch nicht um den Versuch, die Kunst in den Alltag einzuführen, sondern um wahrhaft riesige Einbrüche aus einer geschützten Kunstwelt: Sie verschweigen keineswegs ihre Herkunft, rücken jedoch die Verbindung beider Bereiche in den Brennpunkt.

Ungeachtet seines Willens, restriktive Grenzen niederzureißen, erhebt Morellets Werk den Anspruch, Kunst zu sein und bewahrt sich etwas Kostbares und Elitäres. Das wird besonders deutlich auf seiner platonisch-pythagoreischen Seite. Das Beharren auf der Geometrie – die manchmal in geradezu atomisierte Elemente zerlegt erscheint, etwa in den Arbeiten mit einer Ansammlung von Winkeln oder Bögen – besitzt gewisse antichristliche Züge, die eine Empfindsamkeit erahnen lassen, die Morellet im Allgemeinen lieber verbergen möchte. Eine Arbeit wie *L'Angle DRAC* (Direction régionale des Affaires Culturales, Nantes) (Der Winkel DRAC, 1987, Abb. S. 103), in der die Geometrie gewissermaßen ebenfalls vom Himmel gefallen zu sein scheint, erinnert auf eine bestimmte Weise an Platons Bild vom gestrandeten Schiffbrüchigen, der von Menschenhand gezeichnete geometrische Formen im Sand entdeckt.

Morellets am stärksten mit der Lehre des Pythagoras in Beziehung stehendes Element wird verkörpert durch seine Suche nach der Zahl $\pi$, das heißt nach der unendlichen Zahl, die aus diesem Grunde dem Irrationalen zuzuordnen ist. Hiermit begibt er sich auf das Gebiet der Mathematiker und der Ästhetiker der Antike. In einem klassischen Aufsatz, in dem er die Voraussetzungen seiner jüngsten Arbeiten vorstellt, »Les cheminements de $\pi$«[9], beschreibt Morellet seine »üblichen Werkzeuge, das Lineal und den Winkelmesser«; er beschwört die antiken Schulen, die die Geometrie verehrten, herauf und parodiert sie, so die von Platon. Dieser hatte am Eingang seiner Akademie die Worte »Gott ist Geometrie« eingravieren lassen.

Eine geometrische Ordnung der Dinge im Sinne der astronomischen Ordnung schien von den Göttern verordnet, verkündet und geprägt worden zu sein. Demnach war es des Menschen Pflicht, diese zu entziffern, um die in ihren Geist eingebrannte Botschaft bewusst zu verkünden. Der Schiffbrüchige erkennt aus den in den Sand geschriebenen geometrischen Formen, dass es zumindest doch einen Gleichgesinnten unter den Bewohnern jener

Gegend, dort, wo er gestrandet ist, geben muss. Er kann damit rechnen, Freunde, ja sogar Geistesverwandte zu finden. Auf seine humorvolle Art erklärt Morellet, dass er dieser Bruderschaft angehöre. Er arbeite, so Morellet, »nur mit Hilfe [seines] Lineals und [seines] getreuen Winkelmessers«.

Am Anfang seiner Suche nach der Zahl π steht sein »Traum von einer unendlichen, sich selbst erzeugenden Linie mit unvorhersehbarem Ausgang«[10]. Hier muss an Duchamps Wunsch erinnert werden, der eine Linie suchte, die nicht nach seinem Geschmack oder seinem Empfindungsvermögen entstanden ist: eine reine Linie, die nicht von seiner Persönlichkeit befleckt ist, sondern vom Universum stammt oder zumindest von den nicht nachprüfbaren Grundsätzen, die das menschliche Leben bestimmen und übertreffen. Bei Duchamp mündet dies in den zufallsbedingten Verfahren der *Trois Stoppages-Étalons*, einer Arbeit, die für Morellet und für viele Künstler seiner Generation von entscheidender Bedeutung gewesen sein muss. Sein Streben nach einer sich selbst erzeugenden, unendlichen Linie entspricht dem nach einer irrationalen Zahl, deren Nachkommastellen niemals enden – zum Beispiel die Kreiszahl π, die auf mehrere hundertmilliarden Stellen nach dem Komma berechnet wurde, ohne bisher je zu enden. Ein Kreis oder eine ständige Wiederholung können als Stillstand (im Sinne von unterbrochen, stillgelegt) betrachtet werden. Irrationale Zahlen enden nie, eine Linie, die sich auf eines dieser beiden Elemente stützt, erzeugt sich selbst bis ins Unendliche.

Derartige irrationale Zahlen sind eines der Rätsel, um dessen Aufklärung sich bereits die pythagoreische Bruderschaft am Ende des 6. Jahrhunderts v. Chr. bemühte. Die Lösung war so einmalig, dass – so die Überlieferung – Pythagoras selbst Hippasus von Metapont, einen seiner wichtigsten Jünger, während einer Überfahrt über Bord warf, weil er angeblich einem Laien das Geheimnis der irrationalen Zahlen preisgegeben hatte. Dies kommt geradezu dem Geständnis gleich, wonach zwischen Mathematik und Geometrie, zwischen der Ordnung der Zahlen und der der Linien ein tiefer Graben besteht, ein Unterschied, der den allgemeinen Grundsatz der Rationalität des Universums in Frage stellt.

Hierfür liefert der pythagoreische Lehrsatz folgendes Beispiel: In einem rechtwinkligen Dreieck ist die Fläche des Quadrats über der Hypotenuse gleich groß wie die Summe der Flächen der Quadrate über den ande-

ren beiden Seiten; wenn somit die beiden Katheten durch eine rationale Zahl darstellbar sind, so muss sich für die Hypotenuse eine irrationale Zahl ergeben. In diesem Falle ist die Hypotenuse nie genau messbar; selbst das exakteste (in allerfeinste Intervalle geteilte) Lineal kann keine genaue Zahl geben. Das Vorhandensein von irrationalen Zahlen, welches durch den Lehrsatz des Pythagoras' bewiesen wird, macht die Inkommensurabilität zwischen Mathematik und Geometrie deutlich. Eine mit Zahlen messbare Welt stimmt nicht mit einer Welt überein – und wird auch nie übereinstimmen können –, die aus räumlichen Einheiten aufgebaut wurde. Demnach gibt es in Wirklichkeit zwei Welten. Eine endlose Inkommensurabilität trennt sie voneinander und öffnet einen unsinnigen Abgrund mitten im Sinn. Diese Unvergleichbarkeit steht im Mittelpunkt der vom Künstler vorgeschlagenen Darstellungsmöglichkeiten der Zahl π.

Morellet gehört einer Generation an, die sowohl die Moderne wie auch die Postmoderne durchlebt hat. Sein Instinkt scheint ihn immer zu einer anti-metaphysischen Dekonstruktion, die man heute als postmodern bezeichnet, geleitet zu haben. Sie nährt sich aus dem Wunsch, die Gewissheiten der Moderne zu unterminieren. Aber seine pythagoreische Geometrie hat auch unanfechtbar moderne Wurzeln, unter anderem Piet Mondrian und die Anhänger des Neo-Plastizismus.

Morellet selbst hat nicht so sehr auf pythagoreischen Gewissheiten, sondern vielmehr auf einer eklatanten Ungewissheit bestanden, auf eben jener, die den großen Meister seinerzeit dazu veranlasst hat, einen seiner wichtigsten Jünger umzubringen. Denn Pythagoras, der seine Gewissheiten anscheinend in der Zahl und der Harmonie suchte, hat die irrationalen Zahlen und die endlose Ungewissheit, die sie aufwerfen, schlecht verkraftet. Trotz der Überreste von Modernismus, die in seinem Pythagoreismus immer noch enthalten sind, zog Morellet es vor, auf die Ungewissheit zu setzen. Dies ist die Wahl eines postmodernen Künstlers, der sich auseinander setzt mit dem Auseinanderfallen, der Destabilisierung und dem Über-Bord-Werfen moderner Gewissheiten.

Viele von Morellets Arbeiten sehen wie die geometrischen Formen aus, die der benommene Schiffbrüchige entdeckt, während er nach Luft ringend an Land krabbelt. Man kann davon ausgehen, dass Pythagoras selbst Freude an einem Werk wie *6 répartitions aléatoires de 4 carrés noirs et blancs d'après les chiffres pairs et impairs du nombre* π (6 zufällige Verteilungen von 4 schwarzen und weißen Quadraten nach den geraden und ungeraden Zahlen von π, 1958) gehabt hätte. Hier findet man Ansätze von Unsterblichkeit; oder, wie Morellet selbst sagt: »Mit größtem Vergnügen verliere ich mich im Unendlichen, auf den neuen Wegen der Unendlichkeit.«[11] Bei diesem Werk kommen automatisch Gedanken an einen weiteren proto-konzeptuellen französischen Künstler: an Yves Klein und seine Ausflüge in die Unendlichkeit.

Für Morellet jedoch, der ja im Wesentlichen, oder instinktiv, von Grund auf postmodern ist, verkörpert die transzendentale, phytagoreische Person auf der Suche nach der Unendlichkeit lediglich eine Maske, ein Spiel, eine Parodie. Vielleicht gab es ja unter den Neupythagoreern zu Beginn des Römischen Reiches jemanden, der im Stile eines bildhaften Scherzes der antiken Sphärenmusik zynische Elemente beimischte; ansonsten wäre Morellet der Erste – nachgewiesene – verspielte Pythagoreer unter den an ihre Schweigepflicht gebundenen Leben-oder-Tod-Jüngern. Er fühlt sich jedoch nicht sonderlich gebunden: Er verkündet vielmehr, dass seine Suche nach einer unendlichen und sich ständig verändernden Linie auf der Grundlage der Zahl π ein »frivoles Abenteuer«[12] sei.

»Es sei denn, eine (seiner) Fährten würde eines Tages erweisen...«[13]

1    Michael Newman und Jon Bird bestätigen in der Einleitung zu dem von ihnen veröffentlichten Buch *Rewriting Conceptual Art* (London 1999), dass Edward Kienholz Ende der fünfziger Jahre bereits von Concept Art gesprochen hat; aber sie versehen dies nicht mit einer Quelle, und dem Verfasser war es auch nicht möglich, diese zu bestimmen. Walter Hopps, der zusammen mit Kienholz die Ferus Gallery in Los Angeles gegründet hat und 1996 die Retrospektive Kienholz im Whitney Museum, New York veranstaltete, erinnert sich ebenso nicht an derartige Äußerungen. Bekannt ist jedoch, dass Kienholz 1963 begann, »concept tableaux«, Werke, von denen es lediglich ein Konzept gab und die erst nach dem Kauf aufgebaut werden sollten, anzubieten. Siehe Walter Hopps (Hrsg.), *Kienholz: A Retrospective*, New York, Whitney Museum of American Art, 1996, S. 110–111.
2    Serge Lemoines Morellet gewidmetes Buch wurde 1996 im Verlag Éditions Flammarion in Französisch herausgegeben. Die erste dreisprachige Ausgabe in Deutsch, Englisch und Französisch (Zürich 1986) fand nur geringen Absatz. Es ist bedauerlich, dass die Ausgabe von 1996 nur in Französisch veröffentlicht wurde: Allein in Frankreich widersetzt man sich so unerbittlich der zweiten Weltsprache, dem Englischen (in keinem anderen Land würde das je so gehandhabt), als wolle man sagen, »es ist uns völlig egal, was Ihr von uns denkt oder sagt, solange wir verstanden werden; wir genügen uns selbst« usw. Wenn Morellets Werk selbst nicht auch jenen gallischen Stolz angenommen hätte, dann wäre es bereits in die Kunstgeschichte eingegangen.
3    Dieses urplötzliche akademische Interesse wurde geweckt durch einen französischen Katalog: *L'Art conceptuel, une perspective*, Paris, Musée d'Art moderne de la Ville de Paris, 1989. Robert Morgans Werk *Between Modernism and Conceptual Art*, 1996 erschienen, ist wenig bekannt. Erst Ende des Jahrtausends öffneten sich die Schleusen mit Tony Godfreu, *Conceptual Art*, London 1998; Michael Newman und Jon Bird, a.a.O. (Anm. 1); Alexander Alberro und Blake Stimson (Hrsg.), *Conceptual Art: A Critical Anthology*, Cambridge (Massachusetts), Massachusetts Institute of Technology, 1999. Das Werk, das den Beiträgen außerhalb New Yorks die größte Bedeutung beimisst, stammt von Luis Camnitzer, Jane Farver und Rachel Weiss (Hrsg.), *Global Conceptualism: Points of Origin 1950s–1980s*, New York, Queens Museum of Art, 1999.
4    Jan van der Marck, »François Morellet or the Problem of Taking Art Seriously«, in: *François Morellet: Systems*, Ausst. Kat., Buffalo (New York), Albright-Knox Art Gallery, 1984, S. 12. Wiederauflage in Französisch unter dem Titel »François Morellet, ou de la difficulté de prendre l'art au sérieux«, in: *Morellet*, Ausst. Kat., Paris, éditions du Centre Pompidou/Amsterdam, Stedelijk Museum, 1986, S. 206.
5    Ebd., S. 206.
6    Ebd.
7    Victor Vasarely, zitiert nach Jan van der Marck, a.a.0. (Anm. 4), S. 14.
8    Zitiert nach Jan van der Marck, a.a.O., S. 206.
9    François Morellet, »Les cheminements de π«, in: *François Morellet dans l'atélier du Musée Zadkine*, Paris, Musée Zadkine, 1999, S. 5–9.
10   Ebd., S. 7.
11   Ebd.
12   Ebd., S. 9.
13   Ebd.

# Gibt es den idealen Betrachter?

*Arnauld Pierre*

»Ich war und bin auch weiterhin davon überzeugt, dass Künstlern eine übermäßig große Rolle zukommt im Verhältnis zum Betrachter. Hier gilt es, die Kunstgeschichte umzuschreiben.«[1]

Die Aufmerksamkeit, die François Morellet stets dem Betrachter widmet, sein Bedürfnis, ihn in zunehmendem Maße in all seine ästhetischen Überlegungen einzubeziehen, ist nicht der geringste Beweis für die überzeugte Offenheit, mit der er ihm begegnet. Natürlich liegen diesem Verhalten auch ebenso entscheidende strategische Überlegungen zugrunde. Denn eine Neubewertung der Rolle des Betrachters im Zusammenspiel mit dem Künstler und seinem Werk dient obendrein der Zerstörung der Legende vom schöpferischen Vorgang und einer vom transzendentalen Bewusstsein »bewohnten« Kunst: Die Aufwertung des Betrachters soll dazu beitragen, den Künstler von seinem Sockel zu stürzen.

Aber soll nun dieser neu umworbene Betrachter seinerseits diesen einnehmen? Gewiss nicht, denn er ist ein ebenso nackter Kaiser wie zuvor der Künstler. Wenngleich es an der Zeit ist, der Verherrlichung in Bezug auf die Rolle und den Status des Künstlers ein Ende zu setzen, muss jedoch auch mit einer anderen, eng damit verbundenen Art von Trugbild Schluss gemacht werden: mit der Sinngebung, wonach dem Kunstwerk eine innere Notwendigkeit von höherem Rang innewohne, mit der tiefsinnigen Bedeutung eines Werkes, die ihm seine Existenzberechtigung verleiht. Und es ist genau diese Stelle, an der der Schuh drückt. Denn es ist in erster Linie der Betrachter, den dieses letztgenannte Trugbild tangiert, und in der Mehrzahl der Fälle ist auch er es, der sich schuldig macht, es aufrechtzuerhalten und sogar mit einer erläuternden Bedeutung – der er sich dann nur allzu gerne ausliefert – zu überbieten. Es handelt sich um die berühmt-berüchtigte »Picknick«-Theorie, eine ironische Theorie der Rezeption, gemäß der »die bildenden Künste den Betrachter in die Lage versetzen sollten, alles, was er sucht, zu finden, das heißt, was er selbst mitbringt. Kunstwerke sind demnach eine Art Picknickplätze, spanische ›merenderos‹, wo man das verzehren kann, was man selbst mitgebracht hat.«[2] Daher hört man durchaus zu Recht einiges Zähneknirschen, wenn ein Künstler kurz und bündig verkündet: »Betrachter sind genial…«[3]

Und sind sie es denn etwa nicht? Es geht schon so weit, dass sie selbst den Künstler manchmal in Verwunderung setzen »mit all dem, was sie seine Arbeiten sagen lassen, wo sie doch in der Absicht gemacht waren, absolut nichts zu sagen«[4], und das, obwohl es selbst »in der Bildhauerei (eigentlich) nichts zu verstehen gibt«. Diese Haltung wird noch radikaler zum Ausdruck gebracht, wenn es um abstrakte Kunst geht: »Abstrakte Kunst hat keinen Aussagewert. Sie enthält keinerlei Botschaft. Es handelt sich lediglich um ein System von Zeichen, die auf nichts anderes verweisen als auf einen selbst.«[5]

Hier verbündet sich Morellets Stimme mit der von François Molnar,[6] ab 1956 seine Hauptstütze auf der Suche nach einer auf vernunftgemäßen Grundlagen begründeten »Semantik der abstrakten Kunst«. Einerseits könnte sie den immerzu interpretationsfreudigen Betrachter-Empfänger-Kommentator zum Schweigen bringen und zu weniger ungerechtfertigten Ansprüchen seitens des »Demiurgen« – des Künstlers – zurückführen, bezogen auf eine Macht, die er ohnedies aus mehr als zweifelhaften Quellen innehat.

In »À la recherche d'une base«, einem Text, der 1958 anlässlich der Morellet-Ausstellung in der Galerie Colette Allendy veröffentlicht wurde, ordnete François Molnar seinen Freund schon in einen Künstlerkreis ein, für den die »innere Notwendigkeit« – auf die die Vorkämpfer der Abstraktion so großen Wert legten – bereits eine ungenügende Rechtfertigung für die schöpferische Tätigkeit darstelle, und der nach dem, was man sieht und was man malt, den im schöpferischen Vorgang enthaltenen physiologischen Mechanismen und psychophysischen Vorgängen frage. Und dies mit dem bereits von Cézanne aufgezeigten Ziel (das in den grundsätzlichen Zweifeln und fortwährenden Ausflüchten seinen Ursprung hat, die dem ersten Pinselstrich vorausgehen), »die Willkür auf ein absolutes Mindestmaß zu reduzieren«.[7]

Wie in den schönen Tagen des Neoimpressionismus, macht sich hier der Traum von einer bisher ausgeschlossenen »Kunstwissenschaft« erneut in einer kleinen Randgruppe von Künstlern bemerkbar, die sich die kämpferischen Argumente zur Rechtfertigung der Gründung ihrer Gruppe gegenseitig wie Echos zuwarfen. Vasarely, einer der ersten Morellet-Sammler, nahm seine Bewunderung für ihn zum Anlass, um das, was im Idealfall eine Rede über kompetente Kunst in Bezug auf das Objekt ist, zu beschreiben, das heißt antiliterarisch, antipoetisch, antisubjektiv und dennoch der Sprache »der verschlüsselten bildenden Künste«, der »neuen Wissenschaft (der) lediglich angedeuteten Formbarkeit« abgerungen, jener Kunstwissenschaft, die dem Gedanken »so großen Wert wie Molnar«[8] beimisst.

Zuvor hatte François Molnar ausgerechnet an Vasarely seine Gedanken zum Thema der Aussagekraft abstrakter Bilder geschärft, die dann in dem von Morellet mitunterzeichneten Text wieder aufgegriffen wurden. So hatte er zum Beispiel bereits behauptet, dass »es über die Malerei absolut nichts zu sagen gibt« und dass »das Bild genau das darstellt, was man darin sieht«. Im Zusammenhang mit dem »Gefühl der Evidenz«, welches Vasarelys Werk vermittelt, bestätigte er, dass »seine Bilder keinerlei subjektive Interpretation zulassen«; im Gegenteil, »das, was man sieht, kann mit objektivsten Mitteln beschrieben werden«. In einer interessanten Vorwegnahme des tautologischen Diskurses über Minimal Art in den USA bekräftigte er erneut, dass Vasarelys Kunst »das darstellt, was man in ihr sieht«[9] – eine Formel, die Morellet zu diesem Zeitpunkt durchaus auch für sich in Anspruch hätte nehmen können.

Wenn dem Werk neben der eigenen Sichtbarkeit keinerlei Bedeutung zukommt, dann kann es – ja muss es sogar – als Werkzeug zur Analyse ihrer Modalitäten eingesetzt werden und den methodischen Weg einer experimentellen Ästhetik einschlagen, einer Ästhetik, die der Aktualisierung der Grundregeln der visuellen Erfahrung gewidmet ist. Denn nur sie alleine kann in die an-

gestrebte Kunstwissenschaft münden. »Wir bemühen uns, ein wenig klarer zu sehen«, erklärte Morellet im Jahr 1958. »Wir bedienen uns hierfür der einfachsten und unmissverständlichsten Sprache und bemühen uns, alle großen gestalterischen Fragen einzeln anzupacken. Wir sind davon überzeugt, dass wir aus den einfachsten Formen (zum Beispiel geometrischen Elementen) nicht nur eine tiefe ästhetische Genugtuung, sondern auch ein immer besseres Verständnis für unser eigenes ästhetisches Empfinden gewinnen können.«[10] Der Gebrauch der ersten Person Plural ist bedeutsam: Er reiht bereits das entmystifizierende Wort des Künstlers – dessen Subjektivität obendrein auf ein Mindestmaß reduziert ist – in die Stimmen ein, die sich ihm in dem Bestreben anschließen, vor allem kollektiv und anonym zu sein.

Nach der Gründung eines Zentrums 1960 in Paris, das später in Groupe de Recherche d'Art Visuel (GRAV) umbenannt wurde, breitete sich diese Geisteshaltung des Dreigestirns Molnar-Morellet-Vasarely im Übrigen sehr schnell aus, auch aufgrund der Kontakte mit verschiedenen Mitgliedern (Künstlern und anderen Gruppen) der Nouvelle Tendance[11]. Selbst nachdem die Frage, ob diese »programmatische experimentelle Malerei« (Morellet) auf das Atelier begrenzt bleiben sollte oder ob sie sich in den gewöhnlichen Kunstbetrieb (Galerien, Sammlungen, Museen) einreihen könnte, durch den Bruch mit den unnachgiebigsten Vertretern einer ausschließlich experimentellen Kunst gelöst wurde,[12] betrachteten Morellet und die anderen Mitglieder der GRAV die »Kodifizierung der Zeichen, Netze, Strukturen und gewisser physischer oder optischer Konstanten« weiterhin als eine vorrangige Aufgabe »in dem Bestreben, von dem ›optischen Phänomen‹ Kenntnis zu erlangen«[13]. Der Betrachter ist dabei keineswegs abwesend, im Gegenteil, es handelt sich hierbei um »die Bereicherung des Bewusstseins, welches der Betrachter von der Natur seiner eigenen optischen Wahrnehmung hat«, um ihm »eine noch vollkommenere Beherrschung des Mechanismus seiner eigenen Wahrnehmung« zu ermöglichen.[14]

Für Morellet selbst, der angibt, sich mehr »für die Physiologie des menschlichen Auges zu interessieren als für die verfeinerte Kultur einiger weniger Betrachter«, beweist dieser Denkansatz den Willen, »den direktesten Zugang zum Auge des Betrachters zu finden«.[15] Der Betrachter, an den man sich wendet, ist demnach das Spiegelbild des Künstlers, der auf seine Fähigkeit, ihm

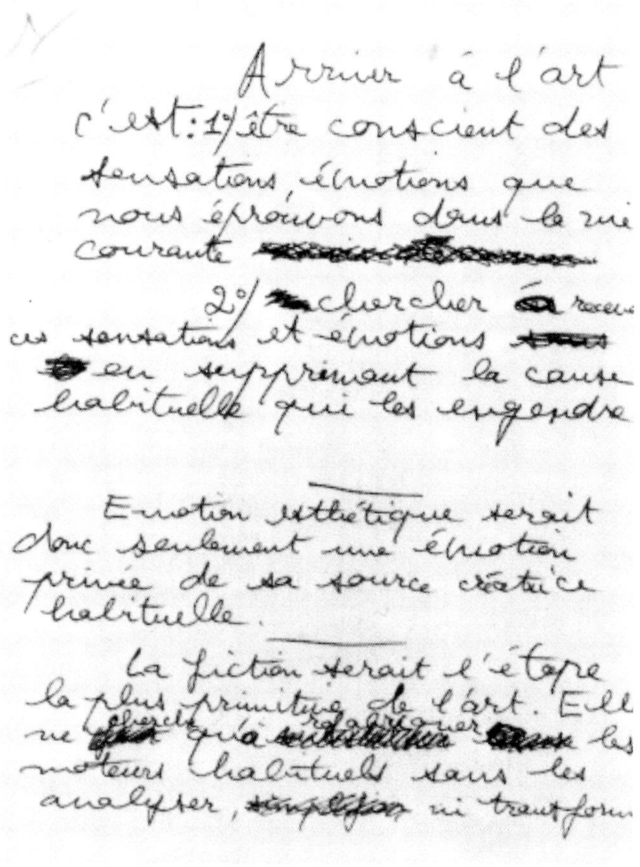

Arriver à l'art
c'est : 1/ être conscient des
sensations, émotions que
nous éprouvons dans la vie
courante ~~————————~~

2/ ~~—~~ chercher à ~~———~~
ces sensations et émotions ~~————~~
~~—~~ en supprimant la cause
habituelle qui les engendre

Emotion esthétique serait
donc seulement une émotion
privée de sa source créatrice
habituelle.

La fiction ~~serait~~ l'étape
la plus primitive de l'art. Elle
ne ~~————~~ qu'à ~~————————~~ ~~————~~ les
moteurs habituels sans les
analyser, ~~————————~~ ni transformer

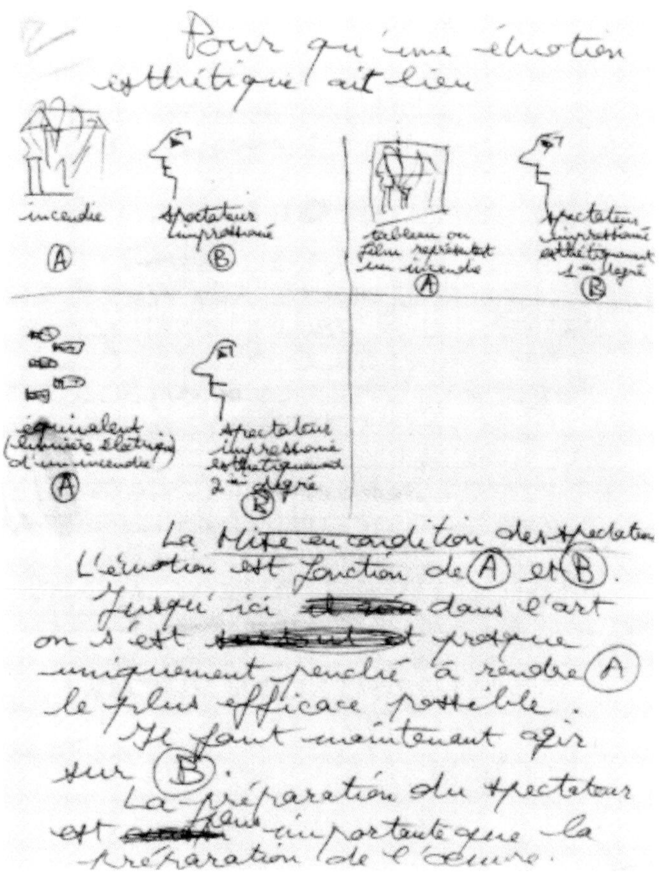

Pour qu'une émotion
esthétique ait lieu

La Mise en condition des spectateurs
L'émotion est fonction de (A) et (B).
Jusqu'ici ~~————~~ dans l'art
on s'est ~~————————~~ et presque
uniquement penché à rendre (A)
le plus efficace possible.
Il faut maintenant agir
sur (B). La préparation du spectateur
est ~~————~~ importante que la
préparation de l'œuvre.

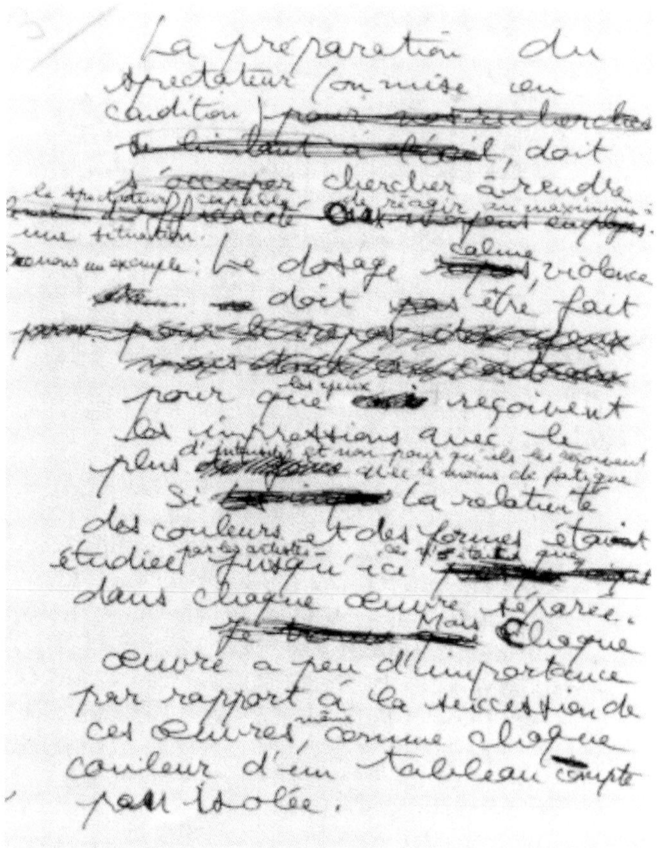

La préparation du
spectateur (ou mise en
condition) ~~————————————————~~
~~————————————~~ il, doit
~~————~~ chercher à rendre
~~————————————————————~~
~~————————~~ une situation.
~~————~~ en exemple : Le dosage ~~————~~, violence
~~————~~ doit ~~————~~ être fait
~~————————————————————————~~
~~————————————————————————~~
pour que ~~————~~ reçoivent
les impressions avec le
plus ~~————————————————~~
Si ~~————~~ la relativité
des couleurs et des formes était
étudiée jusqu'ici ~~————————~~
dans chaque œuvre séparée.
~~————~~ Chaque
œuvre a peu d'importance
par rapport à la succession de
ces œuvres, comme chaque
couleur d'un tableau ~~——~~
peu isolée.

Entwurf des Textes »Mise en condition du spectateur«, verfasst zwischen 1964 und 1966

19

im Namen einer geradezu heiligen Eingebung Bedeutungen zu vermitteln, verzichtet. Unter diesen Umständen ist der Betrachter ausschließlich dem Sehvermögen seines Sehorganes ausgeliefert; und es versteht sich von selbst, dass dieses Sehorgan keine von jeglicher Subjektivität befreite Kommunikation zulässt, handelt es sich doch um ein Organ, das lediglich von einem trügerisch seiner Affekte und seines Gedächtnisses beraubten Betrachter eingesetzt wird. Einem Betrachter, bei dem all dies ausgeblendet wird und dem jegliches Sichtreibenlassen dieses Sinnesorganes untersagt ist, der jedoch weiterhin einen aktivierten Blick besitzt, der als Erfahrungsobjekt dienen kann und anhand dessen die Gesetze des Sehvermögens gemessen werden können. Was den Künstler angeht, so fällt ihm nicht nur der Spielball des Zufalles zu, sondern auch die experimentell erprobten Gewissheiten der Wahrnehmungspsychologie.

> »Wenn meine Arbeiten tatsächlich seit 1950 mit dem Raum flirten, dann mit dieser ganz besonderen Art von Leere, die aus der Abwesenheit von ›Natur‹ entsteht. (...) Eine Rechtfertigung für diese ›denaturierten‹ Arbeiten lässt sich aus der Tatsache ableiten, dass sie im Einklang mit einer Welt, wie ich sie sehe, stehen, die ja auch ›unnatürlich‹ ist, die sich ihres Gottes und seiner Überbleibsel entledigt hat: der Idee der ›Natur‹.«[16]

Der vergeistigte Blick, der nach einem Künstler ohne Heiligenschein strebt, ist auch gewissermaßen ein »unnatürlicher« Blick. Er sieht sich zwar nicht mehr gezwungen, Formen zu erkennen, vor allem nicht mehr in ihrer diskriminierenden Beziehung zum Hintergrund – einem allzu deutlichen Überbleibsel der phänomenalen Welt, der »Natur« –, aber auch keine Komposition, den sinngebenden Hintergrund eines ordnenden Bewusstseins. Die sich ihm unterordnende Formstruktur begünstigt keineswegs derartig einfache Wiedererkennungsvorgänge, sondern entmutigt sie vielmehr von Anfang an und setzt sich gegen die natürliche konstruktive Kraft zur Wehr, die bei der optischen Wahrnehmung spontan zum Ausdruck kommt, gegen diese Tendenz aufzubauen, zu überarbeiten, anzuordnen, die normalerweise die forschende Bewegung der Augen auslöst und die die Gestalttheoretiker mit »der Hand des Baumeisters«[17] vergleichen – wenn weder der Künstler selbst noch der

Betrachter mehr einen Standpunkt beziehen muss: Die Erfindung einer Bildstruktur, die die althergebrachte Trennung von Bildinhalt und -hintergrund zur gleichen Zeit aufgegeben hat wie jegliche kompositorische Anwandlung, wird am höchsten gewertet.

Die Trennung von Inhalt und Hintergrund innerhalb des Bildes ist ein hierarchisierender Vorgang, der daran erinnert, was beim »natürlichen« Sehvorgang geschieht, dass nämlich die Figur in Bezug auf den Hintergrund systematisch bewertet wird. Nachdem die Figur nach wie vor mit der größten Anziehungskraft ausgestattet ist, steht sie zwangsläufig immer im Mittelpunkt des Sehvorganges, während der Hintergrund nur peripher wahrgenommen wird. Der Bildinhalt befindet sich also in dem Wahrnehmungsfeld, auf das sich das Auge bevorzugt richtet, dort, wo die Wahrnehmung am reichsten und am detailliertesten ist. Dies führt dazu, dass wir im realen Leben die Dinge selbst gut sehen, aber nicht die Zwischenräume, die sie trennen.

In Morellets Œuvre beginnt der Kampf gegen diese diskriminierende Fähigkeit praktisch im Jahr 1950, und zwar mit einer Reihe von Bildern in ausgesprochen blassen Farben, die in ein zartes Liniennetz eingefasst sind und die kaum einen farblichen Kontrast und demnach auch keine räumliche Bewertung zulassen, etwa in *Peinture*[18] (Malerei, 1950, Privatsammlung). Diese Position ist auch noch in einem formellen Kontext des Jahres 1957 zu finden, bei einem Werk wie *2 500 carrés* (2 500 Quadrate, 1957, Privatsammlung). Hier aber steht sie im Wettstreit mit einem buchstäblich widersprüchlichen Anliegen, nämlich durch Gegenüberstellung der Farben Schwarz und Weiß oder von Weiß und einer sehr kräftigen Farbe den größtmöglichen Kontrast zu erzeugen und somit, aufgrund ihrer fortwährenden Wechselfolge, die Übertragbarkeit des Bildinhaltes und des Bildhintergrundes hervorzurufen (*Lignes parallèles* [Parallele Linien], 1957, Stedelijk Museum, Amsterdam, Abb. S. 12).

Der Sieg über dieses Andenken an die natürliche Form wäre nicht vollkommen ohne seinen Folgesatz, die Aufgabe jeglicher kompositorischen Struktur, der in einer vollständigen Vereinheitlichung und Homogenisierung des Bildfeldes mündet. Solche Eigenschaften werden ab 1952 durch die Wiederholung und Gegenüberstellung kleiner gleichartiger Einheiten bewerkstelligt, unter anderem durch Dreiecke in *Peinture* (Malerei, 1952, Musée national d'Art moderne, Paris), die Verschachtelung einfacher Formen, wie die Kreuze in *Violet bleu vert jaune orange rouge* (Violett Blau Grün Gelb Orange Rot, 1953, Musée national d'Art moderne, Paris, Abb. S. 41), die Ausdehnung regelmäßiger Liniennetze von Rand zu Rand (*90° 90° 45° 45° etc.*, 1957, Privatsammlung) oder Strichfolgen, so etwa bei *Tirets (peinture)* (Striche [Malerei], 1960, Privatsammlung). Schließlich auch durch den Einsatz von systematischen Gittern und Rastern, die am besten durch die lapidare Einfachheit des Kartengitternetzes in *16 carrés* (16 Quadrate, 1953, Städtisches Museum Abteiberg, Mönchengladbach, Abb. S. 126) verdeutlicht werden.

In ihrer offenkundigen Verschiedenheit spielen alle Bestandteile mehr oder weniger bewusst mit den Gesetzen der Nähe und der Ähnlichkeit (die den Mechanismus beschreiben, mittels dessen sich die wahrgenommenen Elemente mit den nahe stehendsten und ähnlichsten verbinden). Dem liegt das Bestreben zugrunde, die gewünschte tafelförmige Wirkung zu erzielen, diesen »Teppicheffekt«, dem die modernistischen amerikanischen Kritiker unter Bezugnahme auf Beispiele ihrer eigenen Maltradition den Namen *all-over* gaben.

Das All-Over verkörpert hier die wirksamste Methode, einer subjektiven Bewertung der Komposition entgegenzutreten und sie durch die neutrale Wahrnehmung eines Kontinuums zu ersetzen. Die herkömmliche Komposition, die ja immer die Einheit anstrebt, bewertet weiterhin die ungleichmäßigen Bestandteile des Bildes. Diese sind *per se* durchaus von Interesse und ihre Mechanismen können je nach mehr oder weniger komplexen und wohl durchdachten Spielregeln des Gleichgewichtes und des Ungleichgewichtes den Schlüssel zu dem demiurgischen Gedanken des Künstlers liefern. Die nicht kompositorische Struktur des All-Overs setzt sich als vollkommene, homogene und der Summe ihrer Bestandteile überlegene Einheit durch, die aufgrund ihrer indifferenten Banalität und ihrer sich gänzlich wiederholenden und vorhersehbaren Eigenschaft selbst nur ungenügend in der Lage ist, Interesse zu wecken. Hiermit durchbricht der Künstler die psychologischen Bande zwischen sich und seinem Werk, er verlässt den Mittelpunkt des Bildes – und dem Betrachter bleibt gar nichts anderes übrig, als ihm zu folgen.

Denn der Verlust dieser Mitte, der durch den Verzicht des Künstlers besiegelt wird, beeinflusst in gewisser Weise auch den Betrachter auf dem Wege der durch die tafelförmige Anordnung des Bildes angeregten Wahrnehmung. Diese Anordnung ist ganz darauf ausgerichtet, die Fesselung des Blickes zu verhindern und alle Zentrierungseffekte, die eine relative Überbewertung eines Bereiches des Blickfeldes im Verhältnis zu den übrigen mit sich bringen würde, zu vermeiden.

In *Répartition aléatoire de 40 000 carrés suivant les chiffres pairs et impairs d'un annuaire de téléphone* (Zufällige Verteilung von 40 000 Quadraten, den geraden und ungeraden Ziffern eines Telefonbuchs folgend, 1961, Privatsammlung) verhindert die Multiplikation der modularen Einheiten eine Umgruppierung der Farben; diese sind homogen, wenn nicht sogar absolut gleichmäßig verteilt. Diese Wirkung wird überdies durch den ausgeprägten Kontrast und durch das leuchtende Blinken verstärkt, das sie auslöst: Die breite Streuung der visuellen Anregungen auf der »pixelisierten« Oberfläche gestattet keinerlei formelle Wahrnehmung.

Das Ergebnis beruht auch auf der Beziehung, die der Künstler zwischen dem Format des Rasters und dem des Bildes gewählt hat (ein Quadrat von 100 cm pro Seite) – das heißt, es ist auch eine Frage des Maßstabes. Sobald dieser abgeändert wird, fällt man zurück in traditionellere Sehweisen, wie zum Beispiel in dem Triptychon *Répartition aléatoire de triangles suivant les chiffres pairs et impairs d'un annuaire de téléphone* (Zufällige Verteilung von Dreiecken, den geraden und ungeraden Ziffern eines Telefonbuchs folgend, 1958, Musée de Grenoble): Das erste Bild präsentiert eine in kleine Einheiten verzettelte Oberfläche, auf der der Blick vergeblich eine Organisationsform sucht, während auf den nächsten beiden Bildern – die ein Detail des ersten auf einer gleichförmigen Fläche zeigen – der Blick des Betrachters zu immer einfacheren schwarzen Formen vor einem weißen Hintergrund hingeführt wird.

Eine weitere Möglichkeit, jegliche Bündelung zu vermeiden, könnte darin bestehen, die Anzahl zu multiplizieren, den Blick in der Menge möglicher Polarisationspunkte zu ertränken – wie zum Beispiel teilweise in *4 doubles trames traits minces 0°–22°5–45°–67°5* (4 Doppelraster mit feinen Strichen 0°–22°5–45°–67°5, 1958, Musée national d'Art moderne, Paris) und in Bildern, die sich auf ein ähnliches System der Überlagerung von verschobenen, rechtwinkligen Rastern stützen. Sie sind so angelegt, dass ihre Anordnung rosettenförmig Motive aufscheinen lässt, von deren Mittelpunkt aus die

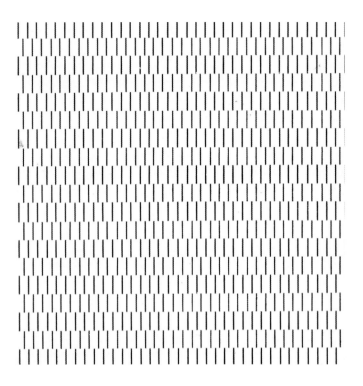

*Striche (Malerei)*, 1960

Morellet in seinem Atelier vor *Zufällige Verteilung von Dreiecken, den geraden und ungeraden Ziffern eines Telefonbuchs folgend*, Cholet, 1958

*40 000 Quadrate*, Paris, Biennale, 1963

22

Linien auszugehen scheinen – allerdings kann keine von ihnen den einzigen, sie erzeugenden Mittelpunkt durchqueren, so verschachtelt ist das sich auf der Oberfläche entfaltende grafische Gesamtsystem. Von diesem unauffindbaren Mittelpunkt wird der Blick in einigen Windungen – im Verlauf derer er die ständige Wiederholung der Linienknoten wahrnimmt, die er für Fixpunkte gehalten hatte – zu den Rändern des Bildes geführt, dessen Zentrifugalkraft ihn letztendlich wieder vertreibt.

In diesem Zusammenhang scheint das viereckige Format, das Morellet praktisch ausnahmslos seit 1953 verwendet, durchaus schlüssig zu sein: Es bevorzugt keine Richtung, weder die anthropomorphe Vertikale, noch die landschaftliche Horizontale, und es trägt zur Beseitigung jeglicher Erinnerung an die phänomenale Struktur der Welt bei, indem es eine gleichförmige Ausdehnung von gleich bleibender Intensität des physischen Malfeldes gewährleistet. Sein Isomorphismus stellt die doppelt neutralisierenden Zielsetzungen des All-Overs sicher: die Neutralisierung des subjektiven Mittelpunktes des Kunstwerks und die Neutralisierung des Mittelpunktes der Betrachtung, von dem aus der Betrachter die Pseudo-Interiorisierung[18] vornehmen könnte, die der Künstler ihm aber ebenso wenig zutraut, wie er an seine eigene glaubt.[19]

> »Wenn die anderen Sinne bei der Betrachtung eines Werkes optischer Kunst vorübergehend neutralisiert werden könnten, dann gäbe es sicherlich keine weiteren Probleme als die Frage, wie man den Blick am besten schärfen könnte [...]. Aber die übrigen Sinne bestehen und die Empfindsamkeit für Geräusche, Gerüche, Kontakte und Wärme bleibt gleichermaßen aktiv, so dass man weder Geräusche, Gerüche, Kontakte noch Wärme ausschalten kann.«[20]

Das erste *Labyrinthe* (Labyrinth), welches von der GRAV anlässlich der 3. Biennale von Paris im Herbst 1963 aufgebaut wurde, öffnete sich in Form eines beinahe kubistischen Raumes, dessen Wände und Decke mit einer Tapete bedeckt waren, die das willkürliche Raster der *40 000 carrés* (40 000 Quadrate) in Blau und Rot bis ins Unendliche wiedergab, und das unter der Einwirkung einer grellen elektrischen Beleuchtung blinkte und »eine so intensive Schwingung verursachte, dass sie den Betrachter dazu zwang, das Bildnis in seiner kontinuierlichen Instabilität und aufgrund der physiologischen Beschaffen-

heit des Sehorgans nach einem vorübergehenden und unvorhersehbaren Vorgang zu erkennen«[21]. Dieses Environment kann nicht einfach als eine Erweiterung vorangegangener Arbeiten betrachtet werden, sondern verdeutlicht vielmehr die veränderte Vorstellung, die Morellet und die anderen Vorkämpfer der Gruppe vom typischen Betrachter hatten.

In ihrer ursprünglichen Fassung wichen die Bilder und Serigrafien auf Tafeln der Serie *40 000 carrés* kaum vom Format 80 x 80 cm, beinahe ein Standardformat, ab. Selbst in ihrer Ausführung auf Leinwand, mit den Maßen 100 × 100 cm, blieben diese Arbeiten von Anfang an auch weiterhin absolut begreifbar; diese Arbeiten, die weder besonders klein- noch großformatig waren, evozierten spontan bei der Betrachtung einen Abstand, bei dem sich der Betrachter immer in einen Blickwinkel von 30 Grad stellte, und erfüllten somit die Voraussetzungen einer vereinheitlichenden und homogenisierenden Betrachtungsweise.

Das Werk des Jahres 1963 verlangte plötzlich – indem es diese Formate abkoppelte, ohne jedoch das Format des modularen Gitters aufzugeben – größere Anstrengungen vom Betrachter an der Peripherie des Blickfeldes, indem es forschende Bewegungen mit sich zog, (vergebliche) Versuche des Festhaltens, die zu motorischen Reaktionen führten und die den Kopf, ja den ganzen Körper mit einbezogen.

Diese Auswirkungen waren zweifelsohne noch empfindsamer als bei *4 néons programmés* (4 programmierte Neons), die am Ausgang desselben Labyrinths installiert waren. Die Arbeit wurde nicht in der heutigen »bildmäßigen« Form, bei der die vier Tafeln (80 x 80 cm) zu einem einzigen Bild zusammengefasst werden, ausgestellt, sondern verkörperte ein durchaus vollständiges Environment, welches auf den Betrachter von allen vier Seiten in einer Zelle einwirkte, die in Dunkelheit getaucht war (Abb. S. 67). Der unvorhersagbare und entsynchronisierte Rhythmus des Ein- und Ausschaltens der Beleuchtung löste beim Betrachter eine Reihe von motorischen Reflexen aus, indem er ihn dazu zwang, seine Aufmerksamkeit auf alle Bereiche seines Sehvermögens zu konzentrieren. Getrübt durch die Persistenzeffekte auf der Retina, legt das Sehvermögen die durch die Lichteinwirkung entstandenen aufeinander folgenden Bilder auf das normale Wahrnehmungsvermögen. Die dem Betrachter innewohnende Aggressivität verhinderte eine kontemplative Haltung, hielt ihn aber in einer Art prüfenden Überempfindlichkeit, aus der es nur einen Ausweg gab: das Verlassen dieser Stimulationszelle.

Bereits 1961 vertrat die GRAV die Auffassung, dass die Anregung des peripheren Sehvermögens als Mittel zur Schaffung von *Unbeständigkeit* im Blickfeld eingesetzt werden könne, und wagte sich bei dieser Gelegenheit an bestimmte Werte, die normalerweise mit dem fortbestehenden und dauerhaften Charakter des Kunstwerks verknüpft werden; das Traktat »Assez de mystifications« enthält eine Passage über die Notwendigkeit, die gewohnheitsmäßige Funktion des Auges (Kenntnisnahme der Form und ihrer Rapports) in Richtung eines neuen Sehverhaltens auf der Grundlage des peripheren Sehvermögens und der *Unbeständigkeit zu verlagern*.[22]

Als Gegenleistung für dieses verstärkte Bemühen der Sinne und der Sensomotorik enthielten François Morellets dynamogenetische Environments auf der Biennale von Paris die Möglichkeit, einen der weiteren Vorschläge des Traktates von 1961 zu überschreiten, indem »das Werk auf einen ausschließlich optischen Sachverhalt begrenzt wird«.

Hier rühren wir im Übrigen an einem der fruchtbarsten Widersprüche der praktischen und theoretischen Aktivitäten der GRAV, die zwar ständig das Primat der Visualität bekräftigte (häufig wird vergessen, dass schon vor dem *Labyrinthe* des Jahres 1963 in den Schulen eine Anatomietafel mit einer Schnittzeichnung des Auges verwendet wurde)[23], sich aber gleichermaßen gezwungen sah, alle Bestandteile des menschlichen Sensoriums zu berücksichtigen. Dies setzte ab dem Zeitpunkt ein, von dem an vom Betrachter ein aktives Mitwirken gefordert wurde – der eigentliche Prüfstein der Gemeinschaftsarbeiten der Gruppe –, welches in zunehmendem Maße ein körperliches und ganzheitliches, das heißt polysensorisches Verhalten auslöste. Etwa mit der Forderung, »Geräusche, Gerüche, Kontakte, Wärme« nicht außer Acht zu lassen, schien Morellet seine eigene anfängliche Konzeption des im Idealfall vergeistigten Betrachter-Auges hinter sich zu lassen, um die Wahrnehmung erneut zu verdichten und dem Herzstück des Sehvermögens wieder Substanz zu verleihen.

»Nehmen wir doch einmal die Wärme, deren Einfluss auf die ästhetische Wahrnehmung ja nie richtig untersucht wurde. Es liegt auf der Hand, dass je nach Raumtemperatur, zum Beispiel 10° C höher oder niedri-

ger als die Außentemperatur, das Rot einer Wand mehr oder weniger grell erscheint. Denn wenn es zutrifft, dass ein rotes Umfeld den Eindruck von Wärme vermittelt, dann muss große Hitze den Eindruck der roten Farbe verstärken.«[24]

Derlei Überlegungen wurden bereits durch eine Installation wie *Flash sur ROUGE* (Blitz auf ROT, Abb. S. 25) vorweggenommen, die 1964 im zweiten *Labyrinthe* der GRAV im Musée des Arts décoratifs in Paris gezeigt wurde. Die Farbe Rot wurde durch einen starken elektronischen Blitz, der auf das in großen Lettern dargestellte Wort »ROUGE« gerichtet war, ausgelöst. Die Intensität und die Schlagartigkeit dieses Leucht- und Lichtphänomens, welches sich in einer auf drei Seiten geschlossenen Zelle von ca. $250 \times 200 \times 280$ cm entfaltete, war dergestalt, dass es das Sehvermögen sättigte oder sogar bis zu einem Punkt überflutete, an dem es eine physiologische Reaktion auslöste. Sie war vergleichbar mit einer gewissen Form von Unbehagen oder gar von Unwohlsein.

Die Eigentümlichkeit dieser Anlage bestand auch in der Tatsache, dass hier ein wahrhaft mentaler Raum geschaffen wurde, indem das wahrgenommene Phänomen mit dem Gefühl von Intensität oder gar von Aggressivität verknüpft wurde, welches gelegentlich mit dem Wort »Rot« assoziiert wird.[25]

Andere Anlagen stellten auf noch offenkundigere Weise die sensomotorischen Reaktionen der Betrachter, die zum selbsttätigen Mitwirken veranlasst wurden, in den Mittelpunkt ihrer Überlegungen. Das gilt im Besonderen für *Bowling lumineux* (Lichtbowling, Abb. S. 68), eines der Teile von *Proposition pour une salle de jeu / Participation active du spectateur* (Vorschlag für einen Spielsaal / Aktives Mitwirken des Betrachters). GRAV stellte es anlässlich der 4. Biennale von Paris im Jahr 1965 aus. Die Besucher sahen sich einem »Spielplatz« mit Kugeln gegenüber, bei dem sie das willkürliche Blinken der Glühbirnen einer riesigen Tafel auslösen konnten (Morellet verwendete hier die 64 Glühbirnen von *Allumage avec 4 rythmes superposés* [Beleuchtung mit 4 überlagerten Rhythmen], die er zwei Jahre zuvor ausgestellt hatte, erneut).

Diese Art von Arbeiten ist fester Bestandteil der Entmystifizierung der herkömmlichen Stellung des Künstlers: »Das Spiel«, sagt Morellet, »das aktive Mitwirken des Betrachters beim Schöpfungsvorgang oder bei der

*2 Raster aus interferierenden Neons auf 3 Wänden und 1 Decke,*
»60–72. Douze Ans d'art contemporain en France«, Paris, 1972

*Blitz auf ROT,* 1964

*Ohne Titel,* Aya Irini Kirche, Istanbul, 1987

*Transparence n° 2,* Westfälisches Landesmuseum, Münster, 1989

Veränderung eines Kunstwerks ist zweifelsfrei die von der romantisierenden allmächtigen Schöpferrolle am weitesten entfernte Auffassung des Begriffes ›Künstler‹. Die willkürlichen Genies, um die das 19. Jahrhundert seine Legenden gewoben hat, lösen sich vor den Augen des Betrachters auf.«[26]

Dessen Rolle ist jedoch keineswegs bequem: Auf demselben Parcours, bei *Bonbon Flash Klaxon* (Bonbon – Blitzlicht – Hupe), wird der Betrachter aufgefordert, das Doppelphänomen Klang und Licht selbst auszulösen, welches ihn gleichzeitig taub und blind werden lässt. Diese Probe wird zum Schluss mit herabfallenden Süßigkeiten belohnt, die ihm wahrscheinlich Entschädigung und Trost – wenngleich auf eine wirklich ironische Weise – spenden sollen.

Denn die erzieherische und feierliche Dimension soll ihm keineswegs die Bewertung dieses Teiles von Morellets Tätigkeit versüßen, in dem ja doch die Frage der Gewalt ganz bewusst und geradezu frontal angegangen wird. Die Blitze der *Boîte à flash* (Blitzlichtkasten, 1964, Privatsammlung), die Blaulichter der *9 lumières tournantes* (9 Rundumleuchten, 1963, Privatsammlung) und das Blinken der interferierenden Neontafeln stellen den Betrachter manchmal mit ihrer Lichtbombardierung auf die Probe und verkörpern das Gegengift, das der Künstler für das beruhigende Umfeld, für die »zustimmenden Schmeicheleien« einfordert, mit denen Werbung, Fernsehen, Markt und Politik den modernen Menschen einlullen.

In diesem Sinne sind die »respektlosen« Neonröhren, deren programmiertes Blinken in *Néon abscons* (Unklare Neonröhren, 1968) obszöne Motive zum Vorschein bringt oder in *Néons avec programmation aléatoire-poétique-géométrique* (Neonröhren mit zufällig-poetisch-geometrischer Programmierung, 1967, Privatsammlung; Abb. S. 156–157) gemeine und abwertende Zwischenrufe wie »cul«, »con«, »nul« (»Arsch«, »Arschloch«, »Nichts«) – oder jene der englischsprachigen Fassung *Néon bilingue aléatoire* (Zufällige zweisprachige Neons, 1971) –, nicht so sehr dem eigentlich unbedeutenden Humor des Künstlers François Morellet zuzuschreiben. Vielmehr können sie auch als ein Versuch angesehen werden, einen Keil in dieses Regeldiktat zu treiben, so als würden die Obszönitäten von Bruce Naumans Neonröhren sich zeitversetzt gegen die ästhetisierenden Aussagen seiner Generation durchsetzen

(*Run from Fear, Fun from Rear* [Wortspiel »rear«: hinten oder Hintern, Anm. d. Üb.], 1972).

»Selbst wenn ich davon überzeugt wäre«, sagt Morellet, »würde ich mich davor hüten, beweisen zu wollen, dass in bestimmten Augenblicken die Aggressivität, die Brutalität in der Kunst eine soziale Notwendigkeit darstellen; ich möchte lediglich etwas zu der Einsicht beitragen, dass sich unsere Gesellschaft [...] auszeichnet durch eine gänzliche Unterdrückung jeglicher Form von Aggressivität, von Brutalität in Bereichen wie Ästhetik, Ethik und Politik.«[27]

Welch ein Kontrast besteht zwischen des Betrachters Liebkosungen der Polyesterkugel, die das Beleuchtungssystem von *2 trames 0° 90° de tirets de néon blanc avec participation du spectateur* (2 Raster 0° 90° aus weißen Neonstreifen unter Beteiligung des Betrachters; 1971 installiert im Stedelijk van Abbemuseum, Eindhoven) oder *2 trames de néons interférentes sur 3 murs et 1 plafond* (2 Raster aus interferierenden Neons auf 3 Wänden und 1 Decke, 1972 in Paris anlässlich der Ausstellung »60 – 72. Douze Ans d'art contemporain en France«) enthält, und der Intensität der Beleuchtungseffekte, die sie auslöst! Eine Art natürlicher Einklang schien entdeckt worden zu sein zwischen Ursache und Wirkung, zwischen körperlichem Schock und visuellem Schock in Morellets Environment auf der Biennale von Venedig im Jahre 1970, bei der die Muskelkraft gegen einen *Punching Ball* das Lichtgewitter auslöste (Abb. S. 28). In beiden Fällen wie auch in Yaacov Agams Environment *Fiat Lux* (1967) – jedoch ohne deren mystisch-theologische Vorstellung – handelt es sich darum, mit einer Geste etwas sichtbar zu machen, das das Organische mit dem Optischen verbindet.

Den Körper erneut einzubeziehen bedeutete zu jener Zeit nicht nur, die betrachtenden Augen im Sinne der Gestaltlehre zugunsten der Beteiligung mehrerer Sinne aufzugeben, die erneut eine Gestalt annehmen und von allen Seiten gefordert werden, sondern auch unter Einbeziehung des »sozialen Körpers«[28], wie es in Morellets »Protestation« (Protest) heißt, gegen den »Geschmack der falschen Weichheit« und des »lächelnden und besänftigenden Aspektes«[29] der gesellschaftlichen Wirklichkeit, die häufig einen sehr viel trüberen Gang der Dinge verdeckt. Der nunmehr ins Auge gefasste Betrachter ist eine handelnde Person aus einer sozialen Wirklichkeit, auf die der Künstler dank seiner Mittlerrolle einwirken kann.

»Wenn die zeitgenössische Kunst ein soziales An-
liegen besitzt«, stellt ein Traktat der GRAV aus dem
Jahr 1963 heraus, »dann muss sie zwangsläufig auch
das soziale Umfeld – den Betrachter – berücksichtigen.
Im Rahmen unserer Möglichkeiten möchten wir den
Betrachter von seiner apathischen Abhängigkeit befreien,
die ihn dazu veranlasst, nicht nur das, was man ihm als
Kunst vorsetzt, sondern auch eine ganze Lebensform auf
passive Weise anzunehmen.«[30] So wie die partizipativen
Module der *Variations sur l'escalade* (Variationen zum
Thema Eskalation; »escalade«, d.i. (Berg-)Besteigung,
Erstürmung einer Festung oder Verschärfung, Anm. d.
Üb.), die die GRAV 1968 in der Albright-Knox Art
Gallery in Buffalo ausstellte, auf die zunehmende mili-
tärische Verstrickung der Vereinigten Staaten in Vietnam
hinwiesen, fand der Begriff der Mitbeteiligung großen
Widerhall in der zeitgenössischen gesellschaftspolitischen
Wirklichkeit. Dieser Slogan wurde von allen Befürwor-
tern einer gewissen Evolution des Kräftespiels im öffent-
lichen Leben aufgegriffen.[31]

Obgleich der viel zitierte Scherz von Morellet – gemäß dem die Auflösung der GRAV im Jahr 1968 die
logische Folge der direkten Übernahme der Verantwortung seitens der Öffentlichkeit für ihr eigenes Schicksal
war (ein Hinweis auf die Ereignisse des Monats Mai) –
eigentlich nicht ein solcher war: Im Mai 1968 nahm
die Politik der Mitbeteiligung, die unter anderem durch
die Infragestellung überholter ästhetischer Strukturen –
insbesondere hinsichtlich der Beziehung zwischen dem
Künstler und seinem Publikum – vorweggenommen wurde,
konkrete Gestalt an.

> »Aber warum hat man, zumindest in meinem Fall, den
> Begriff Environment durch Installation ersetzt? Sicher-
> lich, weil ich mich inzwischen mehr für den Raum als
> für den Zuschauer (und die Gesamtszenerie) interes-
> siere. In der Installation zählt tatsächlich in erster
> Linie der Raum; er war bereits vorher existent und er
> besteht weiter.«[32]

Zu Beginn der siebziger Jahre schien jedoch die
Frage nach dem Betrachter bei Morellet wieder mehr
in den Hintergrund gedrängt zu werden, unter anderem
durch einen anderen Wettstreit: dem zwischen dem
Ort *(Dés)intégrations architecturales* (Architektonische
(Des)Integrationen) und dem *in situ*. Es ist die Zeit seiner

ersten Auftragsarbeiten für öffentliche Plätze (*Trames
3°– 87°– 93°– 183°* [Raster 3°– 87°– 93°– 183°], 1971,
Plateau La Reynie, Paris, zerstört; Abb. S. 81) und einer
lang anhaltenden Werktheorie, die die konstruktivisti-
sche Ideologie der Synthese von Malerei und Bildhauerei
umstürzt, indem sie verschiedene Strategien entwickelt,
die dem architektonischen Kontext die Stirn bietet.[33]

Eines der interessantesten Phänomene dieser Zeit
ist das Entgleiten des Bildes aus der Neutralität des
zweidimensionalen Raumes, indem es in den physischen
Bereich des Betrachters eindringt und »die zweideutige,
exquisite und riesige Grenze zwischen Malerei und Bildhauerei anstrebt«[34]. Seit 1979 bedient sich die Serie der
*Tableaux en situation* (Bilder im Vordergrund) des Bildes
als Mittel zur Analyse und Kritik des Ausstellungsraums,
als »optisches Werkzeug«, im gleichen Sinne, wie Daniel
Buren sich seines wiederholten vertikalen Streifens be-
diente. Die einfach nur weiß grundierte Leinwand – die
ihren angestammten Platz an der Wand verlässt – enthält
meistens nur eine einzige Linie, im äußersten Falle zwei
Linien, die die architektonische Struktur, die sie verdeckt, unterstreicht und hervorhebt: einen Türwinkel
(*Tableau 100° 10°* [Tafel 100° 10°], 1979, Galería Eude,
Barcelona), eine Säule (*Transparence n° 2* [Transparenz
Nr. 2], 1989, Westfälisches Landesmuseum für Kunst
und Kulturgeschichte, Münster, Abb. S. 25), das Profil
eines Bogens oder den unteren Teil einer Maueröffnung
(*Sans titre* [Ohne Titel], 1987, Aya Irini Kirche, Istanbul,
Abb. S. 25).

Diese vergänglichen »Portraits von Orten«, wie
er sie selbst nannte, stellen die Eintrittskarte für die Gattung der *in situ* dar, dieses Teiles von Morellets Arbeit,
in dem er auch Michel Verjux' Anliegen begegnet. Aber
auch sein Interesse für die »niederen materiellen Zwänge«
der Elemente wie Format, Stärke, Gewicht, Orientierung
wie auch des Ortes selbst (Sonne, Wände, Decken, Öff-
nungen etc.) dringt immer weiter in seine Vorhaben ein,
die stets darauf abzielen, »die anmaßende, ›informationsträchtige Malerei‹« auf eine bescheidenere Rolle herunter-
zuschrauben, zum Beispiel in »Hinweis auf die Horizon-
talität-Vertikalität«[35] (*Seule droite traversant 2 carrés
inclinés à 0° 90° par rapport au mur* [Einzelne Gerade,
zwei um 0° 90° zur Wand geneigte Quadrate durch-
querend], 1978, Musée national d'Art moderne, Paris).

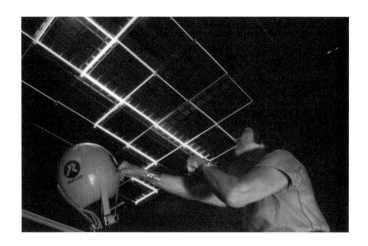

*Punching-Ball* auf der Biennale von Venedig, 1970, Wiederaufbau für das
Groninger Museum, Groningen, 1981

*Cléopâtr'amée – gerasterte Kleopatra (Parallele Linien 0°– 90°)*, Klebestreifen,
Musée des Beaux-Arts, Nantes, 1973

*Geometrische Progression von Gewicht (Salz)
im Raum (auf der Wiese)*, Marsal, 1993

Die Frage nach dem Betrachter stellte sich jedoch erneut in der Kunst und in Morellets Überlegungen auf dem Wege der Kritik der Plastik, die der Epoche der großen Auseinandersetzungen zum Thema *paragone* (jenem vor allem im 16. Jahrhundert ausgetragenen Wettstreit der Künste) durchaus würdig war. Indem er Baudelaires Kritik an der Plastik, jenem »runden, flüchtigen Objekt, um das man herumgehen kann« und welches keinerlei »Gesamteindruck und -wirkung«[36] hat, aufgriff, widersetzte er sich der »herkömmlichen Bildhauerei, die sich nicht damit begnügte, ihren Platz einzunehmen, sondern aufgrund der ihr innewohnenden Vielschichtigkeit auch noch Zeit in Anspruch nahm«: »Wie kann man diese Jagd auf Standpunkte, denen sich der Betrachter beugen muss, akzeptieren. Dieses Herumgehen um den Sockel, bei dem die Körper und die Blicke der Besucher zusammenstoßen, während jeder bemüht ist, den besten Standpunkt zu finden.«[37]

So wurde die Vielfalt möglicher Ansichten über die Plastik, die seinerseits Benvenuto Cellinis Lob begründete, schließlich zu ihrem größten Handicap; indem sie zu viel Zeit für ihre Entdeckung in Anspruch nimmt, ist diese Annäherungsweise unvereinbar geworden mit der rasant schnellen modernen Wahrnehmung.

Morellet hat begriffen, dass die moderne Kunst eine Art Bangigkeit des Werkes begünstigt hat, die sich im Wesentlichen auf das, was Walter Benjamin den »Unterhaltungswert« genannt hat, stützt. Der Künstler von heute steht im Wettstreit mit der Geschwindigkeit der mechanischen Bilder (Fotografie, Fernsehen, Kino) und sieht sich daher genötigt, dem geduldigen, kontemplativen Bezug zum Werk, der sich beim subjektiven Beobachten des Betrachters ergibt, das Trauergeleit zu geben: »Ja, meine Malerei nimmt nur ein Mindestmaß an Aufmerksamkeit in Anspruch«,[38] gesteht Morellet.

Was die Plastik anbelangt, so macht sich die Auswirkung dieses Zustandes auf zwei sehr unterschiedliche Weisen bemerkbar: zum einen durch eine strikte Definition der Plastik als einzigen Standpunkt, zum anderen, im Gegensatz dazu, durch die Suche nach einer offenen und unbegrenzten Plastik ohne eigenen Standpunkt. Im ersten Fall – »eine Plastik, ein Standpunkt«[39] – wird der Plastik die dritte Dimension von Grund aus verweigert; auf die Spitze getrieben, könnten sowohl der polyptische *Arc de cercle brisé* (Zerbrochener Kreisbogen, 1954, Sammlung Manfred Wandel, Stiftung für konkrete Kunst,

Reutlingen) wie auch die ihm folgende Serie der *Fragmentations* (Fragmentierungen, ab 1973) ein Paradigma dieser beschränkten bildhauerischen Konzeption sein: Der Raum spielt zwar bei dieser Zäsur des dargestellten Motivs mit, dessen Kontinuität lediglich virtuell in der Wahrnehmung des Betrachters wiederhergestellt wird; das Werk verlässt dabei aber nicht seine Position auf der zweidimensionalen Ebene der Leiste, die ja auch den frontalen Platz des Betrachters bestimmt.

Ein Großteil von Morellets Arbeiten seit den siebziger Jahren, zum Beispiel die Serie *Géométrie dans les spasmes* (Wortspiel: Geometrie im Raum [»espace«] und in Krämpfen [»spasmes«], Anm. d. Üb.; *Par derrière à trois* [Zu Dritt von hinten], 1989, Le Consortium, Dijon), spielt demnach an der schwankenden Front zwischen Malerei und Bildhauerei, so wie schon von jeher die eigenständige Gattung der Reliefs.

Mit der Serie der *Adhésifs* (Klebestreifen), die 1971 begonnen wurde (Abb. S. 81, 85 und 86), ist der Künstler das Objekt seines Hasses direkt angegangen, zum Beispiel im Musée des Beaux-Arts in Nantes im Jahr 1973. Hier beklebte er mehrere für das 19. Jahrhundert repräsentative Skulpturen – zweifellos die ärgerlichsten der ganzen Geschichte dieser noblen Kunst – ohne jegliche Rücksichtnahme auf das Relief oder die Unebenheiten mit seinem improvisierten Material, den schwarzen Klebebändern. Um dieses Raster – dessen Anlage an die Organisation der perspektivischen Sehweise erinnert – mit einem Mindestmaß an Deformationen betrachten zu können, gab es einen einzigen Punkt, der immer zentral und frontal angelegt war, der praktisch die Wahrnehmung des so verformten und auf die Rechteckigkeit eines absolut geometrischen Liniennetzes abgeflachten Betrachtungspunktes begrenzte: *Cléopâtr'amée (Parallèles 0°–90°)*, 1973 (Gerasterte Kleopatra [Parallele Linien 0°–90°]).

In dem zweiten Fall bemühte sich der Künstler, eine »Plastik ohne Standpunkt und daher auch ohne Dimension« oder gar eine Plastik »mit einem universellen Standpunkt« zu erzeugen, die gewissermaßen die Problematik des All-Overs auf die Plastik überträgt. Die Installation *Structure infinie de tétraèdres limitée par les murs, le sol et le plafond d'une pièce* (Endlose Tetraedenstruktur, begrenzt durch die Wände, den Boden und die Decke eines Raumes, Abb. S. 148–149), die 1971 im Centre National de l'Art et de la Culture Georges Pompidou (CNAC) in Paris ausgestellt wurde, ist der erste Versuch dieser Art: Ein Gerüst aus Aluminiumröhren entwickelt sich im Raum, dem lediglich die architektonischen Grenzen Einhalt gebietet, Grenzen, die scheinbar gleichermaßen willkürlich nach ihrem potenziell unendlichen Ausmaß ausgerichtet sind wie die der Ränder von Morellets Bildern mit zentrifugalen All-Over-Rastern. Aber im vorliegenden Falle ist es nicht nur das Auge des Betrachters, welches die Abschaffung jegliches kompositorischen Mittelpunktes wahrnimmt, sondern es ist der Betrachter, der ganz in eine Struktur eintaucht, die, rein physisch gesehen, über ihn hinausragt.

In derselben Ausstellung zeigte Morellet auch eine andere Version dieser Art von Plastik mit einem in der Vielfältigkeit aufgeweichten Standpunkt, und zwar in Form einer Reihe von Stäben, die in gleichmäßigen Abständen auf der gesamten Fläche der Gärten des CNAC so eingesetzt wurden, dass das obere Ende jeweils unabhängig von den Unebenheiten des Bodens immer dasselbe Niveau erreichte. Diese Anordnung verweist auf das Vorhandensein eines virtuellen Horizontes, der im Raum zu schweben scheint und der möglicherweise unbegrenzt ist.

Das Gleiche könnte auch im Falle einer Anordnung angenommen werden, die 1990 im Musée Rodin in Paris ausgestellt wurde. Hier handelte es sich um die drehbare Platte eines Schemels des Künstlers, der inmitten einer kleinen Lindengruppe stand. Sie verkörperte diese Ebene dort genauso virtuell, die durch vier horizontale Quadrate – die die am weitesten entfernten Baumstämme wie Ringe umschlossen – evoziert wurde und die die einzigen und geradezu lächerlichen Zeichensetzungen der Unendlichkeit darstellten (vgl. Chronologie, 1990).

Abschließend sei auf die seltsamen und außergewöhnlichen, zugleich seltenen Werke des Künstlers verwiesen, die mit ihrer Anordnung recht ausdrücklich die Frage der monokularen Perspektive als zentralen Punkt anschneiden, so wie sie sich in der malerischen Tradition seit der Renaissance durchgesetzt hat, zum Beispiel in *Vanishing Point of View* (1984, Privatsammlung). Das Schema der optischen Pyramide wird sukzessiv, von links nach rechts, ausgehend von einem schwarzen Punkt auf der Wand und vertikalen Linien mit ansteigender Höhe – von denen zwei mit Hilfe von echten Holzteilen angedeutet werden – verdeutlicht. Auch eine ephemere Installation wie die von 1993 in Marsal (nahe Nancy), *Progression géométrique de poids (sel) dans l'espace (herbe)*

(Geometrische Progression von Gewicht [Salz] im Raum [auf der Wiese]), ist hier zu nennen: Sieben Salzhäufchen waren auf einer geraden Linie von 100 m Länge so angeordnet, dass das Gewicht jedes Häufchens im gleichen Verhältnis wie die Entfernung, die es vom nächsten trennte, zunahm.

Wenngleich sie unerwartet und schwer erklärbar sind, insbesondere im Bezugsrahmen der geometrischen Abstraktion, so verdeutlichen diese Variationen über die Perspektive – diese räumlichen Auseinanderziehungen der perspektivischen Wahrnehmung –, dass die Mehrzahl von François Morellets Arbeiten eine Geschichte über den Standpunkt und demnach auch über den Betrachter beinhalten.

1    François Morellet, »Lettre à une étudiante« (23. November 1989), in: *François Morellet, sculpteur 1949–1990*, Ausst. Kat., Calais, Musée des Beaux-Arts et de la Dentelle, 1990, S. 42.
2    François Morellet, »Du spectateur au spectateur ou l'art de déballer son pique-nique« (1971), in: *François Morellet, Mais comment taire mes commentaires*, Paris 1999, S. 47.
3    François Morellet, zitiert von Serge Lemoine, *François Morellet*, Zürich 1986, S. 53.
4    François Morellet, a.a.O. (Anm. 2), S. 45.
5    François Molnar und François Morellet, »Pour un art abstrait progressif«, in: *Nove Tendencije 2*, Ausst. Kat., Zagreb, Galerija Suvremene Umjetnosti, 1963, o.p.
6    François Molnar (1922–1993), Künstler ungarischer Herkunft, lebte seit 1947 in Paris und arbeitete eng mit seiner Frau, die Künstlerin Vera Molnar, zusammen; Spezialist für Psychophysiologie des Sehens im CNRS (Centre National de Recherche Scientifique – Nationalinstitut für wissenschaftliche Forschung), in dem von ihm gegründeten Labor für experimentelle Ästhetik. Siehe, zum Beispiel, François Molnar, »A Science of Vision for Visual Art«, in: *Leonardo*, Bd. 30, Nr. 3, 1997, S. 225–232. Über die Kunst von Vera und François Molnar: vgl. *Vera Molnar, Inventar 1946–1999*, Ladenburg 1999.
7    François Molnar [ohne Titel], *À la recherche d'une base – Peinture de Morellet*, Paris, Galerie Colette Allendy, 1958, o.p.
8    Victor Vasarely, »Ce que devrait être la critique d'art«, in: *Les Beaux-Arts*, Nr. 907 und 908, 21. und 28. Oktober 1960 (ebenfalls veröffentlicht in einem Sonderdruck ohne Nennung des Verlegers), vgl. S. 4 und 7.
9    François Molnar, *À la recherche d'un langage plastique... pour une science de l'art*, Paris, Imprimerie Chantelard, 1959, o.p. Zum Vermerk: Frank Stellas Formulierung: »Ma peinture est basée sur le fait que seul s'y trouve ce qui peut y être vu. [...] Tout ce qui est à voir est ce que vous voyez.« (»Meine Malerei beruht auf der Tatsache, dass sie nur das enthält, was auch wirklich zu sehen ist. [...] Alles was es dort zu sehen gibt, ist das, was Sie sehen.«) »Questions à Stella et Judd. Interview de Bruce Glaser« (1964), in: Claude Gintz (Hrsg.), *Regards sur l'art américain des années soixante*, Paris 1979, S. 58. Vasarely und die GRAV (Morellet) werden in diesem Gespräch sehr häufig zitiert, aber als permanenter Gegensatz und immer im Namen

ausgesprochen ungerechter Argumente, wie zum Beispiel in Bezug auf das Fortbestehen der kompositorischen Formel, die weiterhin die Praxis jener Künstler bestimmen wird.

10 François Morellet, »En Italie, au XIVe siècle«, in: *Ishtar*, Paris, Nr. 2, Juni 1958, S. 74. Für Morellet und Molnar vermischen sich Wahrnehmung und ästhetisches Empfinden in ein und demselben lebenswichtigen Impuls: »Das Modell, mit dem wir den ästhetischen Genuss auf der Suche nach Klarheit vergleichen können, ist die Wahrnehmung. [...] Die Wahrnehmung ist so unmittelbar wie der ästhetische Genuss.« (»Pour un art abstrait progressif«, a.a.O., Anm. 5).

11 So der Name mehrerer künstlerischer Veranstaltungen, die in den sechziger Jahren die Künstler der konkret-kinetischen Tendenz zusammen zeigten; die erste wurde von Matko Mestrovic, Bozo Bek und Almir Mavignier in Zagreb veranstaltet.

12 Das heißt François und Vera Molnar sowie Servanes. Wenngleich Vasarely keiner dieser Gruppen angehörte, so wird seine aktive Mitbeteiligung dennoch mehrfach im Zusammenhang mit den von der GRAV organisierten öffentlichen Diskussionen erwähnt.

13 Groupe de Recherche d'Art Visuel, »Recherche d'Art Visuel«, in: *Melpomène*, Paris, Nr. 16, Dezember 1964, S. 11; wiedergegeben in: *Stratégies de participation – GRAV – Groupe de Recherche d'Art Visuel – 1960/1968*, Ausst. Kat., Grenoble, Le Magasin, 1998, S. 149.

14 Jean-Pierre Yvaral (April 1965), wiedergegeben in: *Stratégies de participation...*, a.a.O. (Anm. 13), S. 158.

15 François Morellet (Mai 1965), wiedergegeben in: *Stratégies de participation...*, a.a.O. (Anm. 13), S. 161.
Der erste Teil dieses Zitats muss in Verbindung mit der Passage des Traktates »Assez de mystifications« gesehen werden, das von der GRAV im Oktober 1963 veröffentlicht wurde und folgende Forderung enthält: »Die erneute Aufwertung der Rolle des Betrachters, dessen Betrachtung von seinem Bildungsstand in puncto Kultur, Information, ästhetischem Empfinden usw. geprägt wird. Wir sind der Auffassung, dass der Betrachter durchaus in der Lage ist, mit seinen normalen Wahrnehmungsfähigkeiten zu reagieren.« (*Stratégies de participation...*, a.a.O. [Anm. 13], S. 126).

16 François Morellet, »Les années soixantes-dix«, in: *Art actuel*, Genf, Skira, Nr. 6, 1980, S. 95; wieder aufgenommen in: *Morellet*, Ausst. Kat., Paris, éditions du Centre Pompidou/Amsterdam, Stedelijk Museum, 1986, S. 186.

17 François Molnar, »Les mouvements exploratoires des yeux dans la composition picturale«, in: *Sciences de l'art, annales de l'Institut d'esthétique et des sciences de l'art*, Paris, I, 1964, S. 137.

18 Vgl. Abb. in: Serge Lemoine, *François Morellet*, Paris 1996, S. 115.

19 Morellets Raum-Kontinuum des *All-Over* ist jedoch nicht identisch mit dem zur gleichen Zeit entstandenen Kontinuum von Jesús Rafael Soto, für den dieses nach wie vor das Spiegelbild der Struktur des Universums ist (vgl. Arnauld Pierre, »L'immatériel de Soto et la peinture du continuum«, in: *Soto*, Ausst. Kat., Paris, éditions du Jeu de Paume, 1997, S. 17–30).

20 François Morellet, »Mise en condition du spectateur«, in: *Lumière et Mouvement*, Paris, Musée d'Art moderne de la Ville de Paris, 1967, o.p.; wieder aufgenommen in: Morellet, Paris, éditions du Centre Pompidou/Amsterdam, Stedelijk Museum, 1986, S. 179.

21 Guy Habasque, »Le GRAV à la Biennale de Paris«, in: *L'Œil*, Paris, November 1963, S. 46.

22 »Assez de mystifications« (Oktober 1961), wieder aufgenommen in: *Stratégies de participation...*, a.a.O. (Anm. 13), S. 74.
Ein vergleichbarer Text wurde in der gemeinsamen Schrift »Propositions sur le mouvement« in: *Groupe de Recherche d'Art Visuel*, Ausst. Kat., Paris, Galerie Denise René, 1961, o.p. veröffentlicht.

23 Gespräch des Verfassers mit dem Künstler, 6. August 2000.

24 François Morellet, a.a.O. (Anm. 20).

25 Hier handelt es sich um dieselben Faktoren, die bereits in Claude Lévêques Environment für die Ausstellung »Elysean Fields« (Centre Georges Pompidou, im Frühjahr 2000) die sensorielle Wirksamkeit ausmachten: Ein mit roter Teppichware ausgelegter viereckiger Raum, dessen Ecken mit rot getönten Spiegelreihen ausgekleidet waren und der mit roten Scheinwerfern beleuchtet und mit einem Heizdraht beheizt wurde.

26 François Morellet, »Le choix dans l'art actuel«, in: *Morellet*, Paris, éditions du Centre Pompidou/Amsterdam, Stedelijk Museum, 1986, S. 178.

27 François Morellet, »Protestation«, in: *Robho*, Paris, Nr. 2, November–Dezember 1967, o.p., wieder aufgenommen in: *François Morellet*, a.a.O. (Anm. 2), S. 36.

28 Hier wurde der Titel der von Éric de Chassey veranstalteten Ausstellung aufgegriffen, die im Herbst 1999 in der École nationale supérieure des Beaux-Arts in Paris stattfand.

29 François Morellet, »Protestation«, in: *Robho*, a.a.O. (Anm. 27).

30 GRAV, »Assez de mystifications« (Oktober 1963), wiedergegeben in: *Stratégies de participation...*, a.a.O. (Anm. 13), S. 127.

31 In der bemerkenswerten Studie über die GRAV (»Le GRAV sous le signe du jeu«, in: *Stratégies de participation...*, a.a.O. (Anm. 13), S. 25–33) beschreibt Marion Hohlfeldt eine Annäherung an den Sinn, der dieser Begriff für die Situationisten gehabt haben könnte, der jedoch nach Ansicht des Verfassers in dem Status, den die Visualität nach wie vor bei der GRAV hatte, an seine Grenzen stößt und unvereinbar mit der Verleumdung ist, den er zum Beispiel bei Guy Debord erfährt, der systematisch mit »la vie contre la vue« (das Leben gegen das Sehen) spielt, wobei Letzteres der bevorzugte Vermittler des »spectacle« wäre.

32 François Morellet, »Meine Installationen«, in: Susanne Anna (Hrsg.), *François Morellet – Installations*, Ausst. Kat. Chemnitz, Städtische Kunstsammlungen, Stuttgart 1994, S. 11.

33 Serge Lemoine hat den Stand dieser Frage ermittelt in: *François Morellet – Désintégrations architecturales*, Ausst. Kat., Chambéry, Musée savoisien / Angers, Musée d'Angers, 1982 und in: *François Morellet – Sur commande*, Ausst. Kat., Calais, Galerie de l'Ancienne Poste, 1988.

34 François Morellet, zitiert von Patrick Le Nouëne, »François Morellet sculpteur«, in: *François Morellet, sculpteur 1949–1990*, a.a.O. (Anm. 1), S. 14.

35 François Morellet, in: *François Morellet, sculpteur 1949–1990*, a.a.O. (Anm. 1), S. 77.

36 Charles Baudelaire, »Sculpture«, Salon de 1859, in: *Écrits esthétiques*, Paris, UGE, Collection 10/18, S. 347. Der Verfasser folgt hier einer bereits von Patrick Le Nouëne begründeten Annäherung, »François Morellet sculpteur«, in: *François Morellet, sculpteur 1949–1990*, a.a.O. (Anm. 1), S. 17.

37 François Morellet, »La sculpture et son point de vue«, in: *François Morellet, sculpteur 1949–1990*, a.a.O. (Anm. 1), S. 22–23.

38 Ebd., S. 22.

39 Ebd., S. 23.

Der Verfasser dankt allen, die ihm bei der Vorbereitung dieser Studie zur Seite gestanden haben, an erster Stelle Danielle und François Morellet, die weder Zeit noch Geduld gespart haben, sowie Serge Lemoine und Vera Molnar.

# Morellet oder Die Macht der Neutralität

*Jacqueline Lichtenstein und Jean-François Groulier*

François Morellets Œuvre verkörpert den Werdegang eines Künstlers, der sich seit einem halben Jahrhundert damit auseinander setzt, die Strukturen des Bildraumes zu erneuern. Neonröhren, Metallvorrichtungen und Kompositionen aus leichten und verschwindend kleinen Elementen sind das Ergebnis neuer Verfahren, die je nach Ausdrucksweise einen Bruch mit der Malweise darstellen, die noch die École de Paris und die französische Kunst der fünfziger Jahre beherrschten. Wir beabsichtigen keineswegs, ein Loblied auf diese Entwicklung zu singen oder – wie es heutzutage so gerne praktiziert wird – die materiellen Gegebenheiten dieser Objekte zu beschreiben, wir wollen auch nicht an biografische Einzelheiten und vorangegangene Ausstellungsorte anknüpfen, da sie ja eigentlich nichts anderes als nebensächliche Details sind. Es handelt sich hier vielmehr darum, die herkömmliche Zugangsweise zu einem Œuvre wie diesem zu beleuchten.

Die physischen Gegebenheiten, die ein Werk ausmachen, können nicht immer von seinen ästhetischen Eigenschaften getrennt werden, aber sie sind auch nicht zwangsläufig Bestandteil dessen, was als seine Bedeutung bezeichnet wird. Morellets Werk – wie das vieler anderer zeitgenössischer Künstler – gestattet es nicht mehr, auf Begriffe wie Bedeutung, Interpretation oder ästhetischer Bezug zurückzugreifen, wie man sie noch vor einem halben Jahrhundert dafür hätte verwenden können. Aufgrund ihrer Funktionalität, der Rolle, die sie im Raum spielen, und der ihnen innewohnenden Beziehung zu unserem Körper setzen derartige Kompositionen andere Wahrnehmungskategorien und ein anderes Verfahren als das der Interpretation voraus.

Sie bestehen darin, die bildhaften Eigenschaften, die gestalterischen Vorzüge oder die Durchführung einer Absicht in eine Anlage umzusetzen. Daher ist vor allem die Frage nach der Funktionsweise derartiger Objekte und nicht die nach der wahrhaftigen Bedeutung oder Raumgestaltung von vorrangiger Bedeutung. Ganz allgemein gesagt, ergeben sich immer Schwierigkeiten, die spezifischen und werkimmanenten Vorzüge zu definieren, wenn man nicht zuvor sehr genaue Kenntnisse davon hat, ob dies der Struktur des Objektes oder den neuen Kategorien unseres Diskurses standhält. Die Identitätsformen, die Funktionen der Objekte, die Modalitäten der Bezugnahme sind konzeptionelle Vorgänge, die bei jeder Werkanalyse von Grund auf neu definiert werden mussten.

Die veränderte Vorgehensweise hängt nicht nur von dem Auftreten neuer Objekte, sondern auch von dem zunehmenden Beitrag der Ästhetik ab – wenngleich dieser manchmal unausgesprochen und verdeckt bleibt –, der sogar manchmal den Platz der herkömmlichen Kritik einnimmt. Wenngleich dieser Sachverhalt problematisch und oft auch umstritten ist, verkörpert er dennoch einen der Grundbestandteile unseres Verhältnisses zur zeitgenössischen Kunst, die ihrerseits wiederum teilweise von Instanzen der ästhetischen Kategorien und der institutionellen Lager bestimmt wird.

Bei der Mehrzahl der plastischen und bildhaften Arbeiten haben wir uns daran gewöhnt, ihren Sinn in Bezug auf eine immerhin bis vor kurzem zentrale Frage der Kunst zu verstehen und entsprechend auszulegen. In der klassischen Tradition »Mimese« genannt, beinhaltete dies eine implizite oder problematische Bezugnahme auf die Realität der modernen oder zeitgenössischen Kunst, die Einbeziehung eines Ortes oder eines Raumes mit dem Ziel, die semiotischen und plastischen Abweichungen zu modifizieren und das Spiel der Zweckbestimmtheit in einer ironischen und kritischen Absicht durcheinander zu bringen. Auf jeden Fall stellen diese vielfältigen Beziehungssysteme – seien es mimetische, verweisende oder auf die symbolische Zerstörung des alltäglichen Raumes ausgerichtete – die vertraute Wirklichkeit mehr oder weniger gekonnt oder wirksam auf Distanz.

Hält man sich an Morellets Interventionsarten, das heißt an seine Vorgehensweise in einem vorgegebenen Raum, und nicht an seine Wesensart, ist zu betonen, dass sie sich in erster Linie jedweder bezugsorientierten Funktion entzieht. Es ist zum Beispiel in *Répartition aléatoire de 1/4 de cercles de néon avec 4 rythmes d'allumage* (Zufällige Verteilung von 1/4 Neonkreisen mit 4 Lichtrhythmen, 1994, Abb. S. 35), *2 rythmes interférents* (2 Interferenzrhythmen, 1984–1986) oder *Fragmentations de droites et de courbes de néon* (Fragmentierung von Geraden und Kurven aus Neon, 1978–1980) eine Geste zu finden, die strikteste Ökonomie walten lässt und die dazu neigt, die Elemente mit der dazugehörigen Raumstruktur zu vermischen. Das Eingreifen einer Leuchtröhre hat nicht zum Ziel, die Linien einer Struktur oder eines Raumes zu zerstören, sondern mit ihrem eigenen Stil einen Beitrag zu deren Funktionalität zu leisten.

Der Gedanke einer Kunst, die sich als nicht funktional, überzählig und als vom sozialen Umfeld nicht mehr assimilierbar definiert, ist zwar nach wie vor verlockend, entspricht aber nicht mehr der Wirklichkeit. Nur noch auf dem Wege einer müßigen und im Grunde genommen naiven Simulation ist heutzutage ein Werk als rebellisch und exemplarisch für eine Widerstandsbewegung eines gänzlich funktionalisierten sozialen Umfeldes darstellbar. Morellets seit den fünfziger Jahren aufs Äußerste getriebene Abstraktion ist gerade nicht nur Schein, insbesondere wenn sie in neutralsten Formen und Farben ausgeführt wird. Morellets Kunst ist vielmehr konstruktivistisch: Er selbst beschreibt sich als ironischen und gründlichen Ingenieur von Anlagen, Metallensembles und Neonträgern oder -röhren, die sich in ein bereits vorhandenes soziales Umfeld einfügen. Er baut keineswegs eine technische Struktur oder ein chromatisches Ensemble nach angeblich »optischen« oder »soziologischen« Gesetzen, wie es Victor Vasarely machte in dem Bestreben, plastische oder bildhafte Wunschbilder auf eine immer strahlendere Modernität zu übertragen.

Morellets Konzeptionen sind weder hellseherisch noch wertend: Sie neigen dazu, das Objekt in seine tatsächliche Realität zu stellen, wie einen schlichtweg auf sich selbst verweisenden Fakt. Der quer gestellte Balken ist in erster Linie ein Träger, das heißt ein Objekt *per se*. Die Tatsache, dass sich das Werk zunächst als Objekt gibt, ohne sofort zum Symbol, zu einer ausdrücklichen Bezugnahme zu werden, beweist seinen Willen – nicht nur seine Absicht –, sich den Kategorien und den ästhetischen Ansätzen, die man den zeitgenössischen Werken verdankt oder verdankte, zu entziehen: der Bedeutung, der symbolischen Bezugnahme und der allzu offensichtlichen Intention.

Morellet ist sich durchaus bewusst, dass ein Balken an sich keinerlei bedeutsame oder verweisende Eigenschaften besitzt. Wie jedes Element zeitgenössischer Herstellung, ist seine Realität oder eher seine einzige Zweckbestimmtheit relational, wenngleich nach den vom Künstler meistens so offen wie nur möglich gehaltenen Modalitäten. In diesem Bestreben, die physische Wirklichkeit des Objektes hervorzuheben und die zugrunde liegende Absicht so diskret und so neutral wie nur möglich zu belassen, erkennt man ohne weiteres sein bewusst abstrakt gehaltenes Anliegen. Diese Tendenz zeichnet sich bereits in seinen Kompositionen der fünfziger Jahre ab: die absichtlich verdeckte oder beharrliche Auslassung gegenüber der offensichtlichen, ja ostentativen Identität des Künstlers, die Ablehnung des Œuvres als organisches Gesamtwerk oder als Autopsie einer Sonderbarkeit.

In dieser Beziehung könnte Morellets Anliegen Adornos leicht rätselhaften Satz verdeutlichen: »Die einzigen Werke, die heute zählen, sind diejenigen, die keine Werke mehr sind.« Das, was Adorno hier ein wenig kategorisch ablehnt, ist der organische Gesamtcharakter des Kunstwerks als harmonische und autarke Einheit. Mit anderen Worten, Adornos Satz macht nur Sinn im Rahmen eines Projektes, in dem die ästhetische und die avantgardistische Theorie in Form ein und derselben kritischen Funktion beteiligt sind. Er stammt aus einem Text, der 1972 veröffentlicht wurde. Folglich, 28 Jahre später, hat die »geschichtliche« Zeitrechnung diese messianische Begeisterung erstarren lassen, den Eifer für eine Avantgarde, und diese Illusion, dass der ästhetische Gedanke ausreichend Autonomie und innere Kraft besitzen würde, um eine gewisse Schöpferkraft richtungsweisend anzuregen, in die Stille der Museen und der Institutionen verbannt.

Alles, was heute zu tun übrig bleibt, beschränkt sich auf einen viel begrenzteren, viel bescheideneren und verpflichtenderen Bereich, in dem Sinne, dass wir gezwungen sind, die Funktionsweise und die Wesensart eines zeitgenössischen Werkes zu verstehen. Im Übrigen ist der Begriff »Ästhetik«, der bei der Definition unserer Beziehung zur Gegenwartskunst wie von selbst mit-

*Zufällige Verteilung von 1/4 Neonkreisen mit 4 Lichtrhythmen,*
Groninger Museum, Groningen, 1994

schwingt, zweideutig. In dem Maße, wie Morellets Arbeiten mit technischen Objekten gemeinsame Interessen haben und zum Minimalismus tendieren, stellen sie eine Ablehnung der *esthaisis*, eine Verneinung der spezifischen Empfindungsweise unserer visuellen Wahrnehmung zur Schau, indem sie sich für die funktionale Realität entscheiden. Sofern sie in den städtischen Bereich eindringen und immer vertrauter werden, verinnerlichen sie die rätselhafte Dimension des Banalen, das heißt im Grunde genommen der Distanz. Fern und in gewisser Hinsicht unerreichbar ist jedes austauschbare, anonyme Objekt, welches mit Blickrichtung auf die unwahrscheinliche und riskante Auflösung der Funktionalität und der Ausdrucksfähigkeit geschaffen wird.

In der Tat ist einer der Punkte, in dem sich die zeitgenössische Kunst und die ästhetische Ansicht ohne Zweifel einig sind, der der Bewertung des gewöhnlichen Gegenstandes, der Banalität als solcher. Ein beliebiger Gegenstand, ein unbeschreiblicher Gegenstand ist derjenige, der zunächst nur serielle Eigenschaften, gewissermaßen gattungsspezifische Merkmale aufweist. Es ist aber durchaus denkbar, dass gerade ein solcher Gegenstand am schwierigsten zu beschreiben ist: Eine Plastiktüte, ein Abfalleimer oder eine Neonröhre eignen sich nicht gerade für den Einsatz von ästhetischen Prädikatsnomen.

Ohne auf den besonderen Fall von Duchamp näher einzugehen, kann konstatiert werden, dass das Banale – sei es als *objet brut* oder als Bildmotiv – zu einem der beherrschenden *topoi* der zeitgenössischen Kunst geworden ist. Gerade dieser Mangel an unmittelbar zuordenbaren Eigenschaften macht es so grenzenlos aufnahmefähig und, wenn man so will, verfügbar für eine auf der ästhetischen Subjektivierung basierenden Beziehungsform. Und sie bestimmt letztendlich die Eigenschaften des Gegenstandes.

Auch wenn es paradox klingen mag, gerade weil der Gegenstand austauschbar, anonym, ja banal ist, besitzt er im Vergleich zu anderen Gegenständen (einem Gesicht, einem Ausschnitt aus der Natur) eine diskriminierende Macht. Denn er kann als Mittel von Widerständen und Ablehnungen dienen, die dennoch zu unseren ästhetischen Beziehungssystemen gehören. Der Begriff der Banalität hat demnach durchaus Existenzberechtigung in der zeitgenössischen Kunst in dem Maße, wie er sich problematisch darstellt: Denn dann zwingt er uns, die inneren und äußeren (demnach ästhetischen) Eigen-

schaften eines x-beliebigen Gegenstandes zu definieren. Er wurde in einem Kontext der Ausschließlichkeit mit der Absicht entwickelt, jede unsägliche, das heißt außergewöhnliche Eigenschaft abzulehnen, die auf einer ästhetischen Innerlichkeit oder einer metaphysischen Vorstellung von Kunst beruht. Wie andere künstlerische *topoi* unserer Zeit, stützt auch er sich auf eine vollständige und kritische Abschaffung des Geschmacks, des Schönen, der Form im Sinne einer intellektualisierten Konzeption der so genannten herkömmlichen Kunst, des Kunstwerks.

Mit anderen Worten, der Begriff Banalität ist paradoxerweise ein axiologischer Begriff, das heißt ein Begriff, der, im Gegensatz zur klassischen Wertung des Seltenheitswertes und der besonderen Gewichtung gewisser ästhetischer Eigenschaften, den außergewöhnlichen Wert des Banalen als solchen zur Bedingung macht. Es kommt aber hier nicht so sehr darauf an, den zumindest widersprüchlichen Charakter dieser Auffassung hervorzuheben, der sich zwar vorgeblich auf logische Argumente stützt, ohne aber jemals ausdrücklich den polemischen Charakter seiner eigenen Wertbestimmungen deutlich auszusprechen.

Seit ungefähr einem halben Jahrhundert hat die Objektkunst ihre unbestrittene Produktivität unter Beweis gestellt. Die Ästhetik der Banalität ist jedoch in einem eher ideologischen als kritischen Stadium stehen geblieben und war nicht in der Lage, ihre eigenen Voraussetzungen theoretisch zu untermauern. Wenngleich diese Ästhetik einen beherrschenden, sprich triumphierenden Platz einnimmt, so ist sie doch bis zum heutigen Tage auf eine zu undeutliche, zu selbstverständliche Weise zum Ausdruck gekommen. Tatsächlich haben die so genannte traditionelle Ästhetik und die Kunsttheorie als Beweis angeführt, dass eine künstlerische Eigenschaft oder Legitimation nur in dem Maße bestehe, indem sie nicht banal sei. Es ist ja gerade diese einmalige, diese ausschließlich qualitative Eigenschaft der künstlerischen Legitimation, die sich die konzeptionelle Arbeit der Ästhetik bemüht hat zu zerstören, indem sie auf so heterogene Bezugsquellen wie zum Beispiel Pop-Art, Marcel Duchamp und angelsächsische analytische Bestrebungen zurückgriff, die auch zweifellos operative Kategorien zeitgenössischer Kunst hervorbrachten.

Rot oder blau, eine Neonröhre besitzt die banalen Eigenschaften eines Trivialobjektes. Das Problem, das sich selbst bei Morellets Kunst stellt, besteht darin zu wissen, wann und wie sie vom ästhetischen Standpunkt aus gesehen funktioniert, indem sie die rein praktische Dimension transzendiert. Tatsächlich ist die Neonröhre nicht einmal ein Artefakt im künstlerischen Sinne des Begriffes und bietet in ihrer Eigenschaft als Industrieprodukt auch keinerlei Möglichkeit, auch nur die geringste Absicht zu entdecken. Wie jedes andere x-beliebige technische Erzeugnis besitzt sie jedoch die Fähigkeit, eine Art stillschweigendes Übereinkommen, eine Art allgemeine Entente zu schmieden, die durch die Anwesenheit eines Gegenstandes heraufbeschworen wird, dessen Zweckbestimmung sowohl vertraut wie auch offensichtlich ist: Sie besitzt keinerlei spezifische oder verborgene Qualität, keinerlei Eigenschaft, die an eine ästhetische Intuition oder eine besondere Fähigkeit zur Bewertung von empfindsamen Eigenschaften appelliert. Ihre entscheidende Instrumentalisierung scheint ihr sogar die ihr von Morellet zugeordnete Finalität zu verbieten: eine Destabilisierung der architektonischen Struktur oder den ironischen Widerstand gegen die Hauptlinien eines Gebäudes.

Das Problem besteht nun darin, den Sinn dieses Umweges zu verstehen, ohne sofort die Absicht des Künstlers geltend zu machen, als handele es sich hier um eine dem Gegenstand innewohnende Teleologie, die demnach aufgrund ihrer spezifischen Qualitäten lesbar sei. Selbstverständlich muss in diesem Zusammenhang an die Funktion des Titels erinnert werden, die jedoch nicht mit der schöpferischen Intention des Künstlers verwechselt werden darf, sondern lediglich Bestandteil des Vorhabens ist. Tatsächlich bedient sich Morellet seiner Arbeiten nach einem bestimmten Schema, das heißt um eine bestimmte Wirkung an einem bestimmten Ort zu erzielen. Er hat zu Recht erkannt, dass nicht die Museen die am besten geeigneten Räume für die Schaffung einer neuen ästhetischen Subjektivität bieten, sondern eher Orte wie der Vorplatz zur La Défense oder Bahnhöfe.

Ein Werk wie *La Défonce* (1991; Wortspiel: »La Défense« [Quartier in Paris] und »défonce« [den Boden ausschlagen], Anm. d. Üb., Abb. S. 39) ist sinnbildlich, denn es gibt sich mit den neuen Gegebenheiten des technischen Gegenstandes zufrieden. Die großen, in den Boden gerammten Metallträger scheinen einem viel größeren Ensemble anzugehören: einem Klotz, dessen größter Teil unter den Steinplatten der Auffüllung vergraben zu sein scheint. Lediglich die Winkel der Metallstruktur ragen empor und kollidieren mit dem horizon-

talen und vertikalen Linienspiel der Gebäude am Platz. Derartige Träger werden normalerweise für Metallgerüste von Garagen oder Hallen verwendet. Das ist aber auch alles, was zu ihnen zu sagen ist, dass sich nämlich ihre Eigenschaften auf technische Funktionen beschränken. Künstlerischer Minimalismus sollte manchmal minimalistische Interpretationsformen rechtfertigen, das heißt eine buchstäbliche Lesart dessen, was gezeigt wird, selbst wenn sie dabei Gefahr laufen, lediglich simple Wahrheiten hervorzuheben.

Die Neigung der Träger führt dazu, dass die Bewegung ihrer Linien einen Widerstand, eine Opposition zur monotonen und erdrückenden Allgegenwärtigkeit horizontaler und vertikaler Linien in der Architektur bildlich auszudrücken scheint. Es lässt sich natürlich leicht behaupten, dass dieses großformatige Werk etwas symbolisiert, eine Bedeutung hat, trotz Morellets offen zur Schau gestellten Ablehnung aller symbolischen Zeichen oder Botschaften. Hier jedoch besteht die Schwierigkeit, gerade nicht vorauszusetzen, dass es einen Sinn aufzudecken gilt, sondern herauszufinden, welche strukturimmanenten Eigenschaften diese Art von Widerstand gegenüber dem sie umgebenden Umfeld enthüllt.

Möglicherweise wäre es präziser und würde der Funktionsweise des Werkes eher gerecht, sich aufgrund gewisser beziehungsmäßiger Eigenschaften oder Qualitäten zu fragen, warum wir tatsächlich so etwas wie eine symbolische Bedeutung (eine Art Widerstand oder Schmarotzertum) erkennen. Sind es vielleicht die markanten Winkel der Struktur, die diesen Widerstand oder Spott gegenüber dem Ensemble auf dem Vorplatz, der Esplanade de La Défense, hervorrufen? Fragliches Metallgerüst ist ja selbst ein Industrieprodukt, das heißt eine Form, die einer bestimmten Industriewelt angehört. Die Absicht des Widerstandes, des parodierenden Parasitismus ist aufgrund einer wesentlichen Eigenschaft oder Qualität nicht unbedingt strukturimmanent. Anhand der Struktur des Gegenstandes können wir also weder eine Bedeutung noch irgendeinen Wert aus Morellets Arbeit ableiten.

Diese so summarisch, sprich brutale Darstellung dieser Regel gilt für jede künstlerische Arbeit und insbesondere für die zeitgenössische Kunst: Das Kunstwerk bleibt intakt und unsere Wahrnehmungskategorien werden nicht in Frage gestellt. Der Gedanke, wonach die Bedeutung und der Wert aufgrund des Vorhandenseins von objektiven, der Werkstruktur immanenten Qualitäten eine objektive Wirklichkeit besitzt, gehört zweifelsfrei zu unseren hartnäckigsten Gewissheiten. Sie stammen aus einer Wirklichkeit, die umso illusorischer ist, als die ästhetischen Vorzüge des Objektes keineswegs auf seine physischen und materiellen Eigenschaften reduzierbar sind. Das gilt vor allem für die zeitgenössische Kunst, welche die Wirkungsweise der subjektiven Ästhetik des Betrachters in den Mittelpunkt stellt und den Anstoß gibt für die Netze, die komplizierten Netze der Beziehungen, der Räume und der Beteiligung, so dass der Wert oder die Bedeutung nicht so sehr von den innewohnenden Eigenschaften, sondern vor allem aus dem Blickfeld stammt.

Der Verzicht auf die Identifizierung der charakteristischen Eigenschaften des plastischen Objektes hat zwar Vorzüge, sagt jedoch lediglich aus, dass Wert und Bedeutung von einer Vielzahl von Anwendungen und Umständen (etwa dem Ort des Einsatzes) hergeleitet werden, somit von Funktionen, die keineswegs auf die Stofflichkeit der Metallstruktur zurückzuführen sind. Das bedeutet also, dass die ästhetische Subjektivität jedes einzelnen Betrachters offensichtlich genau das ist, was die Metallstruktur *La Défonce* in ein bedeutungsvolles System zu *verwandeln* vermag. Wenn demnach die ästhetischen Eigenschaften des Werkes nicht identisch sind mit den physischen Eigenschaften, brauchen wir nur noch hinzufügen, dass Morellet äußerste Sorgfalt bei der Fertigstellung der Träger und der restlichen Bestandteile seiner Kompositionen walten ließ.

Lange vor allen anderen französischen Künstlern der fünfziger Jahre hatte Morellet bereits begriffen, dass sich die neuartigen Ausdrucksformen in das unmittelbare Umfeld einordnen müssen, in den alltäglichsten, das heißt einen von der Technologie gänzlich strukturierten Raum. Der Gedanke, dass die Beziehungen zwischen zeitgenössischer Kunst und Technik nur negativ sein können, ist nicht mehr tragbar. Er bringt einen gut durchdachten Aufstand zur Geltung, der sicher einem neuen Konformismus geweiht ist. Tatsächlich ist es so, dass die Leichtigkeit, mit der sich die zeitgenössische Kunst in die Welt der technischen Formen und das soziale Umfeld einfügt, ein Dementi aller entgegengesetzten Argumente und ablehnenden Manifeste darstellt.

Armans Kofferkonglomerate vor dem Bahnhof Saint-Lazare in Paris (*Consigne à vie*, 1985) erfüllen zwar alle möglichen Funktionen (plastische, dekorative, sinnbildliche), aber gewiss keine kritische, da sie sich auf angemessene Weise diesem Verkehrs- und Durchgangsplatz anpassen. Funktionalität bedeutet regelnde Funktion. Wie auch immer die Bedeutung aussehen mag, die man seinen Kompositionen zuschreiben kann, ihre Funktion beinhaltet nicht mehr das, was einem Widerstand oder einer Opposition ähneln könnte.

Morellet bezweckt etwas ganz anderes. Bei seinem Schaffensprozess verzichtet er bereitwillig auf seine eigene Subjektivität in dem Willen, seinen Arbeiten größtmögliche Freiheit einzuräumen: »Ich kann durchaus behaupten, dass ich immer versucht habe, meine subjektiven Überlegungen und mein handwerkliches Eingreifen auf ein absolutes Mindestmaß zu beschränken, in dem Bemühen, meinen einfachen, einleuchtenden und möglichst absurden Systemen freie Hand zu lassen.« Der Künstler vertritt offensichtlich die Auffassung, dass das Material unzweifelhaft auch außerhalb seiner eigenen Vorstellung und unabhängig von seinen Interventionen eine Art potenzielle oder mögliche Bedeutung besitzt. Sowohl in eigenen Kommentaren zu seinen Werken wie in seinen Schriften und in Gesprächen träumt er manchmal von einer Art von Freiheit, die der Künstler dem Werkstoff verleihen könne und die es den Dingen ermögliche, selbst die Initiative zu ergreifen.

Hier nun kommen Zweifel auf, ein solches Unterfangen scheint ebenso schwierig zu sein wie das, den Worten die Initiative zu überlassen. Ein derart zweideutiger und vor allem utopischer Realismus ist eine Reaktion auf die Vertreter der abstrakten Kunst, die in der Folge von Wassily Kandinsky und Paul Klee in den fünfziger Jahren auf der Rolle der »inneren Notwendigkeit« in der Genese eines gestalterischen Systems bestanden haben oder die an das Mitwirken der Gedanken bei dem schöpferischen Entstehungsprozess glaubten. Es sei hinzugefügt, dass man weder im Bereich der Kreativität noch in dem der Philosophie von der Krankheit Idealismus geheilt werden kann, indem man einzig und allein dem Gegenstand das Primat gewährt oder indem man den Werkstoff in seiner reinen Faktizität einsetzt.

Die nackte Äußerlichkeit eines materiellen Elementes bringt uns jedoch weder der Wirklichkeit und noch weniger einer möglichen Schöpfung näher. Im Gegensatz zu diesem Idealismus, dem die abstrakte Kunst seit ihren Anfängen häufig verfallen ist, strebt Morellet manchmal

*La Défonce*, Eingang FNAC, Esplanade de La Défense, Paris, 1991

nach einer Art von Platonismus, nach jener Glaubensart also, die den Gedanken oder die werkimmanente Absicht selbst über die undurchsichtige Anwesenheit des Werkstoffes und über die Subjektivität des Künstlers und der Betrachter hinaus erschließt. Die Anwesenheit des Materials würde demnach einem Spiel entspringen, und das Spiel hätte keinen Autor, keinen Ursprung: Das Werk wäre demnach weder das Ergebnis eines schöpferischen Willens noch reine Opazität der Materie. Es ist diese augenscheinlich untragbare Zweideutigkeit, die Morellets Absichten zeitweilig nährt und die seine Arbeiten manchmal etwas über die Wesensart der extremen Abstraktion erahnen lässt.

Die Bilder der fünfziger Jahre sprechen von einem Willen zum Rückzug, zum Auslöschen, der dazu neigt, die Farbkraft zu dämpfen, das Aufblitzen von Nuancen abzuschwächen, als müsse der Raum zwangsläufig jegliche sensible Qualität, jegliche *esthaisis* auflösen. Der Titel eines seiner Bilder aus dem Jahr 1953, *Du jaune au blanc* (Von Gelb zu Weiß, Abb. S. 127), ist nicht nur kennzeichnend für diesen Weg in Richtung einer undeutlichen Diaphanität: Es ist ein Hinweis auf einen Prozess der Selbstaufhebung chromatischer Gegebenheiten. Als Gegenbeispiel könnte man Delaunays Gelb – welches er selbst als »couleur-forme« (formgebende Farbe) bezeichnete – und die Rolle des »Bauherrn«, die die Farbe im Bildraum einnahm, anführen.

Morellet aber ist ein friedlicher Nihilist: Seine vornehmste Geste besteht darin, jede vorherrschende Farbe zunehmend zum Schweigen zu bringen und sie in der Leere der Gleichförmigkeit aufzulösen. Der Ton wird von Anfang an jeder verdächtigen Schwingung, die Pathos oder übertriebene Empfindsamkeit aufkommen lassen könnte, entleert: Morellets Farben lassen keinerlei Einfühlung, keine Empathie zu. Dies ist bezeichnend für den Bruch mit der Generation der französischen Schule, die der Künstler sicherlich gekannt hat, mit Nicolas de Staël nämlich oder mit Bazaines letzten cézanneartigen Akzenten.

Nichts ist Morellet fremder, als alles, was von nahem oder von weitem an einen existenziellen Inhalt, an das Pathos einer Ausdrucksform oder gar eine gewollte Bedeutung erinnern könnte. Der platonische Traum des Künstlers wäre eine rohe, reine, vorgegebene, aber letztendlich jeglicher sensoriellen Bedeutung entledigte Farbe. Es wäre müßig, darin den Einfluss von Piet Mondrian oder von Max Bill zu suchen, so entscheidend sie auch

für seinen Werdegang gewesen sein mögen: Der Absolutismus dieser Suche ist eine grundsätzliche, wenngleich fremdartige Befreiung hin zur Askese oder zu einer anderen Art von Minimalismus. Wenn er zum Beispiel von seinen Erfahrungen mit den Giebelwänden an dem Plateau La Reynie in Paris – an der Straßenkreuzung der rue Quincampoix und der rue Aubry-le-Boucher (1970 bis 1971, Abb. S. 81) – spricht, dann erwähnt er lieber den Träger, das heißt die Rauheit und Unebenheit der Oberfläche, als die Farben, wenngleich Letztere sich über große Flächen erstrecken. Selbst die Art und Weise, in der er sich zu den Farben Blau und Rot äußert, verdeutlicht die Tatsache, dass die Charakterisierung der verwendeten Farben nicht von ausschlaggebender Bedeutung ist.

Morellet beschränkt sich auf die drei Grundfarben. Diese sind nicht wirklich abstrakt: Sie haben nur Gattungseigenschaften, sind demnach unbegrenzt anpassungsfähig. Es bleibt somit weiterhin offen, aus welchem Grund eine Farbe, eine Form, eine Gestalt überhaupt eine *ästhetische* Bedeutung haben soll. Denn genau das ist es, was sich in der zeitgenössischen Kunst, einer Kunst, für die das Triviale zum zentralen Thema geworden ist, in höchstem Maße vollzieht. Diese Ablehnung von Mixturen, Mischungen, ja sogar von Gegenüberstellungen von Farbtönen ist eine Konstante in den Kompositionen des Künstlers: »Ich habe immer Probleme mit der Farbe gehabt und zwar von dem Augenblick an, als ich sie systematisch einsetzen wollte.«

Es scheint, als sollte die Farbe ihre Wesenheit außerhalb aller schöpferischen Vorgänge oder Handlungen und ohne jeglichen Bezugsrahmen beibehalten. Dennoch spricht Morellet von einem »systematischen« Einsatz der Farbe. Eine seiner Kompositionen *Violet bleu vert jaune orange rouge* (Violett Blau Grün Gelb Orange Rot, 1953, Abb. S. 41) mobilisiert alle Grundfarben und drei Sekundärfarben in einer regelmäßigen und symmetrischen Anordnung von verschachtelten Kreuzen. Diese Verteilung von Kreuzen auf der Oberfläche folgt keinem »optischen Gesetz«: Zwei in je einer Grundfarbe gehaltenen Kreuze sind von zwei Kreuzen in Sekundärfarben umgeben und das Ganze wiederholt sich auf vertikalen und horizontalen Linien. Diese Vorgehensweise ist verwirrend, weil weder Anfang und Ende eines Prozesses, zum Beispiel im Sinne von Klee (Bewegung oder Genese), noch ein Abschluss der chromatischen Werte, die aus-

druckskräftige Lichtintensität signalisieren sollen, ange-
geben wird. Sie will den überkommenen Reflex auf die
Probe stellen, wonach immer die Suche nach einer bedeu-
tungsvollen Farbe einsetzt, die etwas »ausdrückt«, und
selbst wenn sie einzig und alleine auf ihre eigene Stofflichkeit begrenzt sei.

In der zweiten Hälfte des 20. Jahrhunderts ist bei
vielen Künstlern und insbesondere bei Morellet zu beobachten, dass die Farbe wie eine Tatsache hingestellt wird,
deren symbolische Wirklichkeit lediglich der der semiotischen entspricht. Der Abstand, den der Betrachter bei
seiner Wahrnehmung einnimmt, oder die Veränderung
der Lichtverhältnisse ändern nichts an der Tatsache, dass
dieser Minimalismus lediglich auf die Abwesenheit einer
Phänomenologie hinweist und dass die Farbe keine weitere Aufgabe erfüllt als die, auf der Leinwand anwesend
zu sein. Ihr deswegen eine auf sie selbst verweisende
Eigenschaft zuzuschreiben macht demnach keinen Sinn
mehr, es sei denn, man wollte behaupten, dass das Weiß
einer weißen Wand lediglich auf sich selbst verweise.
Demnach verfolgt der Künstler keine andere Absicht als
die, die Farbe aus einer – wie er es nennt – »systematischen« Perspektive zu behandeln, das heißt als reine farb-
liche Funktionalität innerhalb des Bildraumes. In diesem
Sinne kann man sagen, dass die Komposition von 1953
sehr schnell eine Aporie verursacht, in dem Maße, in dem
die starken Kontraste zwischen den Grund- und den
Sekundärfarben zu einer allgemeinen Neutralisierung
der Bildwerte führen.

Die von Morellet zum Ausdruck gebrachte Schwierigkeit könnte auch anders formuliert werden: Kann denn
Farbe überhaupt noch eine Bedeutung haben, wenn man
ihr die beiden großen Achsen der Bildmimese untersagt,
die – schematisierend ausgedrückt – die Malkunst bisher
bestimmt haben, das heißt den symbolischen Verweis
und die Bezugnahme bei der Imitation? Ließe man die
unterschiedlichen Bedeutungen und Zweckbestimmthei-
ten beiseite, dann besäße das Blau der mittelalterlichen
Gotikfenster und Yves Kleins Blau zumindest eine gemeinsame Eigenschaft: die verweisende Funktion der
Symbolik.

Wenn Morellet die paradoxale und unmögliche
Idealvorstellung einer in ihrer Faktualität erstarrten und
in ihrer Gattungswirklichkeit verewigten Färbung aufrechterhalten will, darf nicht vergessen werden, dass
seine Wahl einer weit verbreiteten Veränderung des Farb-

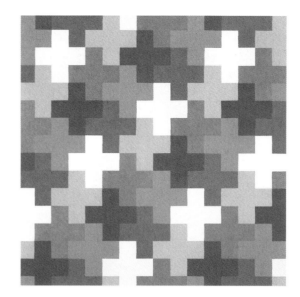

*Violett Blau Grün Gelb Orange Rot*, 1953

*Rotesque*, 1994

systems vor allem der sechziger Jahre entspringt, welches einer willensimmanenten schöpferischen Erfahrung gehorcht. Diese Veränderung ist das Ergebnis eines früheren Säkularisierungsprozesses, der in der Neutralisierung der Farbwerte, des Farbtons und der Farbnuancen gipfelte. Nennen wir ein extremes Beispiel: Es darf wohl behauptet werden, dass selbst der an Nuancen reichste Maler ein Beziehungssystem voraussetzt, und sei es nur ein rein praktisches, dekoratives oder wirtschaftliches System. Die reine oder rohe Farbe kann sich zumindest in dem Maße negativ definieren, in dem sie in sich ein gewisses Ausmaß an Ablehnung kristallisiert: in Bezug auf die Kunst, die sich noch als netzhautbezogene Kunst definiert, die ästhetische Empfindsamkeit als Fähigkeit, Bildwerte zu diskriminieren, das Primat der Symbolik und der Ausdrucksfähigkeit.

Die Synthese dieser sukzessiven Negationen hat das Feld der Einsatzmöglichkeiten der Farben noch weiter begrenzt. Daher verweist Morellet auf die nunmehr problematische Eigenschaft der Farbe. Er erliegt keineswegs dem Trugschluss, dass traditionelle Kunst verschleiere, während die Aufgabe der modernen Kunst, das heißt der modernen Malerei darin bestehe, die eigentliche Essenz der Malerei darzustellen und uns die Kunst in ihrem Entstehungsprozess zu zeigen. Morellets Beitrag besteht darin, die Farbe, so wie sie sich in den klassischen Modalitäten (Intensität der Nuancen, Kolorit oder Ausdruckskraft) in ihrer reinen Phänomenologie darstellt, aufzugeben. Gleichzeitig erhebt er jedoch den Anspruch, eine so lange von der klassischen Kunst verdeckte »Wesensart der Malerei« aufzudecken. So verlässt er nunmehr gänzlich das Feld dieser Problematik, auf dem sich die gewagtesten Versuchsanordnungen und die unberechtigtesten ästhetischen Gedanken tummelten, um erneut auf Farbbalken mit reinen Farben und, vor allem, auf Neonröhren zurückzugreifen.

Kurz: Morellet liefert eine überzeugende Lösung, dank seiner außergewöhnlichen Beherrschung des Raumes, der eine äußerst erfinderische und sparsame Einbeziehung der Farbe zulässt. Sie wird jedoch mit unerbittlicher Strenge behandelt, in dem Maße, in dem der Künstler immer bestrebt war, die Linie zu wählen, also gewissermaßen die Zeichenkunst *im Widerspruch zur* Farbe, die Gesamtstruktur *im Widerspruch zum* Detail. Zudem wird – im bildlichen Sinne gesprochen – der Farbwert häufig sehr schnell jeglichen semantischen Gehaltes zu-

gunsten einer gewissermaßen syntaktischen Funktion entleert, wie zum Beispiel in der Komposition *Rotesque* (1994; Arbeit aus der Serie *Grotesques*, deren Titel Rotesque ein Wortspiel mit dem deutschen Wort der vorherrschenden Farbe Rot ist; Abb. S. 41). Daher stammt auch seine ewige Versuchung, Weiß und Schwarz schlichtweg und definitiv als dualen Gegensatz zu verstehen; man denke nur an das pure Weiß seiner ironischsten Arbeiten (so ein Werk aus der Serie *Géometrie dans les spasmes* von 1986 [Wortspiel: Geometrie im Raum [»espace«] und in Krämpfen [»spasmes«], Anm. d. Üb.], oder an *Steel Life* von 1990 (Abb. S. 179 und 180–181). Die Eintracht der Linien und der Farbe Weiß zieht keinen Schluss, sondern entfaltet sich in der vergänglichen Gegenwart des Hier und Jetzt, ohne sich dabei irgendeiner nahen Zukunft zu öffnen. Das Weiß lässt alle Zweideutigkeiten unberührt: Anfang oder Ende, Baufälligkeit der Moderne oder Ouvertüre einer uns unverständlichen Zukunft.

# Chronologie

*Stéphanie Jamet*

### 1926–1944

François Morellet wird am 30. April 1926 in Cholet/Anjou geboren. Sein Vater, Charles Morellet, ist Unterpräfekt von Chinon. Er ist ein kultivierter Mann, sehr aufgeschlossen gegenüber bildender Kunst und Literatur. Er übt großen Einfluss auf die Erziehung François' aus und vermittelt ihm seine Vorliebe für Wortspiele, insbesondere für Schüttelreime.

Seine Mutter ist die Tochter des Bürgermeisters von Chinon, der gleichzeitig Direktor einer Spielzeug- und Spielzeugautofabrik ist. Nach seinem Tod übernimmt François Morellet die Leitung der Fabrik. François Morellet hat eine drei Jahre ältere Schwester, Fanny. In Cholet verbringt er eine glückliche und ungetrübte Kindheit. Durch seinen Vater wird er von einer gewissen Offenheit geprägt. Auch wird er durch die Lektüre von Alphonse Allais und vom Geist der *L'Os à moelle* von Pierre Dac beeinflusst, einer Zeitschrift, die er wie folgt beschreibt: »Die erste Verbreitung des Dada-Geistes in Frankreich. Erst sehr viel später tauchte dann *Hara-Kiri* auf.«[1]

Seine Eltern haben häufig Schriftsteller, zum Beispiel Paul Valéry oder André Salmon, zu Gast. Charles Morellet schreibt selbst einige Bücher, die er auf eigene Kosten veröffentlichen lässt: *Saint-Louis ou la Justice sous les chaînes* (Paris, 1949), die François mit Zeich-

nungen illustriert, oder *Calembredaines* (Cholet, 1952) und *Les Fables d'Olonne* (Angers, 1956). Sie laden auch Maler, Musiker, Sänger – vor allem Barbara oder ihre Freunde Georges und André Bellec (zwei der Frêres Jacques) – in ihr Haus, Chansonniers wie Francis Blanche oder auch Gastronomen wie Curnonsky.

Im Alter von elf Jahren zieht François Morellet mit seinen Eltern nach Paris, die dort eine Wohnung in der rue de Rivoli 248 besitzen. *»Die Jahre auf der Grundschule und der höheren Schule bis zu meinem Russischdiplom waren jedoch ziemlich banal, ich empfand keinerlei übertriebene Abneigung gegenüber meinen Lehrern. Nein, mein persönliches Drama, meine Schwäche bestand darin, dass ich nie besonderes Vergnügen an den dort gelehrten Fächern empfand. Die Lehrer, die zum Beispiel für Religion, klassische Literatur oder Judo zuständig waren, haben mir bis zum heutigen Tage jegliche Lust an diesen Fächern genommen. Andererseits hatte ich zum Glück keine Lehrer für Sexualerziehung, Önologie, Tiefseetauchen und natürlich auch... für etwas modernere Kunst.«*[2]

Morellet schreibt sich im Lycée Charlemagne in Paris ein, wo er 1943 den ersten Teil seines *baccalauréat* (französische Reifeprüfung) besteht.

1942 nimmt er an verschiedenen Malkursen teil – seit dem Alter von 14 Jahren malt er als Autodidakt –, die von Jean-Denis Maillart geleitet werden. Dieser Maler, der sich mit Portraits von Leuten von Welt einen Namen gemacht hat, wird auf Bitte von Charles Morellet auch den jungen François portraitieren. Maillart ist es zu verdanken, dass Morellet eine *Nature morte*

Morellet mit seiner Schwester Fanny und seinen Eltern, 1932

(Stillleben) im Salon de la Société nationale des Beaux-Arts in Paris ausstellt.

Die Kurse werden jedoch wenig Einfluss auf seine Malerei haben. 1944 kehrt Morellet aufgrund des Krieges in das Landhaus seiner Familie in Clisson zurück und legt den zweiten Teil seines *baccalauréat* in Nantes ab. Mit dem Zeugnis in der Tasche, kehrt er im darauf folgenden Jahr nach Paris zurück, um Russisch an der École des Langues orientales zu lernen.

*»Ende der vierziger Jahre hieß es in Frankreich: ›Optimistische Eltern lassen ihre Kinder Russisch, pessimistische Eltern Chinesisch lernen.‹ Dank dem Optimismus meiner Eltern habe ich daher Russisch gelernt und dank ihres Traditionsbewusstseins auch Englisch und Latein.«* [3]

Während der Besatzungszeit entdeckt Morellet den Jazz, eine seiner großen Leidenschaften: *»Die Liebe meines Lebens, der Jazz, weckte in mir einen schrecklichen Rassismus. Ich konnte keinen weißen Musiker mehr akzeptieren.«* [4] Er kauft viele gebrauchte Schallplatten, vor allem zu Boogie-Woogie-Musik.

## 1945–1946

Während seiner Pariser Studienjahre besucht Morellet Museen und Ausstellungen. Er malt Portraits, Stillleben und Landschaften. Von der Wohnung seiner Familie in der rue de Rivoli aus malt er das Jeu de Paume und die Place de la Concorde.

*»1945 entdeckte ich meine großen Leidenschaften und begann meine Ausbildung mit ausgesprochen realistischen Bildern von Malern auf der Linie von Derain, wie zum Beispiel Oudot, Rohner und vor allem Chapelain-Midy, dessen Virtuosität und bleierne Himmel*

*ihn zum absoluten Vorbild der Landschaftsmalerei machten. [...] Dann kamen die Jahre 1946 bis 1947, eine stabile, wenngleich karge Zeit, in der auch ich zur Ordnung zurückkehrte, zu etwas mehr Wirklichkeitssinn und zu den Elendsbildern des ›miserabilisme‹ mit ihrer etwas pastösen und strengen Farbgebung. Damals begeisterte ich mich für Farben und Bildinhalte von Laprade (und wurde sicherlich auch davon beeinflusst) – mit einer Prise Soutine und einem Hauch Balthus.«* [5]

Er fühlt sich auch von Raoul Dufy oder Amedeo Modigliani angezogen. Zu seinem 20. Geburtstag wünscht er sich ein Bild von André Marchand.

Ein Freund seines Vaters, Emmanuel David von der Galerie Drouant-David, stellt ihn einigen Mitgliedern der Groupe de L'Échelle vor, der auch Jacques Busse, Jean-Marie Calmettes, Jean Cortot und Michel Patrix angehören. Sie alle sind Schüler von Othon Friesz, dem Professor an der Académie de la Grande-Chaumière. Ihre Malerei wird damals von einer Mischung aus Kubismus und Fauvismus bestimmt. *»Ich kannte Busse, Calmettes, Cortot und Patrix sehr gut. Wenn ich mir meine Bilder aus dieser Zeit ansehe, dann entdecke ich in einigen meiner Landschaften einen Bildaufbau, der dem bei Busse und Patrix ähnelt.«* [6]

Im September 1946 heiratet François Morellet die ein Jahr ältere Danielle Marchand, die er bei einem Picknick auf dem Land in der Nähe von Nantes im Juni 1944 kennen gelernt hatte. Danielle ist Musikerin und steht am Anfang ihrer Laufbahn als Pianistin. Zunächst wohnt das Ehepaar in Clisson, einem kleinen Ort, ca. 30 Kilometer von Cholet entfernt.

Morellet, Fotografie von Laure Albin-Guyot, um 1942

Jean-Denis Maillart, *Portrait von François Morellet*, um 1942–1943

## 1947–1949

Das Jahr 1947 ist von zahlreichen Begegnungen geprägt, die eine entscheidende Rolle in der künstlerischen Ausrichtung Morellets spielen werden. So macht er während eines Urlaubs in der Familienvilla in Sainte-Maxime die Bekanntschaft von Philippe Condroyer, dem Maler und späteren Filmproduzenten, der ihm Christian Chenard und Dany, die Söhne des Fotografen Jacques Henri Lartigue, vorstellt.

Morellet malt noch im gleichen Jahr ein Portrait von Chenard und Condroyer. Auch mit anderen Malern, die sich mit Dany Lartigue das Atelier teilen, freundet er sich an: mit François Arnal und Pierre Dmitrienko etwa. Letzterer wird ihn dazu veranlassen, seine Malerei zu vereinfachen und zu geometrisieren. *»Diese Maler waren nicht nur enge Freunde von François Morellet bis 1951, sondern sie verkörperten für ihn auch den Gipfel der künstlerischen Moderne.«*[7]

Morellet trifft den Maler Joël Stein, der zu jener Zeit mit Schriftstellern und Surrealisten in engerem Kontakt steht. Zwischen den beiden Männern entwickelt sich eine tiefe und herzliche Freundschaft.

Am 13. Oktober 1947 bringt Danielle ihren ersten Sohn, Frédéric, Friquet genannt, zur Welt.

1948 kehrt Morellet nach seinem bestandenen Russischdiplom in den Familienbetrieb Morellet-Guérineau zurück. Er übernimmt im Wesentlichen die Geschäftsführung und die Modellentwicklung und ist somit in der glücklichen Lage, sein Leben und seine künstlerischen Studien über 25 Jahre lang zu finanzieren.

Zu der Zeit begeistert er sich für Jean-Paul Sartres Werke. *»Sein Buch Les Chemins de la liberté (Die Wege der Freiheit) gefiel mir sehr gut, als ich es unmittelbar nach dem Krieg las. Danach musste ich unbedingt alle Theaterstücke von Sartre sehen, sobald sie herauskamen [...] Wie viele andere Existenzialisten des Café de Flore habe ich es nie geschafft, L'Être et le Néant (Das Sein und das Nichts) oder Critique de la raison dialectique (Kritik der dialektischen Vernunft) vollständig zu lesen. Ich kam jedoch zu dem Schluss, dass man hart bleiben muss. Ich war auch einverstanden mit seiner Ironie. Aber was mich überraschte, war seine Humorlosigkeit.«*[8]

Er interessiert sich für das gerade herausgekommene Buch *La Psychologie de l'art* (Psychologie der Kunst) von André Malraux. Die vielen Abbildungen, die in diesem Buch enthalten sind, veranlassen ihn, 1949 unter anderem das Musée de l'Homme in Paris aufzusuchen. Dort fasziniert ihn vor allem die Ozeanische Kunst. *»Ende der vierziger Jahre ging ich häufig dorthin, um unter Einsatz meiner Kultur die leeren Gänge dieses Museums an der Place du Trocadéro zu erforschen, welches Lichtjahre, ja hundert (Lichtjahre) von der Place du Louvre oder der Avenue de Tokyo entfernt war.«*[9] *»Ich war begeistert von den Tapas, einer Art Rindenbaststoff, der häufig mit geometrischen Formen und Blatt- oder Handabdrücken verziert wird... «*[10]

Zu den *Tapas* erläutert er später: *»Ein einziger Satz von Bazaine in seinem 1948 erschienenen Büchlein Notes veranlasste mich, mehr darüber wissen und sehen zu wollen.«*[11]

Hochzeit von Danielle und François Morellet: das junge Paar mit den »Frères Jacques«, 1946

*Landschaft*, Paris, 1945

Morellet, Pierre Dmitrienko und Dany Lartigue, 1949

Morellet und Joël Stein mit ihrer Beute, 1949

Unter diesem Einfluss verändert sich Morellets Stil beträchtlich. Bald beginnt er, Pflanzenabdrücke in seinen Bildern und in seinen bedruckten Holzskulpturen einzusetzen.

## 1950 – 1951

Die erste Einzelausstellung wird von der Galerie Raymond Creuze in Paris vom 10. bis 25. März veranstaltet. Sie zeigt seine von den primitiven Künsten geprägten Arbeiten, das heißt 24 Bilder, Zeichnungen sowie 9 Skulpturen. In *Le Peintre* ist Folgendes zu lesen:

*»Diese Kanakenproduktion (Kanaken ist der damalige Name für Hawaiianer, später aller Südseebewohner, Anm. d. Üb.) hat überhaupt nichts mit Kunst zu tun (weder mit der Kunst von Wilden, noch mit der von Geistesgestörten oder von sonstigen laienhaften Stümpern). Seine ›Bilder‹, die auf schlechte Weise die Abbildungen, die bis dato medizinischen Nachschlagewerken vorbehalten waren, nachahmen, haben den Beigeschmack von Bandwürmern und Krebsgeschwüren. Na dann Prost! Wir schämen uns für seine Eltern und auch für ihn, umso mehr, sollte er die Galerie nicht damit überrascht haben wollen (es ist das zutreffende Wort, glauben Sie mir). Sicherlich könnte er mit ein bisschen gutem Willen durchaus gute Arbeit leisten, denn einige Momente sind durchaus nicht dem Zufall zuzuschreiben.«*[12]

Unmittelbar nach dieser Ausstellung entdeckt Morellet die Malerei von Serge Charchoune, der damals von der Galerie Raymond Creuze vertreten wird und von der er sagen wird: *»Obgleich er den Willen zum Bildaufbau vermissen ließ, war er derjenige, der mich zur vereinfachenden Abstraktion getrieben hat.«*[13]

*»Die Bilder, die er damals schuf, entbehrten endgültig jeglichen Bezugs zur Empfindsamkeit und bestanden lediglich aus einem Netz aus sich deckenden Linien, die ein sehr unregelmäßiges Schachbrettmuster auf der Bildfläche entstehen ließen. Die sehr hellen und durchsichtigen Farben spielen mit den kleinsten Nuancen von Blau, Gelb, Rosa, Grün und Weiß und sind von einer ganz außergewöhnlichen Ebenmäßigkeit.«*[14]

Unter dem Einfluss von Pierre Dmitrienko fängt Morellet an, sich für Gurdjieffs Esoterik, genauer, für die Schriften einer seiner Schüler zu interessieren, die des russischen Philosophen Ouspensky. Er spricht geradezu von einem »großen Schock« nach der Lektüre des Buches *Fragments d'un enseignement inconnu*: *»Was mich besonders interessierte, war der Gedanke der eigenen Körperbeherrschung. Derartige Gedanken kann man andernorts eher entlehnen als im Westen. Seine Verweise auf Tibet, auf den Orient faszinierten mich. Das hat mich schon immer interessiert. Aber Gurdjieffs Buch* Récits de Belzébuth à son petit-fils, *der ein Nietzsche-Anhänger sein wollte, gehörten dem anmaßenden, hirnrissigen Genre an.«*[15]

Die Sorge vor einem neuen Krieg gibt den Anstoß, eine Südamerikareise zu unternehmen. Vor allem Brasilien möchte Morellet besuchen, in der Absicht, sich dort niederzulassen. Man hat von Europa – »an das wir nicht mehr glaubten« – ein äußerst düsteres Bild.[16] Während seines Aufenthaltes in Brasilien wird er von Michel Arnoult, der mit seiner brasilianischen Frau in Rio de Janeiro lebt, empfangen. Im Verlauf dieser Reise entdeckt Morellet das Werk

von Max Bill, der eine grundlegende Rolle in der zukünftigen Ausrichtung seiner Malerei einnehmen wird. Sehr bald eröffnen sich ihm neue künstlerische Perspektiven.

*»Der Schatz, den ich entdeckte, stammte aus der Schweiz, es war Max Bill und mit ihm natürlich auch die ›konkrete‹ Kunst. Ich habe die Bill-Ausstellung in São Paulo nicht gesehen, da sie vor meiner Ankunft stattfand. Ich habe lediglich einige schlechte Abbildungen gesehen und einige junge Künstler getroffen, die von der Ausstellung hingerissen waren.«*[17]

Morellet freundet sich mit Almir da Silva Mavignier an, der eine große Rolle in den Anfängen seiner künstlerischen Laufbahn einnehmen wird.

Nach seiner Rückkehr nach Frankreich, Anfang 1951, malt Morellet seine ersten geometrischen Bilder. Es handelt sich praktisch um Grau-in-Grau-Malerei, in immer einfacheren und immer nüchterner werdenden Formen.

Joël Stein, der verschiedene dem Surrealismus nahe stehende Künstler kennen gelernt hatte, bringt ihm das Werk von Marcel Duchamp nahe. Eine weitere Entdeckung, die von Piet Mondrian, ist von einschneidender Bedeutung. Beim Durchblättern des 1947 vom Skira Verlag herausgegebenen Bandes *Peintures du XXe siècle* (Malerei des 20. Jahrhunderts) von Maurice Raynal stößt Morellet auf die Abbildung eines Bildes von Mondrian, welches 1921 datiert war und dem Baseler Museum gehörte.

*»Diese erste Begegnung verlief sehr schlecht. Ich war schockiert, geradezu genervt von der Einfachheit dieses Werkes, welches ich für eine willkürliche Provokation eines unbekannten Malers hielt. Dennoch sah ich mich im*

GALERIE R. CREUZE

4 . Avenue de Messine . 4

PARIS - VIII°

*Morellet*

**PEINTURES ET SCULPTURES**

DU 10 AU 25 MARS

**1950**

*Vorbeigehen mehr oder weniger genötigt, das Buch aufzuschlagen und sei es nur, um meinem Ärger Luft zu machen. Das hat sicher so seine zehn Male und Tage gedauert..., bevor ich davon überzeugt, erobert, ja schlichtweg begeistert war.«*[18]

Im Sommer 1951, einige Monate, nachdem sein zweiter Sohn, Christophe, geboren wurde (25. November 1950), unternimmt Morellet zusammen mit seiner Frau eine zweite Brasilienreise. Das politische Klima hatte sich zwischenzeitlich weltweit beruhigt, sodass er seine Absicht, Frankreich den Rücken zu kehren und dort zu leben, aufgegeben hat.

## 1952

Almir Mavignier, der sich im Dezember 1951 in Paris niedergelassen und mit seinen systematischen Arbeiten begonnen hatte, macht Morellet mit Jack Youngerman bekannt. Dieser amerikanische Künstler, der seit 1947 in Paris lebte und mit Delphine Seyrig verheiratet war, arbeitet damals in einer vom Konstruktivismus und Neo-Plastizismus geprägten Weise.

Am 18. Januar findet in der kleinen Galerie Bourlaouën in Nantes die Vernissage der Ausstellung »Abstractions« statt, die von Almir Mavignier ausgerichtet wird. Die Auswahl der ausgestellten Künstler entspricht den Ambitionen des Ausstellungstitels, denn neben Morellet und Mavignier sind folgende vertreten: François Arnal, Philippe Condroyer, Pierre Dmitrienko, Richetin, aber auch Geraldo de Barros, Jack Youngerman und Ellsworth Kelly. Morellet wird diese Künstler erst einige Monate später kennen lernen: *»Unter diesem mutigen Titel stellt eine Gruppe junger französischer, amerikani-*

scher und brasilianischer Künstler aus, deren Arbeiten von äußerst unterschiedlichem Niveau sind. Einige von ihnen sind nichts weiteres als der künstliche und recht schulmäßige Ausdruck eines wenig überzeugenden geometrischen Realismus, andere wiederum weisen glücklicherweise eine Art Ablehnung gegenüber dem Schulgeist auf. Arnal ist zweifelsfrei ein wirklicher Maler. Morellet versteckt in seinen absichtlich streng und nüchtern gehaltenen Bildern die bemerkenswerten Eigenschaften eines glänzenden Stilisten.«[19]

Serge Lemoine hebt Morellets Bemühen hervor, alles Willkürliche nicht nur in der Komposition, sondern auch im Format und im Inhalt aufzugeben:
»Er war damals bemüht, die Bildsprache zu begrenzen, in dem Bestreben, die Mechanismen besser zu verstehen und zu beherrschen, und versuchte deshalb, den Bildraum mit einheitlichen Formen zu füllen: konzentrischen Linien, die durch ihre Gleichförmigkeit diesem Anliegen sehr entgegenkamen. [...] Diese grundlegende, sich wiederholende und auf neutralste Weise erzeugte Struktur (die Linien werden mit Hilfe von Abdrücken von Klebeband erzielt) hat jedoch einen gewissen Rhythmus.«[20]
Morellet beschließt, nur noch viereckige Formate – in den Maßen 80 x 80 cm oder 140 x 140 cm – ohne jegliche Umrahmung zu verwenden.

Im August reist Morellet nach Spanien und besucht die Alhambra von Granada, für ihn die reinste Offenbarung: »Ich bekam sofort eine Gänsehaut.«[21] Die maurische Kunst mit ihren raffinierten, verschlungenen Verzierungen und geometrischen Formen schlägt ihn in ihren Bann.

»Ich habe nie wieder, weder vorher noch nachher, einen derartigen Schock bekommen. [...] Es ist für mich die intelligenteste, die präziseste, die raffinierteste und auch die systematischste Kunst, die es je gab.«[22]
Dort entdeckt er beunruhigende Entsprechungen zu seinen letzten Arbeiten. Und so, bestärkt durch seine Nachforschungen, nimmt Morellet endgültig den Grundsatz des All-Over an – und verfolgt ihn bis Anfang der achtziger Jahre.
»Seit 1952 stürzte ich mich auf das systematische all-over, diese gleichmäßige Verteilung, die für mich die Ablehnung der Konstruktion verkörpert.«[23] »Ich glaube, ich war mir damals durchaus bewusst, dass ich damit den wohl meinenden Konstruktivisten widersprach, zumindest auf dem Gebiet der Bildkomposition. Ich erinnere mich, wie stolz ich auf meine All-Over-Bilder war.«[24]

In diesem so entscheidenden Jahr entwickelt Morellet auch seine ersten Systeme.
»Ein System ist für mich so etwas wie eine Regel oder ein sehr konkretes Spiel, welches bereits vor dem eigentlichen Werk entsteht und daher seine Entwicklung und somit auch seine Ausführung bestimmt. Ich habe diesen Begriff gewählt, weil er eine Verhaltensweise beschreibt, die ich sehr schätze, nämlich die jener Künstler, die sich nicht mit dem, was sie machen, identifizieren [...]. Das System macht es möglich, die Anzahl der subjektiven Entscheidungen zu verringern und dem Werk die Möglichkeit zu geben, sich dem Betrachter selbst darzustellen.«[25]

Am 8. November trifft Morellet Ellsworth Kelly durch die Vermittlung Mavigniers. Bei derselben Gelegenheit

lernt er auch Alain Naudé kennen, einen Freund von Kelly, der zu der Zeit eine geradezu radikal geometrische abstrakte Malerei betreibt.

## 1953

Morellet stellt *16 carrés* (16 Quadrate, Abb. S. 126) fertig, eine Arbeit, die er selbst als »*die Minimalistischste [die ich je gemacht habe]*«[26] bezeichnet. »*Die Stützmauer seines Werkes – jene weiße Leinwand von 80 × 80 cm, unterteilt in 16 gleich große Quadrate – stammt aus dem Jahr 1953 und stellt den Ausgangspunkt alles Weiteren dar. Das Raster ist somit eine beschlossene Tatsache.*«[27]

Im weiteren Verlauf dieses Jahres beginnt Morellet mit den Studien zur Chromatik:
»*Ich war nie in der Lage, die echten Violett-, Blau-, Grün-, Gelb-, Orange- und Rottöne zu definieren. Daher habe ich entweder die drei Grundfarben des Dreifarbendruckes – Blau, Gelb und Rot – verwendet, sozusagen einen programmierten Zufall, um eine Farbe aus einer ganzen Palette von Nuancen auszusuchen. Und danach, Mitte der fünfziger Jahre, machte ich diese Bilder [...], fünf oder sechs, nicht mehr, die mit kaum wahrnehmbaren Farbschattierungen die äußerste Grenze ausloteten. Das war das letzte Aufbäumen meiner Empfindsamkeit. Ich wollte eine ›perlmuttartige‹ Monochromie erzeugen.*«[28]
Sehr schnell jedoch bemerkt er, wie vielschichtig und subjektiv Farbe sein kann, und bevorzugt daher – fast ausschließlich – Weiß und Schwarz:
»*Auf genau dieselbe Art und Weise, wie ich zu den geometrischen Elementen (Linien, Quadraten, Kreisen...) gekommen bin, kam ich geradezu selbstverständlich zu meiner ganz*

*persönlichen Farbpalette. Es handelte sich dabei um folgendes Kriterium: die Notwendigkeit, dass jedes der eingesetzten Elemente einer ganz präzisen, einfachen und (für den gesunden Menschenverstand) offensichtlichen Definition entsprechen musste. Lediglich zwei Farben wurden und werden meines Erachtens diesem Kriterium gerecht: Weiß und Schwarz. Die eine Farbe ergibt sich aus der Summe aller Farben und die andere aus der Aufnahme allen Lichtes. Es sind die beiden kontrastreichsten Farben, das Ja-Nein oder 0-1 des binären Systems. Zwei Farben, die im üblichen Sprachgebrauch mit (allen) anderen Farben in Verbindung und zu ihnen im Gegensatz stehen.«* [29]

Nach der Geburt des dritten Sohnes, Florent, am 23. Juni beschließt Danielle Morellet, ihre Karriere als Pianistin aufzugeben. Sie widmet sich fortan der Erziehung ihrer Söhne und unterstützt vor allem ihren Mann in seiner künstlerischen Laufbahn.

## 1954–1956

Im Jahr 1954 entwirft Morellet seine erste Fragmentierung, *Arc de cercle brisé* (Zerbrochener Kreisbogen); den Bildaufbau wird er erst in den siebziger Jahren wieder aufgreifen. Catherine Millet äußert sich folgendermaßen:
*»Für mich ist* Arc de cercle brisé *(1954) ein Vierteiler. Vier weiße, viereckige und gleich aussehende und in gleichmäßigen Abständen aufgehängte Leinwände werden von einem blauen Kreisbogen durchkreuzt. Aber dieser Kreisbogen nimmt nicht überall denselben Platz ein. Würde man sie Rand an Rand hängen, dann würden sich die Kreisbögen tatsächlich miteinander verbinden. Man würde dann feststellen, dass sie sich zu einem einzigen Kreis*

*zusammenfügen. Daher der Bildtitel. [...] Morellets formelle Systeme sind keineswegs eine Addition oder Subtraktion von Elementen: Sie sind eigenständige Tatsachen. Es sind auch keine bausteinartigen Systeme, bei denen sich ein Element aus dem vorangegangenen ableitet und so weiter. Morellets Bilder entnehmen schlagartig Fragmente eines Ganzen, dessen Grenzen unvorstellbar sind. [...]
Bei Arc de cercle brisé handelt es sich jedoch nicht einmal darum, sich vorzustellen, was im Unendlichen außerhalb des Bildes geschieht, sondern schlichtweg darum, dem Eindringen dieses unendlichen Raumes in das Werk selbst die Stirn zu bieten. Das Werk selbst würde jedoch jeglichen Wert verlieren, würde man die vier Tafeln direkt nebeneinander hängen oder die vier Kreisbögen auf ein und derselben rechteckigen Oberfläche, getrennt von weißen Zwischenräumen, statt auf vier eigenständigen Tafeln anbringen. Die Abstände zwischen den Tafeln sind exakt berechnet. Sie sind nicht zu knapp bemessen, da sich andernfalls die vier Oberflächen wieder miteinander verbinden würden. Sie sind aber auch nicht zu groß, was ihnen wiederum zu viel Bedeutung beimessen, sie sozusagen dem Bildraum entziehen würde (Arc de cercle brisé ist ja keine ›Installation‹). Die Abstände gehören zum Außenbereich des Werkes. Das Werk besteht lediglich unter Einbeziehung des sich ihm zwangsläufig entziehenden Unendlichen, des nicht qualifizierbaren Raumes.«* [30]

Sehr schnell jedoch gibt Morellet die Kreislinie zugunsten der Geraden auf, die sein gesamtes Werk bis Anfang der neunziger Jahre beherrschen wird.

Am 4. Februar 1954 reist Morellet nach Deutschland, trifft sich wieder mit Almir Mavignier, der seit einem Jahr an Kursen der Hochschule für Gestaltung (HfG) in Ulm teilnimmt. Er ist beeindruckt von der von Max Bill und Otl Aicher gegründeten Schule, die zu jener Zeit zahlreiche Künstler anzieht und es sich zum Ziel gemacht hat, zu einem neuen Bauhaus zu werden.

Zwei Tage darauf fährt Morellet mit Mavignier nach Zürich, wo Letzterer ihm Max Bill vorstellt. Nach seiner Rückkehr nach Paris sucht Morellet auf Empfehlung von Max Bill den ursprünglich neo-plastizistischen Künstler Georges Vantongerloo auf. Diese Begegnungen bestätigen ihn auf seinem strikten Weg.
*»Anfang der fünfziger Jahre fand ich in der Gestalttheorie und in der Konkreten Kunst gute Gründe für meine systematische Geometrie.«* [31]

In demselben Jahr liest er nicht nur den *Ulysses* von James Joyce, sondern interessiert sich auch für die Schriften von Samuel Beckett – *»Jack Youngerman und seine Frau, Delphine Seyrig, lehrten uns, ihn zu lieben.«* [32]
Er kannte Raymond Queneaus *Exercices de style* (Stilübungen) bereits, die um 1948 im La Rose Rouge – einem Pariser Kabarett, das er häufig besuchte – entdeckt und von der Compagnie Grenier-Hussenot bekannt gemacht wurden. Zu seiner Lektüre gehört auch *Cent Mille Milliards de poèmes*. Bernard Blistène unterstreicht ihre sprachlichen Gemeinsamkeiten:
*»Morellets Prinzip besteht darin, etwas bis zum Äußersten, bis zum Ende des Systems zu treiben. L'absurde est en soi discordant (Das Absurde ist in sich disharmonisch). Das Großartige an François Morellets Vorhaben besteht*

darin, dass er Disharmonie in Logik zu
verwandeln vermag. Aber seine Methode,
seine Argumentation stützt sich auf
die der Mathematik, wenn es darum
geht, aus dem Absurden Schlussfolge-
rungen zu ziehen und zu beweisen, dass
die Eitelkeit *eines Vorschlages darin
besteht, die Ungereimtheit mit dem
gegenteiligen Vorschlag beweisen zu
wollen [...]*
François Morellets Eingriffe sehen
meistens wie eine Wiederherstellung
aus und stellen sich somit wie eine
Stilübung *dar. Natürlich ist die Parallele
zwischen Kunst und Gymnastik bekannt. René Daumal beschreibt in
Le Mont analogue die Possen eines
Teams auf der Suche nach dem Gleich-
gewicht, Alphonse Allais beschwört
uns, ›das Rennen des Millimeters‹ zu
gewinnen, und Queneau kann seine
›oulipischen‹ Augen (die Form OULIPO
steht für Ouvroir de Littérature Potentielle, Workshop für Potentielle Literatur, Anm. d. Üb.) nicht abwenden.
Und so kommt es, dass Morellet, ein
begeisterter Anhänger von Wortspielen
und des Gegeneinander-Aufwiegens,
eine Methode entwickelt, deren Motivation nicht sehr weit entfernt ist von der
Littérature potentielle. Im Vorwort zu
Oulipo schreibt Queneau: ›Welches
Ziel verfolgen unsere Arbeiten? Wir
wollen den Schriftstellern neue mathematische ›Strukturen‹ vorschlagen
oder auch neue künstliche oder mechanische Verfahren erfinden, die einen
Beitrag zur Literatur leisten können:
Stützen für die Inspiration, wenn man
so will, oder vielleicht auch gewisse
Hilfestellungen für die Schöpferkraft.‹
Man sieht, dass sich das Programm
nicht sträubt, sich der Mathematik zu
bedienen oder, genauer gesagt, dessen,
was Queneau als Perimathematik bezeichnet [...]*

Geraldo de Barros, Morellet, Almir Mavignier, Place de la Concorde,
Paris, 1951

Morellet und Jack Youngerman, Angers, 1954

Morellet, Joël Stein, Almir Mavignier, Clisson, Weihnachten, 1954

*Es sei darauf verwiesen, dass es Queneau gelingt, den Ursprung der Topologie oder der Theorie der Zahlen ins Gedächtnis zu rufen, der zum Teil in dem liegt, was man ehemals als ›amüsante Mathematik‹ oder ›Zeitvertreib‹ bezeichnete [...]*
*In Morellets Methode gibt es demnach etwas von dieser ›Lipogrammatik‹, von der Queneau uns versichert, dass es das Wort durchaus gibt im Robert.«*[33]

Das Jahresende 1954 ist für Morellet von großer künstlerischer Einsamkeit gekennzeichnet: »*Ich war ganz allein.*«[34] In der Tat, Ellsworth Kelly kehrt in die Vereinigten Staaten zurück, Alain Naudé gibt die Malerei allmählich auf, während Jack Youngerman seinen Stil ändert und sich einer freieren Abstraktion zuwendet.

1955 entsteht das erste Werk mit dem Titel *Tirets 0° – 90°* (Striche 0° – 90°). »*Tirets 0° – 90° bewegt sich auf der Linie der parallelen Überlagerungen. Ein Netz von vertikalen, parallelen und gleich langen Linien wird von einem völlig identischen horizontalen Netz überlagert.*«[35] Dieses Bild bildet den Auftakt zu einer ganzen Reihe von Arbeiten in den sechziger und siebziger Jahren.

Ab 1956 kündigen die Titel systematisch das Programm an, dem das Werk entspricht. Diese neue Regel, die Morellet sich selbst auferlegt hat, wird für die nächsten 30 Jahre seines Schaffens Gültigkeit haben.

Er arbeitet an ziemlich radikalen Werken, zum Beispiel *Angles droits concentriques* (Konzentrische rechte Winkel) und *Du jaune au violet* (Von Gelb zu Violett), »die manchmal den Vorschlägen von Frank Stella, Kenneth Noland und Sol LeWitt um Jahrzehnte vorauseilen.«[36]

Am 17. November präsentiert Morellet seine Arbeit der Pariser Galeristin Denise René, die jedoch geringes Interesse zeigt. Aber Jesús Rafael Soto, der damals in der Galerie ausstellt und zufällig anwesend ist, sieht die Bilder in dem Augenblick, als Morellet dabei ist, sie wieder einzupacken. Er gibt ihm den Rat, sich mit François und Vera Molnar, einem ungarischen Malerehepaar, in Verbindung zu setzen. Morellet lernt sie einige Monate später kennen. Soto und Morellet lernen sich gegenseitig schätzen; eine Beziehung, die bis zum heutigen Tag währt.

Durch die Vermittlung von Mavignier trifft Morellet sich anlässlich eines erneuten Aufenthaltes an der Hochschule für Gestaltung (HfG) in Ulm mit Friedrich Vordemberge-Gildewart, der dort seit 1955 lehrt und dessen Werk dem Neo-Plastizismus zuzuordnen ist. Zum ersten Mal hört Morellet etwas von Josef Albers, der Vorträge an der Hochschule hält und den er einige Jahre später in New York kennen lernen wird.

### 1957

Im Januar zieht die Familie Morellet von Clisson nach Cholet, wo sie auch heute noch ihren Wohnsitz hat. François Morellet jedoch bewegt sich weiterhin zwischen Paris und der Provinz hin und her.

Bei einem seiner Parisaufenthalte kommt es zur ersten Begegnung mit dem Ehepaar Molnar, mit dem ihn eine

Hélène und Jesús Rafael Soto und Morellets in Molnars Atelier, Paris, Winter 1956–1957 tiefe und dauerhafte Freundschaft verbindet. Sie scheinen ihm damals »*die einzigen, unnachgiebigen und systematischen Sieger des absolut Reinen zu sein*«. Ihre Bemühungen gehen von demselben Geist aus und »*stützen sich auf wissenschaftliche Methoden, auf die Physiologie und die Gestalttheorie.*«[37]

François Molnar macht Morellet auf andere theoretische Texte aufmerksam:
»*Mit meinen Freunden François und Vera Molnar glaubten wir in der brandneuen ›Informationstheorie‹ eine bessere [Theorie] gefunden zu haben. Wir mussten demnach experimentelle Arbeiten machen, die dann im Dienste einer neuen Kunstwissenschaft stehen sollten. Zumindest schien uns unsere Kunstform, mit ihrem Glauben an die Vernunft und den Fortschritt und mit ihrem Argwohn gegenüber dem Individualismus und so weiter, dem Bestreben der wahren Marxisten gerecht zu werden.*«[38]

Über Molnar wird Morellet am 22. Mai von Victor Vasarely eingeladen; es ist der Anfang einer engen Männerfreundschaft. Vasarely – Morellet spricht in diesem Zusammenhang von dessen Sinn für das Paradoxe, den Umsturz, den Zynismus und den Modernismus[39] – wird ihn sehr ermutigen und wird auch als Erster einige Jahre später eines seiner Bilder kaufen.

Am 19. Oktober trifft Morellet erneut Max Bill, diesmal in Begleitung von Molnar. Am nächsten Tag nutzen die drei Freunde diesen kurzen Aufenthalt in der Schweiz, um Verena Loewensberg zu besuchen. Die Malerin folgt der Richtung der Konkreten Kunst. Am 21. Oktober kommen sie erneut mit Mavignier an der Hochschule (HFG) in Ulm zusammen, an der Tomás Maldonado gerade die

umstrittene Nachfolge von Max Bill angetreten ist. Bei dieser Gelegenheit besucht Morellet auch einige deutsche Barockkirchen, die ihn aber nicht sonderlich interessieren; erst in den neunziger Jahren setzt er sich mit ihnen auseinander.

Zum ersten Mal nimmt er Hilfe von Außenstehenden an,[40] um seine *Coupé-glissés* anzufertigen.
»*Ist das ein neuer Tanzschritt? Nein, es sind lediglich kleine Flachreliefs, die ich in einem schönen schwarzen Glasmaterial für das Beerdigungsinstitut anfertigte, welches sich auch heute noch – wie übrigens auch der Friedhof – in meiner Straße befindet. Waren sie mir vielleicht aus diesem Grund ein wenig zu ernst erschienen, sodass ich sie bisher so selten ausgestellt habe?*«[41]

## 1958–1959

Morellet realisiert die ersten *Trames* (Raster, Abb. S. 134, 136, 137); es handelt sich um »*überlagerte Parallelen, die ein absolut homogenes Bild auf der gesamten Bildfläche schaffen und mit der Bildebene übereinstimmen. Dieses Prinzip kann dann auf der Grundlage der Variationen bekannter Größen zu einer Vielfalt von Ergebnissen führen.*«[42]

Morellet setzt dieses Verfahren der Überlagerung nunmehr systematisch ein und verwendet im darauf folgenden Jahr für den Aufbau seiner *Trames* eine Technik, die jener der Lichtpause ähnelt und Zeichenbretter für die Verschiebungen benutzt:
»*Sie haben mich in die Lage versetzt, nicht nur viel Zeit für meine Projekte zu gewinnen, sondern auch ein dem fertigen Bild sehr viel ähnlicheres Ergebnis zu erreichen [...]. Mit ihrer Hilfe kann ich jetzt auch Erfahrungen*

*machen, für die ich mit meinen herkömmlichen Mitteln nie und nimmer die Geduld gehabt hätte.*«[43]

Dank Ellsworth Kellys entsprechender Beschreibung befasst er sich 1958 auch mit den *Duo-Collages* von Sophie Taeuber-Arp und Hans Arp, die 1918 »nach den Gesetzen des Zufalls« gemacht wurden. Unter dem unmittelbaren Eindruck dieser Collagen schafft er seine erste *Répartition aléatoire de triangles suivant les chiffres pairs et impairs d'un annuaire de téléphone* (Zufällige Verteilung von Dreiecken, den geraden und ungeraden Ziffern eines Telefonbuchs folgend, Abb. S. 22), in der der Zufall wesentlicher Bestandteil des Werkes ist.
»*Hier erlaubt ihm ein System, das eine zufällige Zahlenfolge einsetzt, Entscheidungen zu treffen, zum Beispiel über den Einsatzort eines Elementes oder die Farbe einer Oberfläche.*«[44]
»*Der Einsatz des Zufalles bezeugt eine eingehende Befassung mit Begriffen wie Geschmack, Empfindsamkeit und Subjektivität.*«[45]

In Bezug auf sein Zufallssystem schreibt Morellet:
»*Ich war schon immer fasziniert von der engen Verbindung zwischen Ordnung und Unordnung, ganz gleich ob es das eine ist, welches das andere stört, oder umgekehrt.
Um 1958 stellte ich dann fest, dass der Zufall dazu beitragen könnte, diejenigen meiner Systeme zu neuem Leben zu erwecken (d.h. aufzubrechen), die sich zu sehr auf ihren Lorbeeren ausgeruht hatten. Ich liebte diese Irritationen, diese Unfälle, die auf einen programmierten Zufall und nicht auf die Subjektivität meiner eigenen künstlerischen Willkür zurückzuführen waren.*«[46]

1958 entstehen auch Arbeiten, deren Farben er nach dem Losverfahren auswählt, und zwar nach Dezimalen von ≠ und gemäß Eugène Séguys *Code universel des couleurs*, einem 1936 in Paris verlegten Werk, das Morellet 1996 erneut für einige Arbeiten hinzuziehen wird.

Morellets zweite Einzelausstellung findet auf Empfehlung von François Molnar vom 6. bis 24. Mai in der Galerie Colette Allendy statt. Molnar schreibt im Vorwort des Kataloges: *»Was kann ich zu Morellets Arbeiten sagen, außer meiner Bewunderung Ausdruck zu verleihen? Es gibt absolut nichts hinzuzufügen. Manche Leute reagieren eben stärker auf andere Werke. Es gibt keine Gewissheit. Normalerweise dient das Werk eines Künstlers in einem Vorwort als Vorwand für ein Gedicht. Was für eine Eitelkeit! Ein Vorwort kann doch lediglich das Werk in eine andere Sprache übersetzen... Überlassen wir also die Poesie den richtigen Vorwortschreibern. Als Einleitung möchte ich von Cézanne und seinen Zweifeln sprechen... Wenn wir die Zweifel Cézannes verstehen, dann verstehen wir auch Morellets Malerei [...] Vorsicht, Partisanen des Zufalls, etwas ganz nach den Regeln des Zufalls zu schaffen bedarf eingehender Überlegungen! [...] Derjenige, der im Zufall große Gefahren sieht, muss Cézannes oder Mondrians Verhaltensweise folgen. Er muss in der stolzen Zuversicht malen, dass er es eines Tages verstehen wird.«*[47]
In der Zeitschrift *Cimaise* zeigt sich Pierre Restany, der sich mehr für Molnars Text interessiert, wenig begeistert von Morellets Arbeiten.

Morellet beschreibt seine jüngsten Überlegungen in der zweiten Ausgabe der Zeitschrift *Ishtar* vom Monat Juni wie folgt:
*»Wir versuchen, etwas klarer zu sehen. Deshalb verwenden wir eine einfache und wenn möglich eindeutige Sprache, wir bemühen uns, alle großen plastischen Probleme einzeln anzugehen. Wir sind davon überzeugt, dass die einfachsten Rapports (zum Beispiel geometrische Elemente) uns nicht nur ein großes ästhetisches Vergnügen bereiten, sondern auch ein zunehmend besseres Verständnis für unser eigenes Schönheitsempfinden liefern können.
Die Schöpfer der ›Arabesken‹ der Alhambra in Granada haben seinerzeit sicher bereits ähnliche Probleme wie wir gehabt: Ihr Verhalten kann uns nur ermutigen.«*[48]

Morellet wird zum 13. Salon des Réalités Nouvelles eingeladen, der im Musée d'Art moderne de la Ville de Paris vom 7. Juli bis 3. August stattfindet – er wird jedoch nur noch ein zweites und letztes Mal im darauf folgenden Jahr daran teilnehmen. Ein Kritiker vergleicht sein Werk *Trame*, das aus einem geraden Liniennetz besteht, mit »Kompassübungen«.

Morellet lernt Julio Le Parc, Francisco Sobrino und Horacio García Rossi kennen, junge Argentinier, die Vasarely zu ihm geschickt hat. Diese drei Künstler waren gerade in Frankreich in der Absicht angekommen, den ungarischen Maler kennen zu lernen, von dem sie Anfang 1958 eine Ausstellung in Buenos Aires gesehen hatten.

Anlässlich eines Aufenthaltes in Basel im Jahr 1959 »begegnet« Morellet zum ersten Mal einem Mondrian, einem »wunderbaren kleinen Bild aus dem Jahr 1933«[49] bei dem Sammler Dr. Müller, der das Bild direkt vom Künstler gekauft hatte.

Molnars radikaler Ansatz bestärkt Morellet auf seinem Weg der Systematisierung.[50] Sein Schaffen nimmt einen wissenschaftlicheren Charakter an. *»Ende der fünfziger Jahre und unter dem Einfluss von Molnar glaubte ich Kunstwerke schaffen zu müssen, die Stoff für eine zukünftige Kunstwissenschaft sein könnten. Daher galt es, alles Nicht-Messbare und Nicht-Berechtigte zu eliminieren.«*[51]

François Molnar regt ihn an, unter anderem *La Destruction de la raison* (Die Zerstörung der Vernunft) des Philosophen György Lukács zu lesen.

## 1960

Am 15. April findet die Vernissage der Gruppenausstellung »Motus« in der Galleria Azimuth in Mailand statt, einer Galerie, die von Enrico Castellani und Piero Manzoni gemeinsam geleitet wird und die Morellet damals zum ersten Mal dort trifft. In Gesellschaft von García Miranda, Servanes, Joël Stein und Yvaral stellt er *16 carrés* (16 Quadrate, 1953, Abb. S. 126) und *4 doubles trames 0° – 22°5 – 45° – 67°5* (4 Doppelraster 0° – 22°5 – 45° – 67°5, 1958, Abb. S. 134) aus.
Vom 8. Juni bis 4. August nimmt Morellet mit *Tirets 0° – 90°* (Striche, 1955) an seiner ersten großen internationalen Ausstellung teil: »Konkrete Kunst – 50 Jahre Entwicklung«. Diese Ausstellung, die im Helmhaus in Zürich stattfindet, wird von Max Bill und Margit Staber organisiert. Unter den eingeladenen Künstlern sind – neben Bill – Hans Arp, Richard-Paul Lohse, Kenneth Martin, Georges Vantongerloo, Ellsworth Kelly und Karl Gerstner,

dessen Bekanntschaft Morellet bei dieser Gelegenheit macht. Den polnischen Maler Wladyslaw Strzeminski lernt er dort auch kennen, und später wird er sich für die Arbeiten seiner Frau, Katarzyna Kobro, begeistern: »*Wenn ich nur ein einziges Bild oder eine einzige Skulptur für mich aussuchen dürfte, dann würde ich mich sicherlich für Strzeminski oder Kobro entscheiden.*«[52]

Im Juli wird das Centre de Recherche d'Art Visuel als Gegenreaktion auf die Vorherrschaft der École de Paris gegründet. Die wichtigsten Unterzeichnenden sind: Hector García Miranda, Horacio García Rossi, Hugo Demarco, Julio Le Parc, Vera und François Molnar, François Morellet, Moyano, Servanes, Joël Stein, Francisco Sobrino und Yvaral. Die Gruppe setzt sich aus Künstlern unterschiedlicher Staatsangehörigkeit zusammen, deren künstlerische Anliegen jedoch sehr ähnlich gelagert sind. Sie können insgesamt als Künstler der Geometrischen Abstraktion bezeichnet werden. Hauptaufgabe dieses in einem gemeinsamen Atelier in der rue Beautreillis 9 gelegenen Zentrums ist es, als Versammlungsort und Stätte des Nachdenkens zu dienen, um »*der Geometrie einen sozialen Sinn zu geben*«[53].

Morellets erste Einzelausstellung im Ausland findet vom 22. Oktober bis 5. November in der Galerie Aujourd'hui in Brüssel statt. Victor Vasarely, dem die Initiative zu dieser Veranstaltung zu verdanken ist, unterstützt ihn mit seinem Beitrag »Ce que devrait être la critique d'art«, der in zwei Ausgaben der Zeitschrift *Les Beaux-Arts* veröffentlicht wurde:
»*Dieses viereckige, überzogene Bild (80 × 80 cm) ist von einer unpersön-*

*lichen, aber makellosen, weißen Schicht bedeckt, auf die ein anscheinend äußerst komplexes Netz sehr feiner schwarzer Striche gesetzt wurde; in Wirklichkeit handelt es sich dabei um ein einfaches viereckiges Muster, welches sich acht oder zehn Mal mit gleich bleibendem Neigungswinkel versetzt wiederholt. Die Quadrate sind dachziegelartig angeordnet, bilden Kreise und verleihen so dieser zweideutig kinetischen Struktur, die niemals gleich bleibend ist, immer anders aussieht, ihre Allmacht... Ich träume von Cézannes wohlüberlegtem Stil, einer auch beinahe mathematischen Struktur, aus der – für uns – die Plastizität entspringt [...].
Wenn ich mir für einen Augenblick gestattet habe, subjektiv zu sein, dann deshalb, weil ich von Morellets Werk derart begeistert bin und ich mich eigentlich kritisch äußern wollte, dort, wo Kunstkritiker Gelegenheit hätten, zu schweigen oder zumindest etwas weniger scharfsinnig als sonst uns gegenüber zu sein.*«[54]

In diesem Jahr verkauft Morellet zum ersten Mal drei Bilder mit der Überlagerung von Rastern an drei Maler: Vasarely, Karl Gerstner (ein Geschenk seiner Frau zum 30. Geburtstag) und Lucio Fontana (Ankauf von Manzoni). Letzterer, der Morellet nie die 50 000 Lire für dieses Bild zahlt, bietet Morellet im Tausch zwei seiner *Boîtes de merde* (»Scheißdosen«) an und Morellet nimmt das Angebot an.
*Répartition aléatoire de 40 000 carrés suivant les chiffres pairs et impairs d'un annuaire de téléphone* (Zufällige Verteilung von 40 000 Quadraten, den geraden und ungeraden Ziffern eines Telefonbuchs folgend) ist das erste Bild der großen Serie, die Morellet der Farbe widmet. In einem kurzen Text beschreibt er seine Vorgehensweise:

Philippe Condroyer (hinten links), Vera Molnar (Mitte), Jean Gorin (vorne rechts), Ausstellung »Morellet«, Galerie Colette Allendy, Paris, 1958

François Molnar und Morellet, Ausstellung »Morellet«, Galerie Colette Allendy, Paris, 1958

»1. Ich vermeide es, auch nur das
geringste Interesse an der Form oder
an der Struktur zu wecken,
2. verwende nur zwei Farben,
3. und zwar in einem Verhältnis von
50% zu 50% gleichmäßig verteilt über
die gesamte Bildfläche und
4. setze auf eine zufällige Verteilung
aller Details.
[...] Auf eine Bildfläche von 1 × 1 m
habe ich 200 horizontale und 200 vertikale Linien gezeichnet und damit
40 000 Quadrate von je 5 mm Seiten-
länge gebildet.
Ich hatte mich für eine Zahlenreihe
aus einem beliebigen Telefonbuch ent-
schlossen und bat meine Frau und meine
Kinder, sie mir vorzulesen. Jedes Quadrat bekam eine Zahl. Bei einer geraden
Zahl machte ich ein Kreuz, bei einer
ungeraden ließ ich das Feld frei. Nach
Beendigung dieser Arbeit hatte ich
ca. 20 000 Quadrate ohne Kreuz. Jetzt
brauchte ich nur noch die Quadrate
mit Kreuz mit einer Farbe (blau) und
die ohne Kreuz mit einer anderen Farbe
(rot) anzumalen. Diese Arbeit erstreckte
sich beinahe auf ein ganzes Jahr.
Um auch andere Farbreaktionen beobachten zu können, fotografierte ich diese
Bilder und machte systematisch Serigrafien mit hunderterlei unterschiedlichen
Erfahrungswerten. Ich setzte vor allem
Farben mit einem sehr ähnlichen ›Farbwert‹ ein, um eine optisch wirksamere
Mischung zu erreichen. Ich bemühte
mich, keine Wahl nach meinem persönlichen Geschmack zu treffen. Viele
dieser Versuchsanordnungen habe ich
wieder zerstört.«[55]

Die Serigrafie gestattet es ihm,
ein noch neutraleres Ergebnis zu erzielen,
ein geradezu anonymes und mechani-
sches, wie Serge Lemoine beobachtet:
»Eine Vielzahl von Varianten mit den
Maßen 80 × 80 cm wurde dann nach

Molnars und Morellets, Les Sables-d'Olonne, 1959

Joël Stein, François Molnar, Victor Vasarely, Horacio García Rossi,
Ausstellung »Morellet«, Galerie Aujourd'hui, Brüssel, 1960

Brief von Piero Manzoni an Morellet, 1960

58

dem Serigrafieverfahren angefertigt, das heißt mechanisch, wie Andy Warhols Bilder aus derselben Zeit und aus denselben Gründen.«[56]

Ab 1960 gibt Morellet die Malerei auf herkömmlichem Bilduntergrund auf – und dies für ungefähr zehn Jahre – und widmet sich anderen Medien (Metallraster, Neon...). Über die Malerei schreibt er: »Man hat ein wenig zu vorschnell behauptet, Malerei gäbe es noch immer. Im Mittelalter glaubte man an den Teufel mit derselben Überzeugung, mit der man heutzutage an die Ästhetik glaubt. Aber die Eingebung von Gerichten, Zauberern, Kunstkritikern und Malern allein reicht nicht mehr aus. Man kann auch aufgeben und glauben; ich ziehe es vor, etwas zu beherrschen und vielleicht sogar zu verstehen.«[57]

## 1961

Vom 9. Mai bis 3. Juni findet eine Einzelausstellung von Morellet in der Galerie Nota in München statt, die von seinem Freund, dem Künstler Gerhard von Graevenitz, und dem Schriftsteller Jürgen Morschel geleitet wird. Dank Almir Mavignier kommt es zu mehreren Veranstaltungen in Deutschland: so in der Galerie Studio F in Ulm oder im Juni im Studium Generale der Technischen Hochschule in Stuttgart. Letztere wird von Max Bense – dem François Molnar die Kunsttheorien näher gebracht hat – geleitet. Für den Ausstellungskatalog erklärt sich Max Bill bereit, einen kurzen Text über Konkrete Kunst zu schreiben.

Am 10. Juni trifft Morellet erneut die ZERO-Künstler Heinz Mack, Otto Piene und Günther Uecker.

Pontus Hulten, Willem Sandberg, Jean Tinguely und Daniel Spoerri sind für die Ausstellung »Bewogen Beweging« dieser Gruppe verantwortlich, die von März bis November im Stedelijk Museum in Amsterdam und im Moderna Museet in Stockholm stattfindet. Die Mitglieder des Centre de Recherche d'Art Visuel, die mit Ausnahme von Le Parc und Yvaral nicht eingeladen werden, veröffentlichen daraufhin das Manifest *Propositions sur le mouvement* in französischer und schwedischer Sprache.

Im Mai stellt die Galerie Denise René, die die Veröffentlichung des Textes mitunterstützt, zum ersten Mal persönliche Arbeiten jedes einzelnen Mitgliedes des Centre aus.

Im Juli wird das Zentrum offiziell in Groupe de Recherche d'Art Visuel (GRAV) umbenannt. Die Unterzeichnenden sind François Morellet, Horacio García Rossi, Julio Le Parc, Francisco Sobrino, Joël Stein und Jean-Pierre Yvaral.
»Die Gründe, die mich dazu drängten, Mitglied der G.R.A.V. zu werden, waren theoretischer und praktischer Art. Ich war sehr isoliert, und ich glaubte, das erste Mal in Frankreich in der Kunstszene Leute zu treffen, die entschieden und cool waren und nicht das übliche Verhalten von Künstlern an den Tag legten. Ich hatte Kontakte nötig und Kritiken!«[58]

Pierre Descargues schreibt später in *Graphis*:
»In Paris traf sich eine Gruppe junger Leute regelmäßig in einem Hinterhof im Quartier du Marais [...]. Sie bemalten die Wände und Decken mit weißer Farbe, stellten einige Regale hin und schon war der alte Schuppen ihr Labor, ihre Zelle, ihr Atelier und Seminarraum. Denn in ihrem Alter traf man sich ja

nicht, um sich abzulenken, sondern um Disziplin zu lernen und die Welt zu disziplinieren. [...]
In diesem Schuppen in der rue Beautreillis fanden wunderbare und faszinierende Veranstaltungen statt. [...]
Die Gruppe bezieht sich auf Moholy-Nagy, Max Bill, Nicolas Schöffer, Tinguely, Alexander Calder, Agam, Soto und insbesondere auf Albers und Vasarely. Vor allem Vasarely, den sie als ›ältesten Bruder‹ betrachteten, half ihnen, klarer zu sehen. Sein Einfluss macht sich häufig in ihren Arbeiten bemerkbar. Aber die Gruppe unterscheidet sich von all diesen Künstlern, da sie sich von allen klassischen Kompositionslehren lossagt, wenngleich diese sich jedoch noch immer in ihren Arbeiten bemerkbar machen. Sie komponieren nicht mehr; ihre Werke haben weder Anfang noch Ende; sie experimentieren, indem sie Kombinationsmöglichkeiten, zum Beispiel die Statistik, die Wahrscheinlichkeit, den Zufall, die Beweglichkeit usw. einsetzen.«[59]

Die Gruppe besitzt einen aufsässigen, geradezu revolutionären Geist, den sie bis zu ihrer Auflösung im Jahr 1968 beibehält und der sich häufig in ihren Veröffentlichungen bemerkbar macht.

Vom 3. August bis 14. September nimmt Morellet an der ersten Ausstellung »Nove Tendencije« (Neue Tendenz) der Galerija Suvremene Umjetnosti in Zagreb teil. Almir Mavignier, der Kritiker Matko Mestrovic und Bozo Bek, der Leiter des Museums für Moderne Kunst dieser Stadt, sind die Hauptdrahtzieher dieser Ausstellung, in der Werke von ähnlich gesonnenen Malern gezeigt werden, vor allem von Karl Gerstner, Julije Knifer, Julio Le Parc, Piero Manzoni, Otto

Piene, Joël Stein oder auch von Günther Uecker. Im Katalog erklärt Morellet:

*»Ich glaube, wir befinden uns am Morgen einer Revolution im Bereich der Kunst, die vergleichbar ist mit der wissenschaftlichen Revolution. Deshalb bin ich der Meinung, dass die Vernunft und ein systematischer Forschergeist die Intuition und die individualistische Ausdrucksweise ersetzen müssen.«*[60]

Am 29. September öffnet die 2. Biennale von Paris ihre Pforten; um ihrer Ablehnung gegenüber dieser Veranstaltung Ausdruck zu verleihen, gibt die Gruppe ein Traktat mit dem Titel »Assez de mystifications« heraus:

*»Die 2. Biennale von Paris ist eröffnet. Die Groupe de Recherche d'Art Visuel macht aufmerksam auf:*
*1. die Seichtheit und die Einheitlichkeit der ausgestellten Werke,*
*2. die bedauerliche Abhängigkeit der ›Jungen Generation‹ und*
*3. die bedingungslose Unterwerfung der ›Jeune Peinture‹ (Jungen Malerei) unter die arrivierten Künstler. Wir hoffen, dass es sich lediglich um eine Wachstumskrise handelt.*
*4. Die Inkonsequenz und die Leichtfertigkeit der Aussteller und der Veranstalter gegenüber den wahrhaftigen Eigenschaften des Lebens oder des Menschen unserer Zeit ist gesunken.*
*Stellt fest:*
*1. den offenkundigen Wandel eines Aufstandes, der derzeit in einer fortwährenden Wiederholung zu versteinern droht.*
*2. die von offizieller Seite und von Interessengruppen betriebene Verankerung der derzeitigen geschwächten Tendenzen.*
*3. Nichts wurde unternommen, um das Publikum über alle Anliegen der derzeitigen Kunst zu informieren.*

*4. Die Biennale von Paris kränkelt seit dem zweiten Jahr ihres Bestehens an dem Übel, das auch bei anderen unbedeutenden Salons (Salon d'Automne, Salon de Mai, Comparaisons, Réalités Nouvelles) zu beobachten ist.*
*5. Die ›Superben Gesten‹ der Neo-Dadaisten stellen die einzig logische Schlussfolgerung aus dieser offiziellen Kunst dar. (Die bisher letzte Geste bestand aus der Entsendung einer Konserve an die Ausstellung ›Nouvelle Tendance‹ in Zagreb, auf deren Etikett in fünf Sprachen geschrieben stand: ›Künstlerscheiße, 200 g Nettogewicht‹.).*
*Bekräftigt:*
*1. dass die jungen Künstler zahlreicher Länder neue Anliegen haben, die nicht mit denen der Biennale übereinstimmen;*
*2. dass der Begriff des einzigartigen und inspirierten Künstlers einen Anachronismus darstellt;*
*3. dass die Realität der bildenden Künste aufhören muss, sich ausschließlich einem vergänglichen Augenblick zu widmen, wie zum Beispiel*
*a) dem Augenblick der Entstehung eines Kunstwerks oder seiner eigenen Realität oder*
*b) dem Augenblick der Emotion des Betrachters.*
*4. Das stabile, einzige, definitive und unersetzliche Werk widersetzt sich der Entwicklung unserer Zeit.*
*5. Die Ausschließlichkeit der künstlerischen Produktion muss ein Ende haben für:*
*das kultivierte Auge,*
*das empfindsame Auge,*
*das intellektuelle Auge,*
*das ästhetische Auge,*
*das dilettantische Auge.*
*Das menschliche Auge ist unser Ausgangspunkt.*
*6. Die gestalterische Realität muss in die zwischen dem Objekt und dem*

*menschlichen Auge vorhandene Beziehung verlagert werden.*
*7. Die Suche nach einem endgültigen, aber dennoch präzisen, exakten und freiwilligen Werk.*
*8. Die Beziehung zwischen dem Werk und dem menschlichen Auge selbst schafft neue optische Sachverhalte, und das Werk besteht ausschließlich innerhalb dieser Beziehung.*
*9. Jedes Werk muss sich aus einem möglichen Teil und einem instabilen Teil zusammensetzen, der auch nach dem Schaffensprozess noch optische Mutationen heraufbeschwört.*
*10. Die Form, die bislang als selbstständiger Wert mit eigenen Wesensmerkmalen betrachtet worden ist, wird zum anonymen Element.*
*11. Die Beziehung zwischen den Elementen wird somit zu einer Homogenität, die in der Lage ist, neue instabile Strukturen auszulösen, die nur im peripheren Sehbereich wahrgenommen werden können.*
*Die Groupe de Recherche d'Art Visuel bekräftigt ebenfalls, dass das künstlerische Phänomen – im Gegensatz zur 2. Biennale von Paris – dazu ansetzt, seine angestammten (ästhetischen, herkömmlichen, individuellen und schöpferischen) Grenzen zu verlassen, und dass sie sich, wie auch andere neue Gedankenströme, auf neue Grundlagen stützt. Wir sind unmittelbar befasst mit neuen Anliegen, zum Beispiel der Physik des Sehens, neuen Annäherungsmethoden, kombinatorischen Möglichkeiten, Statistik, Wahrscheinlichkeiten usw.«*[61]

Am 25. Oktober veröffentlicht die Gruppe ein weiteres Traktat unter dem Titel »Transformer l'actuelle situation de l'art plastique« anlässlich einer Ausstellung in den eigenen Räumen in der rue Beautreillis. Auf der Linie ihres

# morellet

galerie **nota**

münchen kaulbachstraße 71 mittwoch bis samstag 15 - 18 uhr dienstag 19 - 21 uhr 9.5. bis 3.6. 1961

## assez de mystifications

La 2e Biennale de Paris est ouverte ; le Groupe de Recherche d'Art Visuel

### signale :

1° La platitude et l'uniformité des œuvres exposées.

2° La lamentable situation de dépendance de la « Jeune Génération ».

3° La soumission absolue de la « Jeune Peinture » aux peintres consacrés. Nous espérons qu'il s'agit là seulement d'une crise de croissance.

4° L'inconséquence et l'inconscience chez les exposants et organisateurs des caractères réels de la vie où l'homme de notre temps est plongé.

### constate :

1° L'altération flagrante de ce qui fut un acte de rébellion, fossilisé actuellement dans une répétition continue.

2° La consécration officielle et intéressée de tendances actuellement dévitalisées.

3° Que rien n'a été fait pour informer le public de toutes les préoccupations de l'Art actuel.

4° Que dès sa seconde année d'existence, la Biennale de Paris est déjà enfermée dans une formule comparable à celle des salons anodins (Salon d'Automne, Salon de Mai, Comparaisons, Réalités Nouvelles).

5° Que le seul aboutissement logique du courant officialisé de l'Art est désormais le Geste Superbe des Néo-Dadaïstes. (le dernier en date est l'envoi à l'Exposition « Nouvelle Tendance » de Zagreb d'une boîte de conserves étiquetée en 5 langues « Merde d'artiste, poids net 200 grammes »).

### affirme :

1° Que de jeunes peintres de nombreux pays ont de nouvelles préoccupations, autres que celles que nous offre la Biennale.

2° La notion de l'Artiste Unique et Inspiré est anachronique.

3° La réalité plastique doit cesser de se placer toute entière dans un moment éphémère tel que :

a) le moment de la réalisation de l'œuvre ou sa propre réalité,

b) le moment de l'émotion du spectateur.

4° L'œuvre stable, unique, définitive, irremplaçable, va à l'encontre de l'évolution de notre époque.

5° Que doit cesser la production en exclusivité pour :
l'œil cultivé,
l'œil sensible,
l'œil intellectuel,
l'œil esthète,
l'œil dilettante.

L'ŒIL HUMAIN est notre point de départ.

6° La réalité plastique doit être placée dans la Relation existant entre l'objet et l'œil humain.

7° La recherche de l'œuvre définitive mais pourtant précise, exacte et voluntaire.

8° Le rapport entre l'œuvre et l'œil humain crée lui-même des situations visuelles nouvelles et l'œuvre n'existe que dans ce rapport.

9° Chaque œuvre doit avoir une part de possibles et une instabilité qui provoque des mutations visuelles après l'achèvement.

10° La forme, considérée jusqu'à présent comme valeur en soi et utilisée avec ses caractéristiques particulières devient un élément anonyme.

11° La relation entre les éléments acquiert ainsi une homogénéité pouvant créer des structures instables, seulement perçues dans le champ de la vision périphérique.

LE GROUPE DE RECHERCHE D'ART VISUEL AFFIRME EGALEMENT

que contrairement à la 2e Biennale de Paris, le phénomène artistique commence à sortir de ses limitations (esthétique traditionnelle, création individuelle) et qu'à l'égal des nouveaux courants de la pensée, il s'appuie sur des bases nouvelles. Nous pensons directement concernés par des préoccupations telles que : physique de la vision, nouvelle méthode d'approximation, possibilité combinatoire, statistiques, probabilités, etc...).

A Paris, septembre 1961

Groupe de Recherche d'Art Visuel, 9, rue Beautreillis, Paris-4e.

## suoᴉʇɐɔᴉɟᴉʇsʎɯ ǝp zǝssɐ

### TRANSFORMER L'ACTUELLE SITUATION DE L'ART PLASTIQUE

Le Groupe de Recherche d'Art Visuel vous invite à démystifier le phénomène artistique, à réaliser une union des efforts afin de clarifier la situation et d'établir de nouvelles bases d'appréciation.

Le Groupe de Recherche d'Art Visuel est composé de peintres qui placent leurs efforts dans la recherche continue et la réalisation visuelle des premières données de base tendant à éloigner l'art plastique des conventions.

Le Groupe de Recherche d'Art Visuel croit utile de donner son point de vue, bien que celui-ci ne soit pas définitif et appelle des analyses ultérieures et d'autres confrontations.

## propositions générales du groupe de recherche d'art visuel :

| RAPPORT ARTISTE-SOCIETE | RAPPORT ŒUVRE-ŒIL | VALEURS PLASTIQUES TRADITIONNELLES |
|---|---|---|
| Ce rapport est actuellement basé sur : L'artiste unique et isolé Le culte de la personnalité Le mythe de la création Les conceptions esthétiques ou anti-esthétiques surestimées L'élaboration pour l'élite La production d'œuvres uniques La dépendance au marché de l'art | Ce rapport est actuellement basé sur : L'œil considéré comme intermédiaire Les sollicitations extra-visuelles (subjectives ou rationnelles) La dépendance de l'œil à un niveau culturel et esthétique | Ces valeurs sont actuellement basées sur l'œuvre : unique stable définitive subjective obéissant à des lois esthétiques ou anti-esthétiques |

### 1 propositions pour transformer ce rapport

Dépouiller la conception et la réalisation de l'œuvre de toute mystification et les réduire à une simple activité de l'homme. Rechercher de nouveaux moyens de contact du public avec les œuvres produites. Eliminer la catégorie « œuvre d'art » et ses mythes. Développer de nouvelles appréciations. Créer des œuvres multipliables. Rechercher de nouvelles catégories de réalisation au-delà du tableau et de la sculpture. Libérer le public des inhibitions et des déformations d'appréciation produites par l'esthétisme traditionnel, en créant une nouvelle situation artiste-société.

### 2 propositions pour transformer ce rapport

Eliminer totalement les valeurs intrinsèques de la forme stable et reconnaissable soit : La forme idéalisant la nature (art classique). La forme représentant la nature (art naturaliste). La forme synthétisant la nature (art cubiste). La forme géométrisante (art abstrait constructiviste). La forme rationalisée (art concret). La forme libre (art abstrait informel, tachisme), etc. Eliminer les rapports arbitraires entre les formes (rapport de dimensions, d'emplacements, de couleurs, de significations, de profondeurs, etc...). Déplacer l'habituelle fonction de l'œil (prise de connaissance à travers la forme et ses rapports) vers une nouvelle situation visuelle basée sur le champ de la vision périphérique et l'instabilité. Créer un temps d'appréciation basé sur le rapport de l'œil et l'œuvre transformant la qualité habituelle du temps.

### 3 propositions pour transformer ces valeurs

Limiter l'œuvre à une situation strictement visuelle. Etablir un rapport plus précis entre l'œuvre et l'œil humain. Anonymat et homogénéité de la forme et des rapports entre les formes. Mettre en valeur l'instabilité visuelle et le temps de la perception. Chercher l'ŒUVRE NON DEFINITIVE, mais pourtant exacte, précise et voulue. Déplacer l'intérêt vers les situations visuelles nouvelles et variables basées sur les constantes issues du Rapport œuvre-œil. Constater l'existence de phénomènes indéterminés dans la structure et la réalité visuelle de l'œuvre et à partir de là, concevoir de nouvelles possibilités qui ouvriront un nouveau champ d'investigations.

Garcia Rossi, Le Parc, Morellet, Sobrino ; Stein, Yvaral du GROUPE DE RECHERCHE D'ART VISUEL.

A Paris, le 25 octobre 1961.

Plakatentwurf von Almir Mavignier für die Morellet-Ausstellung, Galerie Nota, München, 1961

»Assez de mystifications«, Flugblatt der GRAV, 2. Biennale von Paris, 1961

vorangegangenen Textes schlagen sie nunmehr drei große Bereiche für die Veränderung der Beziehungen vor: »Künstler–Gesellschaft, Werk–Auge und herkömmliche gestalterische Werte«.

## 1962

Morellet erarbeitet eine erste Struktur im Raum, *Sphère-trames* (Rasterkugeln, Abb. S. 65 und 145), die sich aus Metallelementen zusammensetzt. Sie ist das unmittelbare Ergebnis der gemalten *Trames* der fünfziger Jahre, aber hier wird sie nunmehr in den Raum projiziert. Morellet betrachtet diese Art von Arbeiten als Plastiken. Gleichzeitig umreißt er die der Bildhauerei innewohnenden Schwierigkeiten: »*Wie kann man diese Jagd auf Standpunkte, denen sich der Betrachter beugen muss, akzeptieren: dieses Herumgehen um den Sockel, bei dem die Körper und die Blicke der Besucher zusammenstoßen, wobei jeder versucht, den besten Standpunkt einzunehmen (den vom offiziellen Foto). [...] 1962 dachte ich eine Lösung gefunden zu haben: ein System, das diesen zögernden Walzer der Betrachter durch den meiner Plastik ersetzt (eine* Sphère-trames)*, die der Kunstliebhaber mühelos drehen oder anhalten kann.*«[62]

Vom 4. bis 18. April stellt die GRAV mit Unterstützung der Galerie Denise René in der Maison des Beaux-Arts in Paris aus. Morellet präsentiert seine *Tirets 0° – 90°* (Striche, 1960). Zu der Ausstellung – »L'instabilité« – verteilt die Gruppe eine Broschüre mit einem Vorwort von Guy Habasque und einen Fragebogen über Kunst allgemein und über die ausgestellten Werke. Die Mitglieder der GRAV werten sodann die 2 000 Antworten auf diesen Fragebogen aus, die ihnen im Anschluss als

Christophe, François, Frédéric, Danielle und Florent Morellet, aufgenommen von Almir Mavignier, Mykonos, 1961

Klaus Standt, unbekannt, Vera Molnar, Danielle Morellet, Jürgen Morschel, Roland Helmer, Gerhard von Graevenitz, François Molnar, Galerie Nota, München, 1961

Matko Mestrovic und Morellet, Studio G, Zagreb, 1962

Grundlage für die Erarbeitung eines echten Zwiegesprächs mit den Besuchern dienen sollen. Ein Text von Morellet, »Pour une peinture expérimentale programmée«, wird ebenfalls in diesem Faltblatt veröffentlicht: »Zusammenfassend kann gesagt werden, dass diese programmierte, experimentelle Malerei zwei Bedürfnissen gerecht zu werden scheint: zunächst dem Bedürfnis eines Teils des Publikums, welches an dem ›Schaffensprozess‹ der Werke teilhaben möchte, eine Entmystifikation der Kunst zum besseren Verständnis befürwortet; und schließlich der großen Nachfrage der Ästhetiker nach neuen Materialien, jenen Wissenschaftlern, die sowohl Mathematiker wie auch Psychologen sind und die von den Theorien der modernen Psychologie (insbesondere im Zusammenhang mit der Übermittlung von Botschaften) ausgehen und die Grundlagen für eine neue Kunstwissenschaft legen.«[63]

In der Zeitung Le Monde vom 13. April heißt es:
»Eine neue Tendenz macht sich in der Visuellen Kunst bemerkbar: Zumindest geht dies aus der Ausstellung hervor, die die Galerie Denise René in der Maison des Beaux-Arts organisiert hat. Sechs Maler stellen dort ihre Arbeiten vor und veröffentlichen bei dieser Gelegenheit eine für den Besucher aufschlussreiche Broschüre, in der sie die verschiedenen Vorschläge dieser Bewegung in einem positiven Geist analysieren. Wir finden dort Namen wie García Rossi (Argentinier), Le Parc (Argentinier), Morellet (Franzose), Sobrino (Spanier), Stein (Franzose) und Yvaral (Franzose).
Die Veränderung der Beziehungen zwischen Künstlern und Gesellschaft, die traditionell auf dem Personenkult des einzigartigen Künstlers und dem Mythos der nicht nachprüfbaren Schaffenskraft basieren, scheint eines der Ziele dieser Gruppe zu sein. Sie möchte die Konzeption und die Umsetzung eines Kunstwerks von jeglichem Geheimnis befreien und als eine einfache menschliche Handlung betrachtet wissen, eine Handlung, die vergleichbar ist mit jeder anderen technischen oder handwerklichen Tätigkeit. Gestalterisch gesehen, wählt diese Art von Kunst das Auge als ausschließliches Mittel und schließt jeden anderen Bezug außer dem visuellen aus (Anekdote, Literatur, Neugierde, Erotik). Sie schaltet jede stabile und wieder erkennbare Form mit Hilfe einer Folge von Formenanordnungen aus, die jede Beständigkeit zunichte macht. [...]
Im Gegensatz zum Unikat, welches die Subjektivität des Künstlers wiedergibt, schlägt die Groupe de Recherche d'Art Visuel anonyme ›positive‹ Formen vor, die sich durch ihre Bewegung ausdrücken und die sich nur mit der Zeit erschließen. So setzen diese jungen Maler neue Materialien ein und übertragen häufig das Bildhafte auf den Raum statt auf die gemalte Bildfläche einer Leinwand, und zwar mit Hilfe einer besonderen Konstruktion von Elementen, die eine instabile und unbestimmte Bewegung erzeugen. [...]
Ihre Haltung gegenüber dem Begriff der Kunst und ihres Schaffensprozesses ist interessant: Sie wollen die bildhaften Zeichen beherrschen und verschlüsseln, um dadurch eine ›positive Programmierung‹ des zu schaffenden Kunstwerks zu erreichen.«[64]

In dem Bericht über die Ausstellung »Ligne constructive de l'art abstrait«, die in der Galerie Denise René stattfindet, erinnert Gérald Gassiot-Talabot daran: »[Die Zeitschrift] Cimaise fühlte sich ja bisher nicht gerade zur geometrischen Bildhauerei besonders hingezogen. Selbst die Beweggründe, die zu ihrer Gründung führten – zu einem Zeitpunkt, da diese Tendenz über die ›cimaises‹ (Bilderleisten) und in den avantgardistischen Veröffentlichungen triumphierte –, und der Kampf unserer Zeitschrift für eine von jeder Formsklerose befreiten Kunst verhalfen ihr – historisch gesehen – zu einer Stellung, die wenig geeignet war für Mitteilungsbedürfnisse und gegenseitige Konzessionen. Die von der Galerie Denise René initiierte Ausstellung erscheint uns jedoch die geeignete Gelegenheit zu sein, den Stand der Dinge in aller Ruhe zu ermitteln und die Elemente eines hoffentlich beigelegten Streites zeitlich einzuordnen.«

Der Verfasser hebt in erster Linie die neuen kinetischen Arbeiten hervor, insbesondere die verschiedenen der Mitglieder der GRAV:
»Die Stimmlage von Morellets viereckigen Gittern, das Spiel mit subtilen Anregungen zur Auswahl des Standpunktes bei der Betrachtung der Arbeiten von Yvaral und Costa sind ausgesprochen interessante Ansätze. Der dritten Dimension der Reliefs fügen diese Künstler eine vierte hinzu – die Dimension der Zeit –, und zwar im Rahmen einer faszinierenden Suche, die mit dem Kubismus einsetzte und die eine der zukünftigen Chancen der Kunst darstellt.«[65]

Von Mai bis Juni ist die Ausstellung »L'instabilité« in Italien in der Galleria Enne in Padua und in der Galleria Danese in Mailand zu sehen. Im Sommer nimmt die Gruppe an der Ausstellung »Arte programmata« in der Galleria Vittorio in Mailand teil. Der Titel dieser Ausstellung wurde einem Text von Umberto Eco für den Katalog entnommen.

Ab dem 27. November beherbergt die Galerie The Contemporaries in New York diese Ausstellung. Es ist das erste Mal, dass die GRAV ihre Werke in den Vereinigten Staaten ausstellt. Am 2. Dezember ist in der *New York Times* zu lesen:

*»Eine brillante Ausstellung von Mobiles sechs junger französischer Künstler, deren bestechende Erfindungen unterschiedlichster Stofflichkeit das Blickfeld verwirren.
Sie bestürmen geradezu die Netzhaut. Aber man kann gar nicht anders, man muss sie anschauen, will man seiner Wahrnehmung und ihren Urhebern Glauben schenken. Diese Künstler haben sich in der ›Groupe de Recherche d'Art Visuel‹ zusammengetan und haben zweifellos eine visuelle Entdeckung gemacht.«*[66]

Vom 17. November bis 14. Februar 1963 stellt die Galerie Argos aus Nantes Werke von Morellet und Vasarely gemeinsam aus.

## 1963

Morellet fertigt sein erstes Werk mit Neonröhren, *4 panneaux avec 4 rythmes d'éclairage interférents* (4 Tafeln mit 4 interferierenden Beleuchtungstakten, Abb. S. 67):
*»Neonlicht hat mich sehr beschäftigt. Es ist ein hartes und kaltes Material, es gefällt mir. Außerdem ermöglicht es mir, Faktoren wie Zeit und Rhythmus in meine Werke einzuarbeiten. Gerne arbeite ich auch mit Interferenzen, die sich auf Wiederholungsvorgänge stützen und die bestimmte Elemente meiner Serien mit einer gewissen Versetzung miteinander verbinden. Man könnte es beinahe mit Steve Reichs Musik vergleichen oder selbst mit einigen Glockenspielen von Kirchen.«*[67]

Im Rahmen ihrer Versuche setzt die GRAV auch künstliches Licht ein. *»Derzeit setzen eine Reihe von Künstlern auch den Widerschein von künstlichen Lichtquellen, sei es auf Objekten oder auf Bildschirmen, ein. Wir befinden uns jetzt in einem [...] Stadium, in dem die Lichtquelle und nicht nur ihr Widerschein – und sei es nur aus Gründen der Logik und der Wirtschaftlichkeit – als gestalterisches Material betrachtet werden muss. Lediglich die Routine und die Tradition haben bisher verhindert, dass künstliche Lichtquellen (Glühbirnen und Neonröhren) den Vordergrund einnehmen, den sie im ästhetischen Bereich eigentlich verdienen. Dieses neue Material macht den Weg frei für eine ganze Vielfalt von neuen Erfahrungen in der visuellen Kunst: Programmierung, aufeinander folgende visuelle Bilder, gesteuerte Augenbewegungen, Lichtrhythmen usw.«*[68]

Vom 1. August bis 15. September findet die Ausstellung »Nove Tendencije 2« (Neue Tendenz 2) in der Galerija Suvremene Umjetnosti in Zagreb statt. GRAV und andere Gruppen, wie Equipo 57, Gruppo M und Gruppo N, sind beteiligt. In den Katalog ist ein Text von Morellet aufgenommen, der in Zusammenarbeit mit François Molnar entstand: »Pour un art abstrait progressif«.

Im Herbst stellt die GRAV auf der 3. Biennale von Paris aus und erhält den ersten Preis für Gruppenarbeit. Sie veröffentlicht ein neues Traktat »Assez de mystifications«, in der die Kritik von 1961 nuanciert wird. Dieser 3. Biennale ist ein eindeutiger Erfolg beschieden: Über 40 000 Besucher kommen zu der Schau; die Hauptattraktion ist *Labyrinthe*, eine Gemeinschaftsarbeit der GRAV, die eigens hierfür angefertigt wurde. Unter den interaktiven Spielen,

Versammlung der Gruppe Nouvelle Tendance im Atelier der GRAV, Paris, 1962

*Rasterkugel* (1962), 3. Biennale von Paris, Musée d'Art moderne de la Ville de Paris, 1963

die im Freien gezeigt werden, befindet sich Morellets *Sphère-trames* (Raster-kugeln, 1962). Im Innern trifft man auf eine komplexe Installation:
*»Meine ersten beiden Installationen wurden für zwei 3 × 3 m große Zellen eines Labyrinths konzipiert, das die G.R.A.V. 1963 zur 3. Biennale von Paris geschaffen hatte. [...]*
*Meine erste Zelle am Eingang des Labyrinths war vollständig – sowohl die vier Wände als auch die Decke – mit einer sich wiederholenden Vergrößerung des Gemäldes Zufällige Verteilung von 40 000 Quadraten – 50% blau – 50% rot von 1960 ausgekleidet.*
*In meiner zweiten Zelle am Ausgang des Labyrinths war an jeder Wand eine Tafel (80 x 80 cm) mit parallelen Linien angebracht, die aus weißen Neon-röhren bestanden und im Winkel von 0° – 45° – 90° – 135° geneigt waren. Die Beleuchtung dieser Tafeln erfolgte durch ein regelmäßiges Blinken in vier verschiedenen Schaltintervallen. Der dadurch erzielte Flash-light-Effekt brachte aufeinanderfolgende, sich über-lagernde Bilder hervor.«*[69]

Begeisterte Presseartikel über die GRAV erscheinen, zum Beispiel in *L'Œil:*
*»[...] Die dritte und jüngste Biennale würde keineswegs den Pessimismus dieser Behauptungen entkräften, hätten die Veranstalter nicht die glorreiche Idee gehabt, eine Gruppe von jungen Künstlern einzuladen und ihr Platz einzuräumen; eine der wenigen Gruppen, deren Erfahrungen heute ein reelles Inte-resse wecken und die von einer Aktuali-tät sind, die nicht nur Fassade ist: die Groupe de Recherche d'Art visuel.«*
Vor allem die Reaktionen der Besucher auf das *Labyrinthe* werden beschrieben:

*»Manche Besucher wurden durch den Titel* Labyrinthe, *den man den kleinen, aneinander gereihten Räumen gegeben hatte, irregeleitet und glaubten, eine mehr oder weniger von kafkaesken Mythen abgeleitete, metaphysische Absicht ent-decken zu müssen. Wir müssen einer derartig falschen Annahme sofort ent-schieden entgegentreten. Sie wird in keinster Weise dem wahren Vorhaben einer Gruppe gerecht, deren Name mei-nes Erachtens doch eigentlich bezeich-nend genug ist [...].*
*Die Arbeiten der einzelnen Mitglieder dieser Gruppe, seien es Mobiles oder andere, erschließen sich nicht sofort, im Gegenteil, sie müssen zeitlich erfasst werden. [...]*
*Diese hauptsächlich zeitliche Eigenschaft ist für den Betrachter wohl der interes-santeste und neuartigste Aspekt der seit einigen Jahren von der Groupe de Recherche d'Art Visuel angestrebten systematischen Erfahrungen. Es muss hervorgehoben werden, dass es sich hierbei keineswegs um ein banales In-Bewegung-Setzen handelt, so interessant dies auch sein mag, sondern um eine wahrhaftige Synthese der drei Faktoren Bild–Bewegung–Zeit, die dennoch unzer-trennlich miteinander verbunden bleiben. Der Faktor Bewegung kommt mehr oder weniger zum Tragen, je nachdem ob es sich um ein Mobile handelt oder nicht, aber man würde sich irren, ginge man davon aus, dass er sich auflösen oder in den Hintergrund treten würde in dem Augenblick, in dem das Werk stillsteht; er verändert lediglich seine Wesensart. Die erste Zelle des Laby-rinthe der Biennale ist ein besonders beeindruckender Beweis hierfür. Die Gegenüberstellung winziger roter und blauer Quadrate, die (nach einer statistischen Methode verteilt und von gleichmäßiger Farbkraft) die Wände*

*bedecken, verursacht ein starkes Flim-mern, in dem sie bewusst auf das periphere Sehvermögen abzielt. Die Intensität des Flimmerns zwingt den Betrachter, das Bild in seiner kontinu-ierlichen Unbeständigkeit und aufgrund der physiologischen Beschaffenheit des Auges in einer zwangsläufig unvorher-sehbaren Zeitfolge zu betrachten. Die Unbeständigkeit resultiert hier nicht nur aus dem In-Bewegung-Setzen des Werkes, sondern eher aus der (be-absichtigten) Unentschlossenheit seiner vorübergehenden Struktur. [...]*
*Diese neue Betrachtungsweise der Be-schaffenheit des ästhetischen Objektes und der dem Betrachter zurückgegebe-nen Rolle lässt ein völliges Umdenken in Bezug auf die herkömmlichen Kunst-begriffe vermuten und sei es lediglich aufgrund der Konsequenzen, die dies für den physischen Aspekt des Werkes mit sich bringt. Viele Besucher der Biennale waren zum Beispiel schockiert über den experimentellen Charakter des Labyrinthe und vielleicht sogar – mehr noch – enttäuscht von der Tat-sache, dass es sich nicht in eine der geläufigen Kategorien einordnen ließ, zum Beispiel als Bild, Skulptur, Relief oder Dekoration. [...]*
*Die Groupe de Recherche d'Art visuel bricht mit den bisherigen anerkannten Dogmen und erschließt Neuland. [...]*
*Die Originalität der Erfahrungen der Gruppe ist unbestritten, ganz gleich wel-cher Natur sie auch sein mag. Und falls sie sich überhaupt in eine bereits vor-handene künstlerische Richtung einord-nen lässt, dann nur deshalb, weil eine – bis dato wenig geläufige, aber dennoch bereits gewissermaßen universelle – neue gestalterische Ausdrucksform dabei ist, sich durchzusetzen. [...]*
*Keine andere Ausdrucksform fügt sich besser in die architektonischen Gegeben-*

heiten ein. Intelligent eingesetzt kann sie
– wenn man sich die Mühe macht, sich
ernsthaft damit auseinander zu setzen –
zu einer wirklichen Synthese von Kunst
und Architektur führen.«[70]

Selbst die amerikanische Presse
berichtet über diese Veranstaltung, zum
Beispiel in dem *Arts Magazine*:
»Unter den Gruppenprojekten zeichnen
sich die der Groupe de Recherche d'Art
visuel durch eine seltene Intelligenz aus,
die sich in der Mehrzahl ihrer Erfahrungen widerspiegelt.«[71]

Im Dezember reist Morellet nach
Island, wo er sich auf Anraten von Karl
Gerstner mit dem Schweizer Künstler
Dieter Roth trifft.

## 1964

Ab dem 17. April veranstaltet
das Musée des Arts décoratifs de Paris
die Ausstellung »Nouvelle Tendance«.
Für die Dauer dieser Ausstellung installiert die GRAV ein zweites *Labyrinthe*;
Morellet fertigt in diesem Zusammenhang 4 Installationen an: *Reflets dans
l'eau* (Spiegelungen im Wasser), *Joconde
animée* (Beseelte Gioconda), *Flash
sur ROUGE* (Blitz auf ROT, Abb.
S. 25) und *Néon programmé* (Programmiertes Neon).

Zu den *Labyrinthes* wird Morellet
später Folgendes sagen:
»Le Parc und Joël Stein waren die Tat-
kräftigsten bei der Organisation dieser
Labyrinthes, dieser bewegten Parcours,
dieser Feste, die in zunehmendem Maße
zu Gruppenausstellungen wurden.«[72]

In der *Le Monde* vom 24. April
heißt es:
»Natürlich ist nicht alles gleich origi-
nell und mutig, dennoch erleben wir
hier den Beginn einer neuen Vision, vor
allem aufgrund der Tatsache, dass sie
in einem direkten Zusammenhang mit

unserem technologischen Zeitalter steht.
Sie ist gewissermaßen die empfindsame,
oder genauer gesagt, die visuelle künstlerische Darbietung. [...]
Ein wesentlicher Punkt vereint diese alle-
samt jungen Künstler der Nouvelle Tendance: Sie drücken alles auf dem Wege
der Geometrie aus. Aber sie weisen den
Vorwurf, Epigonen der bereits als historisch zu betrachtenden neo-plastizistischen Bewegung ›De Stijl‹ (Niederlande)
zu sein, entschieden von sich. [...]
Sie gehen nach einem Programm vor,
welches die genauen und vorhersehbaren Effekte untersuchen will. Es ist
eine ganz offene und dennoch fesselnde
Kunst.«[73]

Im weiteren Verlauf des Jahres
erfährt die GRAV erstmals internatio-
nale Anerkennung. Die Gruppe stellt
in Südamerika aus: in Rio de Janeiro
(Museu de Arte Moderna), Buenos
Aires (Museo Nacional de Bellas Artes)
und in São Paulo (Fundação Armando
Avares Penteado). Die präsentierten
Arbeiten unterscheiden sich nach Ausstellungsort. Ein Katalog in portugie-
sischer und spanischer Sprache wird
herausgegeben. Die Gruppe wird auch
nach Japan eingeladen, um an der Gruppenausstellung »Vom Labyrinth zum
Liebesnest« teilzunehmen, die im Kauf-
haus Seibu in Tokio stattfindet. Auch
unter den zahlreichen Exponaten der
»Documenta III« in Kassel, die von
Juni bis Oktober stattfindet, befinden
sich Werke von GRAV und ZERO.
Morellet zeigt *64 lampes. Allumage
avec 4 rythmes superposés* (64 Lampen.
Beleuchtung mit 4 überlagerten Rhythmen, 1963), eine Arbeit, die sich aus
4 Tafeln zusammensetzt.

Die GRAV beteiligt sich ferner
an verschiedenen Veranstaltungen zum

»Assez de mystifications«, Flugblatt der GRAV,
3. Biennale von Paris, 1963

*4 Tafeln mit 4 interferierenden Beleuchtungstakten,*
3. Biennale von Paris, 1963

Thema Bewegung, so an »Mouvement 2«, Galerie Denise René, in Paris – eine Fortsetzung der historischen Ausstellung »Mouvement« aus dem Jahr 1955; Galerie Gimpel-Hanover in Zürich, Hanover Gallery in London und Contemporary Arts Center in Cincinnati/USA.

Am 13. August stirbt François Morellets Vater.

Während jener acht Jahre seiner Zugehörigkeit zur GRAV bewahrt sich Morellet jedoch ein gewisses Maß an Unabhängigkeit. Er nimmt zum Beispiel an der Gruppenausstellung »54/64 Painting and Sculpture of a Decade« in der Tate Gallery in London teil, wo er eine *Sphère-trames* ausstellt. Diese Skulptur wird in der 12. Ausgabe (Dezember) der Zeitschrift *Life International* abgebildet, die der Op-Art cinen Artikel widmet. Der Autor, W.R. Young, erwähnt auch Morellet.

## 1965

Im Februar ist die GRAV auf mehreren Ausstellungen in New York vertreten.

Am 22. Februar findet die Vernissage der Ausstellung »The Responsive Eye« im Museum of Modern Art (MoMA), New York statt. Diese viel besuchte Veranstaltung wird von William C. Seitz, dem Direktor des Museums, ausgerichtet. Unter den eingeladenen Künstlern sind Josef Albers, Max Bill, Equipo 57, Gruppo N, Ellsworth Kelly, Morris Louis, Agnes Martin, Kenneth Noland, Ad Reinhardt, Frank Stella und auch Victor Vasarely. Es handelt sich um eine Wanderausstellung, die in mehreren amerikanischen Städten – von Saint-Louis bis Baltimore, über Seattle und Pasadena – zu Gast ist.

*Lichtbowling*, 4. Biennale von Paris, 1965

Sie wird jedoch von Anfang an heftig kritisiert – William C. Seitz dankt noch während der Ausstellung ab –, die Presse bezeichnet die Ausstellung als »zu europäisch«. Die Zeitschrift *Vie des Arts* in Montreal bemüht sich, ihre Ziele zu beschreiben, und geht auf einige der Arbeiten ein: »*Morellet seinerseits schafft innerhalb eines engmaschigen Gitterwerks kreisförmige Strukturen, die eine flimmernde Wirkung haben.*«[74]

Ab dem 27. Februar stellt die Gruppe das *Labyrinthe III* in der Galerie The Contemporaries, New York aus. Ihre zweite Ausstellung in dieser Galerie nimmt sie zum Anlass, den Text »Assez de mystifications II« in die englische Sprache zu übersetzen: Der Titel lautet »Stop Art« und spielt damit zugleich auf die Op-Art an (in dessen Kontext Morellets Werk immer wieder diskutiert wurde).

In einem Artikel der *Chroniques de l'Art vivant* wird die Bilanz der Ausstellung gezogen: »*Der Durchgang durch dieses Labyrinth ist sehr dynamisch gestaltet, bietet eine Reihe von unerwarteten Situationen, die den Besucher ununterbrochen in Atem halten. Ganze Kindergruppen besuchen die Ausstellung. Sie sind die besten Besucher: Sie haben keinerlei Hintergedanken, es macht ihnen ganz einfach Spaß, alles anzuschauen! [...] Die Besucher müssen innehalten und ihr Verhalten denjenigen anpassen, die ihnen gegenüberstehen, sie verlieren ihre Hemmungen, neue Beziehungen werden geknüpft. ›Luna Park‹ (Vergnügungspark), ›Foire du Trône‹ (Pariser Rummelplatz), ›gadgets‹ (Kinkerlitzchen)... die Fachpresse genießt es voll und ganz!*«[75]

Anlässlich dieser Ausstellung macht der Plastiker und Kunstkritiker Donald Judd in der *Art International* allgemeine Bemerkungen zum Anliegen dieser Gruppe und fügt hinzu: »*Morellet stellt eine eher gute Arbeit vor, bei der er Neonröhren einsetzt [...]. Das Labyrinth setzt sich zusammen aus einem Sammelsurium gemeinsamer Arbeiten. Es ist kein zusammenhängendes Environment.*«[76]

Im Sommer dieses Jahres veranstaltet Harald Szeemann, Leiter der Kunsthalle Bern, eine Ausstellung unter dem Titel »Licht und Bewegung«, an der die GRAV auch teilnimmt. Die Ausstellung wird anschließend in Brüssel, Baden-Baden und Düsseldorf gezeigt.

Im Herbst desselben Jahres will die GRAV auf der 4. Biennale von Paris mit ihrer neuen Installation ein »Gesamtspektakel« parodieren, indem sie alle Sinne der Besucher mobilisiert und sie zur aktiven Teilnahme auffordert. Bei dieser Gelegenheit zeigt Morellet *Bowling lumineux* (Lichtbowling) und *Bonbon Flash Klaxon* (Bonbon Blitzlicht Hupe), Werke, die vom Besucher betätigt werden müssen und bei denen er buchstäblich zum Hauptdarsteller wird. So muss er zum Beispiel einen Knopf drücken, um die Installation zu beleuchten, und hupen, um ein Bonbon zu bekommen.

*L'Express* beurteilt das Ganze folgendermaßen: »*Die Umsetzung ist einwandfrei, aber die Gruppe lässt sich zu sehr von fixen Ideen beeinflussen, unter anderem von der spielerischen Einbeziehung der Kunst in die Architektur. Das beeinträchtigt die Selbstständigkeit des Werkes: Seit Mondrian ist man in der Lage, einen Stoff, einen Stuhl, einen Wolkenkratzer zu machen, aber muss denn Mondrian deswegen gleich ein Schneider oder Schreiner sein? Die Groupe de Recherche d'Art visuel macht sich allzu häufig zum Schreiner, und daher gelingt es ihr nur schwer, sich von der technischen Wirkung zu entfernen und sich der Weltanschauung zu widmen.*«[77]

Morellets *Interférences avec mouvements ondulatoires* (Interferenzen mit wellenförmigen Bewegungen) ist auch dabei – er gibt sie sehr schnell wieder auf, nachdem er Naum Gabos vibrierende Plastiken gesehen hat[78] – sowie *Grilles se déformant* (Sich verformende Gitter), von denen Max Imdahl sagen wird: »*Gegeben sind drei Metallgitter, von denen jedes an einen Ständer aufgehängt ist und von einem unhörbaren Motor angetrieben wird mit dem Ergebnis, daß sich jedes in beständiger Folge wie ein Scherengitter, also in der Ebene, zusammenzieht und öffnet. Jedes Gitter zieht sich von einem auf die Spitze gestellten Quadrat aus in senkrechter Richtung zusammen, öffnet sich dann wieder rückläufig zum Quadrat, zieht sich vom Quadrat aus wieder in waagerechter Richtung zusammen und öffnet sich wieder rückläufig zum Quadrat, zieht sich von da aus wieder zusammen und so weiter und so fort. [...] Die Bewegung geschieht äußerst langsam, so daß der Besucher nicht schon beim ersten Hinsehen der Bewegung inne wird. Gerade das Langsame provoziert ein beständiges, geduldiges Hinsehen. Dem Auge können, ja müssen die Ebenenbewegungen eines solchen Gitters räumlich erscheinen [...]. Würde sich nun ein auf die Spitze gestelltes Quadrat in der Realität bald um seine senkrechte und bald um seine waagrechte Diagonalachse im Raume drehen, so bliebe für die optische Wahrnehmung die Distanz entweder von der oberen zur unteren oder von der linken*

zur rechten Ecke immer konstant – es wäre immer dasselbe, d.h. in seiner Flächenausdehnung gleichbleibende, bald so und bald so sich drehende Quadrat [...]. In seinem Sich-Öffnen und Sich-Schließen und Wieder-sich-Öffnen und Wieder-sich-Schließen verändert das Gitterquadrat Morellets dagegen fortwährend seine Distanzen zwischen allen vier Ecken, so daß das in räumlicher Drehbewegung gesehene Quadrat im Prozeß seiner Drehung (und entsprechend diesem Prozeß) fortwährend an Ausdehnung zu- und abzunehmen und wieder zu- und wieder abzunehmen scheint. Morellets Gitter suggeriert Aktionen im Raume und Aktionen in der Ebene in einem [...].
Jedes der drei Gitter agiert in derselben Weise und ermöglicht dieselben beschriebenen Erfahrungen, aber die Aktionen der einzelnen Gitter differieren in ihrer Geschwindigkeit. [...]
Die Gesamtbewegung der drei Gitter verläuft ohne fruchtbaren Augenblick, d.h. ohne eine Bewegungssituation, die sich vor anderen als prägnant auszeichnet. [...]
Und sie sind zugleich das Anschauungsmodell für eine optische Aktualisierung und Positivierung des Leerraums als des Worinnens, welches durch jene komplexen Bewegungsereignisse immer wieder anders und neu durchmessen und damit bewußt wird. [...]
Wir werden in eine Verfassung der Meditation versetzt im Anblick eines kinetischen Systems, das selbst nicht realisiert, was es für die Anschauung bewirkt. Das Unvordenkliche bildet sich als Schein aus (auch das ist ein Gegenstand des Nachdenkens), und zwar hat der Schein wiederum eine Besonderheit in dem Spannungsverhältnis, das zwischen der mechanischen Simplizität der Ebenenbewegungen der Gitter und der Komp-

lexität ihrer Wirkungen besteht. [...] Gerade die rationale Uneinholbarkeit des in seiner linearen Strenge rational sich gebenden Bildes bedingt die Erfahrung einer Irritation, die durch die fast unüberschaubare Bildgröße noch verstärkt ist.«[79]

In der *Art Press* wird Morellet denjenigen, die seine Arbeiten als kinetisch bezeichnen, wie folgt antworten: »Wenn man in der Kunst von realer Bewegung spricht, dann muss man zwangsläufig über Calder oder Tinguely sprechen, dennoch werden ihre Werke nicht als kinetisch bezeichnet. Die Kinetik ist beinahe so etwas wie ein Synonym für Op-Art und trompe-l'œil. Vasarely wird als Kinetiker bezeichnet, obgleich er die tatsächliche Bewegung niemals in Betracht gezogen hat. All das entbehrt einer gewissen Logik. Kinetik, das ist gewissermaßen ein Etikett, das man der Pariser Schule, die sich für Op-Art oder für die Geometrie interessiert, angeheftet hat, obgleich sie lediglich von Zeit zu Zeit tatsächliche Bewegung einsetzt, im Übrigen eher Phänomene visueller Irritation.
Ich fühle mich keineswegs dieser Schule zugehörig. Es trifft zu, dass einige meiner systematischen Programme Moiré-Effekte auslösen, dennoch war die Ausgangsüberlegung keineswegs die, optische Phänomene in Gang zu setzen, sondern vielmehr etwa zwei Netze von Parallelen übereinander zu lagern; wenn der Abstand dabei sehr gering ist, kommt es zu einem gewissen Moirieren, einem gewissen Schillern, aber das ist dann lediglich die Auswirkung des Programms.«[80]

Ende Oktober, anlässlich der Ausstellung »Sigma« in der Galerie des Beaux-Arts in Bordeaux, veröffentlicht Morellet ein neues Manifest, »Le

choix dans l'art actuel«, eine Theorie über die Rolle des Betrachters beim Aufbau eines Werkes:
»Das aktive Mitwirken des Betrachters beim Schöpfungsvorgang oder bei der Veränderung eines Kunstwerks ist zweifelsfrei die von der romantisierenden allmächtigen Schöpferrolle am weitesten entfernte Auffassung des Begriffes ›Künstler‹. Die willkürlichen Genies, um die das 19. Jahrhundert seine Legenden gewoben hat, lösen sich vor den Augen des Betrachters auf.
Daher besteht ein tiefer Graben zwischen den ›inspirierten Künstlern‹ – die Werke schaffen, in denen jedes Detail ein für alle Mal durch eine Wahl feststeht, die keine andere Rechtfertigung als die der Intuition zulässt – und den ›experimentellen Künstlern‹ – die Sachverhalte vorschlagen, die sich räumlich und zeitlich verändern, sowohl für wie auch durch den Betrachter selbst.«[81]

## 1966

Am 19. April geht die GRAV zur Aktion über und organisiert *Une journée dans la rue* (Einen Tag auf der Straße). Von 8 bis 23 Uhr werden kleine Präsente an die Fahrgäste der Pariser Metro an der Place du Châtelet verteilt, bewegliche Platten werden gegenüber dem Café La Coupole am Montparnasse verlegt, und ein Rundgang, bei dem der Besucher elektronischen Blitzen ausgesetzt ist, lädt ein auf dem Boulevard Saint-Michel. Die Veranstaltung, die von Charles Chabaud und Michel Chapuis verfilmt wird – bedauerlicherweise ist der Film nicht mehr aufzufinden –, gibt der Gruppe die Möglichkeit, ein weiteres Traktat zu verteilen:
»Die Stadt, die Straße ist geprägt von einem Geflecht von Gewohnheiten und von tagtäglich wiederkehrenden Handlungen.

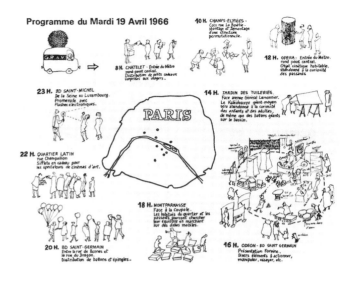

Wir sind der Auffassung, dass die Summe dieser Routinehandlungen zur vollkommenen Passivität führt oder ein generelles Bedürfnis nach Reaktionen erwecken kann.

In diesem Netz wiederkehrender und wiedergefundener Tatsachen eines Pariser Alltags wollen wir eine Reihe von bewusst orchestrierten Akzenten setzen. Das Leben in den Großstädten könnte massiv bombardiert werden, nicht so sehr mit Bomben, sondern mit neuen Situationen, die eine Beteiligung und eine Reaktion der Bewohner herausfordern. Wir glauben jedoch nicht, dass unsere Aktion ausreichen wird, um die Routine eines Pariser Wochentages zu sprengen. Sie kann vielleicht als eine einfache Situationsverschiebung betrachtet werden. Aber trotz ihrer begrenzten Reichweite wird sie uns helfen, mit einem unvorbereiteten Publikum in Verbindung zu treten. Wir betrachten es als einen Versuch, mit dessen Hilfe wir die herkömmlichen Beziehungen zwischen Kunstwerk und Öffentlichkeit erweitern wollen.«[82]

Alle Mitglieder der GRAV werden die Auswirkungen dieser Aktion zu spüren bekommen; Morellet selbst wird später dazu Folgendes sagen:

»Das war die reine Hysterie. Nach einem kurzen Moment des Zögerns fingen die Leute an, mit den Dingen zu spielen, sie kaputt zu machen, sich toll zu amüsieren.«[83]

Pierre Restany sagt nach diesem Rundgang:

»Dieses Mal haben die Mitglieder der GRAV – statt eine willkürliche Situation in einem Museum oder statt Rundgänge, die sich wie Laborbesuche darstellen, zu schaffen – das Problem umgekehrt und von der Basis aus angepackt. Der Stoßtrupp der Op-Art ist auf die Straße gegangen, und zwar für einen ganzen

Programm für »Ein Tag auf der Straße«, veranstaltet von der GRAV, Paris, 19. April 1966

Hein Stunke und Karl Gerstner, Ausstellung »Morellet«, Galerie Der Spiegel, Köln, 1966

César, Antonio Seguí, Soto, Ausstellung »Morellet«, Galerie Denise René, Paris, 1967

langen Tag, von acht Uhr morgens bis Mitternacht, und mit allem Drum und Dran: Glas, Schildern, beweglichen Platten usw. Die ganze Karawane (García Rossi, Le Parc, Morellet, Sobrino, Stein, Yvaral) schlug eine vorher festgelegte Marschroute ein, eine ganze Folge von Demonstrationsetappen, die alle zwei Stunden an verschiedenen ›heißen Punkten‹ der Stadt verteilt wurden.
Ich habe das Spektakel verfolgt und die Reaktion der Leute beobachtet: Eine gewisse Neugierde war schon zu sehen, aber auch viel Gleichgültigkeit und Misstrauen aufgrund des Überraschungsmomentes, aber keine wirkliche Aggressivität. Châtelet, Champs-Élysées, Opéra, Tuileries, Saint-Germain-des-Prés, Montparnasse, Quartier latin: Der Rundgang nahm Formen eines Pfadfinderausfluges oder einer Modenschau an und aufgrund des schlechten Wetters auch die eines Versteckspiels mit dem Regen. [...]
Die Mitglieder der GRAV sind auf das Publikum zugegangen. Sie haben die Übung ohne zu schummeln, (vielleicht) mit (zu viel) Methode und guter Laune durchgeführt. Paris kam jedoch nicht zum Rendezvous. Es wäre dennoch zutiefst ungerecht, ihm böse zu sein. Dieser Probeschuss war noch kein Meisterstück, aber eine lehrreiche Übung: Man kann nunmehr besser messen, wie weit die Kunst immer noch vom alltäglichen Leben entfernt ist.«[84]
In der Beilage der Times Literary wird von einer Veranstaltung gesprochen, die »die zunehmende Beliebtheit von Happenings«[85] versinnbildlichte. In seinem Text »Environmental Art«, der vom Studio International veröffentlicht wurde, kommt Stephen Bann auf das Thema zurück:
»Die Demonstration der GRAV besteht darin, eine Reihe ihrer Projekte an stra-

tegischen Punkten in Paris aufzustellen. Einige davon, zum Beispiel Passage accidenté (Abwechslungsreicher Durchgang), aus instabilen Holzbrettern bestehend, war schon in ihren Labyrinthes für Innenräume vorgestellt worden. Sie wollten auf diese Weise mit der Öffentlichkeit in einen Dialog treten, der sie in die Lage versetzen würde, mit ihrer Arbeit oder ihren ›Vorschlägen‹ eine wechselseitige Beziehung anzuknüpfen. Die Besucher konnten die vorgeschlagenen Arbeitsmöglichkeiten selber testen. Aber selbst wenn dadurch unerwartete Situationen entstanden, hatten sie immer eine Möglichkeit, sich denen anzupassen. Was das Happening angeht, so war jedoch kein Dialog möglich.«[86]
Stephen Bann veröffentlicht in Zusammenarbeit mit Reg Gadney, Frank Popper und Philip Steadman bei Motion Books ein Buch über kinetische Kunst, in dem ein Teil ausschließlich der GRAV vorbehalten ist.

In der Sommerausgabe bringt Cimaise ein Gespräch von Jean-Jacques Lévêque mit Denise René. Sie spricht von ihrer Arbeit als Galeristin und erzählt, wie sie die Mitglieder der GRAV unterstützt:
»[Ihre Ambitionen] zielten darauf ab, nicht nur die herkömmlichen Vorstellungen von Kunstwerken, sondern auch des Schaffensprozesses an sich zu sprengen. Tatsächlich war es bis heute so, dass der Künstler eine isolierte Einzelperson zu sein pflegte, ein geniales, ja marginalisiertes Wesen, während für sie die Öffentlichkeitsarbeit auf der elementarsten, ja einfachsten Ebene stattfand: der des Alltagslebens, auf der Straße, vom Spiel zur Notwendigkeit.«[87]

Morellet gibt auf eigene Kosten einen kleinen Katalog heraus, in dem

seine wichtigen Werke seit 1946, seien es Einzel- oder Gruppenarbeiten, zusammengefasst sind. Im Juli stellt er dank Daniel Spoerri und Karl Gerstner in der Galerie Der Spiegel in Köln aus.

Julio Le Parc erhält den Preis der Biennale von Venedig. Dieses Ereignis sprengt die Einheit der Gruppe. Dennoch beschließen die Mitglieder der GRAV, weiterhin gemeinsam zu arbeiten. Vor allem nehmen sie an zwei bedeutenden Gruppenausstellungen teil: »Weiß auf Weiß«, die ab 25. Mai in der Kunsthalle Bern stattfindet und in der Morellet eine Sphère (Kugel, 1962) zeigt, und an »Kunst Licht Kunst« (25. September bis 4. Dezember) im Stedelijk van Abbemuseum in Eindhoven. Für diese zweite Ausstellung, die von dem Museumsleiter Jan Leering und von Frank Popper organisiert wird, wählt GRAV eine neue »ambiance« (Umfeld), einen Gemeinschaftsraum in Form eines Lichtlabyrinths. In Katalog veröffentlicht Morellet einen Text: »Les sources lumineuses directes dans l'art«.

## 1967
Im Frühjahr organisiert die Galerie Denise René zum ersten Mal eine Einzelausstellung von Morellet. Sie zeigt neue Arbeiten, zum Beispiel Néons, aber auch Werke aus seinen Serien Tirets, Répartitions aléatoires und Trames sowie Malereien aus den fünfziger Jahren. Bei dieser Gelegenheit werden verschiedene Multiples verlegt.
»Diese beiden Ausstellungen in der Galerie Denise René (rive droite und rive gauche) zeigen anhand der Retrospektive von Morellets Werk, wie sich ein ganzer Sektor der derzeitigen jungen Malerei dem widersetzt, was als Mythos des Unikats, der Inspiration und des so genannten ›unkontrollierten‹ künstleri-

schen Schaffens bezeichnet wird. [...] Hier identifiziert sich der Künstler nicht mehr mit einem Stil, auch weist er das in der herkömmlichen Zeichnung ach so wertvolle ›Zittern der Hand‹ zurück. Sie wollen keine ›Interpreten‹ mehr sein, sondern vor allem ›Gestalter‹. Wenn das System einmal steht, kann es beliebig vervielfältigt und das Rezept weitergereicht werden. Der Künstler tritt hier wie ein Forscher im visuellen Bereich auf. Dennoch ist die Absicht die eine Sache, und das Ergebnis eine andere: Eine Arbeit von Morellet, wie auch eine von Le Parc oder Yvaral, kann schon von weitem erkannt werden. Vielleicht ist dies darauf zurückzuführen, dass sie, ohne es bewusst zu wollen, die Linien und die Formen möglicherweise weniger kontrolliert auswählen, als sie es sich eingestehen wollen. Sie schaffen Elemente einer persönlichen Sprache, die sich dem Stil anpasst und die ihre persönliche Ausdrucksweise ist. Paradoxerweise enthalten Morellets strenge Versuchsanordnungen häufig ausgesprochen lyrische Elemente: Die Geradlinigkeit seiner Arbeiten verursacht häufig ein Übermaß an Ausdrucksfähigkeit, die das Programm eigentlich nicht vorgesehen haben sollte!... ›Morellet, Sie betreiben Tachismus, ohne sich jedoch die Finger schmutzig zu machen...‹, sagte Vasarely, der Meister der Geometrie, einmal zu ihm... «[88]

Etwa zu derselben Zeit findet eine weitere Einzelausstellung von Morellet in der Indica Gallery in London statt. Die englische Presse zeigt Interesse an seinem Werk, das sie als sehr »frenchy« bezeichnet. Guy Brett erklärt in *The Times* vom 8. Mai:
»Die Arbeit von François Morellet, die die Indica Gallery auf so angemessene Weise zeigt, [ist] von einer Einfachheit

und einer Eleganz, die man als typisch französisch im besten Sinne des Wortes bezeichnen kann. Natürlich haben nicht alle seine Ideen dieselbe Wirkung, dennoch entdeckt man in ihnen einen ausgeprägten roten Faden. Seit einiger Zeit nimmt er an der Groupe de Recherche d'Art visuel teil, aber in dieser Ausstellung ist er ganz allein vertreten. Sein Werk ist klein und konzentriert und wird hier nun ab dem Jahr 1958 vorgestellt. Wenngleich seine ersten Werke streng genommen reine Malerei verkörpern, sind seine späteren Arbeiten praktisch ihre Fortsetzung, mit dem einzigen Unterschied, dass sie sich nunmehr auch mit dem Licht auseinander setzen. [...] In seinen jüngsten Arbeiten setzt Morellet Neonröhren ein. Sicherlich hat ihn seine Vorliebe für das Licht als unmittelbare Quelle veranlasst, auf die Form und die Komposition beinahe ganz zu verzichten, selbst in seiner ersten Malerei.«[89]

In der Aprilausgabe von *Opus International* wird die Frage der Einbeziehung des Betrachters diskutiert:
»Die GRAV bemüht sich, mit begrenzten Mitteln das nicht spezialisierte und nicht konditionierte Publikum anzusprechen, es unmittelbar reagieren und handeln zu lassen. [...] Diese Suche, die von der Arbeit als solcher, mit ihrem endgültigen und geschlossenen Charakter ausgeht, war auf eine offene, undefinierte, ja den Unwägbarkeiten ausgelieferte Arbeit ausgerichtet, die eine unmittelbare Beziehung zum Besucher anknüpfen sollte. [...] Die experimentellen Einsatzmöglichkeiten des eingeschlagenen Weges sind enorm groß und die Variationsmöglichkeiten vielfältig. Natürlich muss in einem ersten Ansatz zunächst die Apathie und die Hemmung der Leute überwunden werden, es müssen Über-

gangslösungen gefunden werden; ein Mindestmaß an Mitbeteiligung des Publikums etwa kann größere und entscheidende Veränderungen herbeiführen; oder es kann mit Hilfe eines Animateurs eine gewisse Interaktion aufrechterhalten werden, wobei natürlich ein hohes Maß an Eigeninitiative und Improvisation berücksichtigt werden muss.«[90]

Von Mai bis August lädt das Musée d'Art moderne de la Ville de Paris die GRAV zur Ausstellung »Lumière et Mouvement« ein, der ersten ihrer Art über kinetische Kunst. Die Gruppe stellt darauf einen neuen *Parcours à volumes variables* (Parcours mit veränderbaren Volumina) vor. Im Katalog wird neben einem Text der GRAV über diesen Parcours ein Text von Morellet unter dem Titel »Mise en condition du spectateur« aufgenommen:
»Die Vorbereitung des Betrachters wird im Allgemeinen zugunsten der Vorbereitung des Œuvres gänzlich außer Acht gelassen.
Diese Vorbereitung oder Konditionierung des Betrachters ist jedoch eine absolute *Vorbedingung in der Kunst*; sie hat zum Ziel, den Betrachter in die Lage zu versetzen, bestmöglich auf einen bestimmten ästhetischen Sachverhalt zu reagieren. [...]
Wir sprechen hier keineswegs vom Konditionieren im erzieherischen Sinne oder aufgrund des sozialen Umfeldes, der Epoche, kurzum all dessen, was den Betrachter vor dem Betreten des für ihn vorbereiteten Ausstellungsbereiches geformt hat. Wir wissen sehr wohl, dass diese Voraussetzungen äußerst wichtig sind und es mit Hilfe ihrer Veränderung durchaus möglich ist, eine x-beliebige Sache je nach Wunsch schön oder sittlich darzustellen.

Nachdem wir jedoch keinen Einfluss
auf diese Voraussetzungen haben, halten
wir uns ausschließlich an die Aufnahme-
fähigkeit des Betrachters während des
kurzen Augenblicks, der üblicherweise
einer Unterhaltung gewidmet wird.
Bei der Konditionierung des Betrachters
müssen unter anderem folgende Faktoren
berücksichtigt werden:
die Lichtstärke,
die Raumtemperatur,
die Geräuschkulisse,
die Gerüche,
das Sonnenlicht,
die geraden, gekrümmten, unterbrochenen Wege,
usw.«[91]

Am 15. Juni, anlässlich seines Be-
suches der Ausstellung »Ready-mades
et éditions de/et sur Marcel Duchamp«
in der Galerie Givaudan, Paris, sieht
Morellet Duchamp, ein kurzes Treffen,
das er Jahre später wie folgt beschreibt:
»Ich habe ihn kurz vor seinem Tod bei
einer Vernissage einmal kennen gelernt.
Er trug ein rosa Hemd, eine grüne Kra-
watte, und er war ganz einfach wunderbar. Sehr respektvoll sagte ich zu ihm:
›Gestatten Sie mir, Ihnen einen befreun-
deten tschechischen Geschichtswissen-
schaftler vorzustellen. Wissen Sie,
als ich ihm sagte, dass wir Duchamp
sehen würden, hat er mir sehr skeptisch
geantwortet: ›Das ist doch wohl ein
Witz!‹« Daraufhin hörte Duchamp auf
zu lächeln und sagte ganz ernst: ›Aber
das ist doch ein Witz‹.«[92]

Von Duchamp wird Morellet sagen:
»Eine Zeit lang hat man aus ihm eine Art
Sprengstoffattentäter der Gesellschaft
gemacht, obgleich er eher ein genial iro-
nischer Spießbürger war. Daher schäme
ich mich auch weniger, ihn zu meinem
Vorbild gemacht zu haben.«[93]

Im Herbst freundet er sich mit
Daniel Spoerri an, der einige Monate
mit seiner Lebensgefährtin Kichka
in Nantes verbringt. Das Ehepaar
Morellet lädt sie mehrfach zum Abend-
essen ein, häufig in Gesellschaft des
Schriftstellers Emmet Williams.

»Ja, das erste Neon-Schwätz-Stück datiert auf 1967. Außerhalb der einfachen
geometrischen Formen erscheinen Worte
wie: Schwanz, Blödmann, Nein, Nichts.
Ich bekenne, daß die Selektion dieser
Worte nicht nur durch die Geometrie
der Buchstaben gerechtfertigt war, sondern auch durch eine subjektive Wahl,
die eine Reaktion auf die verblendeten
Züge der geometrischen Kunst ist.«[94]

Morellet nennt diese Arbeiten
*Néons avec programmation aléatoire-
poétique-géométrique* (Neons mit zufällig-poetisch-geometrischer Programmierung, Abb. S. 156–157). Zu den
Neonröhren, die manche als zu aggres-
siv empfinden, sagt Morellet in einer
Veröffentlichung in der 5. Ausgabe
(November/Dezember) der Zeitschrift
*Robho*:
»Obgleich ich davon überzeugt bin,
würde ich dennoch nicht den Versuch
unternehmen, Sie davon überzeugen
zu wollen, dass in bestimmten Augenblicken die Aggressivität, die Brutalität
in der Kunst eine soziale Notwendigkeit darstellt. Ich möchte lediglich
anerkennen, dass unsere Gesellschaft,
wenn man sie mit den vorangegangenen vergleicht, durch die Unterdrückung jeglicher Aggressivität und
Brutalität im ästhetischen, ethischen
und politischen Bereich gekennzeichnet
ist. Dieser ewig lächelnde und beruhigende Aspekt verdeckt jedoch etwas
ganz anderes. Er versteckt viel weniger
die lächelnden Strukturen, er kann

Die Mitglieder der GRAV: Julio Le Parc, Joël Stein, Horacio
García Rossi, François Morellet, Yvaral, Francisco Sobrino,
Dortmund, 1968

François Morellet (in der Mitte) mit seinen beiden Assistenten,
links sein Sohn Frédéric, rechts Owain Hughes, Cholet, 1968

Morellet, Frank Popper, Julio Le Parc, Joël Stein, Galerie Denise
René, Paris, 1968

aber auch eine viel weniger beruhigende Zukunft verschweigen, denn der Geschmack der falschen Freundlichkeit kann durchaus eines Tages einer falschen Macht weichen (so wie der Nazismus sehr wohl wusste, wie man der geistigen Trägheit schmeichelt). Wenn also meine Neonarbeiten Ihre Augen blenden, die Batterie Ihre Ohren reizt und der Pfeffer dem Magen und die Liebe dem Herz Schmerzen verursachen, dann geben Sie bitte nicht der Zeit die Schuld, sondern drehen Sie sich um und schlafen Sie ruhig weiter.«[95]

## 1968

Vom 10. Februar bis 31. März stellt die GRAV im Museum am Ostwall in Dortmund aus. Am Vorabend der Vernissage fährt die Gruppe in einem umgebauten Auto mit der Aufschrift *Anti-Voiture* (Anti-Auto) durch die Straßen der Stadt und lädt die Bürger zur Teilnahme an dieser Veranstaltung ein. Die Ausstellung stellt eine Bilanz der letzten acht Jahre dar. Auch eine Reihe der ersten, auf der visuellen Perzeption basierenden Arbeiten und interaktive Werke werden ausgestellt, die in zunehmendem Maße erzieherischen Charakter besitzen.

Die Ausstellung selbst umfasst sogar ein Spielzimmer. Morellet zeigt *4 rythmes lumineux avec images consécutives* (4 Lichtrhythmen mit aufeinander folgenden Bildern), unter dem Einsatz von 30 Projektoren *Environnement lumineux avec plusieurs rythmes superposés* (Lichtenvironment mit mehreren überlagerten Rhythmen), *Grandes trames superposées* (Große überlagerte Raster; 5 x 3 m), *Rythmes lumineux superposés* (Überlagerte Lichtrhythmen) auf 4 Tafeln, *Environnement avec 3 grandes grilles se déformant* (Environ-

ment mit 3 sich verformenden Gittern), mehrere *Mouvements ondulatoires* (Wellenförmige Bewegungen), *Rythmes lumineux circulaires* (Kreisförmige Lichtrhythmen) unter Verwendung von Neon und *Images déformées par le spectateur* (Vom Betrachter verformte Bilder), die mit Hilfe eines Projektionssatzes auf Wasser erzeugt werden.[96]

Vom 3. März bis 14. April beteiligt sich die GRAV an der Ausstellung »Plus by Minus: Today's Half-Century« in der Albright-Knox Art Gallery in Buffalo/USA. Die Ausstellung gilt als die erste Veranstaltung des Minimalismus. Der Direktor des Museums, Douglas Mac Agy, zeigt eine Auswahl an Arbeiten, unter denen vor allem Werke von Dan Flavin, Donald Judd und Robert Morris zu erwähnen sind.

Als zweite Veranstaltung in diesem Rahmen zeigt die GRAV eine weitere spektakuläre Installation, die *Variations sur l'escalade* (Variationen zum Thema Eskalation), die als echtes Environment aufgezogen ist.
»Es handelt sich um eine Reihe von unmöglichen, rot und blau bemalten Treppen, die den Besucher der Ausstellung am Eingang empfangen.«[97]
Morellet erklärt seine Konstruktion folgendermaßen:
»Unter dem Titel ›Variations sur l'escalade‹ haben wir verschiedene Treppentypen bauen lassen, die alle symmetrisch waren, aber deren Stufen unterschiedlich angeordnet waren.«[98]

Den Titel der Ausstellung hält die Gruppe – die ihren rebellischen und bekennenden Geist nach wie vor beibehalten hat – bewusst zweideutig, da sie damit auch ausdrücklich das Thema des Vietnamkrieges anschneiden möchte.

Im Frühjahr nimmt die GRAV an zwei Gruppenausstellungen teil – den letzten vor ihrer Auflösung: an »L'art vivant 1965–1968« in der Fondation Maeght in Saint-Paul-de-Vence und an »Cinétisme Spectacle Environnement«, die von Frank Popper in der Maison de la Culture in Grenoble veranstaltet wird. Morellet beschreibt seine Installationen:
»– Fondation Maeght in Saint-Paul-de-Vence
An der Decke eines Saales der Fondation Maeght hatten wir eine sehr große Zahl rechteckiger verchromter Röhren an Nylonfäden aufgehängt. Wenn die Besucher diesen Raum durchquerten, mußten sie die Röhren bewegen, die beim Zusammenstoßen Glockengeräusche erzeugten.
– Maison de la Culture in Grenoble
Über der Drehbühne des Theaterraumes hatten wir Ballons und Metallringe an Nylonfäden aufgehängt; auf dem Boden der Bühne erschwerten andere Hindernisse noch zusätzlich den Weg der Betrachter.«[99]

Die GRAV arbeitet an den Filmdekorationen zu *La Prisonnière* (Seine Gefangene) von Henri-Georges Clouzot mit; im Jahr davor hatte die Gruppe bereits diejenige für *Vivre la nuit* von Marcel Camus gemacht. Ferner befasst sich die Gruppe mit der Bühnendekoration für ein zeitgenössisches Ballett, *Déserts*; die Musik stammt von Edgar Varèse, und es soll im Herbst 1968 in Amiens aufgeführt werden.

Darüber hinaus übernimmt Morellet eine Reihe von ungewöhnlichen Aufträgen, zum Beispiel die Lichtprogrammierung von Nightclubs in Grenoble und Fréjus. Dort benutzt er zum ersten Mal Klebebänder. Seine *Adhésifs éphémères* (Ephemeren Klebebänder) werden auf der Architektur sowie diversen anderen Unterlagen angebracht.

*»Um 1968 haben meine Raster wohl gespürt, dass sie in meinen geneigten Bildern allmählich unerwünscht waren und ergriffen die Initiative, um aus dem herkömmlichen Ort zu fliehen und sich auf Wänden, Fenstern und anderen Skulpturen, die sich ihnen in die Quere stellten, breit zu machen. Und dies alles dank der großartigen Klebebänder, die sich so leicht anbringen und, ohne Spuren zu hinterlassen, wieder abnehmen lassen.«*[100]

*»Im Übrigen liebe ich es, das all-over auch außerhalb der willkürlichen Grenzen des Bildes aufzutragen, ich liebe vergängliche Werke, die, ohne die geringste Spur zu hinterlassen, verschwinden, ich liebe exakte und neutrale Ausführungsarten, die jegliche Möglichkeit, Empfindsamkeit auszudrücken, ausschließen, und ich liebe auch die Interaktion, die beim zufälligen Zusammentreffen eines strengen Systems mit einer unebenen Oberfläche entsteht.«*[101]

Morellet kehrt auch zur Malerei zurück, ohne jedoch seine jüngsten Erfahrungen aufzugeben.

In diesem Jahr lernt er über den Objektkünstler Daniel Spoerri Robert Filliou kennen, einen Akteur der Fluxus-Bewegung; aus dieser Begegnung wird eine Freundschaft entstehen.

Im Sommer nimmt Morellet an verschiedenen Ausstellungen teil, zum Beispiel der »documenta 4« in Kassel – er wird ebenfalls auf der »documenta 6« im Jahr 1977 anwesend sein – oder auch an »Le silence du mouvement« (Die Stille der Bewegung) im Rijksmuseum Kröller-Müller in Otterlo. Der Zusammenhalt der GRAV wird immer weniger wahrnehmbar. Die Mitglieder der Gruppe sehen sich außer Stande, weiterhin zu-sammenzuarbeiten; ihre jeweiligen Ausrichtungen – Engagements und kommunalen Interessen – weichen zu sehr voneinander ab.

So kommt es zum Fehlschlag ihres Hauptvorhabens, das für die Sommermonate für Paris vorgesehen war. Es handelte sich darum, einen Bus der RATP (Pariser Verkehrsbetriebe) zu kaufen mit dem Ziel, durch Frankreich zu reisen und im ganzen Land Veranstaltungen zu organisieren und die Besucher zur Teilnahme aufzufordern.

Die einstimmige Auflösung der GRAV erfolgt im November; zu diesem Zeitpunkt verzeichnet sie sowohl Erfolg wie auch zunehmende Anerkennung. Ihre Arbeiten werden in verschiedenen internationalen Ausstellungen willkommen geheißen, vor allem in Bern, Berlin, Detroit und Utrecht. Ihren demokratischen Grundsätzen getreu, verfassen alle Mitglieder einen kurzen Text, in dem die Beweggründe für die Auflösung der Gruppe dargestellt werden. Morellet: *»Mein utopischer Traum war es am Anfang, daß wir die individuelle Signatur verlassen könnten und kollektive Arbeiten herstellen. Diese Idee fand in der Gruppe wenig Anklang. – Wir haben trotzdem an die zehn wirkliche Kollektiv-Arbeiten hergestellt und es ist uns gelungen, einige Labyrinthe herzustellen, einige Ereignisse, in denen das Ausschöpfen von Zufällen in den Straßen eine wichtige Rolle spielte, während der die Beteiligung des Betrachters sehr weit vorangetrieben wurde.*
*Unser letztes Projekt – um den Betrachter aus dem Schlaf aufzuwecken und ihn in den Straßen zum Mitmachen zu stimulieren, war für den MAI '68 geplant... Doch die Konkurrenz der ›Amateure‹ wirkte sich auf uns fatal aus;* das Programm fand nicht statt. Ende '68 lösten wir die Gruppe auf.«*[102]

Er präzisiert dann noch: *»Na ja, immerhin haben wir uns manchmal krumm und schief gelacht!«*[103]

## 1969–1970

Ab April 1969 findet in der Kunsthalle Nürnberg die erste Auflage der »Biennale 69 Nürnberg – Konstruktive Kunst, Elemente und Prinzipien« statt, zu der auch Morellet eingeladen wird. Im Herbst schlägt die von Künstlern geleitete Galerie Halmannshof in Gelsenkirchen Morellet vor, seine Arbeiten dort auszustellen. Bei dem Besuch dieser Ausstellung beschließt Alexander von Berswordt-Wallrabe, der Leiter der Galerie in Bochum, sie im folgenden Jahr erneut zu präsentieren. Dieser erste Kontakt zwischen den beiden Männern ist der Anfang einer engen Zusammenarbeit, die sich über die gesamten siebziger Jahre hinaus bis zum heutigen Tag erstreckt.

Gérald Gassiot-Talabot veröffentlicht einen Artikel mit dem Titel »Morellet et l'objet« in der 9. und 10. Ausgabe der *Opus International*, einen Text, den er in einer kurzen, in französischer und englischer Sprache abgefassten Monografie aufgreifen wird, die 1971 im Verlag All'insegna del pesce d'oro mit der Unterstützung der Galleria Cenobio in Mailand publiziert wird.

Zwei Jahre nach der Auflösung der GRAV veröffentlichen die *Chroniques de l'Art vivant* in ihrer Märzausgabe (1970) eine Chronologie der verschiedenen Aktionen und der theoretischen Stellungnahmen der Gruppe. *»Aufgrund eines Paradoxons, das kein Zufall gewesen sein mag, verschwand sie [die GRAV] genau zu dem Zeitpunkt, als ›ihre‹ Ideen den meisten Anklang fanden.«*[104]

»Ihr Beispiel überlebte jedoch, wenngleich es nur wenige Künstler geschafft
haben, ihre Begabung und Selbstver-
leugnung in den Dienst einer Gruppe
zu stellen. Die Leistungen dieser klugen
Köpfe müssen gelobt werden, ihr
Kampfgeist, ihre manchmal geradezu
fantastische Vorreiterrolle und ihr
unbestrittener Einfluss auf eine ganze
Generation in Erinnerung gerufen werden.«[105]

Im Frühjahr 1970 entwirft Morellet
eine riesige bewegliche Neonarbeit
(12 × 36 m) für den Pavillon Frankreichs
auf der Weltausstellung in Osaka (Japan). Für den französischen Pavillon
der Biennale von Venedig schafft er
*Punching-Ball* (Abb. S. 28).
»*1970 musste der Besucher aktiv,
sportlich sein.*
*Zumindest glaubte das Claude Parent,
der den Boden und die Decke des französischen Pavillons in seine bevorzugte
Schräglage versetzte.*
*Meine Installation folgte ihm natürlich
auch, der Besucher musste zwangsläufig
einen Punchingball boxen, wenn er die
unbeständigen und willkürlichen Formen
an der Decke sehen wollte. Ein gewoll-
ter Nebeneffekt war eine zweite Über-
raschung, die durch den Rückprall des
Punchingballs auf das Gesicht des durch
die Neonlichter abgelenkten Betrachters
ausgelöst wurde.*«[106]

Von September bis November
zeigt die Hayward Gallery in London
die Gruppenausstellung »Kinetics«,
auf der Morellet zwei *Grilles se déformant* (2 sich verformende Gitter) ausstellt.

In Cholet veröffentlicht er auf
eigene Kosten die erste Ausgabe seines
Buches *90° – 90° Trames* (Raster).

Danielle und François Morellet mit Owain Hughes beim Aufbau der Installation für die
Ausstellung »L'art vivant 1965–1968«, Fondation Maeght, Saint-Paul-de-Vence, 1968

Die Mitglieder der GRAV (von links nach rechts): Gabriele de Vecchi, Joël Stein, Davide Boriani,
Julio Le Parc, Manfredo Massironi, Gianni Colombo, Enzo Mari, François Morellet, Francisco
Sobrino, Maison de la Culture, Grenoble, 1968

Danielle Morellet, Denise René und Rudi Oxenaar auf der Vernissage der Ausstellung »Le silence
du mouvement« (Die Stille der Bewegung), Rijksmuseum Kröller-Müller, Otterlo, 1968

*2 Raster von Neonquadraten mit Beteiligung des Betrachters*, Biennale von Venedig, 1971

1970 verkauft Morellet zum ersten Mal Arbeiten an öffentliche Institutionen. Das Museum Abteiberg in Mönchengladbach etwa erwirbt über die Galerie m in Bochum *Angles droits concentriques* (Konzentrische rechte Winkel, 1956), während Blaise Gauthier für das Centre national d'Art contemporain *4 doubles trames, traits minces 0° – 22°5 – 45° – 67°5* (4 Doppelraster mit dünnen Strichen 0° – 22°5 – 45° – 67°5, 1958) kauft. In Deutschland – das Interesse für das Œuvre von Morellet ist hier bereits gut verankert und lässt nicht nach – werden noch weitere Museen und Sammler eine Reihe seiner Werke erwerben, zum Beispiel die Museen in Essen und Wuppertal.

## 1971

Ab Januar erfährt der »peintre-amateur«, der Amateur-Künstler – wie er sich selbst bezeichnet –, europaweite Anerkennung. Seine erste Retrospektive, die vom Leiter des Stedelijk van Abbemuseum in Eindhoven, Jan Leering, veranstaltet wird, wandert weiter über Paris (Centre national d'Art contemporain; März/April) nach Hamburg (Kunstverein), um schließlich über Leverkusen (Schloss Morsbroich), Frankfurt (Kunstverein) und Bochum (Kunstmuseum) in Brüssel (Palais des Beaux-Arts) seine letzte Station zu finden. Im französischsprachigen Katalog wird ein Beitrag von Serge Lemoine veröffentlicht. Dieses Treffen führt zu einer engen und dauerhaften Freundschaft.

*»Ich erinnere mich zum Beispiel daran, dass der Direktor dieser Ausstellung mein* Du jaune au violet *(Von Gelb zu Violett) im Katalog meiner Retrospektive im CNAC im Jahr 1971 doppelseitig abbilden ließ. Vorher hatte*

*niemand, nicht einmal ich, ein besonderes Interesse an diesem Bild gehabt. Aber siehe da, in der Zwischenzeit hatte ein Künstler, ein großer Star, unfreiwillig die Werbetrommel dafür gerührt.«*[107]

Morellet spricht hier von einigen Arbeiten Frank Stellas. Dieter Honisch vergleicht die Suche der beiden Künstler: *»So wie Stella unterschiedliche Lösungen eines Problems vorführt, und so zu ganz unterschiedlichen Bildfeldlösungen findet, so zeigt Morellet in ein und derselben Abmessung ganz unterschiedliche Strukturqualitäten. Während Stella seine Vorstellung ganz an den Bildträger bindet, das Bild zu einem konkreten Objekt macht, so löst sich Morellet stärker vom Bild, bindet sich stärker an die Vorstellung. Insofern sind Stella und Morellet, trotz gewisser formaler Ähnlichkeiten in ihrem Werk, ihrer Intention nach diametral entgegengesetzt. Pragmatischer der eine, konzeptueller der andere, gehören sie doch beide zu den Mitbegründern einer neuen konkreten Bildsprache, die das Bild aus seinen metaphysischen Bindungen und Verpflichtungen erlöst hat.«*[108]

Für die Pariser Veranstaltung entwirft Morellet mit Hilfe von zwei Elektronikern, José Bréval und Michel Bugaud, ein Werk mit 21 Neonröhren. *»Die Neonröhren schalten sich in einem verhältnismäßig schnellen Rhythmus willkürlich ein oder aus und bilden ungeordnete Konstellationen, oder auch Worte. Wenn ein lesbares Wort gefunden wird, dann bleibt das System für etwa zehn Sekunden stehen und läuft dann erneut an: 32 englische und französische Wörter sind darin enthalten. Der Betrachter kann zwischen englischen oder französischen Wörtern oder auch beide wählen. Er kann das System*

*aber auch im beleuchteten Zustand anhalten, indem er einen Knopf drückt.«*[109]

Die Presse, die diese Wanderausstellung durch drei Länder mit großem Interesse verfolgt, wird aufmerksam. Viele sehen Morellets Werke zum ersten Mal. *»François Morellet, der Name ruft eine vage Vorstellung von beweglichen Objekten aus Aluminiumgestängen wach, man erinnert sich daran, seinen Arbeiten auf irgendeiner Kasseler ›documenta‹ begegnet zu sein. Erst die Hamburger Ausstellung präzisiert das Bild: Morellet gehört neben Vasarely tatsächlich zum Stamm der bedeutenden Vertreter von Op-Art, nicht nur französischer Herkunft. Sein Bekanntheitsgrad hält sich dennoch in Grenzen, weil der 1926 in Cholet geborene Künstler sich die Unabhängigkeit gegenüber dem Handel bewahrte und seine Tätigkeit in einer Fabrik auch nach den ersten, zumeist im Ausland errungenen Erfolgen nicht aufgab. Die so errungene Freiheit zum Experiment, zum unkommerziellen Ausprobieren von Möglichkeiten, hat ihre Schattenseiten: Morellet mußte auf die propagandistische Unterstützung durch den Handel verzichten. Die Hamburger Ausstellung deckt einen Nachholbedarf an Information, ohne daß die Information selbst noch recht verwertbar wäre. Man nimmt Morellets Variante der Op-Art zur Kenntnis, ordnet sie ein und stellt doch fest, daß die Sache prinzipiell zu bekannt ist, um noch Begeisterung auszulösen. Anders verhält es sich schon mit Morellets Malerei. Wo bei einem Vasarely das Konstruktionsprinzip von brillanter Farbästhetik überspielt wird, da liegt es hier offen zutage. François Morellet ist ein puristischer Konstrukteur, den die Spielregeln mehr fesseln als das abgeschlossene, nicht mehr zu manipulierende System aus Flächen und Linien.*

*[...] Die Farbe übernimmt bei Morellet nur die Rolle eines unumgänglichen Markierungsfaktors, wenn Linien über eine Fläche gelegt werden, sich unter einem bestimmten Winkel schneiden, das Rastersystem sich dann um einige Grade verschiebt, bis schließlich ein präzises Muster schwarzer Linien die weiße Fläche überzieht. Was scheinbar beliebig fortzuführen wäre, erweist sich als ein geschlossenes System rotierender Linien um fest fixierte Punkte. [...] Es handelt sich dennoch nicht um reine Ingenieurskunst, denn Morellet schließt den Zufall zumindest nicht aus, läßt ihn wenigstens als Anstoß für den ersten Schritt wirksam werden, der Rest gehorcht dann wieder mathematischer Logik.«*[110]

Gérald Gassiot-Talabot erklärt in den *Chroniques de l'Art vivant* den Parcours, der den Besucher auf der Ausstellung des CNAC (Centre National de l'Art et de la Culture Georges Pompidou) erwartet:
*»Morellets Leitgedanke ist sehr schnell der einer Formenverwaltung, die Programmierung und Zufall miteinander versöhnen soll. Der Maler wählt eine Bauordnung, aber das Ergebnis bleibt unvorhersehbar, zum Beispiel aufgrund des Eingreifens einer Alternative [...]. Er überzieht die Eingangshalle mit einer Anordnung von schwarzen Parallelen, die den barocken Rahmen sprengen und eine neue Sichtweise auf den Ort erschließen. Indem er im Garten eine Reihe von Vermessungsstäben setzt, deren obere Enden auf dem gleichen Niveau liegen, betont er die Unregelmäßigkeit des Geländes und fügt eine freiwillige und künstliche Konstante in die natürlichen Gegebenheiten ein, mit der nunmehr der Gartenbereich in einem Rapport steht.*

Was die Anordnung der Neonröhren anbelangt, so ermöglicht sie die Bildung von Worten mit drei Buchstaben nach einem willkürlichen Verfahren. Dank ungeordneter Konstellationen entstehen aufgrund extrem schneller Frequenzen französische und englische Worte, die der Besucher durch Drücken eines Knopfes in dem von ihm gewählten Moment festhalten kann. Die durch das Auftauchen von spaßhaften oder gemeinen Worten heraufbeschworene Bösartigkeit wird mit der kalten elektronischen Anordnung dieser willkürlichen Possen kontrastiert. Die Macht des Überraschungseffektes der Geräteanordnung wird ergänzt durch die Eingriffsmöglichkeit des Besuchers.«*[111]

Am 21. April veröffentlicht *Le Monde* einen Artikel, in dem die Monumentalplastik *Sphère-trames* (Rasterkugeln), die den Besucher im ersten Saal empfängt, wie folgt beschrieben wird:
*»Weit davon entfernt, ein ›Objekt‹ zu sein, stellt sie eher ein Environment dar, aber kein physisches, sondern ein imaginäres. Unerschütterlich dringt der Blick des Betrachters ein und findet sich im Kern eines geradezu fantastischen technischen Raumes [...]. Morellets Strukturen haben etwas Freiwilliges, geradezu Piranesihaftes an sich, die die blassesten Linien, ja die nüchternsten und nacktesten Linien zu einem romantischen und barocken Überfluss verleiten. Man könnte darin sogar etwas Prousthaftes entdecken, so sehr scheinen sie aus wiedererweckten oder nachträglich ausgelösten Gefühlen gemacht.«*[112]

In der *Combat* präzisiert Jacques Darriulat:
*»Er [Morellet] erfindet für uns ›les règles des nos jeux‹ (›Sehregeln‹; Wortspiel: ›règles du jeu‹ [Spielregeln] und ›règles de nos yeux‹ [Seh-Regeln], Anm. d. Üb.). Denn die spielerische Freiheit*

*ist nichts anderes als die paradoxe Konsequenz der Tyrannei der Regeln. Das Licht, zum Beispiel, kann nur nach bestimmten, vom Künstler selbst programmierten Kombinationen entstehen. [...] Die Kunst muss ebenso rigorosen Regeln wie das Schachspiel unterzogen werden. Aber während das Verhalten des Schachspielers der Logik einer strategischen Vernunft unterworfen ist, ist das Verhalten des Künstlers einer ebenso zwingenden Logik der absoluten Bedeutungslosigkeit des Absurden unterworfen. Von allen Spielen ist die Kunst das einzig vollkommen kostenlose Spiel.«*[113]

Und *Opus International*:
*»Die Anonymität [...] findet demnach bereits Eingang beim Entstehungsprozess des Kunstwerks. Morellet erfindet zwar organisatorische Prinzipien und setzt sie auch um, aber seine Hand, die Entwicklung seiner eigenen Psychologie und die zeitliche Weiterentwicklung einer solchen Arbeit fügen seinem Werk nichts Neues hinzu. Das Privatleben, ja das Leben des Künstlers Morellet interessiert uns reichlich wenig, ebenso wenig wie die Frage, welche Art von Mensch diese Systeme für unsere Betrachtung derartiger Arbeiten erfunden oder ausgearbeitet hat.«*[114]

In *Clés pour les arts* heißt es:
*»Seine Neonarbeiten, wie auch seine anderen Arbeiten sind vor allem offene Werke, die der Kunstliebhaber nach eigenem Ermessen interpretieren kann.«*[115]

Am 24. März eröffnet die Galerie Denise René für nur 16 Tage parallel zur Ausstellung im CNAC eine Einzelausstellung von Morellet, die ausschließlich grafischen Arbeiten und Multiples gewidmet ist. In einer von der Galerie herausgegebenen Broschüre antwortet Morellet auf einen Fragebogen über Konkrete Kunst:

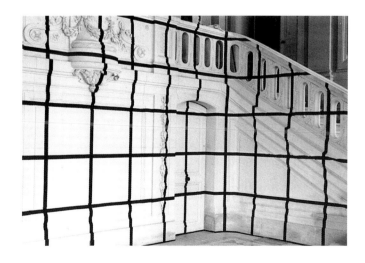

*Raster 3°–87°–93°–183°*, Plateau La Reynie, Ecke rue Quincampoix
und rue Aubry-le-Boucher, Paris, 1971

*Raster 0°– 90°*, Klebeband, CNAC, Paris, 1971

»Damals war ich grundsätzlich einverstanden mit der Konkreten Kunst der Schweiz, denn sie suchte ja nach einem System und sie verweigerte sich der genialen Improvisation. Andererseits war ich jedoch nicht hundertprozentig einverstanden mit den Systemen, den ›Spielregeln‹ von Bill, Lohse usw. Mit sehr wenigen Ausnahmen (z.B. bestimmten Plastiken von Bill) schienen mir die Systeme literarisch, kompliziert und vor allem für den Betrachter nicht unmittelbar wahrnehmbar.«[116]

In *Les Lettres françaises* vom 7. April schreibt Georges Boudaille über diese beiden Veranstaltungen: »Die soeben im CNAC eröffnete Morellet-Ausstellung und die Ausstellung seiner ›Multiples‹, die zur gleichen Zeit in der Galerie Denise René, rive gauche stattfindet, zeigen uns die Arbeit eines Künstlers, der sich bisher diskret im Hintergrund gehalten hat. Es wäre jedoch bedauerlich, wenn diese Arbeiten in der Gleichgültigkeit versinken würden; sie sollten als Anlass dienen, um wieder einmal den Stand der Dinge bezüglich bestimmter Formen der visuellen Kunst zu ermitteln, die in zunehmendem Maße die Technologie und eine Methode anstelle der künstlerischen Schöpferkraft in Anspruch nehmen. Da die Schöpferkraft des Künstlers ja erst veranschaulicht werden muss, sieht man sich vor solchen Arbeiten veranlasst, folgende Frage zu stellen: Wo bleibt denn da die Kunst? [...] Jetzt müssen wir allmählich Stellung beziehen zu Morellets Arbeit. Wenn wir ihn nach den herkömmlichen Kunstkriterien beurteilen würden, dann müssten wir ihn scharf kritisieren, denn vom ästhetischen Standpunkt aus betrachtet ist sein Beitrag – so bedeutend er sein mag – minimal. Auf der anderen Seite, wenn wir bedenken, dass unsere Zeit

eigentlich nicht nur Platz hat für neue künstlerische Ausdrucksformen, sondern geradezu nach ihnen schreit, deren Aufgabe ja im Grunde darin besteht, gegen das ›Funktionale‹ und das ›Grau in Grau‹ der Banalität zu kämpfen – wenn wir das bedenken, dann sind die Morellets rehabilitiert, mehr noch, sie sind für uns ausgesprochen nützlich. [...] Dennoch müssen wir in gewisser Weise unser Bedauern über das Missverständnis zum Ausdruck bringen, dass Morellet in denselben Räumen und unter demselben Begriff wie die ausgestellt wird, deren Ziele nicht die geringste Gemeinsamkeit mit seinen haben. Auch die seinem System innewohnende Logik ist von zweitrangiger Bedeutung. Er müsste sich eigentlich viel monumentaler und autoritärer in seinem ureigenen Bereich, dem Environment, darstellen.«[117]

Morellets erste *Intégration architecturale* (Architektonische Integration) ist auch sein erster großer öffentlicher Auftrag, den er unmittelbar nach seiner Ausstellung im CNAC durchführte. Es handelt sich um *Trames 3°–87°–93°–183°* (Raster 3°–87°–93°–183°, Abb. S. 81) – ein heute nicht mehr existierendes Werk – auf dem Plateau La Reynie, an der Kreuzung der rue Quincampoix und der rue Aubry-le-Boucher in Paris gelegen.

»Die Personen, die mir diese Auftragsarbeit gaben (die Verantwortlichen des CNAC, der dekorativen Künste...), wollten in der Nähe des großen Geländes, auf dem das zukünftige Musée national d'Art moderne gebaut werden sollte, ein erstes Zeichen setzen. Ich sollte ihnen ein Aushängeschild vorschlagen. Außer von der Größe der Wände als solchen war ich von Anfang an vor allem von der zusammenhanglosen und un-

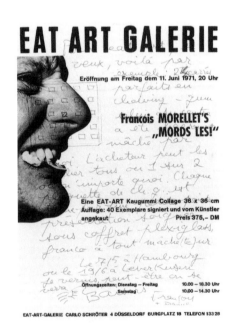

Morellet, Takis, Iris Clert, CNAC, Paris, 1971

»François Morellets ›Mords-les!‹ « (Beiß sie!), Plakat der Ausstellung von Daniel Spoerri, Eat Art Galerie, Düsseldorf, 1971

regelmäßigen Oberfläche fasziniert. Diese Wände mit ihren Giebeln bilden einen Winkel, haben große Einschnitte und sind alles andere als die üblichen vier- oder rechteckigen Leinwände, die Künstler üblicherweise bearbeiten. Ich habe hier einen meiner Lieblingsgrundsätze angewandt (der auch tatsächlich für diese Mauern bevorzugt wurde): meine parallelen Raster mit geschlossenen Augen zu ziehen, ihnen zu gestatten, in den Einschnitten aufzuhören, auf Unebenheiten anzuschwellen, um die Ecken weiterzugehen. Und sicherlich sind es genau diese Unterbrechungen, diese Deformationen, die dieses Werk so interessant machen. [...]
Die Handwerker, die die Malerei ausgeführt haben, hatten mich um eine maßstabgerechte Vorlage gebeten. Ich hatte jedoch keine Möglichkeit, die Wände auszumessen, so dass ich ihnen lediglich die Spielregeln erklärte, und alles verlief bestens. Unbeirrt zogen sie ihre Parallelen, übersprangen die Einschnitte und setzten ihre Arbeit an den Ecken fort. Ich habe schon immer die Auffassung vertreten, dass meine Arbeiten von anderen besser ausgeführt werden als von mir selbst.«[118]

Die Frage des architektonischen Raums wird nunmehr zu seinem Hauptanliegen. Eine Vielzahl von öffentlichen Aufträgen in Frankreich und im Ausland folgen: *Intégrations architecturales*, die er spöttisch *Désintégrations architecturales* (Architektonische Desintegrationen) nennt.

Im Juni stellt Morellet in der Eat Art Galerie bei Daniel Spoerri in Düsseldorf aus, die für ihr provozierendes Programm bekannt ist. Er schlägt ein »dadaistisches« Werk mit dem Titel *Mord-les!* (Beiß rein!) vor, welches er Spoerri in einem Brief wie folgt beschreibt:

»Lieber Daniel,
für eat art könnte ich dir, wenn du willst, zum Beispiel Folgendes vorschlagen: 24 perfekte Quadrate aus chewing gum. Der mittlere Kaugummi wurde von mir leicht angeknabbert. Der Käufer kann sie entweder alle anknabbern oder jedes zweite oder welchen immer er will. Jeder ch.g. [Kaugummi] steckt auf einer kleinen Nadel, das Ganze fein säuberlich präsentiert unter einer Plexiglasabdeckung, franco à tout ›mache(te)ur‹ (Wortspiel: ›macheur‹ [Kauer] und ›acheteur‹ [Käufer], frei übersetzt etwa ›frei Kau(f)en‹, Anm. d. Üb.). Am 7/5 findet die Vernissage in Hamburg und am 19/6 in Leverkusen statt. Vielleicht sehen wir uns ja.
Herzliche Grüße,
François.«[119]

Weitere Kaugummis wurden unter anderem von Heinz Mack und Günther Uecker angeknabbert.

In diesem Jahr lernt Morellet Henri Chotteau kennen, der einer seiner treuesten Sammler wird. Er entdeckt auch das schriftstellerische Werk von Georges Perec, nachdem er sich für die Palindrome von André Thomkins interessiert hatte.
»Ich bin ein ›accro‹ (Wortspiel: ›accro‹ [Süchtiger] und ›accrochage‹ [das Aufhängen von Bildern], Anm. d. Üb.) geworden, und zwar im schlimmsten Sinne des Wortspiels: Ich muss im Vorbeigehen André Thomkins und Georges Perec die Ehre geben, die bereits vor mir ganze Tage und Nächte damit verbracht haben, solche Phrasen zu komponieren, mit dem einzigen Ziel, der einzigen Rechtfertigung, diese in beiden Richtungen lesbar zu machen.«[120]

## 1972

Am 27. Januar installiert Morellet vor der Galerie Arca in Toulon ein

Trame de ronds blancs posés sur des fonds noirs déplacés par la circulation et replacés par des petites filles entre 15h et 17h (Raster aus weißen Kreisen auf schwarzem Untergrund, vom Verkehr versetzt und zwischen 15 und 17 Uhr von kleinen Mädchen wieder hergestellt).

Im Sommer gelangt die Groupe de Recherche d'Art Visuel zu neuem Leben. Sie beteiligt sich kurz nach ihrer Auflösung an einer sehr umstrittenen Ausstellung, »60 – 72, Douze Ans d'art contemporain en France«, im Grand Palais in Paris. Lediglich Julio Le Parc weigert sich, daran teilzunehmen. Im Katalog verfasst Michel Frizot folgende, Morellet gewidmete Passage:
»Morellet stellt in Frage, denn seine Kunst bezieht Probleme ein, ohne sie jedoch immer zu lösen: Was ist ein offenes Kunstwerk? Worin besteht diese sakrosankte ›Komposition‹ der geometrischen Kunst? Ist ein Kunstwerk etwas Persönliches, Einzigartiges und stets gleich Bleibendes? Hat denn der Betrachter nicht auch einen Beitrag zu leisten gegenüber dem inthronisierten Künstler? [...]
Angesiedelt zwischen lächelndem Skeptizismus und fieberhaftem Aktivismus, zwischen Vernunft und Zufall, verbindet Morellet Ironie und Scherz mit der Suche nach einer Identifikation mit dem Besucher, und zwar über die Vermittlung einer Kunst ohne Zwänge und ohne Konzessionen an die herkömmliche Ästhetik oder die klassische Einmaligkeit.«[121]

Morellet vervollständigt das kleine, von ihm 1966 selbst finanzierte und herausgegebene Buch. Er ergänzt es mit neuen Abbildungen und fügt vor allem seine wichtigste Abhandlung hinzu:

»Du spectateur au spectateur ou l'art de déballer son pique-nique« (Von Betrachter zu Betrachter oder Die Kunst, sein Picknick auszupacken). Es handelt sich um ein Leitmotiv, das sein ganzes Schaffen bestimmen wird und auf das er in der Mehrzahl seiner späteren Schriften verweist, indem er meistens folgenden Satz zitiert:

*»Die bildenden Künste sollten den Betrachter in die Lage versetzen, alles das zu finden, was er sucht, das heißt, was er selbst mitbringt. Die Kunstwerke sind daher eine Art Picknickplätze, spanische ›merenderos‹, wo man das verzehren kann, was man selbst mitgebracht hat. Die reine Kunst, Kunst um der Kunst willen, will alles oder nichts sagen.«*[122]

Dieser Text wird erstmals anlässlich der Ausstellung im Musée de Peinture et de Sculpture in Grenoble (damals unter der Leitung von Maurice Besset, der Morellet und Roman Cieslewicz einlädt) veröffentlicht.

*»In Grenoble [...] ermutigte mich Maurice Besset, ein Interferenzlicht einzusetzen, das den Anblick der Bilder der Sammlung verändert, und eine Kopie von Nicolas Poussin zu ›scotchen‹ (mit ›scotch tape‹ [Klebeband] bekleben, Anm. d. Üb.). Kurz vor diesen Ausstellungen wurde ein Verbot ausgesprochen, Nägel in Museumswände einzuschlagen, so dass wir uns gezwungen sahen, ›cimaises‹ (Bilderleisten) zu verwenden.«*[123]

Sein »Avertissement« (Mitteilung) – das er einige Zeit nach »Du spectateur au spectateur...« verfasste – ist jenem langen Text entnommen, den Morellet zwecks leichterer Verbreitung wie folgt zusammenfasst:

*»Bedenken wir: – daß es den Werken der bildenden Kunst niemals gelungen ist, den Betrachtern die Botschaft, die Philosophie, die Poesie oder selbst die Empfindsamkeit zu vermitteln, die die Schaffenden darein gelegt zu haben glaubten.*

*– daß die Betrachter genial sind (siehe Robert Filliou), aber daß sie ihr poetisch-philosophisches Picknick an leeren, eigens dafür vorbereiteten Stellen auspacken müssen.*

*Seit zwanzig Jahren habe ich überflüssige (darum künstlerische) Dinge hergestellt, die sich dadurch auszeichnen, daß ihnen jegliches Interesse für Komposition oder Ausführung fehlt und durch einfache und augenfällige Systeme, die häufig an den tatsächlichen Zufall oder die Beteiligung des Betrachters appellieren.*

*So habe ich mein Eingreifen (ich hoffe es), meine Kreativität und meine Sensibilität auf ein Minimum reduziert und kann Ihnen folgerichtig ankündigen, daß alles, was Sie, abgesehen von meinen kleinen Systemen finden (und wenn dies nichts wäre) Ihnen als Betrachter gehört.«*[124]

In dieser Zeit ist Morellet unzufrieden mit einigen seiner jüngsten Ergebnisse und zerstört eine große Anzahl von Werken, die er »als zu wenig systematisch« oder als weniger »gelungen« betrachtet.

## 1973–1974

Morellet macht seine erste »destabilisierte« Arbeit: *5 toiles de 4 m de périmètre avec une diagonale horizontale* (5 Bilder mit einem Umfang von 4 m mit einer horizontalen Diagonale; 1,5 × 8 m), in der die Leinwand zum Konstruktionsziel wird. Dieses Unruhe stiftende Prinzip wird die Mehrzahl seiner zukünftigen Arbeiten beherrschen. *»Es handelt sich um eine ›Art‹ Bild, welches sich aus fünf verschiedenen Tafeln zusammensetzt. Jede hat einen Umfang von 4 m. [...] Diese Bilder werden so* von Ecke zu Ecke angeordnet, dass eine ihrer Diagonalen eine durchgehend horizontale Linie bildet. Die unregelmäßige, ›sägezahnartige‹ Anordnung der Bildränder schafft einen originellen Ausschnitt, der auf diese Weise das Environment in die Komposition miteinbezieht.«*[125]

*»Rechteckige Bilder werden an ihren Ecken schräg aufgehängt und erwecken dadurch den Eindruck, fliegend gelagert zu sein, falsch zu hängen, nicht lotrecht oder ›verkehrt‹ zu hängen. Hier sind wir umso mehr versucht, sie zumindest gedanklich zurechtrücken zu wollen, da wir feststellen müssen, dass wir jedes einzelne dieser fünf Segmente, die die Horizontale bilden, als jeweils eine Diagonale sehen, im Verhältnis zu den fünf Bildern einzeln betrachtet. Wenn wir es jedoch so machen, wenn wir diese ›Korrektur‹ vornehmen, dann versagen wir dieser Gegenüberstellung das eigentlich Interessante, das ja gerade darin besteht, dass hier gleiche/ungleiche Bilder mit/ohne Abstand zu sehen sind, das heißt die zahlreichen Widersprüche eines visuellen Sachverhaltes, den der Künstler durch ein Mindestmaß an Entscheidungen und den simpelsten Grundsatz der Gegenüberstellung heraufbeschwört.«*[126]

Susanne Anna erklärt in dem Katalog zur Chemnitzer Ausstellung: *»Das erste Mal bildeten seine Leinwände unterschiedlicher Größe, indem sie – jede für sich – einen verschiedenen Neigungswinkel auf der Wand einnahmen, eine zu dieser gebrochene Formenkonstellation.«*[127]

Alexander von Berswordt-Wallrabe von der Galerie m in Bochum lässt in der Februar-Ausgabe der *Flash Art*[128] eine Anzeige veröffentlichen, in der er sich gegen eines der Werke von

Sol LeWitt[129] aus dem Jahr 1972 auf-
lehnt. In der Tat ähnelt dieses Bild sehr
Morellets Arbeiten aus dem Jahr 1958.
Daraufhin wird über die Zeitschrift
in den Ausgaben der Monate März und
April eine heftige Diskussion ausgetragen.

In Deutschland nimmt Morellet
an der Ausstellung »Programm, Zufall,
System« im Städtischen Museum Abteiberg in Mönchengladbach teil, und im
Herbst 1973 findet seine erste Einzelausstellung in Polen, im Muzeum Sztuki
in Lódz statt.

Im Januar 1974 stellt die Lucy
Milton Gallery in London Arbeiten von
Morellet aus den Jahren 1953 bis 1957
und *Néons* aus dem vorangegangenen
Jahr aus. Im Anschluss daran organisiert
Lucy Milton eine Wanderausstellung
durch Großbritannien.

In dem Artikel »Picnic areas
for the people«, der am 5. März in der
*Times* erscheint, bedauert Paul Overy,
dass lediglich London diese Ausstellung
nicht in einem bedeutenden Museum
untergebracht hat.

Morellet macht seine erste Monu-
mentalinstallation für das Ausland:
eine 236 m lange Skulptur zwischen
zwei Autobahnspuren an der Einfahrt
zur Stadt Gorinchem (Niederlande).

In Paris geht es um ein Projekt
für den Vorplatz von La Défense, ein
Gedanke, der von Germain Viatte
in seinem Artikel »Rêver La Défense«
in der *L'Œil* angestoßen wurde.

### 1975–1976

Auf der 13. Biennale von São
Paulo (Mai 1975) ist Frankreich mit
der Ausstellung »Idée, Système, Matière«
vertreten, an der auch Morellet teilnimmt und den ersten Preis erhält.

Im Frühjahr finden eine Reihe
von Einzelausstellungen in den italieni-
schen Städten Brescia, Mailand, Bozen
und Parma statt. Im September wird
in Italien auch die erste Retrospektive
der GRAV veranstaltet: Ausstellungsort
ist ein Schiff, das an den großen Städten
am Comer See anlegt.

Im Dezember schließlich organisiert das Art Research Center von
Kansas City eine Ausstellung, die ausschließlich Morellets *Trames* (Rastern)
gewidmet ist. Zu diesem Anlass lässt
er verschiedene Installationen nach
seinen Anleitungen aufbauen. Er selbst
ist nicht anwesend und sieht sie erst
auf Fotografien. So entdeckt Morellet,
dass einige von ihnen auf eine Weise
im Raum angeordnet sind, dass das
Raster mit der Transparenz und dem
leeren Raum der Architektur spielen
kann.

1976 legt Morellet die Arbeit im
Familienunternehmen nieder und widmet sich ausschließlich seiner künstlerischen Tätigkeit.

Im Herbst 1976 zeigt der Westfälische Kunstverein in Münster eine
Retrospektive seiner Lichtobjekte. Die
Ausstellung mit dem Titel »François
Morellet – Lichtobjekte« wird im darauf folgenden Jahr in der Kunsthalle
zu Kiel erneut gezeigt.

### 1977

Im Januar 1977 veranstaltet Dieter
Honisch, Leiter der Nationalgalerie in
Berlin, Morellets zweite große Retros-
pektive. Die Ausstellung ist in mehreren
europäischen Museen zu sehen: im
Frühjahr in der Staatlichen Kunsthalle
Baden-Baden, im Herbst im Musée d'Art
moderne de la Ville de Paris und, im

*Klebeband 45°–135°*, Musée des Beaux-Arts, Grenoble, 1972

Morellet, Henryk Stazewski, Ryszard Stanislawski, Muzeum Sztuki, Lódz, 1973

Gerhard von Graevenitz, Gianni Colombo, Morellet, Studio Marconi, Mailand, 1973

Anschluss daran, im Winter des darauf folgenden Jahres in der Commanderie van St. Jan in Nimwegen (Niederlande).

In einem neuen Text für den Ausstellungskatalog beschreibt Morellet die Einteilung seiner Arbeiten in fünf große Gruppen, die untereinander kombiniert werden können: »Juxtaposition, superposition, hasard, interférence et fragmentation« (Gegenüberstellung, Überlagerung, Zufall, Interferenz und Fragmentierung). Zu dieser Klassifizierung sagt Morellet in einem Gespräch in *Canal*:

*»Jedes dieser Systeme entscheidet nicht über ein einziges Bild, sondern über eine Unzahl von Bildern. In den Überlagerungen, zum Beispiel, gestalte ich alle zehn oder zwanzig Grad ein Bild. Es kann durchaus passieren, dass ich mit dem Ergebnis nicht zufrieden bin, aber dass ich es trotzdem ausstelle, aus Ehrlichkeit gegenüber dem System.«* [130]

Er betont, dass seine jüngsten Arbeiten dem Kapitel Fragmentierung angehören. Werner Rhode schreibt in der *Frankfurter Rundschau*:
*»Dieser umfassende Überblick, den man auch eine Retrospektive nennen könnte, weil frühe Arbeiten aus den vierziger Jahren einbezogen sind, war sozusagen überfällig. Denn Morellet, ein bescheidener und unprätentiöser Zeitgenosse, stand viel zu lange im Schatten von Vasarely und dessen spektakulären Erfolgen. Man hat ihn jahrelang verkannt oder unterschätzt. Die Ausstellung in der Nationalgalerie rückt ihn mit seinen Bildern, Zeichnungen und seinen Licht-Objekten, Neon-Environments (im Graphischen Kabinett im Untergeschoß) ins richtige, in ein gerechtes Licht. [...]*
*Der strenge Systematiker Morellet ist zugleich ein* homo ludens, *ein intellektueller Spieler, der zwischen Rationa-*

*Raster 0°*, Klebeband, Musée des Beaux-Arts, Nantes, 1973

Alexander von Berswordt-Wallrabe, seine Frau Kornelia, Bernadette und Claude Souviron, Musee des Beaux-Arts, Nantes, 1973

Danielle und François Morellet mit Christine und Dieter Mueller-Roth, Galerie D + C Mueller-Roth, Stuttgart, 1973

lität, Gesetz, Berechnung auf der einen Seite und Sinnlichkeit, Phantasie, Vergnügen auf der anderen Seite immer wieder Binde-Striche setzt.«[131]

Im *Tagesspiegel* vom 15. Januar unterstreicht Heinz Ohff: »*Abstraktion pur – eine Kunstwelt ohne Verbindung zur sichtbaren Wirklichkeit, introvertiert, aber in hohem Maße poetisch. Logik und Poesie gehen in den besten – und verblüffendsten – Arbeiten tatsächlich eine überraschende Ehe ein. Die Ausstellung [...] ist ein einziges Hohelied auf Kraft der Phantasie, die gerade bei eingeschränkten Mitteln doppelt effektiv wird. Kunst besiegt die Künstlichkeit, mit der sie hergestellt wird und die hier ebenfalls doppelt deutlich sichtbar bleibt. [...] Man bleibt sich selbst überlassen und erlebt, wenn man sich den Arbeiten überläßt, Augen-Sensationen, die ihren Sinn – ebenso anspruchsvoll wie bescheiden – in sich selbst finden.*«[132]

Unter den zahlreichen Artikeln, die in der deutschen Presse erscheinen, seien auch folgende zitiert: »*Seine Gemälde bemühen sich um den Nachweis, daß sich spielerischer Zufall in ästhetische Notwendigkeit zu verwandeln vermag, wenn nur das Denkgebäude hinter den Theoremen funktioniert. Morellet bietet den Betrachtern seiner Bilder nicht nur den intellektuell genußvollen Nachvollzug seiner ›kleinen Systeme‹ an, er meint ihnen auch mit schöner Untertreibung ›leere Tische‹ zu offerieren, damit sie ›auf diesen ihre Einbildungen ihr Picknick auspacken‹ können.*«[133] »*Er [Morellet] stellt, haardünn, senkrechte Striche in Zeilen untereinander mit millimeterschmalen Vergrößerungen pro Zeile. Und er gibt – gerade die letztgenannte Tafel beweist es auch dem anfänglich befremdeten Blick – unvermutet*

Raum frei für spielerische Assoziationen: Hopfenstangen im Schnee, endlose ›Marienbader Spiele‹, die Lust auf Wahrnehmung, Erweiterung, Störung von Perspektiven.*«[134]

Jacques Michel in *Le Monde*: »*Diese Ausstellung verdeutlicht Morellets System. Man könnte befürchten, dass es nach seiner letzten Ausstellung im CNAC nicht viel Neues zu entdecken gibt. Hier aber zeigt sich Morellets Werk unter einem bislang unbekannten Aspekt. Sein Name war bisher mit den Kinetikern verbunden. Hier erweist er sich nun als Entdecker einer ›konzeptuellen‹ und ›minimalistischen‹ Kunst. [...] Von seinen jüngsten, in Paris noch nie gezeigten Werken wird einem die Reihe der weißen, in unterschiedlichen ›Schieflagen‹ angebrachten Tafeln in Erinnerung bleiben, die nach verlängerten Seitenhalbierenden von einem Bild zum anderen angeordnet sind. Dies ist die Entdeckung dieser Ausstellung schlechthin. Dennoch begnügt sich Morellet in seinem durch Systematisierung und Zufall geregelten System keineswegs mit der ›Ent-Täuschung‹ der zeitgenössischen Kunstproduktion, sondern er fügt ihr auch noch seine Abhandlungen bei. [...] Aber Künstler tun sich leicht, in einem Anfall von Aufrichtigkeit ›ihr Geheimnis zu verraten‹, Dalí mit Hochmut, Duchamp mit einem Augenzwinkern und Morellet mit gesundem Menschenverstand. Doch, man nimmt sie nie beim Wort. Zum Glück!*«[135]

Die Anerkennung einer abstrakten Geometrischen Kunst bleibt in Frankreich dennoch nach wie vor ein sehr empfindliches Thema. Gewisse Kritiker, zum Beispiel Gilles Plazy von der *Quotidien de Paris*, reihen Morellet unter die suchenden Experimentatoren ein: »*Sein Werk scheint mir eher pädagogischer als künstlerischer Natur zu sein.*«[136]

Von Februar bis März macht Morellet in Paris eine besondere Installation mit Klebebändern für die Galerie Nancy Gillespie – Élisabeth de Laage. Susanne Anna schreibt: »*Sie stellt sicherlich eines der originellsten Werke unserer Kategorie dar. Die zurückhaltende Art und Weise bei Einsatz sparsamster Mittel, in der der Künstler die Wand selbst zum Bild werden läßt, ist sehr spannend. Zunächst hat Morellet die Umrisse der Wand – ohne den Heizkörper – abgemessen, diese dann um fünf Grad gekippt und die Kontur mit schwarzem ›Adhésif‹ aufgeklebt. Mit diesem rationalen Konzept eines systematischen Zweifels ist ein großer visueller Effekt voller Witz und Ernsthaftigkeit, der nicht nur die Beziehung der Kunst zum Raum, sondern auch des Künstlers zur Galerie herausstellt, gelungen.*«[137]

Der vergängliche Charakter ist auch in den *Intégrations architecturales* (Architektonischen Integrationen) zu sehen: »*Ich freue mich, dass meine Wand am Plateau Beaubourg nun endlich neu gestrichen wurde.*«[138]

Vom 15. bis 18. Dezember führt das Ballet Théâtre contemporain d'Angers *Autumn Field* auf. Die Choreografie ist von Viola Farber, die Musik von Philip Glass und das Bühnenbild von Morellet. »*Das Gitter dieser Dekoration stammt aus dem Jahr 1965. Man hat sich freundlicherweise an mich gewandt, aber leider erst anderthalb Monate vorher. Aufgrund der knapp bemessenen Zeit habe ich diese Gitter verwendet, deren fortwährende Veränderung gewissermaßen mit der Musik von Phil Glass verwandt ist.*«[139]

Im Laufe des Jahres 1977 fertigt Morellet die ersten Arbeiten der Serie *Géométrie des contraintes* (Die Geometrie der Zwänge) an. Diese Werke offenbaren laut Morellet »das Ende des Glaubens an eine absolute und perfekte Geometrie«.

*»Daher habe ich beschlossen [...], nicht mehr zu mogeln, nicht mehr zu versuchen, die unumgänglichen Zwänge zu verdecken. Und so kam ich dann (immer noch in der Kategorie fünf) zu meinen ›à-peu-près géométriques‹ (beinahe Geometrischen), indem ich es mir zum Grundsatz machte, die Zwänge nicht mehr zu verstecken, sondern sie zum Hauptthema des Bildes zu machen. [...]*
*Ich bezweifle, dass diese Bilder den (ernsthaften) Anhängern der Geometrie oder der Malerei gefallen werden, aber ich hoffe doch, dass sie den (nicht ernsthaften) Anhängern der Zwänge liegen werden.«*[140]

In einem Interview präzisiert Morellet diese Äußerung:
*»Ganz allmählich begann ich mich immer mehr für das Umfeld des Bildes und nicht mehr so sehr für das, was darin geschieht, zu interessieren. Diese Bilder, die ich als unwirkliche Oberflächen betrachtet hatte, ohne Dicke und ohne Geschmack, waren plötzlich für mich schwer aufzuhängen. So habe ich angefangen, ironisch mit diesen Flächen, die sich einbildeten, unkörperlich zu sein, zu spielen und sie in ganz konkrete Skulpturen zu verwandeln.«*[141]

Die Frage der Fragmentierung geht Morellet zunächst anders an:
*»1973 bis 1977 habe ich hauptsächlich mit der Horizontalität einer Linie, die über mehrere nicht horizontale Unterlagen führt, gespielt. Aber jetzt besteht meine neue Spielregel eher aus einer*
*fortlaufenden (und, mit ungefähr zwei Ausnahmen, geraden) Linie auf Oberflächen, die sich nicht auf derselben Ebene befinden. Die Oberflächen sind klassische, viereckige Bilder, die entweder aufgehängt oder angelehnt werden, aber von denen zumindest eine nicht parallel zur Wandebene läuft. [...] Ich glaube, dass ich in dieser neuen Serie meiner seit nunmehr 26 Jahren unbeugsamen Verhaltensweise treu geblieben bin, die wie folgt zusammengefasst werden kann: ›So wenig wie möglich tun.‹ Oder noch anspruchsvoller: ausreichend einfache und präzise Grundsätze zu finden, die die Grenzen meiner Verantwortung offenkundig machen.«*[142]

Und in einem anderen Zusammenhang fügt er hinzu:
*»Ich habe zum Beispiel oft mit der durchdringenden Präsenz des Paares gespielt: Wand/Boden, jenem vertikalen/horizontalen Element, dem die Bilder im Allgemeinen sehr weise zu folgen pflegen. Und ich habe mit großem Vergnügen die Schlichtheit zum Ungehorsam verleitet: ein ›Bild-Unterlage-Neutrum‹, welches durch seine ungewöhnliche Anordnung und Neigung zum Kunstwerk erhoben wird und die anmaßende ›informationsträchtige Malerei‹ zum bescheidenen Hinweis auf die Horizontalität/Vertikalität degradiert.«*[143]

In dieser Zeit entstehen auch seine ersten Arbeiten mit Transparentpapier. Seine *Tableaux en situation* (Bilder im Vordergrund) werden an einem ganz bestimmten Ort so angeordnet, dass ein Detail des Ortes hervorgehoben wird, sozusagen »ein Portrait gemalt wird«. Die *Calques* (Pausen) sind daher »Portraits von durchsichtigen und gebogenen Wänden«.

## 1978–1979

Im Winter 1978 lädt die Leo Castelli Gallery in New York Morellet ein, an der Gruppenausstellung »Numerals 1924–1977« teilzunehmen, die im Anschluss in zahlreichen Städten der Vereinigten Staaten gezeigt wird. In Kanada präsentiert Morellet Zeichnungen und Objekte aus den Jahren 1954 bis 1978: sowohl in der Galerie Gilles Gheerbrant in Montreal wie auch in der Electric Gallery in Toronto. Gheerbrant schreibt bei dieser Gelegenheit in der *Parachute*:
*»Morellets Spielregeln sind generative Modelle (im Sinne von Chomsky) so vieler Grammatiken wie seine Werke hervorbringen. [...] Die (niedere) Mathematik kann vielleicht nützlich sein für die Ausformulierung von Problemen, dennoch ist sie lediglich ein einfaches Hilfsmittel und nie ein Mittel per se.«*[144]

In der Tat präzisiert Bernard Blistène zu einem späteren Zeitpunkt:
*»Aufgrund seiner Abneigung gegen jegliche Form von Subjektivität versteht man, dass Morellet in der Mathematik ein wenig das wiedererkennt, was der Wiener Denker [Wittgenstein] bestätigt, nämlich dass ›das Angebot der Mathematik keine Gedanken ausdrückt‹. Falls er ein Mathematiker ist, dann eher ein Arithmetiker, denn die Aufgabe der Arithmetik besteht darin, in erster Linie anhand von Zahlen Beweise zu erbringen. Morellet ist zwar kein Arithmetiker im regelnden Sinne, dennoch hat er die Absicht, mit den darin verborgenen Archetypen und Missverständnissen aufzuräumen.«*[145]

Im Jahr 1978 setzt Morellet zum ersten Mal seit 1973 erneut Neonröhren ein:
*»Die Neonröhre blinkt nicht mehr, das Licht ist inzwischen beständig geworden.*

Außerdem befindet sie sich im Raum, sodass sie Figuren oder Formen zeichnet, die den Werken des Künstlers ähneln, kurz bevor sie die Wand verlassen haben und selbstständig geworden sind.«[146]

Es handelt sich dabei um eine neue Serie, *Néon dans l'espace* (Neon im Raum), die er in den achtziger Jahren wieder aufgreifen wird; er setzt auch elektrische Kabel ein, um die gewünschte Form zu zeichnen.

Die Lektüre des Buches *L'Anti-Nature* des Philosophen Clément Rosset – die er Claude Rutault in einem Brief vom August 1978 empfehlen wird – bestätigt ihn in seinen Überlegungen zum Thema der Darstellung und der Theorie der Leere:
»*Ich habe es meiner jüngsten Entdeckung und dem Philosophen Clément Rosset und seinem Buch* L'Anti-Nature *zu verdanken, dass mein Gefühl für Genauigkeit und Abstraktion philosophisch korrekt wurde.*«[147]
»*Nun, im Jahr 1979, mache ich weiterhin Arbeiten, die (praktisch) nichts aussagen. Dennoch glaube ich, dass diese Leere, diese Bedeutungslosigkeit, die mich seit nunmehr dreißig Jahren fasziniert, eine andere Rechtfertigung erfährt als die eines Aufrufes an die Betrachter und ihr Auspacken des Picknicks. Seit 1950 flirten meine Arbeiten ja bereits mit der Leere, mit dieser besonderen Art von Leere, die auf die Abwesenheit von ›Natur‹ zurückzuführen ist. Eine Abwesenheit jeglicher Evozierung von ›Natur‹, jeder ›natürlichen‹ Rechtfertigung und jedes ›naturbezogenen‹ Grundsatzes (die ›Natur‹ hat überhaupt nichts mit meinen Systemen oder mit meinem systematisierten Zufall zu tun). Nun gut, eine Rechtfertigung dieser ›denaturierten‹ Werke besteht darin,* dass sie im Einklang mit einer Welt stehen, wie ich sie begreife, denn auch sie ist ja bereits ›denaturiert‹ und hat sich des Gottes und seiner Überreste bereits entledigt: des Gedankens der ›Natur‹. Das bedeutet, eine Welt anzunehmen, die einzig und allein vom Zufall und dem Kunstgriff regiert wird, endlich eine Gegenwart zu akzeptieren, die nicht mehr im Namen einer verlorenen Vergangenheit oder einer noch einzurichtenden Zukunft abgelehnt wird. Es handelt sich hierbei um den Versuch, eine ›künstliche‹ Kunst zu schaffen, die genauso weit von der naturalistischen Kunst entfernt ist, wie diese es geschafft hatte, sich von der Sakralkunst zu entfernen. Und wenn ich von einer naturalistischen Kunst spreche, dann meine ich nicht eine Kunst, die genau die äußerlichen Aspekte der Welt darstellt, sondern eine Kunst, deren Rechtfertigung nicht im Zufall und dem Kunstgriff begründet ist, die vielmehr mit anderen Mitteln belegen will, dass sie von geheimnisvollen Kräften beseelt wird, die aus den Tiefen der Natur oder selbst aus den Tiefen der Geschichte stammen (wobei der Sinn der Geschichte die letzte Verwandlung des Naturalismus ist). Es ist unter anderem die Kunst eines Mondrian, der die Natur ›etwas reiner, puristischer‹ sehen wollte, oder eines Malewitsch, der die Auffassung vertrat, dass es nun am Menschen sei, die nicht ausreichend natürliche Natur zu verbessern. Für mich jedoch, wie Clément Rosset sagt [...], ›geht es letztendlich darum, den Menschen umgänglicher zu machen in einer Welt, die ihm genau so fremd ist, wie das Rätselhafte ›immer ungewohnt‹ bleiben wird. Empedokles kommt darauf in einem Teil seiner* Purifikationen *zu sprechen:* › ... den Menschen dazu zu bringen, eine Abwesenheit jeglichen definierbaren Um-

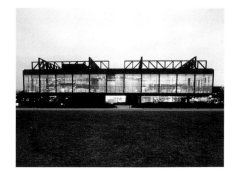

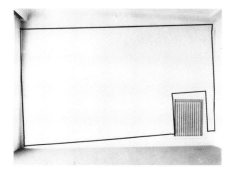

*Überlagerung von Linien 45°– 60°– 105°–120°–135°*, Hochschule der Bundeswehr, Hamburg, 1975–1977

*Überlagerung einer Ausstellungsfläche mit derselben Fläche um 5° geneigt*, Galerie Nancy Gillespie – Élisabeth de Laage, Paris, 1977

François Morellet, Frédéric Morellet, René Block, Joseph Beuys, Caroline Tisdall, Christos Joachimides, René Barreau, Berlin, 1977

Serge Lemoine und Morellet, Dijon, 1976

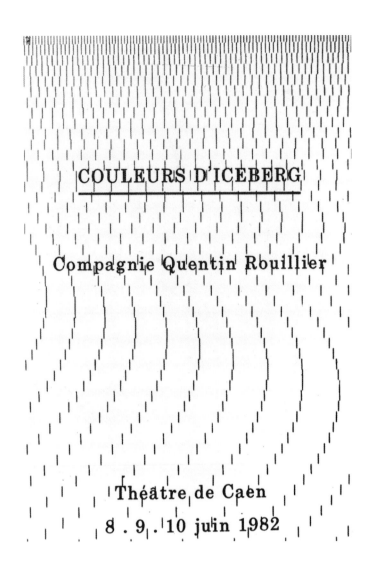

Plakat der choreografischen Performance des Ballettensembles Quentin Rouillier, Bühnendesign von Morellet, Caen, 1982

*Verlängerung eines (auf dem Boden angedeuteten) Rasters mit orthogonalen Parallelen an den Wänden, die (mit diesen Parallelen) Winkel von 22°5 und 112°5 bilden,* Centre culturel de Compiègne, 1978–1979

*Fragmentierung von Geraden und Bögen aus Neon,* Stichting van Donksbergen, Duizel, 1980

Frits Bless, François Morellet, Jan Leering, Cholet, 1981

*feldes als ›die Seine‹ anzuerkennen, ihn allmählich mit dem Gedanken des Künstlichen vertraut zu machen, indem er in zunehmendem Maße dazu gebracht wird, alle naturalistischen Darstellungen aufzugeben, da sie ja in der Wirklichkeit keinerlei Respondenten mehr haben und daher immer zu Enttäuschung und Angstgefühl führen.‹«* [148]

Im September 1978 veröffentlicht Bernar Venet in der Zeitschrift *Colloquio Artes* (Lissabon, 38. Ausgabe) einen Artikel mit dem Titel »L'image rationnelle; contre l'abus d'expressions individuelles«, in dem er Rodtschenko, Kobro, Flavin, Lohse und Morellet zitiert und *Grille 0° – 22°5 – 45° – 67°5* (Gitter 0° – 22°5 – 45° – 67°5) als Beispiel »für seine rigorosen theoretischen Untersuchungen anhand von Systemen« wählt.

In der *XXe Siècle* heben Marianne und Serge Lemoine die Dualität in Morellets Werk hervor:
*»In Morellet wohnen zwei Seelen: Die eine, ganz gebrochener Elan und voller scharfsinniger Nachdenklichkeit, sucht und erklärt die treibende Kraft der gestalterischen Ausdrucksform; die andere verstummt und krümmt sich vor Lachen. Wie soll man da nicht in seiner Kunst eine Spaltung erkennen: Unterwerfung unter die strikte Berechnung der Geometrie auf einer Seite und der Versuch einer lyrischen Hingabe, beinahe eines romantischen Protestes gegen die ›Ironie‹ dieser Welt. [...] Züge eines Geistes, der letztendlich dem Dadaismus näher steht als dem Konstruktivismus.«* [149]

1978 erteilt die Stadt Compiègne Morellet den Auftrag für das Kulturzentrum, den er 1979 abschließen wird.

Betitelt ist das Werk: *Prolongation d'une trame de parallèles orthogonales (indiquée sur le sol) sur les murs formant (avec ces parallèles) des angles de 22°5 et 112°5* (Verlängerung eines [auf dem Boden angedeuteten] Rasters mit orthogonalen Parallelen an den Wänden, die [mit diesen Parallelen] Winkel von 22°5 und 112°5 bilden).

1979 erhält Morellet den Will-Grohmann-Preis der Akademie der Künste in Berlin.

## 1980

Morellets zweites öffentliches Auftragswerk (das er 1978 in Angriff nahm) wird in Duizel (Niederlande) eingeweiht. Diese neue *Intégration architecturale* (Architektonische Integration) mit Neon ist für die Fassade der Stichting van Donksbergen bestimmt. *»Sicherlich ist es auf diese Installation in Duizel zurückzuführen, dass ich Lust bekam, mir andere feste Neoninstallationen im Raum auszudenken.«* [150]

Im Sommer nimmt Morellet die Einladung von Marie-Claude Beaud an, dem damaligen Kurator des Musée de Toulon. In einem in der *Var Matin République* veröffentlichten Gespräch erklärt er seine Einstellung zum Publikum:
*»Wie soll denn ein nicht eingeweihtes Publikum ein Cricketmatch oder gar ein Fußballspiel verstehen? Wie soll denn ein nicht eingeweihtes Publikum die violette Farbe Ihrer Region oder selbst unseren Camembert schätzen? Es ist doch unmöglich, ein (künstlerisches, wissenschaftliches, politisches usw.) Anliegen zu verstehen, wenn man nicht weiß, in welcher Zeit, in welcher Gesellschaft dieses Anliegen stattfand, welche Spielregeln es schaffen oder zerstören konnte.«* [151]

Morellets Schwester Fanny stirbt und zwei Jahre später seine Mutter.

## 1981–1982

Ab dem 7. Februar 1981 zeigen Le Coin du Miroir in Dijon und das Maison de la Culture de Chalon-sur-Saône eine Gruppenausstellung »Mise en pièces, mise en place, mise au point«. Im Katalog schreibt Morellet:
*»Was mich derzeit beschäftigt, ist eher eine architektonische ›désintégration‹ (Zerstörung), das bedeutet zum Beispiel einen Rhythmus zu finden, der nicht dem der Architektur folgt, und mit den Interferenzen dieser beiden Rhythmen zu spielen. Der Hinweis auf meinen Rhythmus (d.h. auf einen regelmäßig wiederholten Raum) kann durch einen gemalten Streifen, einen Stab, ein einfaches Volumen usw. erreicht werden. Derartige Interventionen finden nach dem architektonischen Bau statt, das heißt sie sind keineswegs von Anfang an in das Bauvorhaben integriert. Sie können je nach Ort mehr oder weniger diskrete Formen annehmen. Sie gefallen den Architekten nicht, zumindest im Allgemeinen nicht (so lehrt mich meine Erfahrung), denn sie scheinen ihre ästhetischen Überlegungen oder die Strukturen ihrer Konstruktionen zu ignorieren. Das ist durchaus normal, denn das Werk selbst besteht ja gerade aus dem Kampf zwischen zwei Strukturen, der seinigen und der meinen.«* [152]

Serge Lemoine meint dazu:
*»Die Désintégration architecturale (Architektonische Desintegration) bedient sich des Gegenteils des herkömmlichen Grundsatzes, der sich auf die Integration der Kunst stützt und die Verbindung aller Künste in der Architektur herausstellt.«* [153]

Vom 19. September bis 28. Oktober 1981 stellt Morellet zum ersten Mal seine Arbeit in der Galerie Liliane et Michel Durand-Dessert vor. *»Wenn wir das Gesamtwerk dieses eigenartigen Künstlers und Mitbegründers der Groupe de Recherche d'Art visuel betrachten, dann entdecken wir einen durchaus erzieherischen und dekorativen Aspekt, der ihn aufgrund gewisser Elemente seiner Überlegungen manchmal auf geradezu bizarre Weise eher in der Nähe der treibenden Kraft von Vasarely als in der von Sol LeWitt oder von Stella ansiedelt. Morellet scheint viele Dinge kurz berührt zu haben, ist aber immer in letzter Minute ausgewichen in das, was die Kritiker der Cahiers du cinéma – bevor sie Mitbegründer der ›Nouvelle Vague‹ wurden – auf stigmatisierende Weise als die ›französische Qualität‹ bezeichneten. Das ist sehr bedauerlich. In der Ausstellung von Durand-Dessert entdeckt man vor allem in seinen Großformaten genau dieselben illusionistischen Spielchen, mit denen sich bereits die Verfechter der Op-Art gerne befassten, selbst wenn sie jetzt mehr Spannung erzeugen und mehr Anspruch erheben als früher. Aber auch diesmal ist man nicht wirklich zufrieden mit diesem Spiel mit weißen Quadraten, die von schwarzen Linien gewürfelt werden. Eine Arbeit schien mir jedoch interessanter zu sein als alle anderen: Sie setzt Neonlicht ein und manifestiert den Übergang von einer gemeinsamen Ebene auf zwei unterschiedliche Ebenen.«*[154]

1981 lädt das Musée national d'Art moderne in Paris Morellet ein, an zwei Ausstellungen teilzunehmen. Zum einen, ab Mai, an der Ausstellung »Paris – Paris 1937–1957«, wo seine Arbeiten in der Sektion gezeigt werden, die dem »Salon des Réalités Nouvelles« gewidmet ist. Zum anderen fertigt Morellet erste Arbeiten mit Holzbalken an, die ab Dezember in der Ausstellung »Murs« gezeigt werden. Serge Lemoine erinnert sich an die Werke in der von Alfred Pacquement ausgerichteten Schau: *»Anfang der achtziger Jahre wählte François Morellet ganz normale Holzbalken, die er im Raum oder an den Wänden anordnete und die in der Ausstellung ›Murs‹ [...] zu sehen waren. 1982 vereinfacht François Morellet ihren Einsatz, indem er eine Serie von Werken aus zwei Elementen anfertigt: einem Balken aus Tannenholz und einer Linie aus blauer Kreide, die miteinander einen rechten Winkel bildeten. Der Holzbalken lag entweder am Boden oder lehnte an der Wand; der Einsatz dieser beiden Elemente wurde auf ihre einfachsten Ausdrucksformen begrenzt, während der karge Aspekt des Materials ihnen einen äußerst brutalen Ausdruck verlieh. [...] Hierzu sagt der Künstler Folgendes: ›Diese Arbeiten liegen irgendwo zwischen selbstständigen Werken und Installationen, zwischen Plastik und Zeichnung. Das System besteht darin, einen Balken mit einer Gehrung von 45° an die Wand zu lehnen und dann senkrecht dazu eine Linie auf die Wand zu zeichnen. Ich liebe diesen brutalen Richtungswechsel und den Kontrast zwischen dem dicken Balken aus ungehobeltem Holz und der fragilen Linie aus blauer Kreide, die mit Hilfe des Messbandes eines Maurers gezogen wurde.‹«*[155]

Ab November 1982 zeigt Morellet seine *Poutres* (Balken) in einer Ausstellung im Badhuis Kunstcentrum in Gorinchem (Niederlande), die 1983 auch in der Galerie Au fond de la cour à droite in Chagny aufgenommen wird.

Von April bis Juli 1982 organisiert das Stedelijk Museum in Amsterdam eine Gruppenausstellung unter dem Titel »60' – 80' – Attitudes/Concepts/ Images«, an der auch Morellet teilnimmt.

In demselben Jahr übernimmt er einen öffentlichen Auftrag für das Musée des Beaux-Arts in Chambéry: *Le Fantôme de Malévitch* (Malewitschs Phantom). (Fortan wird Morellet in einem Bezug zu Malewitschs Œuvre stehen, der gleichzeitig von Anziehung wie von Ironie geprägt ist.). Bei dieser Gelegenheit zeigt das Musée savoisien de Chambéry vom 9. bis 31. Oktober eine Einzelausstellung seiner Arbeiten und veröffentlicht einen systematischen Katalog (Catalogue raisonné) seiner Arbeiten für die Architektur, *Désintégrations architecturales* (Architektonische Desintegrationen), der ein ausführliches Gespräch zwischen Morellet und Serge Lemoine enthält. Dieser Katalog wird in Zusammenarbeit mit dem Musée des Beaux-Arts von Angers herausgegeben, welches auch ab Dezember eine Einzelausstellung von Morellet veranstaltet, gefolgt von einer Architektonischen Desintegration, die einige Monate später im dortigen Lycée Henri Bergson eingeweiht wird.

Anlässlich eines von der Universität von Dijon veranstalteten Kolloquiums über Theo van Doesburg verfasst Morellet »Doctor De Stijl and Mister Bonset« (I.K. Bonset lautete ein Pseudonym van Doesburgs): *»Wenn ich mich bereit erkläre, über Theo van Doesburg zu schreiben, dann nur deshalb, weil ich in den letzten Jahren manchmal für einige Augenblicke den Mut hatte zu glauben, er sei ich. Dennoch glaube ich nicht, dass*

*Malewitschs Phantom*, Musée des Beaux-Arts, Chambéry, 1981–1982

ich je direkt, also die Form betreffend, seinen Einfluss gespürt habe. Im Gegenteil, vor ungefähr 30 Jahren ergriff ich heftigst (und leise zugleich) Mondrians Partei gegenüber van Doesburg und ich fügte den Verleumdungen unter anderem ›gefährlicher Abweichler‹ oder ›verantwortungsloser Barockmensch‹ hinzu. Aber gleichzeitig – und parallel – zu dieser Leidenschaft für Mondrian nahm meine Liebe für den Exterminator-Engel Duchamp ihren Anfang. Diese doppelte liaison hat sicherlich bis zum heutigen Tage angehalten.

30 Jahre lang habe ich in meiner Brust einen Bonset verborgen.

Einen Bonset, der auf die naturalistische, lyrische und individualistische (sowohl bei sich selbst wie auch bei Malewitsch und Mondrian) Verschmutzung allergisch reagiert und die Hinwendung zur Mathematik gegenüber der künstlerischen Intuition und das Ende der Kunst ihrer Erneuerung bevorzugt.

Ein Bonset würde höhnisch lachen, sollte ich je der Versuchung unterliegen, mich konstruktivistischen-suprematistischen-und-anderen-minimalistischen Ordnungen unterwerfen zu wollen. Und wenn man Bonset einmal angenommen hat, dann wird man ihn auch nicht mehr los. Selbst die poetisch-dadaistischen Ausscheidungen haben van Doesburg nicht heilen können. Heute bin ich fasziniert von dem Teil von van Doesburgs Werk, in dem Destruktion mit Konstruktion flirtet. Die Ausführung des Ciné-Dancing in Aubette ist unter anderem ein herrliches Beispiel dieser Art von architektonischen Desintegrationen, die Dada viel näher stehen als allen neo-plastizistischen oder konstruktivistischen Grundsätzen.«[156]

In den Arbeiten mit Spiegeln nutzt Morellet ein Material, das er später nicht mehr einsetzen wird:

»Ich hasse Spiegel, die einen frontal anschauen, einen in Aufzügen und Badezimmern verfolgen. Daher hat es mir großes Vergnügen bereitet, das Spiegelbild der wenigen Spiegel, die durch meine Hände gingen, systematisch zu neutralisieren, ihre Virtuosität gegen sich selbst zu richten, der die ›Foire au Trône‹ (Pariser Rummelplatz, Anm. d. Üb.) und die Bierlokale das Beste abgewonnen haben. So verwandelt sich ein prätentiöser Spiegel durch einen Balanceakt in ein vulgäres Glas, während ein anderer, in zwei Teile ›verbogen‹, nur noch seine wirkliche Eigenschaft zeigt: die Leere.«[157]

## 1983

In Dijon nimmt Morellet an der Gruppenausstellung »Présence discrète« teil, die vom 10. Januar bis 28. Februar im Musée des Beaux-Arts stattfindet und in der Morellets »diskrete« Interventionen gezeigt werden; sie greifen die Inszenierung der Werke ironisch an.

Die Serie *Géométree* (Abb. S. 170 bis 177) nimmt ihren Anfang. Morellets Vorliebe für Wortspiele infiziert nun auch die englische Sprache: »Diese reliefartigen Bilder vermischen die Geometrie, die Systeme und die trees, das heißt die Bäume (oder, um genauer zu sein, ihre Zweige).«[158] »Ab 1983 widmete Morellet sich neuen Erfahrungen, die, formell gesehen, stark von seinen bisherigen Überlegungen abzuweichen scheinen. Der Künstler bedient sich der Verzweigungen, Reisig, den er in der Natur aufsammelt und anschließend auf einer weiß angestrichenen Unterlage aus Holz, Leinwand, Karton oder Papier befestigt. Er verwendet sie als Ausgangspunkt für Kompositionen, die sich bemühen, diese auch zu rechtfertigen. Ausgehend von

Morellet und Jan van der Marck, Miami, 1981

Sybil Albers, Gottfried Honegger, Kenneth Martin, Morellet, 1982

*4 Quadrate (1 Quadrat geviertelt) um 0°, 30°, 60°, 90° geneigt,* Lycée Henri Bergson, Angers, 1982–1983

Manfred Wandel und Morellet, Josef-Albers-Museum, Bottrop, 1983

*diesem ready-made-Element, verlängert, vervollständigt oder unterstreicht er ihre Eigenschaften, nachdem er sie sorgfältig umbrochen hat. Jeder Géométree, das heißt jede neue pflanzliche Gattung, aus der das eingesetzte Muster stammt, hat seine eigene Regel hervorgerufen. [...] Es gelingt Morellet, seine künstlerische Tätigkeit mit einer seiner anderen Leidenschaften zu vereinbaren: der Gartenarbeit. Hier muss auch daran erinnert werden, dass François Morellet 1949 unter dem Einfluss der primitiven Künste – er traf darauf im Musée de l'Homme – Arbeiten gemacht hat, indem er Verästelungen einsetzte, um Abdrücke zu erhalten.«* [159]

Entsprechend Serge Lemoines Äußerungen liebt es Morellet, durch seinen Garten in Cholet zu laufen, in dem er sich mit einem Gemüsegarten, mit seltenen Pflanzen und Bäumen sowie mit zahlreichen Tieren – vor allem einem Papagei, einem vollwertigen Mitglied der Familie – umgeben hat.

Ein solches Eindringen der Außenwelt und der Natur stellt Morellets Meinung nach keine Gefahr für seine systematische Logik dar:
*»Wenn ich den ›Geist‹ meiner Arbeiten (einschließlich der letzten Géométrees [die mich die Exkommunikation sowohl von Pythagoras wie auch von Mondrian gekostet hätten]) seit 1952 in einem einzigen Satz beschreiben sollte, dann würde ich sagen, dass ich immer bestrebt war, meine subjektiven Entscheidungen und mein handwerkliches Eingreifen auf ein Mindestmaß zu beschränken, um meinen einfachen, offenkundigen und mit Vorliebe absurden Systemen den Vortritt zu lassen. Ja, die Systeme sind seit 32 Jahren stets gleich geblieben, aber ihre Anwendung*

*hat sich geändert. Zunächst haben sie die flache Geometrie der Bildfläche angegriffen, dann die Geometrie des Bildraumes und schließlich die Geometrisierung von Bildelementen, die wahrhaftig nicht geeignet waren, geometrisch zu werden.«* [160]

Auch in anderen Arbeiten des Jahres vermischen sich Natur oder natürliche Elemente miteinander. In Middelburg (Niederlande) zum Beispiel, bei dem »Forum Skulptur« (15. Oktober bis 20. November), gestaltet Morellet den Rasen in der Mitte des Platzes um und nennt ihn *A Public Square* (Ein öffentlicher Platz):
*»Ich fordere Sie, liebe Besucher, nunmehr auf, sich am (ach, so ungleichen) Kampf zwischen einem berühmten* public square, *der sich aus historischen oder natürlichen Elementen zusammensetzt, und einem künstlichen Viereck aus künstlichem Rasen zu beteiligen.«* [161]

Im Juni nimmt Morellet weitere ephemere Interventionen vor, aber diesmal an der Architektur und an dem Innenhof des Musée des Jacobins in Toulouse. Mit Hilfe von Kreisbögen vervollständigt er ein Detail der Architektur und die Spuren am Boden, die von einem früheren Portal stammen, und benennt sie *Arcs de cercle complémentaires* (Sich ergänzende Kreisbögen).

In dieser Zeit verlieren die Titel ihre beschreibende Funktion und werden »lächerlich und humorvoll«. Er erklärt diesen Wandel folgendermaßen:
*»Ich bin gesprächig und liebe es (wie jetzt), Kommentare abzugeben oder meinen Arbeiten Titel zu geben, indem ich (bis zum Exzess) Wortspiele, Kalauer und andere ›à-peu-près‹ (annähernde Formulierungen, Anm. d. Üb.) verwende.«* [162]

Der Monat Oktober ist gekennzeichnet von der Eröffnung einer Ausstellung im Josef-Albers-Museum in Bottrop, in der Morellets repräsentativste Arbeiten seit 1976 vorgeführt werden. Diese Ausstellung wird Anfang 1984 auch im Wilhelm-Hack-Museum in Ludwigshafen am Rhein gezeigt.

## 1984–1985

Im März nimmt Morellet die Einladung des Kunstmuseums Bern an und beteiligt sich an der Gruppenausstellung »Die Sprache der Geometrie«.
*»Die Mathematik hat mich nicht mehr, aufgrund ihrer empfindungslosen Neutralität und auch aufgrund ihrer Einfachheit. Kurz gesagt, zum Thema des von mir verwandten mathematischen Niveaus: höchstens das der 6. Klasse. Ab der 5. Klasse habe ich nichts mehr verstanden.«* [163]

Im Frühjahr schlägt Line Sourbier-Pinter, die Leiterin des Institut Français in Belgrad, Morellet vor, eine Intervention an einer Wand der Stadt vorzunehmen. Das Projekt wird vom Bürgermeister der Stadt und von der französischen Botschaft unterstützt und soll *Bleu, Blanc, Rouge, 0° 90°* (Blau, Weiß, Rot, 0° 90°) heißen. Mit Bezug auf das Plakat antwortet Morellet in einem kurzen Gespräch: »Es soll ein Werk sein, welches man, wenn man es wirklich will, nicht sieht.«

In den Vereinigten Staaten organisiert Robert Buck ab Juli die Retrospektive »François Morellet: Systems« in der Albright-Knox Art Gallery in Buffalo – eine ausgesprochene Anerkennung seiner Arbeiten in Übersee. Die Ausstellung wandert über den amerikanischen Kontinent, eine Station ist von Oktober bis November das Musée d'Art contemporain in Montreal. Im Anschluss daran geht sie ins Brooklyn Museum in New York und endet, im darauf folgenden Frühjahr, im Center for the Fine Arts in Miami. Zum ersten Mal stellt Morellet die Arbeiten der Serie *Géométree* aus, die von der Presse mit Begeisterung aufgenommen wird.

In dem entsprechenden Artikel hebt Lucie Normandin hervor, dass diese bedeutende Retrospektive 43 Arbeiten aus den Jahren 1952 bis 1984 und eine ephemere, eigens für das Museum angefertigte Arbeit umfasst. Ein Jahr später veröffentlicht sie in *Vie des arts* einen den *Géométrees* gewidmeten Text.

Andere Stimmen sprechen mit Nachdruck von seinem »*humorvollen und ironischen Geist, der dem rationellen, logischen und mathematischen Charakter seines Œuvres gegenübersteht.*«[164]

Am 22. Februar 1985 ist in der *New York Times* zu lesen: »*François Morellet ist das perfekte Gegenmittel zur neoexpressionistischen Überladung [...]. Diese ausgesprochen attraktive Ausstellung, die Charlotta Kotik wunderbar in der geräumigen Galerie des Museumsrundbaus angeordnet hat, beweist, dass selbst in diesen Zeiten der Werbeverkäufe noch eine abweichende Stimme zu Gehör kommen kann.*«[165]

Und in der *Sunday Democrate*: »*Der Einsatz von Systemen in seinem künstlerischen Schaffen versetzt Morellet in die Lage, die interessantesten Ergebnisse zu erzielen. Wer mit der Minimal Art der sechziger Jahre und mit Künstlern wie Frank Stella, Ellsworth Kelly oder Sol LeWitt vertraut ist, wird sofort den Vergleich anstellen können. Wenn man sich die grünen und braunen Streifen in Morellets* Peinture *(Malerei, 1952) oder später in* Angles droits concentriques *(Konzentrische rechte Win-*

*kel, 1956) anschaut, fällt es schwer zu glauben, dass Frank Stella diese Vorläufer ignoriert haben soll, als er seine* Black Paintings *(Schwarzen Bilder) einige Jahre später anfertigte. Auch fällt es schwer zu glauben, dass ein New Yorker Künstler wie Sol LeWitt keine direkte Verwandtschaft zwischen seiner eigenen Arbeit und den* 8 Trames *(Raster) von Morellet sieht, einer Malerei, deren Linienraster in einer kreisenden Sequenz gemalt wurde, um den All-Over-Effekt kleiner Kreise zu erreichen, die sich in unterschiedlichen Intervallen ausdehnen und zusammenziehen.* 8 Trames *ist praktisch identisch mit einer in Sol LeWitts Buch* Arcs, Circles and Grids *abgebildeten Sequenz, das 1972 in Bern, in der Schweiz, veröffentlicht wurde. [...] Morellet verleiht der zeitgenössischen Kunst sein Talent, komplexe optische Formen mit den einfachsten Mitteln zu lösen.*«[166]

Später, in seinem Gespräch mit Ida Biard für *Flash Art*, kommt Morellet auf diese Retrospektive zurück: »*Es lag mir sehr am Herzen, meine Arbeiten in den Vereinigten Staaten zu zeigen, vor allem die aus den fünfziger Jahren. Ich habe mich häufig den amerikanischen – und unter ihnen besonders den minimalistischen – Künstlern viel näher gefühlt als den europäischen. Außerdem glaube ich, dass meine Arbeiten der fünfziger Jahre einer Kunstform ähneln, die sich dort in den sechziger Jahren entwickelte.*«[167]

Befragt nach den Künstlern, die ihn neben Mondrian oder Duchamp am stärksten geprägt haben, fügt Morellet hinzu: »*Es gibt noch einen weiteren Künstler, Rodtschenko; vielleicht ist es gerade die Tatsache, dass er weit weniger bekannt ist, die mich umso mehr fasziniert. Seine Konstruktionen mit demselben Holz-*

*element sind für mich die ersten wahrhaftig systematischen Arbeiten.*«[168]

In New York lässt Morellet eine Wand bemalen, die er *Sens dessus dessous* (Die Bedeutung des Darüber-Darunter) nennt (Abb. S. 99), eine Arbeit, die heute nicht mehr existiert. Es handelt sich um ein Geschenk von Frankreich an die Vereinigten Staaten anlässlich des 100. Jahrestages der Freiheitsstatue.

In Frankreich führt er mehrere öffentliche Arbeiten aus, eine für die Mediathek in Nantes und eine für eine Sportanlage in Mably, in der Gegend von Loiret. Morellet beschreibt Letztere in einem Brief an den Bürgermeister der Stadt: »*Als Material habe ich Dachziegel gewählt, zum einen natürlich, weil sie aus der Erde, auf der die Turnhalle steht, hergestellt werden, aber auch weil ich diese Ausdrucksform der Dachziegel sehr liebe, die ja Kurven mit geraden Segmenten bilden, eine äußerst elegante Lösung der Quadratur des Kreises.*«[169]

Die Pariser Galerie Liliane et Michel Durand-Dessert stellt vom 14. Februar bis 12. März 1985 eine Reihe von *Géométrees* aus. Es ist das erste Mal, dass sie in Frankreich gezeigt werden. »*Die daraus resultierende Schönheit ist das Ergebnis einer behutsamen Mischung von Bezugssystemen [...]. Bei diesen Formen könnte man durchaus von ›Pfropfenreis‹ sprechen, sie sind wie unbekannte Früchte oder Zwitterwesen, die man eher dem unersättlichen Geschmack der Menschen für das Neue als dem immerwährenden Kreislauf der Natur zuschreiben könnte.*«[170]

Im November widmet die Abtei Fontevraud (bei Tours) dieser gerade abgeschlossenen Serie eine ganze Ausstellung:

»Ich habe beschlossen, diese gefährlichen Stilübungen abzuschließen, obgleich sie mich vorübergehend in die Lage versetzten (um einem Bereich, in dem alles zur Kunst geworden war, auszuweichen), mich an den Zweigen aufzuhängen, an denen (aufgrund meines Fehlers) alles bald zur Geometrie geworden war.«[171]

Bei dieser Gelegenheit wird der Catalogue raisonné der *Géométrees* (er verzeichnet 103 Werke) zusammen mit einem Text von Didier Semin unter dem Titel »Nu descendant un arbre fruitier« herausgegeben:

»Es wird behauptet, dass in Mondrians ganz in der Nähe seines peinlich ordentlichen Ateliers gelegenen Zimmer genau die Unordnung waltet, die er in seinem Werk verurteilt: ein ungemachtes Bett, pin-ups an den Wänden... während in Morellets Atelier genau der entgegengesetzte, sprich identische Grundsatz waltet: ein angedeuteter rechter Winkel in einem gemütlichen, wuchernden Garten, in dem sich ein ausgelassener Papagei darüber amüsiert, wie die Karpfen in der Pfütze ihrem Untergang entgegenschwimmen. Sind die Géométrees vielleicht seine Alterssünde, die ein bisschen Natur in ihre Künstlichkeit aufnehmen? [...] Seine Géométrees spielen virtuos mit dem, was manche schon seit langem wussten: François Morellet ist kein ›geometrischer Künstler‹: Der Vorzug der Geometrie liegt in dem von ihr abgesteckten Rahmen, nicht in dem von ihr eingesetzten Stoff, in dem von ihr eher vorgeschriebenem Verhalten als in der angenommenen Form.«[172]

Und Daniel Soutif sagt in der *Libération* noch genauer:

»Es ist und bleibt ein Ensemble, das trotz der äußerst sparsam eingesetzten intellektuellen und technischen Mittel eine eigenartige Faszination auf den Betrachter ausübt und alle möglichen unmöglichen Assoziationen auslöst. Das ist jedoch keineswegs überraschend, wenn man sich einen Augenblick lang vorstellt, wie Morellet sich der Regel seiner Géométrees unterzieht und einen äußerst eigenartigen Künstler erfindet: eine Art Mondrian oder Newman, der ausgeht, seine Eingebung zu suchen... im Wald.«[173]

Das Selbstbildnis *Masque King Tape* (Abb. S. 99) für die Maskensammlung von Polly Hope entsteht. (Das erste Selbstbildnis stammt aus dem Jahr 1947.) Ein Klebestreifen ist vertikal über Morellets zur Seite geneigtes Gesicht geklebt.

## 1986

Im März wird die Auftragsarbeit für die Grande Halle de la Villette in Paris eingeweiht. Es ist seine erste großformatige *Intégration architecturale* (Architektonische Integration) mit Neon seit 1980.

»Hier ergibt sich für ihn die Möglichkeit, sich mit Hilfe des Neonlichtes eingehender mit Interferenzen zu befassen, einer Technik, die die Vorzüge der Objektivität mit der Chance, neue Verbindungen mit der Zeit einzugehen, verbindet. [...] Konfrontiert mit der präzisen Anlage des Metallbaus, entwickelt Morellet seinen eigenen Diskurs über die Horizontalität und die Vertikalität. Neonröhren [...] werden entlang der senkrechten Säulen angeordnet, die die waagerechten Linien der seitlichen Fassaden und der ›chiens-assis‹ unterstreichen. Beleuchtet oder ausgeschaltet, kontinuierlich oder unterbrochen ange-

ordnet, überlagern diese Leuchtlinien eine andere Art von Grafismus, eine andere Lesart der Strukturen der Grande Halle. Desintegrationen als Prozess. Ihr Spiel mit der Unterbrechung der Beleuchtung ebnet der Einführung der Zeit und der Bewegung den Weg in das Vorhaben, Verwirrung auszulösen. Das ›Lichtschema‹ der Neonröhren verändert sich jede Stunde. Bei jeder Veränderung blinkt es 20 Sekunden, Interferenzen, während derer die Grande Halle sich aufzulösen scheint. Eine Verschiebung, die in der Zeit aufgehängt ist.«[174]

Das *Beaux-Arts Magazine* veröffentlicht in der März-Ausgabe ein von Serge Lemoine verfasstes Dossier, das sich ausschließlich mit den *Désintégration architecturales* befasst.

Erstmals veranstaltet ein französisches Museum, das Musée national d'Art moderne in Paris, eine große Morellet-Retrospektive. Vom 4. März bis 11. Mai wird eine von Bernard Blistène getroffene Auswahl von 60 Arbeiten gezeigt, von *Petite Tête* (Kleiner Kopf, 1949) bis zu den späteren Arbeiten des Künstlers, zum Beispiel *Coupe en diagonale d'un parallélépipède rectangle* (Diagonalschnitt eines rechteckigen Parallelepipeds, 1985) aus Neonröhren. Das Stedelijk Museum in Amsterdam übernimmt die Ausstellung vom 2. Juni bis 20. Juli.

Die Presse bejubelt die Veranstaltung einstimmig. In einem Gespräch für die *Libération* antwortet Morellet Daniel Soutif wie folgt:

»Eine Retrospektive von 1952 bis 1986: 34 Jahre im guten und getreuen Dienste des Systems, der kalten und pasteurisierten Malerei, aber auch 34 Jahre, in denen ein anderer Teil von mir, ein kleiner Mr. Hyde, auf eine nicht allzu verdeckte Weise meine Ernsthaftigkeit und meine Systeme systematisch zerstört hat. Und nach einer gewissen Zeit entdeckten einige bekannte und nicht ganz so bierernste Fachleute meine Ironie und meinen Geschmack für das Absurde. Die Ausstellung ist daher vielleicht etwas weniger ärgerlich als mein Markenzeichen erwarten ließ.«[175]

Die Presse urteilt:
»Das Abenteuer Morellet, zweifellos eines der reichsten im Bereich der geometrischen Kunst – die leicht auch mehr ist –, ist das eines unabhängigen Künstlers, praktisch das eines Autodidakten, in seinen Anfängen sogar das eines Wochenendmalers. Dieser Industrielle aus der Vendée hat die Leitung des Familienunternehmens, einer Spielzeugautofabrik, erst vor ungefähr zehn Jahren aufgegeben. Diese besondere Lage erklärt nicht alles, gestattet uns aber dennoch besser zu begreifen, unter welchen Voraussetzungen der Künstler seine künstlerische Tätigkeit aufgegriffen hat: als Dilettant und, vor allem, als nicht Gewinn bringende Erwerbstätigkeit.«[176]
»Er [Morellet] verbindet in den konsequenten Modernitäten die seltene Eigenschaft der Präsenz mit der verwirrenden Fähigkeit der Flucht. Der Name Morellet ist seit dreißig Jahren mit allen möglichen Varianten kalter und ›op-art-iger‹ Nicht-Figuration verbunden. Heute sehen die Beaubourger Gurus in ihm einen vermeintlichen Erben von Duchamp, einen ›Entschlüsseler aller Verschlüsselungen‹, einen Minimalisten oder Konzeptionalisten. Aber man sollte sich vor solchem Anwerben hüten. Morgen wird sich Morellet mit einem sarkastischen Lächeln auf Zehenspitzen aus dem Staube machen. Dieser mit leichtem Gepäck Reisende ist viel zu intelligent, um sich

in irgendeine Kategorie einordnen zu lassen. [...]
In der Familie der kalten Monster besitzt Morellet die Vorzüge und das Lächeln des Klassikers.«[177]

Die Zeitschrift *Art Press* widmet Morellet ein Dossier:
»Eine Neubewertung seines Gefühls für Sparsamkeit, welches bei ihm die Form einer Trunkenheit für das Leere angenommen hat, dürfte uns in die Lage versetzen, unter dem Protestanten einen weniger vom Ideal eingenommenen Menschen zu entdecken und durch ein reineres und weißeres Bild zu ersetzen als das, welches bei der Erwähnung seines Namens aufscheint, das schwarze Bild jener absurden Linien, die für nichts gezeichnet wurden, die nirgends hinführen, die dem Zufall gewidmeten Bilder des Jahres 1971. Denn wann immer sich François Morellet dem Kult der Perfektion hingab, nährte dieser friedliche Nichtgläubige unentwegt sein Gefühl für die Nichtigkeit.«[178]

Außer einem Text für den Ausstellungskatalog der Retrospektive verfasst Serge Lemoine auch die erste Morellet-Monografie – eine Bilanz seines Gesamtwerks –, die im Züricher Waser Verlag herausgegeben wird.

Vom 14. bis 20. April findet im Rahmen der Ausstellung eine Tanzveranstaltung der Ballettgruppe von Andy de Groat statt, inmitten von Morellets mobilen geometrischen Konfigurationen im Centre Georges Pompidou, über die Morellet später sagen wird:
»Es ist schon richtig, dass mein Gespür für das Lächerliche entwickelter war als das für den Tanz. Das hat mich jedoch nicht daran gehindert, den Tanz als genauso notwendig (und angenehm) zu empfinden wie zum Beispiel die Nahrungsaufnahme oder -verdauung.

Aber reicht diese Begründung aus, um daraus gleich eine Veranstaltung all dieser wesentlichen Handlungen zu machen? In der Tat scheint mir ein getanztes Solo viel weniger fürchterlich zu sein als all diese genormten und pasteurisierten Gruppentänze der Militärparaden, Spartakiaden, Majoretten und Ballettaufführungen.«[179]

Seit sechs Jahren erwirbt das Musée des Arts de Cholet regelmäßig Arbeiten von Morellet. Die Sammlung wird nunmehr von April bis Juni ausgestellt und reist anschließend durch Spanien, von Katalonien (San Sebastian und Vitoria) bis Granada (ab Dezember 1989).

Morellet arbeitet an einer Serie, für die er ein Verfahren der Holzschneidekunst einsetzt. Er bezeichnet sie als »grattures« (Wortmix aus »gratter« [kratzen] und »gravure« [stechen, drucken], Anm. d. Üb.).
»Diese Arbeiten bestanden aus viereckigen Furnierhölzern, auf denen mit Hilfe eines Nagels einfache, geometrische Formen eingeritzt wurden. Je nach Verlauf der Holzadern verursacht der Nagel eine einfache Linie oder mehr oder weniger große Ausrisse aus den Fasern des Furnierholzes.«[180]
Morellet interessiert sich seit 1980 für die Holzschneidekunst, wie auch sein Skizzenbuch (von Fanal in Basel herausgegeben) beweist.

Am 4. Dezember findet im Consortium in Dijon die Eröffnung der Ausstellung »Géométrie dans les spasmes« (Wortspiel: Geometrie im Raum [»espace«] und in Krämpfen [»spasmes«], Anm. d. Üb.) statt. Es handelt sich dabei um Morellets bisher letzte Serie, um 8 Bilder mit recht expliziten Titeln:

Südfassade der Grande Halle de La Villette, Paris, 1986

*Masque King Tape*, Selbstportrait von François Morellet
Beitrag zu Polly Hopes Maskensammlung, 1985

*Sens dessus dessous*, New York, 1986

*En levrette, La Brouette, La Pipe,*
*À croupetons, À la missionaire, 69,*
*Par derrière à deux, Par derrière à trois.*

Im Katalog erklären Éric Colliard und Xavier Douroux:

»*Die geometrischen Formen der Géométries dans les spasmes offenbaren sich dem Blick unzweifelhaft als ›kopulierende, leckende, lutschende, masturbierende‹ Quadrate und Rechtecke, wie es der köstliche Marquis sicherlich formuliert hätte. Eine kolossale Geometrie (quadratische und rechteckige Bilder mit je 200 × 200 cm und 400 × 100 cm oder umgekehrt), die Sachverhalte des hard life und nicht mehr des Hard Edge nachstellen, werden hier als die mutigsten ›lebenden Bilder‹ von ganz Paris angepriesen [...]. Dualität einer Ausstellung, in der Morellet uns glauben machen will, dass man von der gemeinen Geometrie genauso zur Pornografie übergehen kann, wie von Gymnastik zum Body-Building: Indem man nämlich die Form wahrt.*«[181]

Morellet präzisiert:

»*Mit meiner Serie Géométrie dans les spasmes habe ich mit großem Vergnügen ein Tabu – die Pornografie – der Konstruktivisten, Konkreten und anderer Minimalisten aufgegriffen, indem ich selbstverständlich die äußerlichen Formen der Geometrie beibehalten habe. So ›verkörpert‹ das Quadrat, welches für Gutgläubige nichts weiteres als ein Quadrat darstellt, eine geneigte Person, bereit, sich ›den letzten Ermahnungen‹ zu beugen. Ohne das Quadrat auch nur im Geringsten zu beschmutzen, indem ich es anscheinend rein, sauber und neutral sein ließ, aber indem ich es in eine gewisse Stellung gegenüber einem identischen zweiten Quadrat oder Recht-eck stellte und ihm natürlich einen Titel gab. So kommt alles ins Wanken in einer anderen Welt, die ich gleicher-*

*maßen liebe. Ich habe die klassischsten Stellungen beibehalten, zumindest die der Umgangssprache zahlreicher Länder. Es handelt sich um eine Sammlung von Bezeichnungen für die verbreitetesten Trivialitäten, die ich im Übrigen mit mehr Minimalismus als Lüsternheit illustriert habe.*«[182]

Er zeigt auch eine Reihe von Abdrücken seines Körpers, das heißt seines Geschlechts:

»*In Geométrie, figures hâtives entsteht die Figuration in den bildlichen Abdrücken (mit einem ›Klein d'œil‹ zu meinem eigenen Körper [Wortmix aus dem französischen ›cligner‹ [blinzeln, Augenzwinkern] und dem deutschen Wort ›klein‹, Anm. d. Üb.]), auf das Penibelste entstellt durch die von ihnen geschaffenen geometrischen Figuren.*«[183]

## 1987

Im Frühjahr stellt die Bruno Facchetti Gallery in New York – die Morellets Arbeit seit mehreren Jahren mit großer Aufmerksamkeit verfolgt – die *Géométries dans les spasmes* aus. Die Reaktionen lassen nicht auf sich warten:

»*Morellet liefert uns eine grinsende Gruppe seiner jüngsten Arbeiten unter der Rubrik ›Pornometry‹. [...] Was diese Arbeiten für uns Amerikaner so besonders interessant macht, ist der in ihnen enthaltene Humor, der, zumindest in der minimalistischen Tradition dieses Landes, selten einen Platz findet. Morellet zeigt sich uns als ein Mann voller esprit, sprich schlüpfrig, als ein Künstler/Philosoph.*«[184]

Im Park des Rijksmuseum Kröller-Müller in Otterlo (Niederlande) wird die *Géométreedimensions n° 1 – Géométree –* (Abb. S. 103) installiert.

Einige Monate später stellt Morellet erneut in diesem Museum aus, und zwar

Einweihung der Installation der Grande Halle de La Villette, Paris, 1986:
Jean-Hubert Martin, Marie-Laure und Bernard Blistène, Morellet

Einweihung der Installation der Grande Halle de La Villette, Paris, 1986:
Denise René, Soto, Morellet

Morellet und sein Papagei Papagaïo

für eine Gegenüberstellung mit Bertrand Lavier. Diese Veranstaltung fällt unter »Vice Versa«, eine Ausstellungsreihe über die französischen Künstler in den Niederlanden. So widmet das Groninger Museum in Groningen Morellet eine Ausstellung, die sich auf seine Lichtinstallationen konzentriert: »François Morellet – Lichtinstallaties«. Im Ausstellungskatalog schreibt Morellet: »Nehmen wir ein klares Beispiel: Meine Arbeiten aus den achtziger Jahren, die in dieser Retrospektive gezeigt werden, [die] Licht und Zeit einsetzen. Nach Ansicht gewisser Kunsthistoriker würden sie zum ›Lichtkinetismus‹ gehören, der um 1965 in Mode war (ich bin mir allerdings dessen nicht sonderlich bewusst gewesen). Um 1975 unmodern, kommt er jetzt anscheinend wieder in Mode, wenn man davon ausgehen kann, dass Frans Haks' Auswahl für diese Ausstellung von dem berechtigten Gefühl einer erneuten Aktualität dieser Bewegung aus den sechziger Jahren diktiert war und nicht von einem persönlichen, subjektiven und dann wirklich bedauerlichen Geschmack; das heißt nach einer Zeit der Auslöschung von 20 bis 25 Jahren, was wenig wäre, wenn man bedenkt, dass die École de Paris der fünfziger Jahre oder die faschistische Architektur der dreißiger Jahre erst jetzt wieder in Mode kommt.«[185]

Im Anschluss an diese Veranstaltung geht ein Teil der Arbeiten nach Nantes, wo sie im Salon d'angle der DRAC (Direction régionale des Affaires Culturales) im November gezeigt werden. Im Rahmen eines öffentlichen Auftrages wird die Ecke des Gebäudes von Morellets Neonröhren »überfallen« (L'Angle DRAC, Abb. S. 103).

Morellet nimmt an zwei wichtigen Ausstellungen teil: »L'époque, la mode, la morale, la passion« im Musée national d'Art moderne in Paris und »L'art en Europe – Les années décisives 1945–1953« in Saint-Étienne.

Nach der Serie Géométree arbeitet er in zunehmendem Maße im Einklang mit der Natur. So macht er Un paysage entre deux néons (Eine Landschaft zwischen zwei Neons) (auf einer Höhe von 2 400 m) für das Hotel Furkablick (auf dem Furkapass) in der Schweiz: »Das Prinzip dieser Installation besteht darin, den größtmöglichen Raum zu erfassen, und zwar mit den lächerlichsten Mitteln oder genauer gesagt: Zwei Messstangen so weit wie möglich voneinander entfernt aufzustellen, die vom Betrachter dennoch als eine Einheit gesehen werden. Das ist ungefähr das, was meine Katze macht, wenn sie ihr Territorium absteckt, das heißt vom Fuß meines Bettes bis zum hinteren Ende meines Gartens.
Da aber mein bisheriges Vorgehen eher vom Auge und nicht so sehr von der Nase geprägt war, ist das geeigneteste Material dafür wohl das Licht und der geeignetste Rahmen ein großes Blickfeld, das eine nur von mir und nicht von anderen verschmutzte Nacht preisgibt.«[186]

Für seine Beteiligung an der Ausstellung »Skulptur. Projekte« in Münster – die alle zehn Jahre stattfindet – wählt Morellet das Spiel mit der Geschichte des Schlossparks und arbeitet dessen romantischer Atmosphäre entgegen, indem er ihm geometrische Elemente gegenüberstellt. Er hofft, ihm ein wenig den Charakter einer französischen Gartenanlage verleihen zu können. Ein Satz Backsteine, die in unregelmäßigen Abständen im Boden eingegraben sind, zeichnen ein diskretes Dreieck, einen Kreis und ein Viereck.

Er spielt auch mit dem Titel À la française noch einmal, der – im Deutschen – eine erotische Bedeutung enthält.

## 1988

In einem Interview antwortet Morellet:
»Meine Abneigung gegen alles Ernste nimmt mit dem Alter immer mehr zu; wenn man jung und hübsch ist, kann man ja gerade noch ernst sein; das ist zwar Scheiße, aber durchaus fotogen: Aber alt, hässlich UND ernst zu sein, das ist abscheulich...! [...]
Was mich heute interessiert, ist eher mit allem, was ich bisher abgelehnt habe, zu flirten, alles, was ich mit meinen gewöhnlichen Mitteln bisher nicht in der Lage war zu gestalten, zum Beispiel Landschaften und Pornografie. [...]
Die Rückkehr zur Pseudo-Figuration richtet sich eher an die Kenner der konstruktivistischen, minimalistischen oder Konkreten Kunst, insbesondere an diejenigen, die auf dem Laufenden sind in Bezug auf das, was ich seit nunmehr bald 40 Jahren treibe. Ich liebe die Strenge der Geometrie, aber ich liebe es noch mehr, sie zu bescheißen.«[187]

Die Serie Paysages-Marines (Marine-Landschaften), die ein Jahr zuvor zum ersten Mal gezeigt wurde, wird gleichzeitig in der École régionale des Beaux-Arts-Georges Pompidou in Dünkirchen und in der Galerie Liliane et Michel Durand-Dessert in Paris ausgestellt. Im Katalog veröffentlicht Morellet einen Text über »Le ›mal foutu‹ et le ›moins que rien‹«:
»Unter ›mal foutu‹ (einem vertrauten, wenngleich verächtlichen Begriff) verstehe ich alle Kunstwerke, bei denen die Spuren ihrer Herstellung absichtlich sichtbar sind (das heißt wenn sie nicht Gegenstand des Bildes sind), zum Bei-

*spiel unregelmäßige Pinselstriche, Auslaufspuren, Mängel usw. bei Gemälden oder unregelmäßige Scherenschnitte, Handabdrücke, plumpe Assemblagen usw. bei Plastiken. Das bedeutet, dass das ›mal foutu‹ grundsätzlich ungenau ist, dass es den Fertigungsmitteln gewogen ist, die Unregelmäßigkeiten der manuellen Arbeit vergrößert und daher jedes Werkzeug, Prinzip oder System, welches die Hand führt, korrigiert oder ersetzt, also verachtet. Welch ein Vergnügen in diesem Zusammenhang, die wunderbaren und präzisen Variationen eines Filliou zum Thema: ›Bien fait, pas fait, mal fait‹ in Erinnerung zu bringen.«*[188]

In einem Fax an Yve-Alain Bois vom 26. März 1993 schreibt er: *»Das ›mal foutu‹, ›der geniale Künstler‹, ›das Unvollendete‹, dieses ganze Gefasel der letzten 150 Jahre der Kunst (und das mir häufig großen Spaß gemacht hat) hat zwar Vollgas gegeben (Romantizismus, Impressionismus, Expressionismus usw.), aber zum Glück hat es eine kleine, stille Oase der Präzision übrig gelassen, der auf den Wecker fallenden, kalten, absurden, systematischen...«*[189]

In Bezug auf die *Paysages-Marines* sagt Morellet: *»Ich hatte Lust, vorübergehend meine viereckigen Leinwände zu verlassen und diese komischen Rechtecke, die in ›Figure‹, ›Paysage‹ und ›Marine‹ unterteilt werden, zu verwenden. Im Übrigen habe ich auch erfolglos zu verstehen versucht, warum man in Frankreich all diese Formate erfunden hatte, die eigentlich nichts entsprachen. Ich habe ›Paysages‹ und ›Marines‹ gewählt und beschlossen – immer meiner Marschroute, so wenig wie möglich zu tun, treu bleibend –, das Format ›Paysages‹ für eine Landschaft und das Format ›Marine‹ für das Meer einzusetzen. Das ölige Meer*

*habe ich mit Phtaloglyzerinöl und die Landschaft mit Acryl gemalt. Ich habe auch fünf Arbeiten gemacht, die sich aus je einer ›Paysage‹ und einer ›Marine‹ zusammensetzten: Falaise et Mer (Steilküste und Meer), Vague (Welle), Marée basse (Ebbe), Marée haute (Flut), Raz-de-Marée (Sturmflut).«*[190]

In *Art Forum* wird – zum Zeitpunkt der Ausstellung der *Paysages-Marines* in New York – diese Gegenüberstellung von Tafeln durch Thomas McEvilley wie folgt erläutert: *»Morellet zeigt das ›Bild‹ einer Landschaft und des Meeres; er bedient sich der Konventionen, die die Funktion der Realität übernehmen oder sie verklausulieren, um auf diese Weise Bilder durch ihre Abwesenheit heraufzubeschwören. [...] Ein weiteres Mal zeichnet oder geht Morellet von diesen jungfräulichen Würfeln aus, die auf eine ironische, ja vielleicht sogar machiavellihafte Weise eine Parodie sublimer Monochromien verkörpern. [...]*
*Anhand der Titel sieht der Betrachter die beiden Tafeln als eine einzige künstlerische Darstellung, aber ohne diese Suggestion wäre er dazu nicht in der Lage. Morellet zeigt uns eine süße und liebevolle Satire der menschlichen Besessenheit, die Welt mittels ihrer Darstellung beherrschen zu wollen; gleichzeitig setzt er erneut den klassischen Begriff ein, der darin besteht, die Konfusion mehrerer Darstellungsmodalitäten zu erforschen.«*[191]

Und Catherine Fayet schreibt in der *Opus International*: *»Titel und Inhalt veranlassen uns, einen neuen Blick auf seine Konstruktionen zu werfen, als würden sie François Morellets herkömmlichen Grundsatz der Nicht-Komposition in Frage stellen. Hier werden jedoch die ursprünglichs-*

*ten, verfeinerten, aber gleichermaßen auf ihre einfachste, aber auch bedeutungsvollste und demnach wirksamste Funktion reduzierten Mittel eingesetzt, um eine Landschaft in einem Bildfeld zu etablieren. [...]*
*Wir befinden uns hier eher vor Vorlagen von Landschaften als vor Landschaften im eigentlichen Sinne.«*[192]

Andererseits macht Morellet in diesem Jahr seine ersten *Défigurations* (Abb. S. 112). Diese Arbeiten werden auf der Grundlage der Untersuchungen der Kunsthistorikerin Anne Granon de Barsky durchgeführt, die sich für verschlüsselte Formate interessierte: *»Sie stellte zunächst fest, dass es sehr wenig Literatur gab, und begann dann auf meine Anregung hin nachzuforschen, welches eigentlich das am meisten verwendete Format der großen Meisterwerke der letzten 150 Jahre war (ab dem Zeitpunkt der Einführung von Standardformaten). [...] Als Sieger ging das vertikale Format ›30 Figures‹ (das heißt 92 × 73 cm) hervor. Beseelt von dem Wunsch, bei der Anfertigung meiner letzten Meisterwerke das Glück auf meiner Seite zu haben, beschloss ich, dieses so gefragte Format vorrangig einzusetzen. Sein jungfräuliches Weiß wollte ich auf keinen Fall aufgeben, da es ja auch gleichzeitig das Unterpfand der allgemeinen Anerkennung und mein Markenzeichen darstellt, und so entschloss ich mich, es als Leinwand zu verkleiden. Diese Oberfläche (die selbst nach den schlimmsten Verstößen weiterhin unbefleckt bleibt) kann sowohl widerspiegeln wie auch verdecken. Was widerspiegeln? Selbstverständlich alle Meisterwerke des Formats ›30 Figures‹ und, in erster Linie, die 20, die auf meiner diskreten und monochromen Liste stehen.*

Was verdecken? Nun, die Figuren anderer Meisterwerke (die im Allgemeinen das Format ›30 Figures‹ bei weitem überschreiten). Diese ruhmvollen Gemälde von bedeutenden Persönlichkeiten werden auf diese Weise (im etymologischen Sinne des Wortes) ›défigurer‹ (Wortspiel: Doppelbedeutung ›dé-figure-r‹ [wörtlich übersetzt: ›ihres Bildnisses beraubt‹] und ›entstellt‹, Anm. d. Üb.). Letztendlich wollen diese weißen Bilder lediglich die Abwesenheit von Figuren darstellen.«[193]

In der *Libération* erklärt Hervé Gauville den Entstehungsprozess dieser Serie folgendermaßen:
»*Man muss wissen, dass Morellet diese Bilder an die Wand projiziert und dann weiße Rechtecke an Stelle der auf der Leinwand gemalten Figuren anbringt. Danach musste er nur noch das projizierte Bild wieder verschwinden lassen und schon sind seine weißen Bilder an Stelle der ausgelöschten fertig.*«[194]

In New York »entstellt« er Emmanuel Gottlieb Leutzes Bild *Washington crossing the Delaware* sowie Grant Woods berühmtes *American Gothic* anlässlich seiner Ausstellung in der Bruno Facchetti Gallery vom 24. September bis 26. Oktober. Er stellt auch einige Bilder der Serie *Paysages-Marines* aus.

Im Winter organisiert die Galerie Dorothea van der Koelen in Mainz eine Retrospektive mit einer kleinen Auswahl von Arbeiten aus den Jahren 1971 bis 1988. Max Bense schreibt einen Text für den Katalog, in dem er seine »Theoretische Ästhetik« Morellets Gesamtwerk gegenüberstellt:
»*Das Beispiel der ›von einem Dreieck aus konstruierten Schneeflocke‹ macht anschaulich, auf welche Weise sich, im besonderen bei den in der Regel auf einem mathematischen System basieren-*

*Winkel*, DRAC, Nantes, 1986–1987

*Géométreedimensions n° 1*, Rijksmuseum Kröller-Müller, Otterlo, 1986–1987

den Werken von François Morellet, eben – in ihrer Rückführbarkeit auf dieses mathematische (bzw., wie oben bei der Schneeflocke beispielsweise, geometrische) System – aufgrund ihrer konkreten, formalen Inhaltlichkeit, ästhetischen Realität, mathematisch errechnen und nachweisen läßt. [...] Nicht das auf dem Bild ›Dargestellte‹ oder das im Text ›Lesbare‹ als solches ist die Kunst, sondern das ›zeichnerisch‹, ›malerisch‹, ›plastisch‹ oder ›schreibend‹ (dichterisch-literarisch) ›Hergestellte‹ ist die Kunst, genauer die ›ästhetische Eigenrealität‹ des Kunstwerks.«[195]

In Paris erhält Morellet den Grand Prix national de Sculpture.

Im Dezember findet in Calais, in der Galerie de l'Ancienne Poste, die Ausstellung »François Morellet – Sur commande – Désintégrations architecturales et autres interventions en plein air 1982–1988« statt. Der Katalog führt eine ausführliche Liste aller öffentlichen Auftragsarbeiten auf, die Morellet seit 1982 durchgeführt hat, sowie ein Gespräch mit Serge Lemoine. Eine weitere Ausstellung findet im darauf folgenden Jahr im Westfälischen Landesmuseum in Münster statt, bei der eine deutsche Fassung des Ausstellungskataloges von Calais erscheint.

## 1989
Im Januar wird Morellet von der Stadt Rennes eingeladen, an verschiedenen Plätzen Arbeiten auszustellen. In der La Criée, Halle d'Art contemporain entschließt er sich, vor allem bedeutende Werke der Sammlungen des Musée des Beaux-Arts zu »entstellen«, unter anderem La Femme entre deux âges (Frau zwischen zwei Altersstufen) der École de Fontainebleau, Le Nouveau-Né

Alle 1, alle 2, alle 3 ..., Alpexpo, Grenoble, 1988

Malewitschs Untergang, Domaine Kerguéhennec, 1987–1990

Géométreedimensions n° 2, FRAC Pays de la Loire, Clisson, 1989

(Das Neugeborene) von Georges de la Tour oder *Die Tigerjagd* von Peter Paul Rubens.

Die *Objets non identifiés* (Nicht identifizierten Objekte) und die *Ombres de moi-même* (Meine eigenen Schatten) werden im Herbst zum ersten Mal in der Galerie Liliane et Michel Durand-Dessert in Paris ausgestellt. Erstere sind Bildassemblagen, die, laut Morellet, Objekte, deren Natur er jedoch nicht näher angibt, evozieren sollen; Letztere sind graue Zinkbänder, die den von einem Standardformat übertragenen Schatten simulieren.

Die erneute Zusammenarbeit mit Line Sourbier-Pinter, Leiterin des Institut Français in Innsbruck, gibt Anlass zu einer Ausstellung »François Morellet – Regards sur l'œuvre 1957–1989«, die im April stattfindet. Im Anschluss daran geht sie in verschiedene andere europäische Städte, nach Bozen, München, Zagreb und Wien.
*»Konkret, Konzept, Visuell, Fluxus, Minimal, Dekonstruktion: ein ganzes Arsenal von Begriffen muss mobilisiert werden, will man die eigenwillige Wendung des persönlichen Werdegangs von Morellet im Zusammenhang mit der allgemeinen zeitgenössischen Kunstgeschichte betrachten. [...] Eines ist gewiss: Morellet hat es über 45 Jahre lang geschafft, gegenüber allen Modeerscheinungen gänzlich unabhängig zu bleiben, ohne krampfhafte Zuckungen oder Pathos, ohne auch nur einen einzigen Augenblick seinen ihm fürs Überleben so unerlässlichen Humor aufzugeben. Gerade der Humor gewährleistet dem Künstler den Abstand zu sich selbst und gegenüber seiner eigenen Arbeit, ohne dass seine Kunst zu einer gefährlichen Täuschung verkommt.«*[196]

In der Zeitschrift *Du* vertraut Morellet Alexandra Reininghaus Folgendes an:
*»Ich fühle viel mehr Nähe zu einer vierten Generation von Konstruktivisten, die sehr viel jünger ist als ich, wie zum Beispiel John Armleder oder Bertrand Lavier, und deren Arbeit manchmal eine Intelligenz, Ironie und Leichtigkeit aufweist, die ich sehr schätze. [...] Mein Traum wäre es, eine Art barocker Minimalist zu werden, mit weniger Mitteln, aber umso mehr Frivolität, Heiterkeit und Respektlosigkeit.«*[197]

## 1990

Im Lycée Gabriel Voisin der Stadt Tournus wird eine *Intégration architecturale* eingeweiht. Es handelt sich um einen Auftrag im Rahmen der 1%-Regelung; danach muss – seit den sechziger Jahren – per Staatsgesetz in Frankreich ein Prozent der Bausumme im Zusammenhang mit öffentlichen Bauten für künstlerische Beiträge am Bau aufgewendet werden.

Zum gleichen Zeitpunkt organisiert die Abtei in Tournus von Juni bis Juli eine Ausstellung seiner Neonarbeiten. Eine Rückschau mit einer Auswahl von 30 Arbeiten wird in einem der Säle gezeigt, während im Refektorium eine besondere Installation angelegt wird: Zum ersten Mal verlegt Morellet 2 m lange blaue Neonröhren auf dem Boden:
*»Diese identischen Neon-Elemente sind für mich so etwas wie drei Schritte für den Läufer oder die Ziegel für den Maurer; sie erlauben es mir, die unterschiedlichen Räume, die mir angeboten wurden, zu unterteilen oder wieder herzurichten.«*[198]
Diese Arbeit heißt *30 néons et 1 point de vue* (30 Neonröhren und 1 Standpunkt), da der Betrachter ge-

zwungen wird, das Werk von einem einzigen, höher liegenden Blickpunkt zu betrachten.

*Le Naufrage de Malévitch* wird im Centre d'Art contemporain in Kerguéhennec (Bretagne) eingeweiht.
*»Das Prinzip ist das gleiche wie bei* Fantôme de Malévitch *(Malewitschs Phantom): Ein Quadrat wird mit Hilfe einiger seiner Ecken angedeutet; hier habe ich drei beibehalten, die sich durch große Dreiecke aus weißem Marmor, auf der Uferböschung des Teiches liegend und ins Wasser rutschend, materialisieren sollten, und zwar so, dass man sich ein Quadrat vorstellen kann, von dem 9/10 verschwunden sind.«*[199]
*»Wie viele in meiner Jugend glaubte ich, dass Malewitsch den Quadraten, von denen er ja mehrere ›Portraits‹ gemacht hat, einen gewissen Charme abgewinnen konnte (wie Strzemiński so zutreffend sagte).
Aber die Wahrheit ist eine andere. Der mutige Malewitsch widmete seine Aufmerksamkeit dem Quadrat aus einem anderen Grund. In erster Linie dürfen wir nicht vergessen, dass seine satirischen Portraits des Vierecks nur eine sehr kurze Periode darstellen und dass er davor und danach ganz normale Gemälde machte. Welch ein Humor, welch eine Grausamkeit steckt in diesen verstümmelten Quadraten! Gewiss, wie* Carré rouge *(Rotes Quadrat) aus dem Jahr 1915 zeigen sie noch einige Spuren von Normalität unter den entstellenden Retuschen.
Ich habe viel Zeit in namhaften Museen verbracht und mit dem Meterstab in der Hosentasche gewartet, bis der Wärter eindöste, um diese monströsen Vierecke zu vermessen. Sicher, einmal habe ich ein Quadrat gefunden, das auch wahr-*

haftig viereckig war. Aber die Täuschung war offenkundig, es handelte sich um eine Fälschung oder eher um ein Werk eines Schülers mit schlechten Absichten. Nein, Malewitsch hat Quadrate niemals gemocht. Jdanov, der seine Abneigung nicht teilte, konnte ihn auch nie überzeugen. Malewitsch zog es vor, die Geometrie aufzugeben, statt sich gezwungen zu sehen, normale Quadrate zu malen. Nach seinem Tod triumphierten seine Feinde und zogen ihn ins Lächerliche, indem sie ihn mit einem perfekten Quadrat beerdigen ließen.
Mondrian, der ja nicht gerade bekannt war für seine Schalkhaftigkeit, hat sich mit dem Quadrat auf die bösartigste Weise befasst. Es gelang ihm sogar, viereckige Bilder völlig zu denaturieren, indem er sie in groteske, auf einem Punkt balancierende Rauten verwandelte! Das war schon ein Vorläufer meines Balletts. Albers wiederum hat dieses arme Quadrat in allen Farben schillern lassen. Welch schwarzer Humor steckte hinter dem Titel ›Hommage au carré‹ (Hommage an das Quadrat), den er seiner Reihe von Farbmustern gab und die ja absolut nichts mehr mit Geometrie am Hut hatten. Warum sollte man dann nicht eine ›Hommage à Rodin‹ machen, indem man seine Skulpturen beschmiert? Der Leser wird begriffen haben, dass ich den Anspruch erhebe, mich dieser namhaften Reihe von Feinden des Quadrates anzuschließen.«[200]

Vom 26. Juni bis 30. September zeigt das Musée Rodin in Paris die Installation *Hommage aux tilleuls et à Rodin*. In seinem Text »Sur la sellette ou la sculpture infinie«, der im Katalog veröffentlicht wurde, schreibt Soutif: »François Morellet hat sich nichtsdestotrotz auf den Treibsand der Bildhauerei begeben. Er ging dieses Risiko einzig

und allein ein, um zu beweisen, dass die Skulptur durchaus in der Lage ist, mit Hilfe einer kalkulierten Reduktion ihrer desolaten Unendlichkeit zu begegnen, kurz, endlich präzise und greifbar zu werden.«[201]

Hervé Gauville erklärt in der *Libération*:
»Wenn man den leeren Schemel inmitten des kleinen Lindenwaldes mit den viereckigen Platten vergleicht, die die Rinde von vier Baumstämmen umfassen, dann stellt man fest, dass Letztere exakt dem oberen Teil des Schemels entsprechen: Es sind Schemel, deren Gestell durch den Baumstamm selbst ersetzt wurde. Demnach besteht die abwesende Skulptur, von der man annimmt, dass sie normalerweise auf dem Schemel steht, aus der Linde selbst. [...] Morellets Beitrag zeugt von äußerster Zurückhaltung. Der Betrachter braucht nur einen kurzen Blick auf die Marmorgalerie neben den Lindenbäumen zu werfen, um zu erkennen, dass eine Reihe von Schemeln normalerweise als Sockel für Skulpturen eingesetzt werden. Der Schemel, den der Künstler in die Mitte seines Raumes gestellt hat, kann daher sofort durch einen einfachen Vergleich erkannt werden. Letzte Klarstellung: eine Plakette auf Morellets Schemel trägt den Titel des Objektes: La Pensée (Der Gedanke). Die Anspielung auf Rodins Penseur (Der Denker) ist allzu offensichtlich, als dass man sich damit noch mehr befassen müsste.«[202]

Am 22. September öffnet die Ausstellung »François Morellet, sculpteur 1949–1990« im Musée des Beaux-Arts et de la Dentelle in Calais ihre Pforten. Diese Ausstellung ist ganz den Arbeiten gewidmet, »die ihn als Bildhauer ausweisen könnten«. Der Katalog enthält einen Brief von Bernard Marcadé an den Künstler:

»Dein Einsatz des Systems ist meines Erachtens eher polemisch als rein formell. Daher gefällt es mir, dass er Teil einer Tradition ist, die die Grenzen der Kunst bei weitem überwindet und Anliegen aufgreift, die ich nicht zögere, als von ethischer und politischer Natur zu bezeichnen. Wenn du sagst, dass du bezweifelst, ›ob deine Arbeiten den (ernsthaften) Liebhabern der Geometrie und der Malerei gefallen können‹, und hoffst, ›dass sie den (nicht allzu ernsten) Liebhabern der Zwänge gefallen‹, dann stehst du meines Erachtens in einer Tradition, die sich von Joris-Karl Huysmans bis Oscar Wilde, von Raymond Roussel bis Erik Satie, von René Magritte (aber ja!) bis zu Clément Rosset erstreckt. Sie ist stets dafür eingetreten, gegen die Ordnung der Dinge, nicht gegen die Unordnung zu kämpfen, das heißt für eine Ordnung, die ein Übermaß an Genauigkeit mit eleganter Ungezwungenheit vereint und sich selbst kurzschließt.«[203]

Im Anschluss an diese Ausstellung erteilt die Stadt Calais Morellet einen Auftrag für das Quartier du Fort-Nieulay.

## 1991

*Gitane* (Zigeunerin, Abb. S. 187) entsteht, ein Meisterwerk, das eine große Anzahl von Arbeiten einleitet, in denen sich die Kurve als neues Konstruktionselement immer mehr durchsetzt.
»Diese äußerst systematische Arbeit setzt sich aus drei um 0°, 45° und 90° geneigten Halbkreisen zusammen und erweckt letztendlich den Eindruck einer äußerst geschmeidigen, ja geradezu kitschigen Arbeit. Sie stellt den Anfang einer Reihe von Arbeiten dar, die im Wiener Katalog BarocKonKret wiedergegeben werden und die einen zunehmend barocken Geist einleiten.«[204]

*30 Neonröhren und 1 Standpunkt,* Refektorium der Abtei in Tournus, 1990

François Morellet, Granada, 1990

Vom 14. April bis 10. Juni zeigt das Musée de Grenoble unter der Leitung von Serge Lemoine eine Ausstellung mit unveröffentlichten Zeichnungen aus den Jahren 1947 bis 1961. Über 200 grafische Arbeiten sowie einige weiße Bilder der achtziger Jahre sind zu sehen. Diese Zeichnungen wurden einige Jahre zuvor, »unordentlich abgelegt in einem Karton«, in Morellets Atelier entdeckt, der eingesteht, »dass er sie eigentlich lieber dem unehrenhaften Abfalleimer als einem ehrenvollen Museum anzuvertrauen gedachte.«[205]

»Die ausgestellten Zeichnungen sind fesselnd, denn sie decken Verfahren auf, die von Intuition, Beobachtung und Logik gesteuert sind und unter der strengen Mathematik der vollendeten Werke verschwinden. [...] Diese Blätter sind voll gekritzelt mit Hinweisen, ›Worten innerhalb der Zeichnung‹, die, im Gegenteil – mit Blickrichtung auf die absolute Ausdruckslosigkeit des Endergebnisses –, eine aktive Anwesenheit von Intelligenz und Persönlichkeit bezeugen. Im äußersten Fall wird eine allzu mechanische Ausführung des Bildes, so groß auch der ästhetische Erfolg sein mag, gleichgültig, denn eine wirkliche Erfindung findet in den vorherigen Stadien statt, selbst wenn der Entwurf, wie im Falle der ›trames‹, mit Letraset gemacht wird. Bei Morellet bewegt man sich aber in der Tradition der Kunst als cosa mentale, wenngleich sich diese ihres gesamten metaphysischen Gepäcks entledigt hat.«[206]

Die Ausstellung wird in Paris im Cabinet d'art graphique du Musée national d'Art moderne erneut gezeigt. Bei dieser Gelegenheit befragt Claire Stoullig Morellet für das *CNAC Magazine*:

» – Gibt es (oder gab es) in Ihrer Zeichenpraxis eine Art Notwendigkeit, in dem Sinne, die Hände zu gebrauchen, den Bleistift zu manipulieren, um Ihrer Unzufriedenheit, etwas nicht umsetzen zu können, Ausdruck zu verleihen? In dem Maße, in dem ›die Hand den Weg weniger zielstrebig als ein Pfeil anpeilt‹ (Matisse), bleibt die Zeichnung lediglich eine Annäherung. Ein gewisser ›Affekt‹ geht dann dabei verloren. Steht das nicht im Widerspruch zu Ihrem Willen, jeden Schaffensprozess steuern zu können, ›Ihr Eingreifen, Ihre Kreativität, Ihre Empfindsamkeit auf das absolute Mindestmaß beschränken zu wollen‹?

– [...] Ja, meine Zeichnungen waren Annäherungen, reich und empfindsam, meine Gemälde hingegen präzise, arm und kalt. Zunächst muss verstanden werden, dass diese vorbereitenden Zeichnungen für mich nicht die Rolle von klassischen Skizzen spielten, in denen in großen Zügen ein ganzer Teil des zukünftigen Gemäldes entworfen wird. [...] Während meine Skizze, um ein Bild zu werden und seinen Beweis ganz nackt anzutreten, sich lediglich ihrer Ungenauigkeiten entledigen musste. Daher war das Bild immer einfacher, ärmer als der Entwurf [...].

Ich war schon immer einverstanden mit dem sehr konzeptuellen Teil dieser Definition der Konkreten Kunst, der ungefähr so lautet: Das Werk muss vollständig entworfen sein, bevor es ausgeführt wird, und die Umsetzung muss genauso exakt und neutral sein.«[207]

Nach einer gewissen Zeit werden die Entwürfe durch Modelle aus Papier oder Pappe ersetzt, die Morellet bei seinen Überlegungen zum Raum besser unterstützen.

Zahlreiche *Intégrations architecturales* (Architektonische Integrationen) werden in diesem Jahr umgesetzt.

Dorothea van der Koelen, Morellet, Bernhard Holeczek, Galerie Dorothea van der Koelen, Mainz, 1992

Morellet, Nada und Julije Knifer, Danielle Morellet, Galerie Verney-Carron, Villeurbanne, 1993

Blick in die Ausstellung »Relâches & Free-Vol«, Galerie Liliane et Michel Durand-Dessert, Paris, 1993

Morellet spielt zum Beispiel mit der Architektur des Gebäudes des Fonds national d'Art contemporain auf der Esplanade de La Défense in Paris mit *La Défonce* (Abb. S. 39):
*»Man hat mir einen Auftrag für das Gebäude, das für den Fonds national d'Art contemporain [...] gebaut werden sollte, erteilt; das Werk sollte in dem zur Straße sichtbaren Teil sehr einfach ausfallen. So kam ich auf die Idee, ein lachhaft solides Werk zu konzipieren, eine Struktur aus dicken Stahlbalken, die ursprünglich den Dachfirst des Gebäudes einfassen sollten, die aber nach einem Erdbeben umkippten und die Böden und die fragilen Büros, die sie schützen sollten, durchbrachen.«*[208]

Zu seiner Installation *Or et Désordre* (Wortspiel: »or« [Gold] und »dés-or-dre« [Unordnung], Anm. d. Üb.), die er für das Théâtre de la Ville de Paris entworfen hat, sagt er:
*»Seit langem bin ich fasziniert von dem Material der Vergolder: diese kleinen Vierecke, die wegfliegen, wenn man auch nur niest, die eine Zerbrechlichkeit, eine Anmut, ja eine Unstofflichkeit besitzen, die rein gar nichts mit ihrem Ursprung zu tun hat: das schwere Gold, brutal, heilig und unsterblich. [...] Daher habe ich mich bemüht, einen Teil ihrer Anmut erneut aufzudecken, indem ich sie so zeigte, wie sie sind: quadratisch, klein und kapriziös; ein Windstoß genügt und sie kleben oben an der Decke. [...] Die Linienführung wurde dann durch die Zusammenfassung von je zwei der zwölf Buchstaben von V–I, L–L, E–D, E–P, A–R, I–S bestimmt, die aus zwei Alphabeten ausgewählt wurden, die symmetrisch auf beiden Seiten der Decke angeordnet waren.«*[209]

## 1992

Das Jahr ist geprägt von zahlreichen weiteren Ausstellungen in deutschen Museen, unter anderem findet vom 18. Januar bis 15. März die Gruppenausstellung »Zufall als Prinzip – Spielwelt, Methode und Systeme in der Kunst des 20. Jahrhunderts« im Wilhelm-Hack-Museum in Ludwigshafen am Rhein statt.

Im Frühjahr stellt das Sprengel Museum Hannover eine Auswahl von Arbeiten aus der Serie *Steel Life* (Abb. S. 179 und 180–181) vor, die Morellet im Vorjahr beendet hatte. Der Catalogue raisonné der *Steel Life* enthält 72 Werke. Serge Lemoine erklärt darin Morellets Vorgehensweise:
*»1990 begann François Morellet mit einer neuen Serie von Kompositionen, die er* Steel Life *(Stahl-Leben) nannte, ein Wortspiel aus der englischen Bezeichnung für ›Stillleben‹ und dem Material, aus dem sie gemacht sind, einer schmalen Bilderleiste aus Stahl, die einen Rahmen um eine viereckige, weiße Leinwand bildet. Der Rahmen und das Bild stimmen aber nicht mehr überein, sondern sie spielen verschiedene Stellungen dieser beiden Elemente nach genauen Konstruktionsdaten durch und schaffen so eine Vielzahl von Variationen an der Wand und im Raum.«*[210]
*»[Die Stahlleiste] nimmt die Rolle des gesprengten Umfangs, des befreiten Rahmens und des tödlichen Parasiten an.«*[211]

Vom 12. September bis 15. November stellt das Van Reekum Museum in Apeldoorn *Paysages-Marines*, *Steel Life* und *Défigurations* gleichzeitig aus.

Am 23. Oktober eröffnet die Galerie Mueller-Roth in Stuttgart eine Ausstellung, in der Morellets jüngste Arbeiten zu sehen sind, aber auch 12 Bilder aus den Jahren 1971 bis 1972 (die vom Museum in Wiesbaden angekauft werden), die mit Wiederholungen und Überlagerungen des Wortes NON (Nein) spielen, dem »absoluten Palindrom«: Ein Buch mit dem Titel OUI (Ja) wird bei dieser Gelegenheit verlegt.

Trotz seiner schweren gesundheitlichen Krise hört Morellet nicht auf zu arbeiten und bereitet seine Serie *Relâches* (Lockerungen) vor (Abb. S. 111 und 189), die eine gewisse »Lockerung in seinem Minimalismus« sichtbar macht. Es handelt sich um eine verdeckte Ehrung von Francis Picabia. Morellet hatte sich schon zuvor als »den ungeheuerlichen Abkömmling von Mondrian und Picabia« bezeichnet. *Relâches* ist auch eine unmittelbare Fortsetzung von *Steel Life*:
*»Es handelt sich um unterschiedliche Materialien, um Malerei auf Leinwand, kombiniert mit Neonröhren, Metallleisten und Klebestreifen, die der Künstler als Zusammenfassung seines Gesamtwerks einsetzt und die in einer geradezu barocken oder verwirrenden Unordnung an der Wand angeordnet und überlagert werden können; sie stellen das Ergebnis des zufälligen Auslosens von rechten Winkeln dar, die seinen Kompositionen dennoch eine gänzlich exartikulierte ›gelöste‹ Form verleihen.«*[212]

## 1993

Am 15. Januar findet die Vernissage der Ausstellung »Relâches & Free-Vol« in der Galerie Liliane et Michel Durand-Dessert statt.
*»Der Maler, der als rigoroser Minimalist gilt, stellt uns hier acht großformatige Bilder vor, in denen sich die grellsten Farben mit den krassesten Neonlichtern in filigranen Linien vermischen, die in*

*alle Richtungen verlaufen, eine harmonische und aufrichtige Heiterkeit ausstrahlen und die dennoch nicht immer ohne eine gewisse, hochaktuelle Vulgarität sind. François Morellet ist zum Barockmenschen geworden. [...] Free-Vol ist ein Wortspiel mit zwei Sprachen, dessen Bedeutung sich aber nur im Französischen erschließt (engl. ›free‹, d.i. frei; frz. ›vol‹, d.i. Flug, beide zusammen sprechen sich im Französischen wie ›frivole‹, d.i. leichtfertig, aus, Anm. d. Üb.). Die Werke sind nach den gleichen Regeln wie die* Relâches *aufgezogen und bestehen nur aus zwei Elementen: einem stets weißen Bild und einem rechten Winkel in Farbe oder auch nicht, der mit einem Ende in der Leinwand steckt. [...] Morellet ist nicht frei von Koketterie: wenn er sich entspannt und, wie er behauptet, frivol wird, kehrt er mit neuen Kräften zu seinen früheren Werken zurück. Die hier gezeigten Bild-Reliefs sind eine Amalgamierung und ein Resümee (der Begriff ›digest‹ [verdauen] wäre passender) vorangegangener Untersuchungen. [...] Er weist dem Betrachter seiner Werke einen festen Standort zu. Nur unter Wahrung dieser Pflicht, und einzig und allein dadurch, tritt die Geometrie erneut zum Vorschein. Übertreten Sie diese, dann entdecken Sie einen entfesselten, lyrischen und barocken Morellet. In beiden Fällen ist das Vergnügen vollkommen.«*[213]

Morellet wird eingeladen, vom 28. April bis 30. August im Musée des Beaux-Arts Denys Puech in Rodez zu arbeiten. Für die Ausstellung mit dem Titel »François Morellet – Dommage respectueux à Denys Puech« (Respektvolle Beschädigung; Wortspiel mit den ähnlich klingenden Worten »hommage« und »dommage« [Schaden], Anm. d.

Üb.) macht er sich das Werk dieses Bildhauers zu Eigen und entfremdet es. Er verwendet dessen Modelle und präsentiert sie, indem er ihre Eigenschaften hervorhebt, vergrößert; er beleuchtet ein Projekt für das Denkmal der Toten – das der Künstler zu Lebzeiten nie ausführte –, um eine Vergrößerung mit Hilfe eines an die Wand geworfenen Schattens zu erzielen.

## 1994

Ab dem 11. September zeigen die Städtischen Kunstsammlungen Chemnitz eine Ausstellung, die Morellets ephemeren Werken gewidmet ist. *»In der Installation zählt tatsächlich in erster Linie der Raum; er war bereits vorher existent und er besteht weiter. Der Eingriff des Künstlers – mit welchen Mitteln auch immer – ist hingegen begrenzt und dauert nur solange, wie der Raum ihn zu ertragen bereit ist. Die Widerruflichkeit der Installation macht für mich ihren Zauber aus und bringt ein unumstößliches Kriterium mit sich: eine Installation kann nicht in einen anderen Raum verlegt werden. Sie ist also unverkäuflich. Sie kann höchstens dem Besitzer des Raumes überlassen werden, falls man nicht ohnehin ihren ephemeren Charakter postuliert.«*[214]

Im Rahmen dieser Veranstaltung entwirft Morellet eine spezifische Installation mit dem Titel *Chemnitzer Buerger-Eyd.* Die Arbeit besteht aus 41 blauen Neonröhren mit einer Länge von 2 m, die zuvor in Toulouse verwendet wurden. Wieder einmal überlässt Morellet die Anordnung der Neonröhren dem Zufall: *»Die Röhren und ihre Kabel waren willkürlich am Boden und entlang der Wände verteilt, der Künstler beschloss, den gesamten Raum durch Leuchtformen und -rhythmen zu strukturieren,*

*wobei eine instabile Ordnung geschaffen oder der Eindruck eines organisierten Chaos erweckt werden sollte.«*[215]

Morellet greift dieses Prinzip wieder für die Decke der Eingangshalle des Groninger Museum in Groningen auf (Abb. S. 35). *»Es handelt sich hier um eine zufällige Verteilung der 42 Kreisbögen aus roten Neonröhren. Diese Neonelemente werden von 4 unterbrochenen Beleuchtungsrhythmen gesteuert.«*[216]

Er veröffentlicht *La Chute des angles* (Der Sturz der Winkel), eine Zusammenstellung von 25 Monotypien (Neuchâtel, éditions Média), von Text begleitet. Die Arbeiten bestehen aus weißen Papierwinkeln, die der Künstler aus einer bestimmten Höhe auf eine frisch bemalte, schwarze Leinwand fallen ließ.

## 1995

Vom 22. Februar bis 1. Mai findet die Ausstellung »Neonly« in der Städtischen Galerie im Lenbachhaus in München statt. Im Katalog schreibt Erich Franz: *»Die ›Störungen‹ in den Systemen von Morellet, ihre Spannung, Dramatik, Sprunghaftigkeit, Absurdität, ihr Humor und ihre anhaltende Faszination, vollziehen sich nicht im Werk, sondern im Betrachter, bei seinen Versuchen, sie zu sehen und zu erfassen. Es reicht also nicht, das Werk zu beschreiben – wir müssen unser Sehen beschreiben. [...] Morellet erinnert an Andersens Märchen von ›Des Kaisers neuen Kleidern‹ und betont, die Leistung der modernen Künstler, ihn selbst eingeschlossen, bestehe gerade darin, eine Kunst zu schaffen, die möglichst inhaltsleer sei und so dem Betrachter erlaube, ihr seine eigenen Interpretationen ›anzuziehen‹. Im Grunde vollzieht Morellets Text* eben jene gleiche Figur des Entzugs wie seine visuellen Werke: er baut eine Erwartung auf und enttäuscht sie, unterläuft sie ironisch und stellt damit erst jene Erfahrung der Leere her, die er durch den Vorgang des Entzugs bewußt macht. Solange man diese Entleerung nur als Verlust auffaßt, sitzt man eben jener Ironie auf, die darauf angelegt ist, unsere konventionellen Erwartungen zu enttäuschen. Tatsächlich stellt die Entleerung aber eine Steigerung des künstlerisch Erreichbaren dar, weil sie über die Gestalt durch deren gezielten Entzug zur Gestaltlosigkeit vordringt. Die ›Chancengleichheit‹ mehrerer ›guter‹ Gestalten hebt die verläßliche Begrenztheit der Figurationen auf, die wir als ›etwas‹ im Bild zu sehen gewohnt sind. (Insofern stellt dies ein viel radikaleres ›Informel‹ dar als jene malerischen Auflösungen von Figuren, die als Grundlage jener Auflösungen doch immer noch wirksam sind und auch die Abgeschlossenheit der Bildwelt nicht in Frage stellen. Dort vollzieht sich der Auflösungsprozeß im Bild, hier im Betrachter.) Das ›fast Nichts‹ ist also positives Produkt einer aktiven Negation von Erkennbarkeit. Die Schönheit und Faszination von Morellets Werken liegt nicht darin, daß sie ›fast Nichts‹ zeigen, sondern daß sie den Betrachter über die Vorläufigkeit seiner wechselnden Projektionen zu dieser Annäherung an die Leere hinführen.«[217]

Anfang März organisiert die Hochschule für angewandte Kunst in Wien die Ausstellung »BarocKonKret«. Zum ersten Mal werden die Werke der Serie *Grotesques* ausgestellt, mit der Morellet im Jahr zuvor begonnen hatte. Diese Arbeiten sind aus Kurven und Gegenkurven aufgebaut, die sich um eine vier-

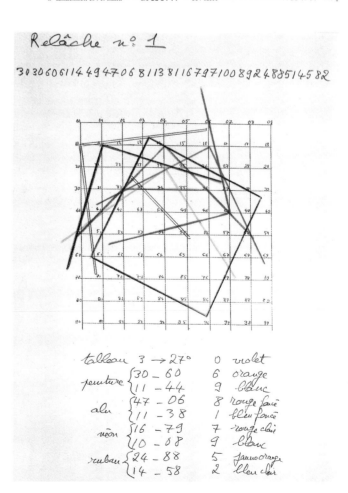

Seite des Telefonbuchs von Maine-et-Loire (Seite 313, hier ist Morellets Telefonnummer vermerkt), von dem zufällige Zahlen für *Relâches* gewählt wurden, 1992

Entwurf für *Relâche n° 1*, 1992

eckige Form entwickeln. Sie sind unmittelbar von *Gitane* (Abb. S. 187) aus dem Jahr 1991 und seiner jüngsten Leidenschaft für das deutsche und österreichische Spätbarock inspiriert, bei dem Morellet der Humor, die Frivolität und die Lebensfreude begeistern: »*Eine Liebe auf den ersten Blick, die ich recht spät, vor ungefähr 15 Jahren, für die Kunst des Barock entdeckte; auf meinen herrlichen Ausflügen, kreuz und quer, zu den Kirchen des Barock und des Rokoko, bin ich dem Charme unter anderem der Wieskirche, Ottobeuren oder Vierzehnheiligen in Deutschland, Stams, Melk oder Altenburg in Österreich verfallen. [...] Welch ein Spiel mit Formen, frei von jeglicher Botschaft, dieser Heiligen, die sich verrenken und ihren Sockel verlassen, um mit ihrem Glorienschein zu spielen. Welch wunderbare Missachtung auch der Architektur, mit diesen weisen Brüchen des Gleichgewichtes, diesen Volumina, die aufeinander eingehen und sich gleichwohl ignorieren und jede Symmetrie verleugnen.*«[218]

Im Mai wird die neue öffentliche Auftragsarbeit unter dem Titel *Les Hasards de la République* (Die Wechselfälle der Republik) für den Parkplatz »République« in Lyon eingeweiht. Serge Lemoine schreibt über diese Installation: »*Nach dem Zufallsprinzip wurden violette, blaue, grüne, gelbe, orange, rote und weiße Leuchtröhren entsprechend den Farben der sieben Stockwerke, ja der zylindrischen Aufzugsschächte und der Treppen, auf dem Boden und an den konkav geschwungenen Wänden in weiser Unordnung und in einer geradezu perfekten Kadenz willkürlich angebracht.*«[219]

Die *Géométreedimensions n° 2* (Abb. S. 104), die sechs Jahre zuvor im Park von La Garenne-Lemot in Clisson

*Défiguration von »Gersaints Ladenschild« von Antoine Watteau, Konzerthaus am Gendarmenmarkt, Berlin, 1996*

Morellet, John Armleder, David Boeno, Bertrand Lavier, Galerie Catherine Issert, Saint-Paul-de-Vence, 1998

Henri Chotteau, Jan Hoet, Morellet, Gent, 1999

installiert worden war, verliert ihren Sinn und verschwindet: Der Baum, der natürlicher Bestandteil des Werkes war, muss aufgrund von Sturmschäden gefällt werden.

Anlässlich der 650. Jahresfeier der Stadt Oldenburg lädt das Stadtmuseum Morellet ein, vom 9. Juni bis 30. Juli 50 Werke der letzten 50 Jahre zu zeigen. Gleichzeitig wird seine Arbeit *3 murs, 2 angles, 1 ligne* (3 Wände, 2 Winkel, 1 Linie) an der Museumsfassade eingeweiht.

Am 3. Juli öffnet die Ausstellung »Ordres et cahots« (Ordnungen und Unebenheiten [Wortspiel: »cahots« wird wie Chaos/frz. chaos [ka'os] ausgesprochen, Anm. d. Üb.]) im Capitou, dem Centre d'Art contemporain von Fréjus, ihre Pforten. Sie fasst zehn Arbeiten aus zehn verschiedenen Systemen zusammen. Dic Mehrzahl der Werke wird zum ersten Mal in Frankreich gezeigt.

## 1996–1997
Morellet fertigt eine neue Serie, *Lunatiques* (Mondsüchtige/Irrsinnige), an: Auf ein rundes Format ordnet er Segmente gebogener Linien. Den Titel erklärt er folgendermaßen: »*Die Silbe ›Luna‹ dieser Wortschöpfung bezieht sich nicht allein auf die runde Außenform, die einem Vollmond gleicht, sondern zugleich auf die Wirkung, die dieser gelegentlich hervorruft, wenn einer/eine, mondsüchtig, zu bestimmten Zeiten des Mondes seine/ihre Stabilität verliert.*«[220]
Diese Serie umfasst ebenfalls Untergruppen, wie zum Beispiel *Lunatiques Neonly* (Launisch nur mit Neon; Wortspiel Neonly: »Neon« und engl. »only« [nur], Anm. d. Üb.), die nur aus Neonröhren gemacht sind, oder *Lunatiques*

*avec couleurs hasardeuses* (Launisch mit gewagten Farben), die auf dem Vorbild der *Relâches* aufgebaut sind:
»*Alle sind identisch, lediglich ihre Formen nicht; die Quadrate wurden durch Kreise, die Rechtecke durch Kreisbögen, das Gitter zur Befestigung der ausgelosten Elemente durch eine Spirale ersetzt und diese wurde auf dem runden Bild, das als Unterlage dient, entworfen. Die Farbwahl geht auch von einem anderen Ausgangspunkt aus. Statt auf die Grundfarben, entschied ich, mich auf ein Buch zu stützen, das 1936 herausgekommen war und das den Naturalisten eine Skala von 720 durchnummerierten Nuancen vorschlägt. Man muss sie lediglich auslosen. Und so kommt man zu Farben, die wenig Konstruktivistisches und Konkretes an sich haben: grünliche, rötliche, beigefarbene, die so wunderbar grässlich sind und die sicherlich einige voller Empfindsamkeit finden werden.*«[221]

Zu Morellets 70. Geburtstag überarbeitet und aktualisiert Serge Lemoine seine Monografie aus dem Jahr 1986. Das Buch wird bei Flammarion neu aufgelegt.
Ab dem 26. Oktober begeht die Galerie Dorothea van der Koelen in Mainz diesen Ehrentag mit einer Ausstellung. Das Buch *Morellet – Discours de la méthode* wird vom Chorus Verlag herausgegeben.

Im Sommer ehrt das Museum von Grenoble Aurélie Nemours. Aus Freundschaft und Respekt für die Künstlerin nimmt Morellet an der Ausstellung, die »Histoires de blanc et noir – Hommage à Aurélie Nemours« (Schwarz-Weiß-Geschichten – Hommage an Aurélie Nemours) betitelt ist, teil. Er stellt unter anderem folgende Werke aus: *La Motte*

*croisée* (Wortspiel: »motte« [ugs. Möse] und »mots croisés« [Kreuzworträtsel], Anm. d. Üb.), *Répartition aléatoire de triangles suivant les chiffres pairs et impairs d'un annuaire de téléphone* (Zufällige Verteilung von Dreiecken, den geraden und ungeraden Ziffern eines Telefonbuchs folgend, 1958, Abb. S. 22) und *4 panneaux avec 4 rythmes d'éclairage interférents* (4 Tafeln mit 4 interferierenden Beleuchtungstakten, 1963, Abb. S. 67).

In Bremen findet einerseits ab September eine Ausstellung im Kunsthandel Wolfgang Werner statt, in der mehrere Serien von Zeichnungen aus den fünfziger Jahren gezeigt werden sowie zwei der letzten *Lunatiques*; andererseits schlägt das Neue Museum Weserburg Morellet vor, in die Werke der Sammlung »einzugreifen«. Das ist eine ironische Art ihn zu ehren, indem man ihm gestattet, auf die Stofflichkeit der musealen Räume direkt einzuwirken. Er verwendet hierfür Klebestreifen, das Standardformat »30 figures« und Neonröhren.

In demselben Geiste werden auch 21 Exemplare seines Werks unter dem Titel *Bouche-trou* (Lückenbüßer) verlegt. Laut Morellet handelt es sich hierbei um eine »hervorragende, äußerst zeitgemäße Skulptur«, die die Sammler zwischen ihre Werke hängen können, wenn ihnen der Platz für weitere neue Bilder fehlt.

Auf dem höchsten Gipfel der bayrischen Alpen, der Zugspitze, fertigt Morellet im Auftrag der Bayrischen Eisenbahnen und der Kunsthalle Nürnberg *Die Lawine (L'Avalanche)* an. Diese neue Installation mit frei hängenden Neonröhren wird im Anschluss daran im Neuen Museum Nürnberg ausgestellt, das am 15. April 2000 eingeweiht wird.

Das Musée des Beaux-Arts in Angers zeigt im Sommer 1997 in einer Ausstellung unter dem Titel »François Morellet (peintre-amateur) 1945–1968« ausschließlich Morellets Anfangswerke. »*Ein Künstler, der es wagt, seine ersten Jugendlieben aufzuzählen, wenngleich sie nicht unbedingt in das Pantheon der Kunst gehören, ist eine Seltenheit. François Morellet wagt es, anlässlich dieser originellen Ausstellung. [...] Diese Gedächtnis- und Analyseübungen, denen er sich für die Ausstellung in Angers unterzieht, beleuchten die Lehrjahre eines Künstlers, dessen Fähigkeit einem großen Wunder gleicht, die geometrisch und systematisch durchdachte Kunst ohne ein Gähnen zu verursachen zu erneuern.*«[222]

Das Musée des Beaux-Arts in Rennes erwirbt für seine Sammlung *Lunatique Neonly n° 1*. Bei dieser Gelegenheit finden vom 29. Oktober 1997 bis 8. März 1998 zwei Ausstellungen statt, im Museum und in der Galerie Oniris.

In Seoul stellt Morellet in der Galerie Bhak aus und verkauft *5 toiles de 5 mètres de périmètre avec une diagonale horizontale* (5 Bilder mit einem Umfang von 5 Metern mit einer horizontalen Diagonale), seine längste Fragmentierung, an das Ho-Am Art Museum.

## 1998

Morellet beginnt eine neue Serie, die *π picturaux*, deren System aus der elektronischen Übersetzung der unendlichen Serie der π-Dezimalen besteht, d.h. 3, 14159..., leicht geneigt, sodass eine unendliche Zickzacklinie aus geraden Segmenten entsteht (Abb. S. 115 und 200–202).

»*Endlich konnte ich meinen Traum von einer unendlichen Linie mit ungewissem Ausgang, einer Linie, die aus sich selbst entsteht, umsetzen, und dies dank meiner abgelegten Allergie gegenüber unterbrochenen Linien, einem kaputten Akkordeon, den Dezimalen der Zahl π und einem gut erhaltenen Computer. [...] Die Grade dieser Winkel sind durch die Folge von Dezimalen der Zahl π nach ihrer Umrechnung vorgegeben. Die einfachste Umrechnung ist 1=10°, 2=20°, 3=30° [...]. Aber man kann den Dezimalen auch andere Werte zuordnen.*«[223]

Morellet hatte die Zahl π bereits zuvor für andere Arbeiten eingesetzt. Diese Serie löst eine ganze Reihe von Deklinationen aus, die er zum Beispiel *π piquants* nennt, wenn die geraden Segmente nackt sind, oder *π rococo*, wenn gewissen Geraden Kreisbögen hinzugefügt werden... Durch den Einsatz des Computers entsteht in Zusammenarbeit mit Rémi Bréval ein Werk, das den Internauten, den Nutzern des Internets, eine interaktive Arbeit vorschlägt.[224]

In Berlin entwirft Morellet eine neue *Intégration architecturale* (Architektonische Integration) für Daimler-Chrysler am Potsdamer Platz: »*In diesem von Renzo Piano entworfenen Innenhof, der vergleichbar groß ist wie Notre-Dame in Paris, habe ich mir vorgestellt, einen großen Kreis für den Boden und die mit Teppichboden ausgeschlagenen (und nach außen aufgeklappten) Wände zu entwerfen. In Wirklichkeit ist dieser Kreis von 265 m nur teilweise, und zwar zerstückelt und unterbrochen zu sehen.*«[225]

30 Jahre nach ihrer Auflösung wird die Groupe de Recherche d'Art Visuel von der Stadt Grenoble mit einer Retrospektive vom 7. Juni bis 6. September im Centre d'Art Le Magasin geehrt, für die auch das *Labyrinthe* der 3. Biennale von Paris wieder aufgebaut wird. Diese Gruppenarbeit wird im Anschluss daran vom Musée de Cholet erworben, wo sie ab September 2000 in der ständigen Sammlung ausgestellt wird.

## 1999

Anlässlich der Veröffentlichung des Catalogue raisonné von Morellets Grafik (von 1980 bis 1999) zeigt das Musée de la Cohue in Vannes eine Auswahl vom 6. Februar bis 9. Mai. Im Anschluss daran geht diese Ausstellung ins Musée d'Art et d'Histoire in Cholet und dann ins Musée Zadkine in Paris. Bei der Pariser Veranstaltung setzt Morellet auf einem Teil der Museumsfassade die Zahlenreihe *π rococo* fort, die zuvor in Tours und in Bourges aufgenommen worden war.

»*François Morellet ist für die bildenden Künste, was Raymond Roussel für die Literatur ist. Beiden gemeinsam ist ihre Vorliebe für Systeme, die Kalkulation für den ersten, die Sprache für den zweiten. Anhand dieser von Grund auf persönlichen Unerbittlichkeit entwickeln sie mit ihren Systemen ein Gesamtwerk von wechselnder Gestalt, das im Prinzip unendlich zu sein scheint. Darüber hinaus hegen beide, sowohl der Künstler der Géométrees wie auch der Verfasser der Impressions d'Afrique, eine Skepsis gegenüber allem Ernsten und Konventionellen, die sich durch eine besondere Art von Humor bemerkbar macht und die sich in allen ihren Werken, wenngleich nicht immer von Anfang an, offenbart. [...]*

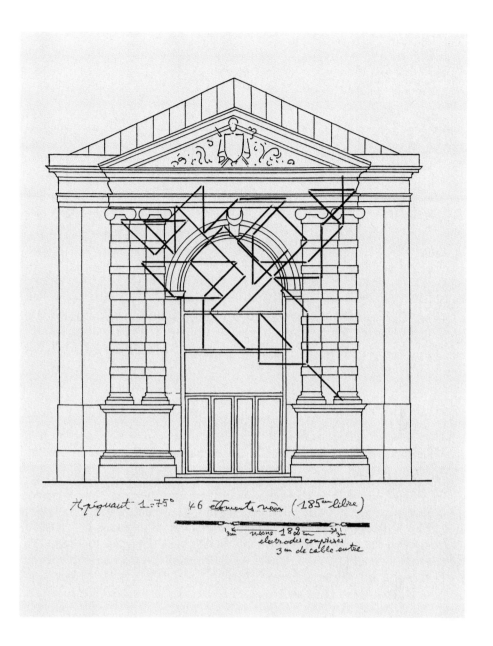

Projekt für das Jeu de Paume, π *piquant de façade n° 1, 1=45°*, 2000
46 rote Neonröhren, Metallkabel und -struktur, 800 x 870 cm, Privatsammlung

Morellet und seine Assistenten: René Barreau, Philippe Lamy, Henri Dudit, Cholet, 2000

Der Besucher, sollte er die Entstehungs-
geschichte nicht kennen, kann nicht
umhin, von der serpentinenhaften Anordnung der Neonlichter im Garten
oder der unterbrochenen Linie des π
rococo de façade überrascht zu sein.«[226]

In der Sammlung »Écrits d'artistes« der Éditions de l'École nationale
supérieure des Beaux-Arts in Paris erscheint Mais comment taire mes commentaires (Wie soll ich mir denn meine
Kommentare verkneifen), eine Antholo-
gie der Texte von François Morellet.

Am 2. Dezember findet in der
Bibliothèque nationale de France eine
Voraufführung des von Camille Guichard
aufgenommenen Gespräches zwischen
Daniel Soutif und Morellet statt, von
dem man dann am Ausgang eine Video-
kassette mitnehmen kann.

Mehrere Intégrations architecturales (Architektonische Integrationen)
werden in diesem Jahr noch installiert,
vor allem Delta du Doubs (Fluss und
gleichnamige Gegend) an beiden Aus-
gängen eines Tunnels in Besançon.
Gleichzeitig organisiert die Stadt mehrere Ausstellungen in der Galerie Le Pavé
dans la mare, im Musée des Beaux-Arts
et d'Archéologie, in der Galerie de l'Hôtel de Ville und in der École régionale
des Beaux-Arts.

Für die ersten Aufträge, die Morellet
von der Direction de l'Aviation civile
(Direktion für zivile Luftfahrt) in Issy-les-
Moulineaux und dem Peter Merian Building in Basel erhält, verwendet er »eine
neue Art von Installation mit Metall-
kabeln, die mehr oder weniger gespannt
werden, und Neonlichtern, die teilweise
den Windungen der Kabel folgen«.[227]

## 2000

Im Januar lädt das Musée d'Art
moderne et contemporain in Straßburg
Morellet ein, Abraham Moles – dem
Mathematiker und Verfasser vor allem
des bekannten Werkes Art et Ordinateur – eine Hommage auszurichten.
»Ich beschloss, zwei Serien auszustellen:
die 40 000 carrés aus dem Jahr 1961,
die Moles so liebte – er hatte sogar eines
davon für eine seiner berühmten Show-
Konferenzen ausgewählt –, und eine
Serie meiner jüngsten Arbeiten, die ich
mit den flachen Eisen, Dezimalen der
Zahl π und einem Computer realisierte;
Moles warf mir damals vor, den Computer nicht benützen zu wollen.«[228]

Morellet nimmt an mehreren
Gruppenausstellungen teil, etwa an
»Light Pieces« (»Leichte Stücke« bzw.
»Leuchtstücke«, da engl. »light«: »Licht«
wie auch »leicht«, Anm. d. Üb.) vom
5. Februar bis 26. März im Casino,
Centre d'Art contemporain in Luxem-
burg, zusammen mit Dan Flavin,
Joseph Kosuth, Bruce Nauman, Otto
Piene und anderen. Auch an der Aus-
stellung »Force Fields: Phases of the
Kinetic« (Kraftfeldphasen in der Kine-
tik), die von Guy Brett im April im
Museu d'Art Contemporàni in Barcelona
(MACBA) veranstaltet und die im Juli
in der Hayward Gallery in London gezeigt wird, ist er beteiligt.

Im Juni ist Morellet auf der 5. Biennale von Lyon, »Partage d'exotismes«,
mit Oiseaux-Feuilles (Vogel-Blätter, 1949)
und π ironicon n° 1 (2000) vertreten,
nachdem er bereits 1991 an der 1. Biennale teilgenommen hatte.

Am 26. Juni wird in den Tuilerien
in Paris eine Reihe von zeitgenössischen
Skulpturen eingeweiht, unter ihnen Arcs

de cercles complémentaires (Sich ergänzende Kreisbögen).

Serge Lemoine übernimmt die
Initiative für die Ausstellung »Art
concret«, mit der das zehnjährige Jubi-
läum der Sammlung Gottfried Honegger
und Sybil Albers gefeiert werden soll
und die im Espace de l'Art concret
de Mouans-Sartoux vom 2. Juli bis
29. Oktober stattfindet. Morellet stellt
dort Tirets 0°–90° (Striche 0°–90°,
1960) aus.

Am 27. November wird eine umfassende Retrospektive von Morellets
Œuvre in der Galerie nationale du Jeu
de Paume in Paris eröffnet. Bei dieser
Gelegenheit wird π erneut an der Ge-
bäudefassade angebracht.

Die Verfasserin dankt Danielle und
François Morellet für ihre unermüdliche
Hilfe, Bereitschaft und freundliche Un-
terstützung während der gesamten Vor-
bereitungszeit dieses Kataloges, sowie
Horacio García Rossi, Julio Le Parc,
Denise René, Jesús Rafael Soto, Joël Stein
und Yvaral.

Erika und Rolf Hoffmann mit François Morellet bei der Eröffnung
der Retrospektive in der Galerie Nationale du Jeu de Paume,
Paris, 27.11.2000

Morellet, Christo und Jeanne-Claude und Danielle Morellet
bei der Eröffnung der Kunsthalle Würth in Schwäbisch Hall, Mai 2001

François Morellet und Gerhard Lenz

François und Danielle Morellet mit Denise René bei der Eröffnung der
Kunsthalle Würth in Schwäbisch Hall, Mai 2001

François Morellet mit Reinhold Würth in seinem Atelier in Cholet,
Juli 1999

1 François Morellet in einem Interview mit Christian Besson, in: *Morellet*, Ausst. Kat., Paris, éditions du Centre Pompidou/Amsterdam, Stedelijk Museum, 1986, S. 118.
2 François Morellet, *Mais comment taire mes commentaires*, Paris 1999, S. 236.
3 François Morellet, *Mais comment taire mes commentaires*, Paris 1999, S. 228.
4 François Morellet in einem Interview mit Christian Besson, in: *Morellet*, Ausst. Kat., Paris, éditions du Centre Pompidou/Amsterdam, Stedelijk Museum, 1986, S. 116.
5 François Morellet im Gespräch mit Christine Besson, in: *François Morellet (peintre-amateur) 1945–1968*, Ausst. Kat., Angers, Musée des Beaux-Arts, 1997, S. 22–23.
6 Ebd., S. 23.
7 Serge Lemoine, *François Morellet*, Paris 1996, S. 10.
8 François Morellet in einem Interview mit Christian Besson, in: *Morellet*, Ausst. Kat., Paris, éditions du Centre Pompidou/Amsterdam, Stedelijk Museum, 1986, S. 118.
9 François Morellet, *François Morellet, sculpteur 1949–1990*, Ausst. Kat., Calais, Musée des Beaux-Arts et de la Dentelle, 1990, S. 24.
10 François Morellet in einem Interview mit Christian Besson, in: *Morellet*, Ausst. Kat., Paris, éditions du Centre Pompidou/Amsterdam, Stedelijk Museum, 1986, S. 126.
11 François Morellet im Gespräch mit Christine Besson, in: *François Morellet (peintre-amateur) 1945–1968*, Ausst. Kat., Angers, Musée des Beaux-Arts, 1997, S. 25.
12 Anonym, »Morellet«, in: *Le Peintre*, Paris, 1. April 1950.
13 Gespräch des Autors mit dem Künstler, 15. Juli 2000.
14 Serge Lemoine, *François Morellet*, Zürich 1986, S. 14.
15 François Morellet, Zitat von Serge Lemoine, in: *François Morellet*, Paris 1996, S. 172 (Anm. 15).
16 Serge Lemoine, *François Morellet*, Zürich 1986, S. 24.
17 François Morellet im Gespräch mit Christine Besson, in: *François Morellet (peintre-amateur) 1945–1968*, Ausst. Kat., Angers, Musée des Beaux-Arts, 1997, S. 27.
18 François Morellet, *Mais comment taire mes commentaires*, Paris 1999, S. 153–154.
19 Guy David, »Nantes. Abstractions«, in: *Arts*, Paris, 8. Februar 1952.
20 Serge Lemoine, *François Morellet*, Paris 1996, S. 116.
21 François Morellet in einem Interview mit Christian Besson, in: *Morellet*, Ausst. Kat., Paris, éditions du Centre Pompidou/

Amsterdam, Stedelijk Museum, 1986, S. 124.
22 François Morellet, *Mais comment taire mes commentaires*, Paris 1999, S. 57.
23 François Morellet, Zitat von Daniel Soutif, »Le système Morellet«, in: *Libération*, Paris, 6. März 1986.
24 François Morellet in einem Interview mit Christian Besson, in: *Morellet*, Ausst. Kat., Paris, éditions du Centre Pompidou/Amsterdam, Stedelijk Museum, 1986, S. 115.
25 François Morellet, Zitat von Daniel Soutif, »Le système Morellet«, in: *Libération*, Paris, 6. März 1986.
26 François Morellet im Gespräch mit Ida Biard, in: *Flash Art*, Paris, Nr. 9, Herbst 1985, S. 53.
27 Gérald Gassiot-Talabot, »Morellet et l'objet«, in: *Opus International*, Paris, Nr. 10–11, April 1969, S. 59.
28 François Morellet im Gespräch mit Serge Lemoine, in: *CNAC Magazine*, Paris, Nr. 31, Januar–Februar 1986, S. 11.
29 François Morellet, *Mais comment taire mes commentaires*, Paris 1999, S. 83.
30 Catherine Millet, »Un individu nommé François Morellet«, in: *Morellet*, Ausst. Kat., Paris, éditions du Centre Pompidou/Amsterdam, Stedelijk Museum, 1986, S. 56 und 60.
31 François Morellet, *Mais comment taire mes commentaires*, Paris 1999, S. 226.
32 François Morellet in einem Interview mit Christian Besson, in: *Morellet*, Ausst. Kat., Paris, éditions du Centre Pompidou/Amsterdam, Stedelijk Museum, 1986, S. 116.
33 Bernard Blistène, »François Morellet et l'ironie de genre«, in: *Morellet*, Ausst. Kat., Paris, éditions du Centre Pompidou/Amsterdam, Stedelijk Museum, 1986, S. 13–14.
34 François Morellet, *Mais comment taire mes commentaires*, Paris 1999, S. 39.
35 Serge Lemoine, *François Morellet*, Paris 1996, S. 132.
36 Marianne und Serge Lemoine, »François Morellet: l'art systématique«, in: *XXe Siècle*, Paris, Nr. 51, Dezember 1978, S. 80.
37 Serge Lemoine, *François Morellet*, Paris 1996, S. 24.
38 François Morellet, *Mais comment taire mes commentaires*, Paris 1999, S. 226.
39 François Morellet im Gespräch mit Christine Besson, in: *François Morellet (peintre-amateur) 1945–1968*, Ausst. Kat., Angers, Musée des Beaux-Arts, 1997, S. 33.
40 In der Tat arbeitet Morellet nunmehr in zunehmendem Maße mit Assistenten, u.a. Owain Hugues (1967–1969), René Barreau (1969–1976), Henri Dudit (1972–1995), Philippe Lamy (seit 1989) und seinem Sohn Frédéric (vorübergehend seit 1970 und stän-

dig seit 1985).
41 François Morellet, in: *François Morellet, sculpteur 1949–1990*, Ausst. Kat., Calais, Musée des Beaux-Arts et de la Dentelle, 1990, S. 28.
42 Serge Lemoine, *François Morellet*, Paris 1996, S. 27.
43 François Morellet, zitiert von Serge Lemoine, in: *François Morellet*, Paris 1996, S. 128.
44 Serge Lemoine, *François Morellet*, Paris 1996, S. 122.
45 Ebd., S. 27.
46 François Morellet, zitiert von Serge Lemoine, a.a.O. (Anm. 42), S. 83.
47 François Molnar, [ohne Titel], in: *À la recherche d'une base – Peintures de Morellet*, Ausst. Kat., Paris, Galerie Colette Allendy, 1958, o.p.
48 François Morellet, »En Italie au XIVe siècle«, in: »Les artistes écrivent: François Morellet«, *Ishtar*, Paris, Nr. 2, Juni 1958. Wiederabdruck in: *Mais comment taire mes commentaires*, Paris 1999, S. 13.
49 François Morellet, *Mais comment taire mes commentaires*, Paris 1999, S. 153.
50 Gespräch des Autors mit Vincent Baby, der eine Dissertation über das Werk von Vera Molnar verfasst (Diss. Sorbonne, Paris).
51 François Morellet im Gespräch mit Christian Besson, in: *Morellet*, Ausst. Kat., Paris, éditions du Centre Pompidou/Amsterdam, Stedelijk Museum, 1986, S. 123.
52 François Morellet im Gespräch mit Ida Biard, in: *Flash Art*, Paris, Nr. 9, Herbst 1985, S. 54.
53 François Morellet, *Mais comment taire mes commentaires*, Paris 1999, S. 226.
54 Victor Vasarely, »Ce que devrait être la critique d'art«, in: *Les Beaux-Arts*, Bruxelles, Nr. 907 und 908, 21. und 28. Oktober 1960, S. 3–4.
55 François Morellet, *Mais comment taire mes commentaires*, Paris 1999, S. 40–41.
56 Serge Lemoine, *François Morellet*, Zürich 1986.
57 François Morellet, *Mais comment taire mes commentaires*, Paris 1999, S. 14.
58 François Morellet im Gespräch mit Gislind Nabakowski, in: *Heute Kunst*, Mailand, Nr. 10–11, Juni–August 1975, S. 4; Wiederabdruck in: *Morellet*, Ausst. Kat., Paris, éditions du Centre Pompidou/Amsterdam, Stedelijk Museum, 1986, S. 200.
59 Pierre Descargues, »Groupe de Recherche d'Art Visuel«, in: *Graphis*, Zürich, Ausgabe 19, Nr. 105, Januar–Februar 1963, S. 72–80.
60 François Morellet, *Mais comment taire mes commentaires*, Paris 1999, S. 15.

61 Vgl. *Stratégies de participation – GRAV – Groupe de Recherche d'Art Visuel – 1960/1968*, Ausst. Kat., Grenoble, Le Magasin, 1998, S. 71–72.

62 François Morellet, *Mais comment taire mes commentaires*, Paris 1999, S. 166.

63 Ebd., S. 17.

64 Jacques Michel, »Une nouvelle tendance de l'art cinétique«, in: *Le Monde*, Paris, 13. April 1962, S. 10.

65 Gérald Gassiot-Talabot, »Abstraction et construction«, in: *Cimaise*, Paris, Nr. 58, Bd. 9, März–April 1962, S. 28 und 44.

66 Stuart Preston, »Art: Anniversaries at Two Galleries«, in: *The New York Times*, New York, 2. Dezember 1962, S. 22.

67 François Morellet im Gespräch mit Sylvain Lecombre, in: *Canal*, Paris, Nr. 10, 1.–15. Dezember 1977, S. 9.

68 François Morellet, zitiert von Serge Lemoine, *François Morellet*, Paris 1996, S. 134.

69 François Morellet, »Meine Installationen«, in: *François Morellet – Installations*, Ausst. Kat., Chemnitz, Städtische Kunstsammlungen, Stuttgart 1994, S. 14.

70 Guy Habasque, »Le Groupe de Recherche d'Art visuel à la Biennale de Paris«, in: *L'Œil*, Paris, Nr. 107, November 1963, S. 42, 45–46 und 48.

71 Edouard Roditi, »The Critic as Baby-Sitter«, in: *Arts Magazine*, New York, Bd. 38, Nr. 2, November 1963, S. 50.

72 François Morellet, zitiert von Gilles Gheerbrant, »François Morellet«, in: *Parachute*, Montreal, Nr. 10, Frühjahr 1978, S. 6.

73 Jacques Michel, »›Nouvelle Tendance‹ au Musée des Arts décoratifs«, in: *Le Monde*, Paris, 24. April 1964, S. 13.

74 Fernande de Saint-Martin, »Optical Art«, in: *Vie des Arts*, Montreal, Nr. 39, Sommer 1965, S. 32.

75 Anonyme, »Le GRAV, autopsie d'un groupe«, in: *Chroniques de l'Art vivant*, Paris, Nr. 9, März 1970, S. 22.

76 Donald Judd, »New York Letter«, in: *Art International*, Lugano, Bd. 9, Nr. 3, April 1965, S. 177.

77 Otto Hahn, »Début de saison électrique«, in: *L'Express*, Paris, Nr. 746, Oktober 1965.

78 François Morellet, *Mais comment taire mes commentaires*, Paris 1999, S. 210.

79 Max Imdahl, »›Grilles se déformant‹ und ›Deux trames superposées‹«, in: *François Morellet*, Ausst. Kat., Berlin, Nationalgalerie/Baden-Baden, Kunsthalle/Paris, Musée d'Art moderne de la Ville de Paris/Nimwegen, Commanderie van St. Jan, Nijmeegs Museum, 1977, S. 35–42.

80 François Morellet im Gespräch mit Lise Brunel, in: *Art Press*, Paris, Nr. 16, März 1978, S. 35.

81 François Morellet, *Mais comment taire mes commentaires*, Paris 1999, S. 22–23.

82 Das Traktat »Une journée dans la rue« wurde zusammen mit dem Programm und dem Fragebogen der GRAV in *Stratégies de participation – GRAV – Groupe de Recherche d'Art visuel – 1960/1968*, Grenoble, Le Magasin, 1998, veröffentlicht (S. 172).

83 François Morellet zitiert von Gilles Gheerbrant, »François Morellet«, in: *Parachute*, Montreal, Nr. 10, Frühjahr 1978, S. 4–8.

84 Pierre Restany, »Quand l'art descend dans la rue«, in: *Arts*, Paris, 27. April bis 3. Mai 1966, S. 16–17.

85 Vgl. Stephen Bann, »Environmental Art«, in: *Studio International*, London, Bd. 73, Nr. 886, Februar 1967, S. 78.

86 Stephen Bann, ebd., S. 78.

87 Jean-Jacques Lévêque, »Galerie Denise René«, in: *Cimaise*, Paris, Nr. 76, Mai–Juli 1966, S. 47.

88 Jacques Michel, »La contestation de Morellet«, in: *Le Monde*, Paris, 24. März 1967, S. 13.

89 Guy Brett, »French paintings concerned with light«, in: *The Times*, London, 8. Mai 1967.

90 Jean Clay, »À la recherche d'un nouveau spectateur par le Groupe de Recherche d'Art visuel«, in: *Opus International*, Paris, Nr. 1, April 1967, S. 38 und 43–44.

91 François Morellet, *Mais comment taire mes commentaires*, Paris 1999, S. 30–31.

92 François Morellet im Gespräch mit Ida Biard, in: *Flash Art*, Paris, Nr. 9, Herbst 1985, S. 54.

93 François Morellet im Gespräch mit Jenny Muller, Radio France Nancy, 14. September 1990.

94 François Morellet im Gespräch mit Gislind Nabakowski, in: *Heute Kunst*, Mailand, Nr. 10 und 11, Juni–August 1975, S. 7; aufgen. in: *Morellet*, Ausst. Kat., Paris, éditions du Centre Pompidou/Amsterdam, Stedelijk Museum, 1986, S. 201.

95 François Morellet, *Mais comment taire mes commentaires*, Paris 1999, S. 36.

96 Es muss darauf hingewiesen werden, dass die Titel dieser Arbeiten je nach Katalog unterschiedlich ausfallen können.

97 Anonym, »Le GRAV, autopsie d'un groupe«, in: *Chroniques de l'Art vivant*, Paris, Nr. 9, März 1970, S. 23.

98 François Morellet, »Meine Installationen«, in: *François Morellet – Installations*,

Ausst. Kat., Chemnitz, Städtische Kunstsammlungen, Stuttgart 1994, S. 16.

99 Ebd.

100 François Morellet im Gespräch mit Serge Lemoine, in: *CNAC Magazine*, Paris, Nr. 31, Januar–Februar 1986, S. 12.

101 François Morellet, *Mais comment taire mes commentaires*, Paris 1999, S. 67.

102 François Morellet im Gespräch mit Gislind Nabakowski, in: *Heute Kunst*, Mailand, Nr. 10–11, Juni–August 1975, S. 4; Wiederabdruck in: *Morellet*, Ausst. Kat., Paris, éditions du Centre Pompidou/Amsterdam, Stedelijk Museum, 1986, S. 200.

103 François Morellet, *Mais comment taire mes commentaires*, Paris 1999, S. 37.

104 Anonym, »Le GRAV, autopsie d'un groupe«, in: *Chroniques de l'Art vivant*, Paris, Nr. 9, März 1970, S. 22.

105 Gérard Xuriguera, »Le Groupe de Recherche d'Art visuel«, in: *Cimaise*, Paris, Sonderausgabe, Februar–März 1983, S. 96.

106 François Morellet, *Mais comment taire mes commentaires*, Paris 1999, S. 163.

107 François Morellet, *Mais comment taire mes commentaires*, Paris 1999, S. 210.

108 Dieter Honisch, »Zur Organisationsform der Bilder von Stella und Morellet«, in: *François Morellet*, Ausst. Kat., Berlin, Nationalgalerie/Baden-Baden, Kunsthalle/Paris, Musée d'Art moderne de la Ville de Paris/Nimwegen, Commanderie van St. Jan, Nijmeegs Museum, 1977, S. 17.

109 Gérald Gassiot-Talabot, »Morellet«, in: *Opus International*, Paris, Nr. 24 u. 25, Mai 1971, S. 118.

110 Detlef Wolff, »Nachholbedarf an Information über Op-Art«, in: *Mannheimer Morgen*, Mannheim, 12. Mai 1971.

111 Gérald Gassiot-Talabot, »Morellet«, in: *Chroniques de l'Art vivant*, Paris, Nr. 19, April 1971.

112 Jacques Michel, »Points, lignes et surfaces au CNAC. Morellet ou l'imagination programmée«, in: *Le Monde*, Paris, April 1971, S. 18.

113 Jacques Darriulat, »Jeux de hasard«, in: *Combat*, Paris, 29. März 1971.

114 Jean-Marc Poinsot, »Morellet«, in: *Opus International*, Paris, Nr. 24 u. 25, Mai 1971, S. 118.

115 Michel Baudson, »François Morellet. La règle du jeu«, in: *Clés pour les arts*, Brüssel, Nr. 19, März 1972.

116 François Morellet, *Mais comment taire mes commentaires*, Paris 1999, S. 39.

117 Georges Boudaille, »Au CNAC, Morellet ›l'environneur‹«, in: *Les Lettres françaises*, Paris, Nr. 1380,

7.–13. April 1971, S. 27.

118 François Morellet, zitiert von Serge Lemoine, in: *François Morellet*, Paris 1996, S. 137.

119 François Morellet, *Mais comment taire mes commentaires*, Paris 1999, S. 55.

120 Ebd., S. 255.

121 Michel Frizot, »François Morellet«, in: *60–72, Douze Ans d'art contemporain en France*, Ausst. Kat., Paris, Grand Palais, 1972, S. 282.

122 François Morellet, *Mais comment taire mes commentaires*, Paris 1999, S. 47.

123 François Morellet in einem Interview mit Christian Besson, in: *Morellet*, Ausst. Kat., Paris, éditions du Centre Pompidou/ Amsterdam, Stedelijk Museum, 1986, S. 120.

124 François Morellet, *François Morellet*, Ausst. Kat., Berlin, Nationalgalerie/Baden-Baden, Kunsthalle/Paris, Musée d'Art moderne de la Ville de Paris/Nimwegen, Commanderie van St. Jan, Nijmeegs Museum, 1977, S. 72, Anm. 2.

125 Serge Lemoine, »Les désintégrations architecturales de François Morellet«, in: *Beaux-Arts Magazine*, Paris, Nr. 33, März 1986, S. 64.

126 Maurice Besset, »Des objets (presque) sans qualités«, in: *François Morellet – Regards sur l'œuvre 1957–1989*, Kat. der Wanderausstellung, Innsbruck, Galerie im Taxispalais – Institut Français, 1989, o.p.

127 Susanne Anna, »Bemerkungen zu ephemeren Werken von François Morellet«, in: *François Morellet – Installations*, Ausst. Kat., Chemnitz, Städtische Kunstsammlungen, Stuttgart 1994, S. 31–32.

128 *Flash Art*, Mailand, Nr. 39, Februar 1973, S. 33.

129 Marianne und Serge Lemoine, »François Morellet: l'art systématique«, in: *XXe Siècle*, Paris, Nr. 51, Dezember 1978, S. 81, Anm. 7. Sol LeWitt gibt daraufhin mehrere Interviews, in denen er zunächst beteuert, Morellets Arbeit nicht zu kennen, aber mehrere Jahre später gibt er zu, dass er einige Werke des französischen Künstlers gesehen habe, vor allem die Ausstellung »The Responsive Eye« im Jahr 1965.

130 François Morellet im Gespräch mit Sylvain Lecombre, in: *Canal*, Paris, Nr. 10, 1.–15. Dezember 1977, S. 9.

131 Werner Rhode, »Konkret. Morellet in der Nationalgalerie«, in: *Frankfurter Rundschau*, Frankfurt, 5. Februar 1977.

132 Heinz Ohff, »Gegenwelt zur Wirklichkeit. Retrospektive François Morellet in der Neuen Nationalgalerie«, in: *Der Tagesspiegel*, Berlin, 15. Januar 1977.

133 Camilla Blechen, »Morellet in der Nationalgalerie Berlin. Spielerischer Zufall und ästhetische Notwendigkeit«, in: *Frankfurter Allgemeine Zeitung*, Frankfurt, Nr. 34, 14. Februar 1977.

134 Lore Ditzen, »Ornament und Ironie. François Morellet stellt in der Berliner Nationalgalerie aus«, in: *Süddeutsche Zeitung*, München, 23. Februar 1977.

135 Jacques Michel, »Morellet au Musée d'Art moderne. Le hasard et le système«, in: *Le Monde*, Paris, 15. Dezember 1977, S. 20.

136 Gilles Plazy, »Morellet: le désir et la peur de géométrie«, in: *Le Quotidien de Paris*, Paris, 8. Dezember 1977.

137 Susanne Anna, »Bemerkungen zu ephemeren Werken von François Morellet«, in: *François Morellet – Installations*, Ausst. Kat., Chemnitz, Städtische Kunstsammlungen, Stuttgart 1994, S. 36.

138 François Morellet, *Mais comment taire mes commentaires*, Paris 1999, S. 65.

139 François Morellet im Gespräch mit Lise Brunel, in: *Art Press*, Paris, Nr. 16, März 1978, S. 34.

140 François Morellet, *Mais comment taire mes commentaires*, Paris 1999, S. 94–95.

141 François Morellet im Gespräch mit Mo Gourmelon-Le Carrérès, in: *François Morellet – Figurations et Défigurations*, Ausst. Kat., Rennes, La Criée/Galerie Art et Essai/Galerie Oniris, 1989, o.p.

142 François Morellet, *Mais comment taire mes commentaires*, Paris 1999, S. 75–76.

143 François Morellet im Gespräch mit Serge Lemoine, in: *CNAC Magazine*, Paris, Nr. 31, Januar–Februar 1986, S. 12.

144 Gilles Gheerbrant, »François Morellet«, in: *Parachute*, Montreal, Nr. 10, Frühjahr 1978, S. 5.

145 Bernard Blistène, »François Morellet et l'ironie de genre«, in: *Morellet*, Ausst. Kat., Paris, éditions du Centre Pompidou/Amsterdam, Stedelijk Museum, 1986, S. 10.

146 Serge Lemoine, *François Morellet*, Paris 1996, S. 148.

147 François Morellet, *Mais comment taire mes commentaires*, Paris 1999, S. 227.

148 Ebd., S. 81–82.

149 Marianne und Serge Lemoine, »François Morellet: l'art systématique«, in: *XXe Siècle*, Paris, Nr. 51, Dezember 1978, S. 80–81.

150 François Morellet im Gespräch mit Pascal Pique, in: *François Morellet – Néons*, Ausst. Kat., Abbaye de Tournus, 1990, o.p.

151 François Morellet im Gespräch mit Marie-Claude Beaud, in: *Var Matin République*, Ollioules, 6. Juli 1980.

152 François Morellet, *Mise en pièces, mise en place, mise au point*, Kat. Ausst., Chalon-sur-Saône, Maison de la Culture/Dijon, Le Coin du Miroir, 1981, S. 60.

153 Serge Lemoine, *François Morellet*, Paris 1996, S. 152.

154 Michel Nuridsany, »François Morellet. Galerie Durand-Dessert«, in: *Art Press*, Paris, Nr. 53, November 1981, S. 40.

155 Serge Lemoine, *François Morellet*, Paris 1996, S. 144.

156 François Morellet, *Mais comment taire mes commentaires*, Paris 1999, S. 100–101.

157 François Morellet in: *Michel Nuridsany, Effets de miroir*, Ivry-sur-Seine 1989, S. 181.

158 François Morellet, *Mais comment taire mes commentaires*, Paris 1999, S. 127.

159 Serge Lemoine, *François Morellet*, Paris 1996, S. 146.

160 François Morellet, zitiert von Serge Lemoine, in: *François Morellet*, Paris 1996, S. 53.

161 François Morellet, *Mais comment taire mes commentaires*, Paris 1999, S. 110.

162 Ebd., S. 228.

163 François Morellet im Gespräch mit Ida Biard, in: *Flash Art*, Paris, Nr. 9, Herbst 1985, S. 55.

164 Jocelyne Lepage, »François Morellet, pionnier de l'art systématique«, in: *La Presse*, Montreal, 13. Oktober 1984.

165 Grace Glueck, »Art: François Morellet, Austere Abstractionism«, in: *The New York Times*, New York, 22. Februar 1985.

166 Robert C. Morgan, »Morellet revels magic of systems at Albright-Knox«, in: *Sunday Democrate and Chronicle*, Rochester (New York), 5. August 1984, S. 3D-4D.

167 François Morellet im Gespräch mit Ida Biard, in: *Flash Art*, Paris, Nr. 9, Herbst 1985, S. 55.

168 Ebd., S. 53.

169 François Morellet, *Mais comment taire mes commentaires*, Paris 1999, S. 119–120.

170 Catherine Francblin, »François Morellet. Galerie Durand-Dessert«, in: *Art Press*, Paris, Nr. 91, April 1985, S. 64.

171 François Morellet, *Mais comment taire mes commentaires*, Paris 1999, S. 123.

172 Didier Semin, »Nu descendant un arbre fruitier«, in: *François Morellet – Géométree*, Ausst. Kat. Fontevraud, Abbaye royale, 1985, S. 18 und 24.

173 Daniel Soutif, »Les morelles de Morellet«, in: *Libération*, Paris, 9. Dezember 1985, S. 36.

174 François Morellet (Gespräch, anonym), in: *Architecture intérieure/Créé*, Paris, Nr. 209, Dezember 1985–Januar 1986, S. 58.

175 François Morellet, zitiert von Daniel

Soutif, »Le système Morellet«, in: *Libération*, Paris, 6. März 1986.

176 Geneviève Breerette, »François Morellet au Centre Pompidou. Quand le hasard fait bien les choses«, in: *Le Monde*, Paris, 26. März 1986.

177 Bruno Foucart, »Le monumental minimal de Morellet«, in: *Le Quotidien de Paris*, Paris, 10. April 1986, S. 27.

178 Catherine Francblin, »François Morellet, élémentaire mon cher Watson«, in: *Art Press*, Paris, Nr. 100, Februar 1986, S. 6.

179 François Morellet, *Mais comment taire mes commentaires*, Paris 1999, S. 170.

180 François Morellet, »›Correspondance‹ avec Danielle Cohen-Lévinas«, in: *François Morellet*, Tout Chatou, Ausst. Kat., Chatou, Maison Levanneur, 1997, S. 13.

181 Éric Colliard und Xavier Douroux, »Relaxe pour vice de formes«, in: *François Morellet*, Ausst. Kat., Dijon, Le Consortium, 1986, o.p.

182 François Morellet, zitiert von Serge Lemoine, in: *François Morellet*, Paris 1996, S. 150.

183 François Morellet, *Mais comment taire mes commentaires*, Paris 1999, S. 129.

184 Walter Thompson, »François Morellet at Bruno Facchetti«, in: *Art in America*, New York, Bd. 75, Nr. 10, Oktober 1987, S. 187.

185 François Morellet, *Mais comment taire mes commentaires*, Paris 1999, S. 135–136.

186 Ebd., S. 140.

187 François Morellet, anonymes Gespräch, *François Morellet, sculpteur 1949–1990*, Ausst. Kat., Calais, Musée des Beaux-Arts et de la Dentelle, 1990, S. 18.

188 François Morellet, *Mais comment taire mes commentaires*, Paris 1999, S. 144 (Anm. 2).

189 Ebd., S. 194.

190 François Morellet im Gespräch mit Mo Gourmelon-Le Carrérès, in: *François Morellet – Figurations et Défigurations*, Ausst. Kat., Rennes, La Criée/Galerie Art et Essai/Galerie Oniris, 1989, o.p. Hinter diesen Bezeichnungen verbirgt sich jeweils ein bestimmtes Standardformat, so wie es von den Marine- und Landschaftsmalern verwendet wurde. Die *Paysages-Marines* präsentieren durch die jeweils einheitlich gestaltete Leinwand die jeweiligen Elemente der Natur.

191 Thomas McEvilley, »François Morellet, Bruno Facchetti Gallery«, in: *Artforum International*, New York, Bd. 27, Nr. 4, Dezember 1988, S. 116.

192 Catherine Fayet, »Morellet: Systèmes et paysage«, in: *Opus International*, Paris,

Nr. 108, Mai–Juni 1988, S. 49.

193 François Morellet, *Mais comment taire mes commentaires*, Paris 1999, S. 156.

194 Hervé Gauville, »Morellet, la peinture à blanc«, in: *Libération*, Paris, 24. Januar 1989, S. 29–30. Morellet wählt berühmte Gemälde aus der Kunstgeschichte und überträgt die Figurenkomposition in die Anordnung auf seiner weißen Leinwand.

195 Max Bense, in: *François Morellet – Arbeiten 1971–1988*, Mainz, Galerie Dorothea van der Koelen, 1988, S. 11.

196 Maurice Besset, »Des objets (presque) sans qualités«, in: *François Morellet – Regards sur l'œuvre 1957–1989*, Kat. der Wanderausstellung, Innsbruck, Galerie im Taxispalais – Institut Français, 1989, o.p.

197 François Morellet im Gespräch mit Alexandra Reininghaus, in: *Du*, Zürich, Nr. 12, Dezember 1989, S. 64.

198 François Morellet, »Die Neon-Installation im Chemnitzer Museum«, in: *François Morellet – Installations*, Ausst. Kat., Chemnitz, Städtische Kunstsammlungen, Stuttgart 1994, S. 66.

199 François Morellet im Gespräch mit Serge Lemoine, in: *François Morellet – Sur commande – Désintégrations architecturales et autres interventions en plein air 1982–1988*, Ausst. Kat., Calais, Galerie de l'Ancienne Poste, 1988, S. 47.

200 François Morellet, *Mais comment taire mes commentaires*, Paris 1999, S. 169–170.

201 Daniel Soutif, »Sur la sellette ou la sculpture infinie«, in: *Hommage aux tilleuls et à Rodin – Installation de François Morellet*, Ausst. Kat., Paris, Musée Rodin, 1990, o.p.

202 Hervé Gauville, »Morellet sur la sellette«, in: *Libération*, Paris, 24. August 1990, S. 31.

203 Bernard Marcadé, Brief an François Morellet, in: *François Morellet, sculpteur 1949–1990*, Calais, Musée des Beaux-Arts et de la Dentelle, 1990, S. 7 und 9.

204 Gespräch der Verfasserin mit dem Künstler, 18. Juli 2000.

205 François Morellet im Gespräch mit Antoine Cormery, in: *Le Journal de Maine-et-Loire*, 18. Februar 1992.

206 Robert Fohr, »Les brouillons de Morellet«, in: *Le Quotidien de Paris*, Paris, 30. Mai 1991.

207 François Morellet im Gespräch mit Claire Stoullig, in: *CNAC Magazine*, Paris, Nr. 66, 15. November 1991–15. Januar 1992, S. 17.

208 François Morellet, zit. von Serge Lemoine, in: *François Morellet*, Paris 1996, S. 162.

209 François Morellet, *Mais comment taire mes commentaires*, Paris 1999, S. 179–180.

210 Serge Lemoine, »Jump De La Ba«, in: *François Morellet – Ordres et cahots*, Ausst. Kat., Fréjus, Le Capitou, 1995, S. 19.

211 François Morellet, *Mais comment taire mes commentaires*, Paris 1999, S. 186.

212 Serge Lemoine, »Jump De La Ba«, in: *François Morellet – Ordres et cahots*, Ausst. Kat., Fréjus, Le Capitou, 1995, S. 19–20.

213 Harry Bellet, »Morellet, de la géométrie au baroque«, in: *Le Monde*, Paris, 23. Januar 1993.

214 François Morellet, »Meine Installationen«, in: *François Morellet – Installations*, Ausst. Kat., Chemnitz, Städtische Kunstsammlungen, Stuttgart 1994, S. 11.

215 Serge Lemoine, »Jump De La Ba«, in: *François Morellet – Ordres et cahots*, Ausst. Kat., Fréjus, Le Capitou, 1995, S. 17.

216 Gespräch der Verfasserin mit dem Künstler, 18. Juni 2000.

217 Erich Franz, »Entzug der Verläßlichkeit. Zu Morellets Neon-Arbeiten«, in: *François Morellet – Neonly*, Ausst. Kat., München, Städtische Galerie im Lenbachhaus, S. 10 und 12.

218 François Morellet, *Mais comment taire mes commentaires*, Paris 1999, S. 207–208.

219 Serge Lemoine, »Jump De La Ba«, in: *François Morellet – Ordres et cahots*, Ausst. Kat., Fréjus, Le Capitou, 1995, S. 17–18.

220 François Morellet, zitiert von Dorothea van der Koelen, »Les expériments de François Morellet pour une nouvelle science de l'art ou un discours de la méthode...«, in: *Morellet – Discours de la méthode*, Mainz, Galerie Dorothea van der Koelen/München, Chorus Verlag/Seoul, Galerie Bhak, 1996, S. 72, Anm. 44.

221 François Morellet, zitiert von Serge Lemoine, in: *François Morellet*, Paris 1996, S. 168.

222 Geneviève Breerette, »Morellet avant Morellet pour la première fois, à Angers«, in: *Le Monde*, Paris, 12. September 1997.

223 François Morellet, *Mais comment taire mes commentaires*, Paris 1999, S. 252.

224 Website: www.culture.gouv.fr/entreelibre/.

225 Gespräch der Verfasserin mit dem Künstler, 18. Juli 2000.

226 Hervé Gauville, »Morellet, système π. De l'art en chiffres au Musée Zadkine«, in: *Libération*, Paris, 24. Dezember 1999, S. 33.

227 Gespräch der Verfasserin mit dem Künstler, 18. Juli 2000.

228 Ebd.

François Morellet beim Anbringen eines Klebestreifens auf einer Skulptur des Musée des Beaux Arts et de la Dentelle de Calais für seine Ausstellung »François Morellet, sculpteur 1949–1990«, 1990

Katalog der ausgestellten Werke/
Catalogue of Exhibited Works

*Malerei/Painting* 1952
Öl auf Holz/Oil on wood, 40 × 70 cm, Privatsammlung/Private Collection

*Malerei / Painting* 1954
Öl auf Holz / Oil on wood, 79,5 × 79,5 cm, Stedelijk Museum, Amsterdam

*16 Quadrate / 16 Squares* 1953
Öl auf Holz / Oil on wood, 80 × 80 cm, Städtisches Museum Abteiberg, Mönchengladbach

*Von Gelb zu Weiß / From Yellow to White* 1953
Öl auf Leinwand / Oil on canvas, 140×140 cm, Sammlung Lenz Schönberg, München

*32 Rechtecke / 32 rectangles*  1953
Öl auf Holz / Oil on wood, 80 × 80 cm, Sammlung Lenz Schönberg, München

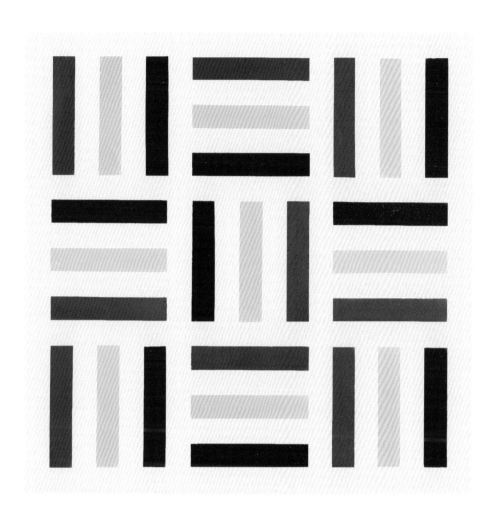

*Blau, Gelb, Rot / Blue, Yellow, Red* 1956
Öl auf Holz / Oil on wood, 80 × 80 cm, Collection Sheila and Jan van der Marck

*Verteilung von 16 identischen Formen Nr. 1 bis Nr. 6 / Distribution of 16 Identical Shapes n° 1 to n° 6*  1957
Öl auf Holz / Oil on wood, 6 Elemente à 80 × 80 cm / 6 Elements of 80 × 80 cm each, Privatsammlung / Private Collection

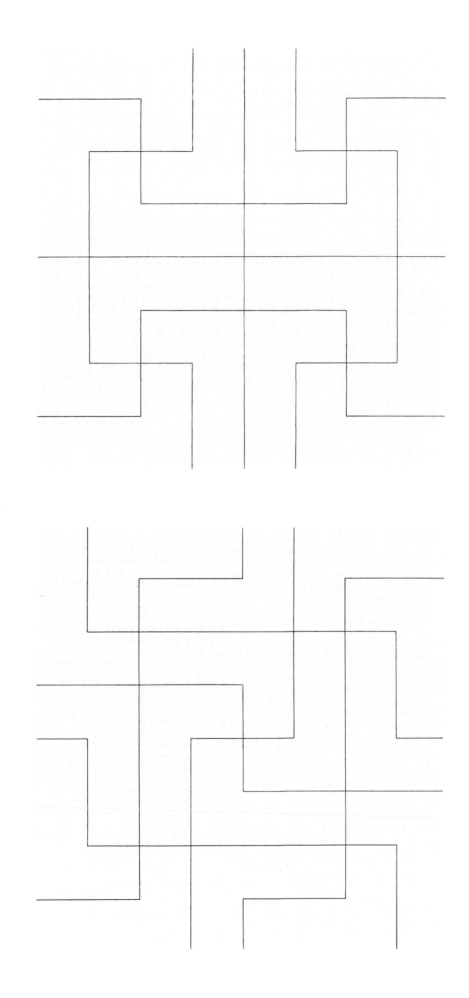

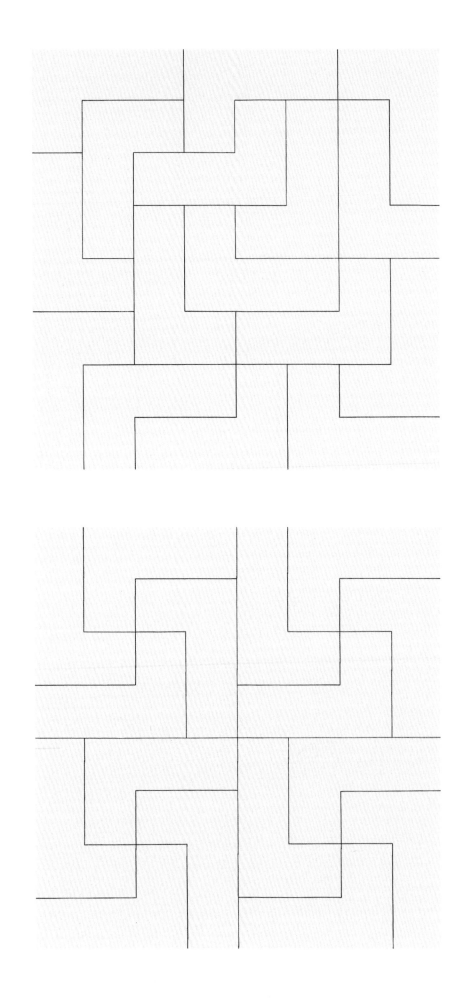

*4 Doppelraster / 4 Double Grids 0° – 22°5 – 45° – 67°5* 1959
Öl auf Holz / Oil on wood, 80 × 80 cm, Privatsammlung / Private Collection

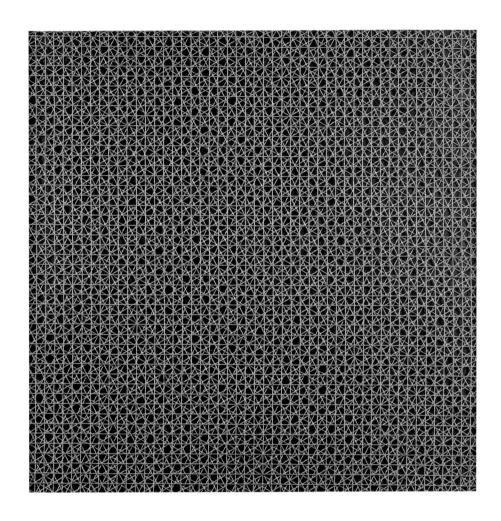

*3 Gitter / 3 Grids 0° – 30° – 60°* 1959
Gitter auf Holz / Wire netting on wood, 80 × 80 cm, Sammlung Helga und Edzard Reuter, Stuttgart

*4 Doppelraster / 4 Double Grids 0° – 22°5 – 45° – 67°5  1958*
Öl auf Holz / Oil on wood, 80 × 80 cm, Privatsammlung / Private Collection

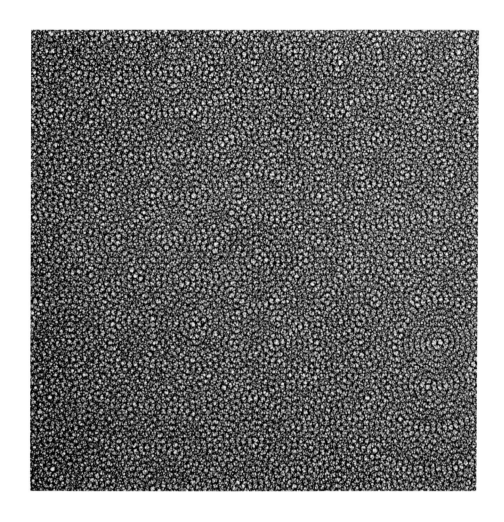

*22 Raster / 22 Grids 0°–8°–16°–24°–32°–41°–50°–58°–66°–74°–82°–90°–98°–*
*106°–114°–122°–131°–140°–148°–156°–164°–172°* 1960
Öl auf Holz / Oil on wood, 80 × 80 cm, Privatsammlung / Private Collection

*Zufällige Verteilung von 40 000 Quadraten, 50% Rot, 50% Braun/*
*Random Distribution of 40 000 Squares, 50% Red, 50% Brown* 1961
Serigrafie auf Holz/Serigraphy on wood, 80×80 cm, Privatsammlung/Private Collection

*Zufällige Verteilung von 40 000 Quadraten, 50% Weiß, 50% sehr helles Grau /*
*Random Distribution of 40 000 Squares, 50% White, 50% very Light Grey* 1961
Serigrafie auf Holz / Serigraphy on wood, 80 × 80 cm, Privatsammlung / Private Collection

*Zufällige Verteilung von 40 000 Quadraten, 50% Dunkelgrau, 50% Schwarz / Random
Distribution of 40 000 Squares, 50% Dark Grey, 50% Black* 1961
Serigrafie auf Holz / Serigraphy on wood, 80 × 80 cm, Privatsammlung / Private Collection

*Zufällige Verteilung von 40 000 Quadraten, 50% Magenta, 50% Blau / Random Distribution*
*of 40 000 Squares, 50% Magenta, 50% Blue* 1961
Serigrafie auf Holz / Serigraphy on wood, 80×80 cm, Sammlung Würth Inv. 4664

*Zufällige Verteilung von 40 000 Quadraten, 50% Blau, 50% Schwarz /*
*Random Distribution of 40 000 Squares, 50% Medium Blue, 50% Black* 1961
Serigrafie auf Holz / Serigraphy on wood, 80 × 80 cm, Sammlung Würth Inv. 4665

*Zufällige Verteilung von 40 000 Quadraten, 50% Rot, 50% Grün / Random Distribution of 40 000 Squares, 50% Red, 50% Green* 1961
Serigrafie auf Holz / Serigraphy on wood, 80 × 80 cm, Sammlung Würth Inv. 4666

*Rasterkugel / Grid Sphere* 1962
Stainless steel, 200×200×200 cm, Wilhelm-Hack-Museum, Ludwigshafen am Rhein

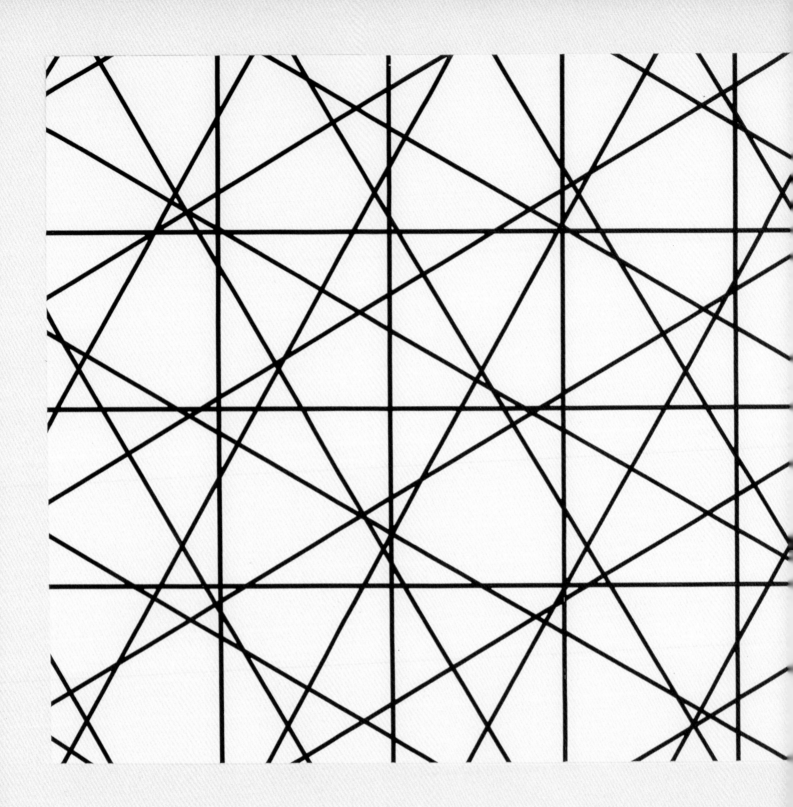

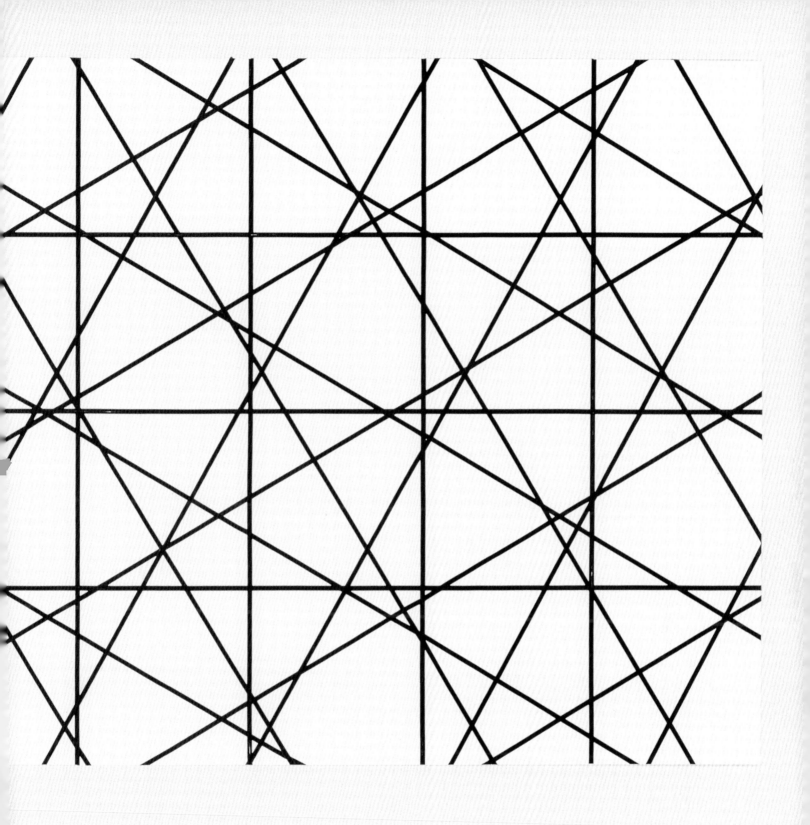

*6 Raster / 6 Grids 0°–30°–60°–90°–120°–150°* 1968
Klebeband auf gelackter Leinwand / Adhesive tape on enamelled iron panels, Ensemble 240 × 540 cm aus 36 Elementen
à 60 × 60 cm / composed of 36 elements of 60 × 60 cm each, Privatsammlung / Private Collection

Detail einer unendlichen Struktur aus Tetraeden, begrenzt durch die Wände, den Boden und die Decke eines Raumes /
Detail of an Infinite Tetrahedron Structure limited by the Walls, the Floor and the Ceiling of a Room  1971
Aluminium, Variable Dimensionen / Variable dimensions, Privatsammlung / Private Collection

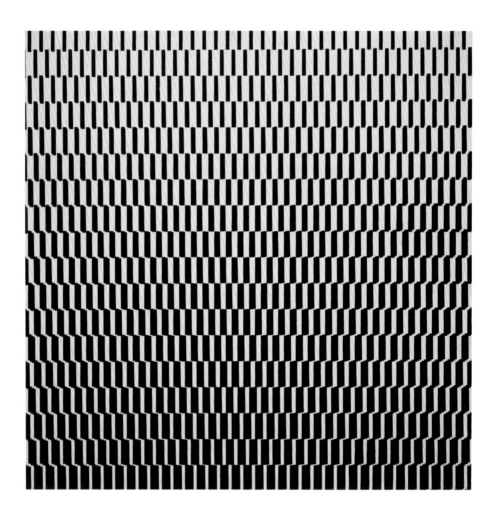

*3 Strichraster, um eine Seite gedreht* / *3 Grids of Dashes Rotating around One Side*  1970
Serigrafie auf Holz (Schwarz auf Weiß) / Serigraphy on wood (black on white), 80 × 80 cm,
Sammlung Würth Inv. 4667

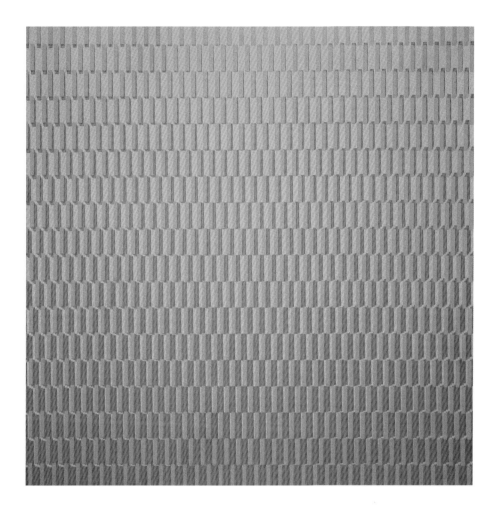

*5 Strichraster, um eine Seite gedreht / 5 Grids of Dashes Rotating around One Side* 1971
Serigrafie auf Holz (von Orange zu Gelb auf Gelb) / Serigraphy on wood (from orange to yellow on yellow), 80 × 80 cm,
Sammlung Würth Inv. 4668

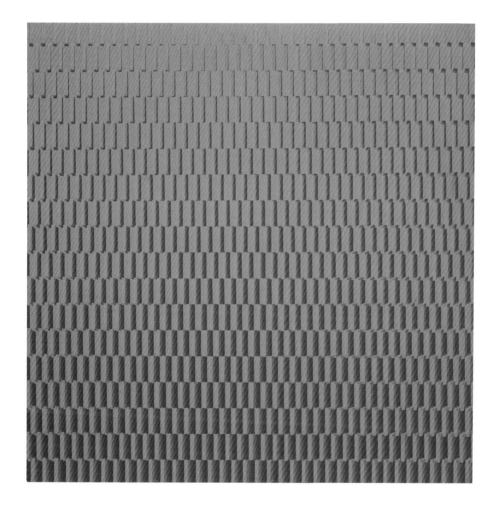

*4 Strichraster, um eine Seite gedreht / 4 Grids of Dashes Rotating around One Side* 1971
Serigrafie auf Holz (von Rot zu Gelb auf Orange) / Serigraphy on wood (from red to yellow on orange),
80 × 80 cm, Sammlung Würth Inv. 4669

*20 zufällige Linien / 20 Random Lines* 1971
Öl auf Leinwand/Oil on canvas, 140 x 140 cm, Sammlung Manfred Wandel, Stiftung für konkrete Kunst, Reutlingen

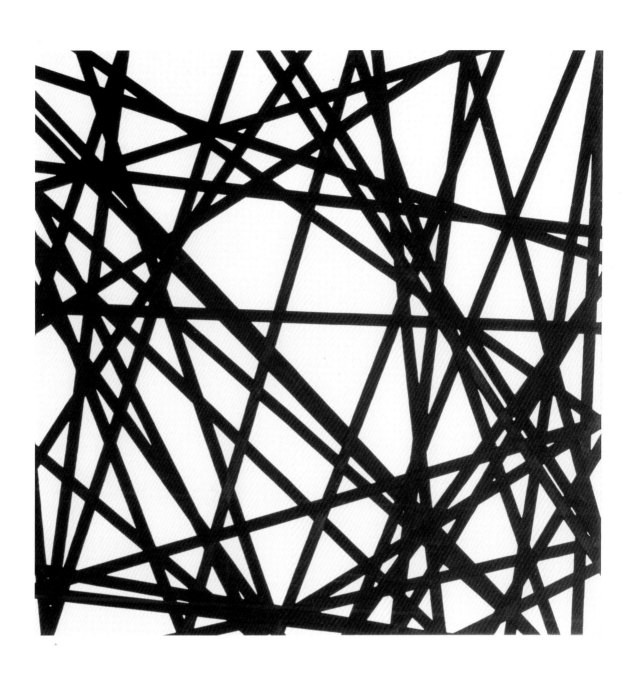

*40 zufällige Linien / 40 Random Lines* 1971
Öl auf Leinwand/Oil on canvas, 140 x 140 cm, Sammlung Manfred Wandel, Stiftung für konkrete Kunst, Reutlingen

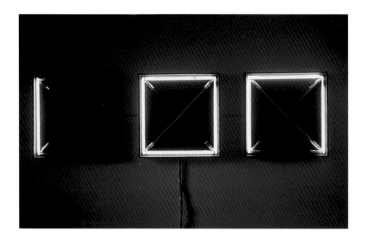

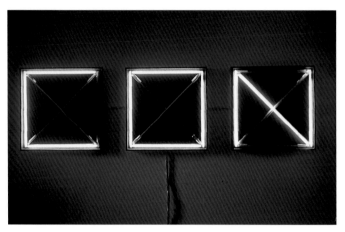

*Neons mit zufällig-poetisch-geometrischer Programmierung / Neons with Random-poetical-geometrical Programmation* 1967
Weiße Neonröhren mit Holz / White neon tubes with wood, Ensemble 50×190×6 cm aus 3 Elementen à 50×50×6 cm /
composed of 3 elements of 50×50×6 cm each, Privatsammlung / Private Collection

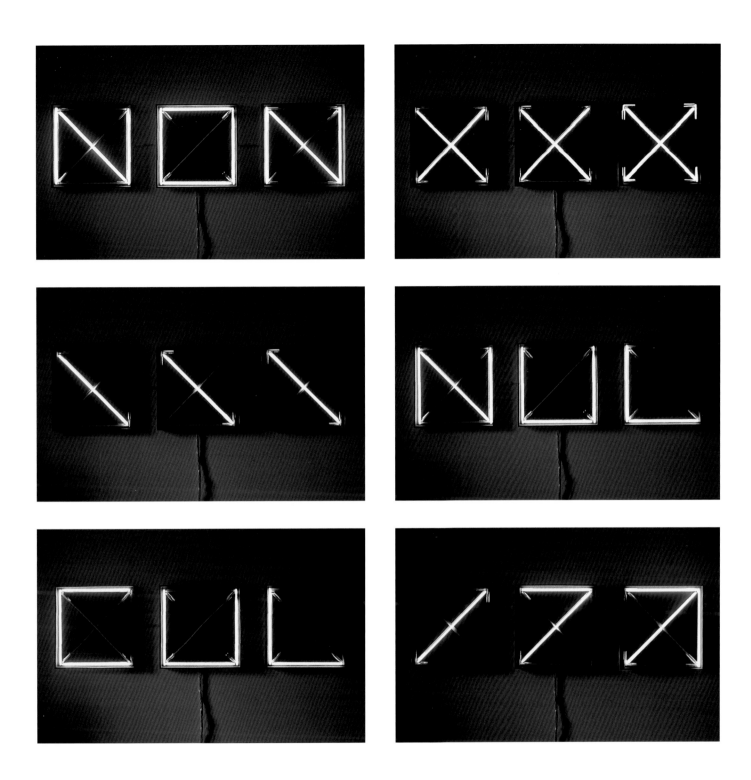

*16 Kreise aus rotem Neon mit zufälligem Kreislauf / 16 Circles of Red Neon with Random Shifting Circuits* 1968
Neonröhren / Neon Tubes, 254×254×12 cm, Kunstmuseum Bern

*2 Linienraster mit 2 Überlagerungen / 2 Grids of Dashes with 2 Interferences*  1974
Öl auf Leinwand / Oil on canvas, 100×450 cm, Privatsammlung / Private Collection

*2 cm Striche, deren Abstand alle 2 mm größer wird. Ausrichtung rechte Seite, in jeder Reihe um einen Abstand abgestuft /*
*2 cm Dashes with Spacing Increasing by 2 mm Every Row. Right Alignment Shifted aside by One Gap Every Row  1974*
Öl auf Leinwand / Oil on canvas, 140 x 140 cm, Privatsammlung / Private Collection

*Bild 2°–92° mit einer horizontalen Seitenhalbierenden (0°), Linie auf der Wand 2°, Klebeband auf Leinwand und Wand /*
*Canvas at 2°–92° with a Horizontal Median (0°), Line on the Wall at 2°, Adhesive Tape on Canvas and on the Wall* 1980
Acryl auf Leinwand und Klebeband auf der Wand / Acrylic on canvas and adhesive tape on the wall, 200 x 200 cm,
Privatsammlung / Private Collection

*Bild 5°–95°, Neonwinkel (auf der Wand) 0°–90° / Canvas at 5°–95°, Neon Angle (on the Wall) at 0°–90°* 1980
Neonröhren, Acryl auf Leinwand, Elektrokabel und Transformator / Neon tube, acrylic on canvas, electric cable and transformer, 152 × 152 cm, Privatsammlung / Private Collection

*Um 16° geneigtes Bild in zwei Dimensionen, flache Eisenleiste 0°–90° / Canvas Tilted at 16° in Two Planes, Flat Iron Frame at 0°–90°* 1982
Acryl auf Leinwand auf Holz und Flacheisen / Acrylic on canvas on wood and flat iron, 65 × 63 × 16 cm,
Privatsammlung / Private Collection

*Überlagerung und Transparenz: Hinteres Quadrat 0°–90°; Vorderes Quadrat 30°–120° (Mitte Unterseite auf unterem linken Winkel) / Superposition and Transparency: Square in the back at 0°–90°; Square in the front at 30°–120° (Middle Lower Border on Lower Left Angle)* 1980
Acryl auf Leinwand / Acrylic on canvas, 189×270 cm, Privatsammlung / Private Collection

 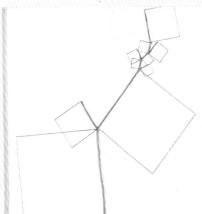 

*Géométree n° 35, A, B, C* 1983
Reisig, Bleistift und Acryl auf Pappe / Twigs, pencil and acrylic on card-board, 3 Elemente à
13,3 × 13,3 cm / 3 Elements of 13,3 × 13,3 cm each, Privatsammlung / Private Collection

*Sich ergänzende Kreisbögen / Complementary Arcs of a Circle (Géométree Nr. 5)* 1983
Zweig und Bleistift auf der Wand / Branch and pencil on the wall, 245 × 315 × 85 cm,
Privatsammlung / Private Collection

*Géométree n° 36, A, B, C* 1983
Kräuter, Bleistift und Acryl auf Pappe / Grass, pencil and acrylic on card-board, 3 Elemente à
13,3 × 13,3 cm / 3 Elements of 13,3 × 13,3 cm each, Privatsammlung / Private Collection

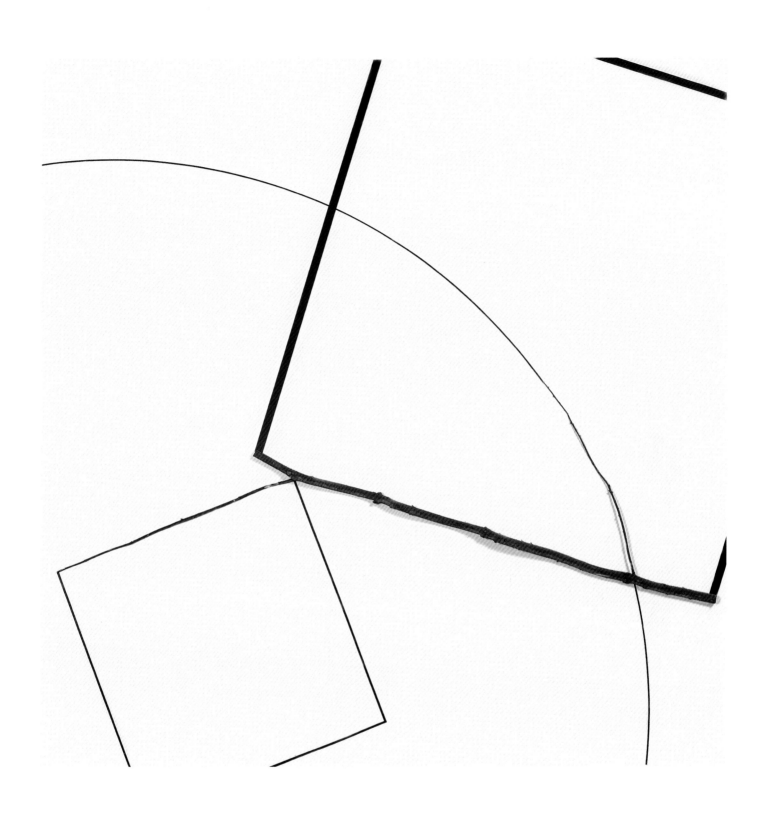

*Géométree n° 85*  1984
Zweig und Acryl auf Leinwand auf Sperrholz / Branch and acrylic on canvas on plywood, 200×200 cm,
Collection du FRAC Nord-Pas-de-Calais

*Géométree n° 38*  1983
Reisig, Bleistift und Acryl auf Pappe / Twigs, pencil and acrylic on card-board, 13,3 × 13,3 cm,
Privatsammlung / Private Collection

*Géométree n° 93*  1985
Zweig auf Klebeband auf der Wand / Branch and adhesive tape on wall, 290 × 5 cm, Privatsammlung / Private Collection

*Géométree n° 49*  1984
Hommage à barre nette (Newman) Nr. 2, Zweig und Klebeband auf Sperrholz / Branch and
acrylic on plywood, 153 × 310 cm, Privatsammlung / Private Collection

*Steel Life n° 35*  1990
Acryl auf Leinwand auf Holz und Aluminium / Acrylic on canvas on wood and aluminium,
296 × 296 cm, Privatsammlung / Private Collection

*Steel Life n° 51* 1991
Acryl auf Leinwand auf Holz und Flacheisen / Acrylic on canvas on
wood and flat iron, 142×282 cm, Privatsammlung / Private Collection

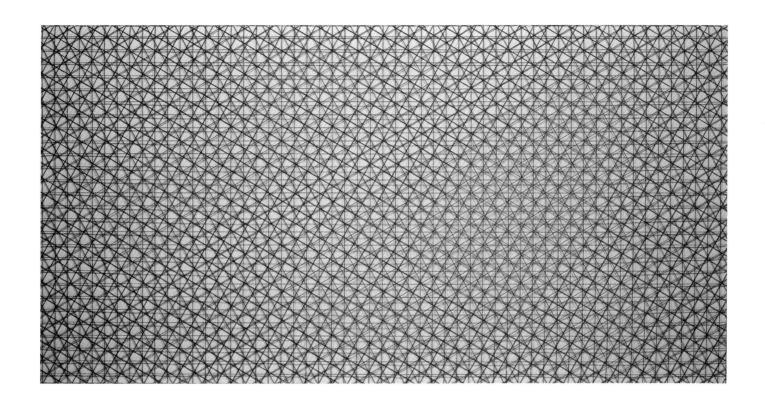

*Fin de série (Serienende / End-of-line) n° 6* 1991
3 Gitter und Acryl auf Holz / 3 Wire nettings and acrylic on wood, 140×280 cm, Sammlung Würth Inv. 4677

*Ohne Titel / Untitled* 1991
Kupferstich auf Papier / Engraving on paper, je 33×46 cm, Sammlung Würth Inv. 4864

*Gitane n° 2 (3 Halbkreise aus Neon, um einen Winkel von 0°, 45°, 90° geneigt / 3 Half Circles of Neon,*
*Tilted at an Angle of 0°, 45°, 90° in a Room Corner)* 1991
Neonröhren, Elektrokabel und Transformator / Neon tubes, electric cable and transformer,
268 × 200 × 112 cm, Privatsammlung / Private Collection

*Relâche n° 4*  1992
Bleistift an der Wand, Acryl und Öl auf Leinwand, lackiertes Aluminium, Neonröhren und Leinwand-
band / Pencil on the wall, acrylic and oil on canvas, gloss aluminium, neon tubes and canvas bands,
360 × 314 cm, Privatsammlung / Private Collection

*Hommage an Gusts Backsteinmauer N° 1 / Tribute to Gust's Brickwall n° 1* 1994
Öl und Acryl auf Leinwand über Holz (Hellgrau auf Weiß) / Oil and acrylic on canvas on wood
(light grey on white), 100 × 100 cm, Sammlung Würth Inv. 4675

*Hommage an Gusts Backsteinmauer N° 2 / Tribute to Gust's Brickwall n° 2*  1994
Öl und Acryl auf Leinwand über Holz (Hellgrau auf Weiß) / Oil and acrylic on canvas on wood
(light grey on white), 100 × 100 cm, Sammlung Würth Inv. 4676

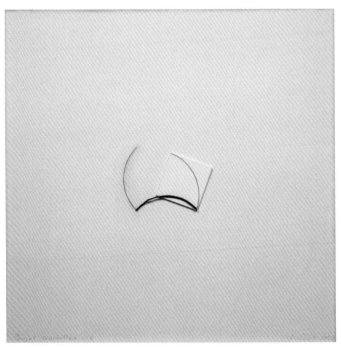

*Entwurf für »Courbettes« Nr. 1 / Sketch for »Courbettes« n° 1* 1995
Collage mit Zeichnung, Zweig und Aquarell / Twig, pencil and
watercolors on card-board, 47×47 cm, Sammlung Würth Inv. 4672

*Entwurf für »Courbettes« Nr. 6 / Sketch for »Courbettes« n° 6* 1995
Collage mit Zeichnung, Zweig und Aquarell / Twig, pencil and
watercolors on card-board, 47×47 cm, Sammlung Würth Inv. 4673

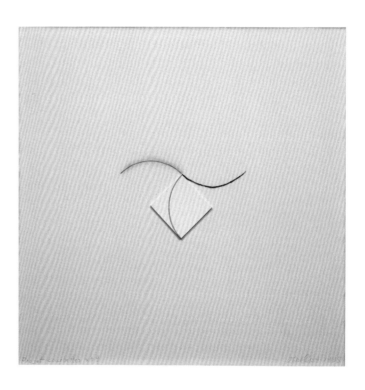

*Entwurf für »Courbettes« Nr. 9 / Sketch for »Courbettes« n° 9* 1995
Collage mit Zeichnung, Zweig und Aquarell / Twig, pencil and
watercolors on card-board, 47×47 cm, Sammlung Würth Inv. 4674

*Neonly Lunatique (16 Viertelkreise / 16 quarters of a circle) n° 1*  2001
Leinwand auf Holz, Neonröhren / Canvas on wood, neon tubes, 305 × 250 cm,
Privatsammlung / Private Collection

*Lunatique Neonly (16 Viertelkreise / 16 quarters of a circle) n° 2* 2001
Acryl auf Leinwand, auf Holz, Neonröhren / Acrylic on canvas, on wood, neon tubes, 295×200 cm,
Privatsammlung / Private Collection

*Prickelndes π Nr. 1, 1=10°, 51 Dezimalen / Prickly π, n° 1, 1=10°, 51 Decimals* 1998
Acryl und Bleistift auf Leinwand auf Holz / Acrylic and pencil on canvas on wood, 240×240 cm,
Sammlung Würth Inv. 4670

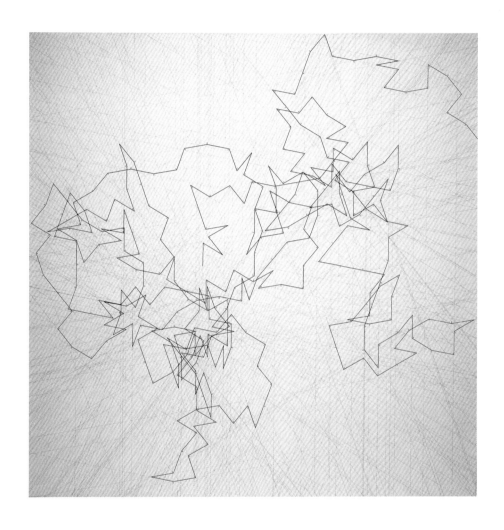

*Prickelndes π Nr. 2, 1=20°, 372 Dezimalen / Prickly π, n° 2, 1=20°, 372 Decimals* 1998
Acryl und Bleistift auf Leinwand auf Holz / Acrylic and pencil on canvas on wood, 240×240 cm,
Sammlung Würth Inv. 4671

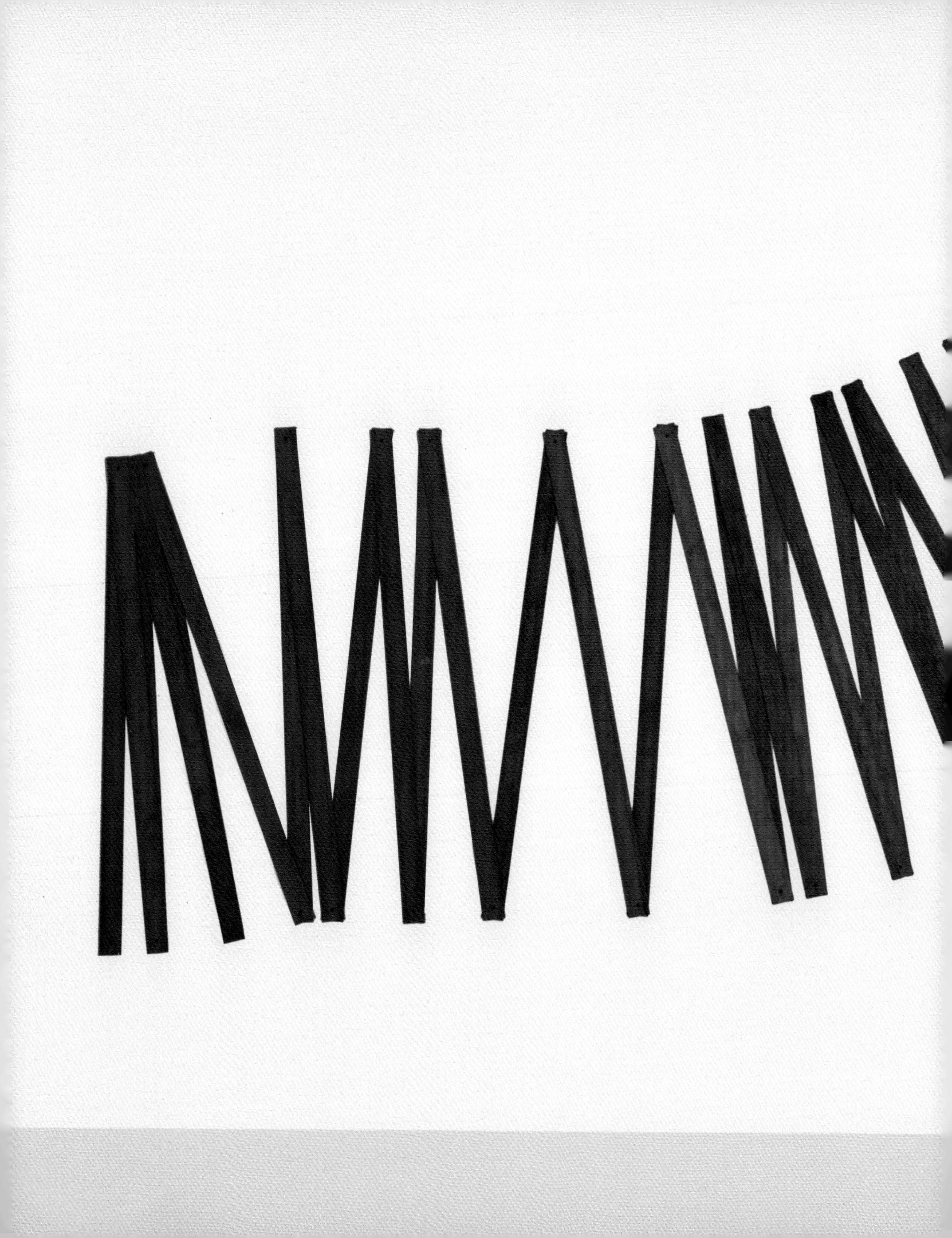

*≠ Ironicon n° 2, 1=2°* 2000
Metall / Metal, Ensemble 216×412 cm, zusammengesetzt aus 27 Elementen à 133 cm / Ensemble,
216×412 cm composed of 27 elements of 133 cm each, Privatsammlung / Private Collection

π *rotes Rokoko Nr. 11, 1=30° (14 Dezimalen)/Red π Rococo n° 11, 1=30° (14 Decimals)* 1998
Rote Neonröhren, Elektrokabel und Transformator, weiße Kreide oder schwarzer Bleistift auf der Wand/Red neon tubes, electric cables,
transformer, white charcoal or black pencil on the wall, 210×370 cm, Privatsammlung/Private Collection

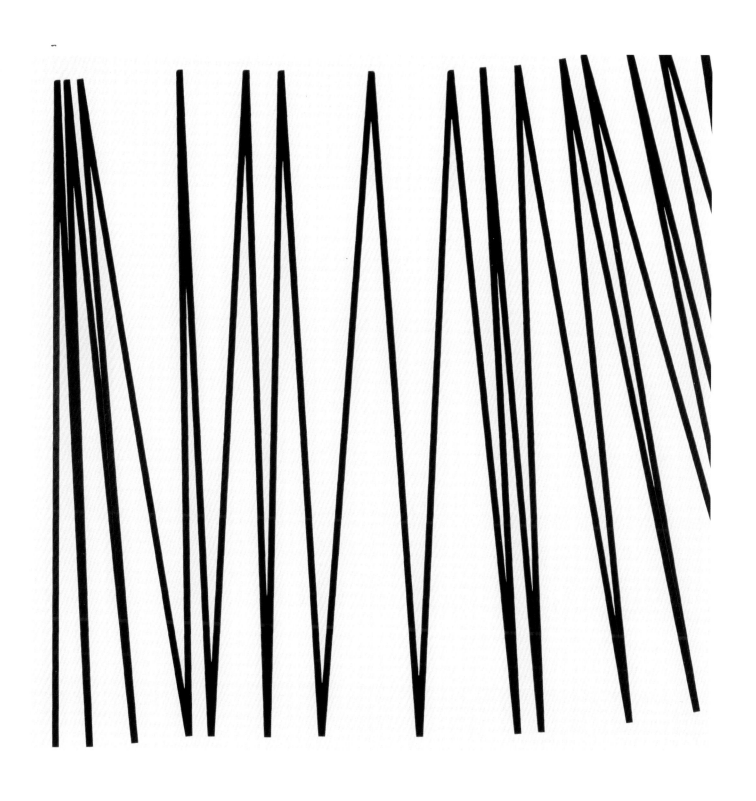

*Prickelndes* π *Nr. 7, 1–1° / Prickly* π *n° 7, 1–1°* 1999
Acryl auf Leinwand auf Holz / Acrylic on canvas on wood, 200×200 cm, Privatsammlung / Private Collection

π *rococo n° 16, 1=10°* 2000
Blaue Neonröhren, Elektrokabel, Transformator und dicke Kreide auf der Wand / Blue neon tubes, electric cables, transformer and soft lead on the wall, 440×560 cm, Privatsammlung / Private Collection

# Morellet's Pythagorean Post-Modernism

*Thomas McEvilley*

François Morellet had a very hot moment around 1952–1953. Like everyone else in the world he was painting at the time. The idea of Conceptual Art had not clearly arisen yet. It had been foreshadowed in the œuvre of Marcel Duchamp more than a generation earlier, and was already incipient in works such as John Cage's *4' 33"* (in which a pianist sits at a piano in front of an audience and remains silent and motionless for 4 minutes and 33 seconds) and Robert Rauschenberg's *Erased De Kooning Drawing* from 1953 presenting visual blankness as equivalent to silence. Cage was probably, in some way, inspired by the example of Duchamp, and Rauschenberg in turn by Cage.

This was the lineage of American Conceptualism at its birth. Ed Kienholz is said to have used a term like Concept Art or Conceptual Art already in the 1950s. The term Concept Art was published by the American Fluxus artist Henry Flynt in *An Anthology*, an anti-art volume edited by Jackson MacLow and La Monte Young in 1963, and the term Conceptual Art was used by Sol LeWitt in his article »Paragraphs on Conceptual Art« in 1967.[1] But Morellet was already sniffing around the hen-house in 1952 and '53, though his work is not internationally known enough for this fact to have entered the record prominently.[2] In a spate of recent books on the art history of Conceptual Art, including one that is specifically dedicated to the origins of conceptualism in places other than New York City, Morellet is not even mentioned.[3] Now that the history of art in the Modernist era is being revised along lines of post-Modernist inclusiveness it is time to set the record straight.

In the five years or so after World War II Morellet painted in a sensitive, mostly abstract yet still somewhat painterly style that bore resemblances to some works of Paul Klee and Arshile Gorky. Then around 1950 the painterly elements disappeared, the edges hardened and become more geometrical, and the work seemed to be struggling to find where to go. By 1952 it had found its way, and that way was at the forefront of what was happening in art history at the time, as the School of Paris gradually gave way to the emerging School of New York.

Morellet by-passed, or overleapt, the gestural period of Abstract Expressionism and went directly into the later-to-emerge world of Geometric Abstraction which, with its emphasis on cognition, led to Minimalism and through it to Conceptual Art. At least three major American artists who have been firmly implanted in the art history books seem to have been anticipated in their breakthrough achievements by his work. These are: Ellsworth Kelly, Frank Stella and Sol LeWitt.

Morellet's *Peinture*, (Painting; 1952; see p. 124) and *Peinture* (1953) contain the basic elements that Stella would use in his immensely celebrated *Black Paintings* of 1958 and after. *Du jaune au blanc* (From Yellow to White; 1953; see p. 127), *Violet bleu vert jaune orange rouge* (Purple Blue Green Yellow Orange Red; 1953; see p. 237) and *5 rouges différents* (5 Different Reds; 1953) could be a Kelly from the same period – which of the two influenced the other? *Lignes parallèles* (Parallel Lines; 1957; see p. 210), and even *Parallèles jaunes et noires* (Yellow and Black Parallels; 1952) anticipate later works by several historic American artists, e.g. Kenneth Noland and Agnes Martin. *4 doubles trames traits minces 0°–22°5–45°–67°5* (4 Double Grids with Thin Lines; 1958) has already everything that LeWitt's *Circles and Grids* (1972) would have. This list could go on. Morellet was there at the beginning of the tendencies that would someday be called late or post-modern; he seems to have seen its directions before they revealed themselves. On the other hand, viewing influences on Morellet's works of the early '50s, one finds him continuing a venerable European Modernist tradition that goes back through Max Bill's Concrete Art to the works of Theo van Doesburg and, ultimately, to Russian Constructivism. He provides, in other words, a link between European Geometric Abstraction and Conceptual Art.

Another angle of Morellet's work connects straight back to Marcel Duchamp: especially the tendency of systemic art to generate an aura of rigorous method that drifts in the direction of science rather than religion – or of a mathematicized form of religion such as the ancient Pythagorean. He was involved in the counter-aesthetic movement for »the avoidance of subjectivity in art«[4], used »random numbers to determine the location of identical elements on his picture's surface«[5], shared with Max Bill and other Swiss concretionists »a desire to suppress individuality in favor of a system«[6] and was founding member of the Groupe de Recherche d'Art Visuel (GRAV) in 1960. The title suggests a scientific research group and recalls Duchamp's *Trois Stoppages-Étalons*, which mimic laboratory research instructions.

Clearly Morellet was a member of what has been called the »other« tradition in Modern art, meaning other than both the aesthetic preoccupation of Matisse and the School of Paris and the metaphysical transcendentalist urges of Malevich, Mondrian and the Abstract Sublime. This is the same as saying that he was not, ideologically, a Modernist. At the moment in question, in the early '50s, he was what might be called a proto-post-Modernist. In 1960 Victor Vasarely asserted about the ambitions of the *Groupe de Recherche d'Art Visuel* that »the ›star‹ or the ›solitary genius‹ is out-of-date« and that »›true creators of the future‹ will employ the ›aid of scientific and technical disciplines‹.«[7] At the time when the last heyday of the Romantic movement was working itself out in Abstract Expressionism in New York, the irrelevance of the Romantic ideology was announced in the context of ideas derived ultimately from Duchamp which would be the foundation of post-Modernism twenty years later. Known by its acronym GRAV (»grave«), the group was one of the first official manifestations of post-Modernism in the post-war period – though something very like it had happened at the beginning of the »other« tradition, in Dada and related anti-civilization tendencies which were driven out into the open by the shock of World War I. »We would like to withdraw from our vocabulary the word art in its accepted meaning,«[8] read a GRAV statement in 1961. This was an overt anti-art movement – understanding that anti-art has always meant anti-a-certain-type of art that was recently dominant. Related tendencies had been expressed in the post-war period in the United States; Rauschenberg's *Erased De Kooning Drawing*, for example, is a stunningly direct and blunt anti-art gesture.

In Japan also the war left a need to turn away from the principles that had dominated the flawed civilization that led to defeat: Matsuzawa Yukata's »Nirvana School« turned anti-art in the early '60s with its »vanish objects«, its »refusal to make«, and its Anti-civilization Exhibition (1965). The sense that human hopes and ambitions – both East and West – had been foolishly committed to what Ezra Pound called a »botched civilization«, the embarrassment of recognizing the fact so late, the shameful desire to cover one's ass – these were moods felt in places deeply affected by the War – including Japan France and the United States.

In France this mood was characteristically carried off with aplomb, with a refusal to show shame; Gallic pride drifted into the nihilistic cult of the savage god of the Absurd, while Morellet and others in GRAV, like the proto-Conceptual activities going on in the United States and Japan, featured humor and Duchampian indifference. GRAV disbanded in 1968 and since then Morellet has carried out his project on his own, with both analytic intensity and humorous detachment, without cultivating the aura of a »star« or »solitary genius«.

Many of Morellet's works have been connected with architecture, and the nature of the connection is unique: Called *désintégrations* (Disintegrations), his sculptural additions go against the visual premises of the structure, appearing to undermine its stability and direct it on a crash course into the earth. But if architecture disintegrates, artwork must integrate into the surrounding world, whence it takes its premises and its forms. Both the deconstructivist tendency and the intimate relation with the real world are prominent post-Modernist traits.

In his works for gallery exhibition Morellet proceeded to an investigation of cognition in visual terms. Many of his works present an analytical breakdown of the vocabulary of art, without projecting Kantian »aesthetic feeling« onto them. The breakdown of perspective is celebrated in *Tirets 4 cm dont l'espacement augmente à chaque rangée de 4 mm* (4 cm Dashes with Spacing Increasing by 4 cm every Row; 1975; compare p. 161); corners are accumulated for analytical breakdown in All Over (1995) and arcs in *Répartition aléatoire de*

Morellet and Ellsworth Kelly, New York, 1960

Max Bill and Morellet, Zürich, 1984

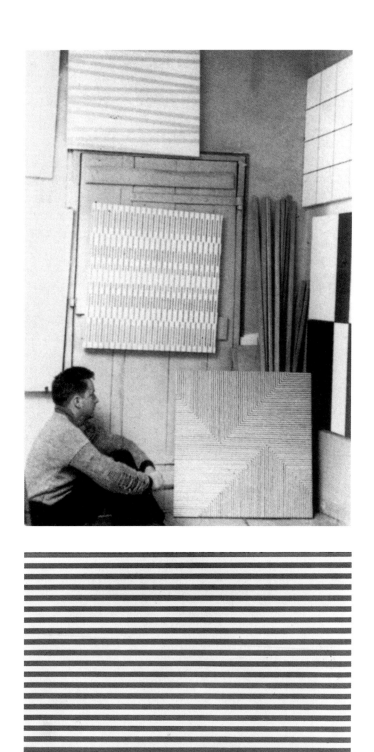

François Morellet, 1954

*Parallel Lines*, 1957

210

*1/4 de cercles de néon avec 4 rythmes d'allumage* (Random Distribution of 1/4 Circles Flashing with 4 Missynchronized Beats; 1994; see p. 233). Many other works follow the same inquisitive analytical path, seeking results beyond painterly sensibility and his fantastic intuitions.

This anti-Modernist insistence on bypassing the gallery space in favor of a site in the socalled »real« world of traffic, pedestrians and commerce also shows itself in many of his outdoor works. But even so these outdoor elements identify themselves as art, whether by color combination or material: the skewed grid in *Trames 3°–87°–93°–183°* at the crossroads Quincampoix and Aubry-le-Boucher (1970–1971; see p. 277), or the immense table-like framework that seems to have fallen from the sky onto the FNAC (Fonds National d'Art Contemporain) – La Défonce 1991; see p. 234 – on the Place de La Défense. They are not attempts to slip the artwork directly into the stream of ordinary life, but gigantic and obvious intrusions from the usually sheltered realm of art which by openly acknowledging their source bring the relation between the two realms into intense focus.

In line with its clearly acknowledging itself as art, Morellet's œuvre, for all its desire to break down boundaries that seemed too restrictive, still has something precious or elitist about it. This is best seen in the Platonic-Pythagorean aspect of the work. The emphasis on geometry – which is sometimes broken down into semi-atomic elements, as in the works with many corners, many arcs – evokes an ancient pre-Christian resonance which affords a glimpse into Morellet's usually somewhat hidden sensibility. In some works, such as *L'Angle DRAC* (Direction Régionale des Affaires Culturales = Regional Office for Cultural Affairs; 1987; see p. 299), where the geometry seems to have fallen from on high, there is a hint of the feeling Plato describes as being washed up on a beach after a shipwreck and seeing geometrical diagrams that men had drawn in the sand.

The most Phytagorean element in Morellet's work is his pursuit of π, i.e. an endless number, as are all socalled irrational numbers. Here Morellet takes his stand in the arena of ancient mathematicians and aestheticians. In a classic essay setting forth the premises of his own recent work, »On the Path of π«[9] he refers to »my usual tools, the ruler and the protractor«, evidently invoking and parodying the ancient schools that wor-

shipped geometry, as Plato, supposedly, had engraved over the entrance of his school the clause, »God geometrizes.«

The geometrical order of things, like the astronomical order, was regarded in those ancient schools as ordained, revealed, engraved on the soul by God, and so on. It was the assignment of humans to decipher and consciously articulate the message that was inscribed in their own soul. The shipwrecked survivor viewing the geometrical diagrams in the sand is seeing that there is at least one like-minded soul in this region or in the place where he has washed up in. He is among friends, or soul-brothers. In a mood that he compromises with humorous hedgings Morellet declares himself to be of this brotherhood. He made his works, he says, »using only (my) ruler and (my) good old protractor.«

In the beginning of his researches into π was »my dream of an infinite, unpredictable line that is self-generating.«[10] The ambition recalls Duchamp's desire to find a line that was not generated by his own taste or sensibility – a pure line, a line that was uncontaminated by the personality, that came from universal or anyway unaccountable principles that overrode and oversaw human life. In Duchamp's case this led to the random experimental procedure of the *Trois Stoppages-Étalons*, a work that seems to have been formative on Morellet's work as well as much other art of his generation. Morellet's desire for an infinite self-generating line means the desire for an irrational number – a number whose decimal nuances never end, like π, which supposedly has been worked out to hundreds of billions of decimals without coming to anything like an end – or even a loop or an obsessive repetition which might be regarded as a kind of stoppage. The irrational number goes on forever, and the line based on it would thus be self-generating and infinite.

The irrational number is one of the mysteries that was worked out in the Pythagorean school in the late sixth century B.C. So staggeringly, stupefyingly momentous was this discovery considered to be that the lore relates that Pythagoras himself pushed one of his major disciples, Hippasus of Metapontum, off a boat, causing his death by drowning, because he had revealed the secret of irrational numbers to an outsider. The problem with communicating this secret was that it revealed an essential discrepancy between arithmetic and geometry, between the order of numbers and the order of lines, that called into question the whole principle of the rationality of the universe. This was bound up with the so-called Pythagorean theorem: that given a right-angled triangle, the sum of the surfaces of the squares of the two short sides will equal the surface of the square of the hypotenuse. The problem is that the hypotenuse, given a triangle in which the two short sides are rational numbers, is an irrational number. That means that one could never measure the hypotenuse; no ruler, no matter how finely calibrated, would ever yield a whole number value for it. So the existence of the irrational number, discovered through the Pythagorean theorem, reveals an inner incommensurability between mathematics and geometry. The world as measured in numbers and the world as constructed in spatial units do not coincide and in fact will never do so. So the world is really two worlds. There is an eternal incommensurability built into it that is the groaning chasm of nonsense at the heart of sense. It is this incommensurability that Morellet has focussed on as the subject matter of his π instantiations.

Morellet is of a generation which overlapped Modernism and post-Modernism. His instincts seem always to have been of the deconstructivist anti-metaphysical slant that is now commonly called post-Modernist, governed by a desire to undermine the certainties of Modernism. Yet his Pythagorean geometry-based art has distinct foreshadowings in Modernism – in the work, for example, of Mondrian and the neo-Plasticians. Yet Morellet has focused not on the certainties of Pythagoreanism but on its one glaring uncertainty, the one that caused the Master himself to push one of his principal disciples off the boat. The irrational number and the infinity of uncertainty it gave rise to stuck in the craw of Pythagoras, who seems to have been seeking elementary certainties in his work in mathematics and harmony. Morellet, though a residual Modernist through his Pythagoreanism, has focused on the one uncertainty that foiled Pythagoras, and in that decision is a post-Modernist – one who delights in seeing the certainties of Modernism disintegrate, destabilize and go flailing overboard.

Many of Morellet's works are like those geometrical diagrams the dazed shipwreck survivor finds as he crawls ashore gasping for breath. One imagines that Pythagoras himself would have loved a work like *6 répartitions aléatoires de 4 carrés noirs et blancs d'après les chiffres pairs et impairs du nombre* π (6 Random Distributions of 4 Black and White Squares According to the Even and Uneven Numbers of π; 1958). There are intimations of immortality here or, as Morellet says: »I can joyously and endlessly lose myself on these new paths toward infinity.«[11] Here for a moment he sounds like another French proto-Conceptualist: Yves Klein and his path-oriented forays into the infinite. Yet for Morellet, essentially, or instinctively, a post-Modernist, this persona of the transcendental Pythagorean infinite is a mask, a game, a »parody«. There may have been, among the Neo-Pythagoreans of the early Roman Empire, someone who mixed cynic elements with the ancient Music of the Spheres and treated it as a metaphysical joke – but otherwise, Morellet is the first playful Pythagorean on record among the life-or-death devotees bound to their vow of silence. Morellet is not so bound, and proclaims his search for the endless continually changing line based on π to be »a frivolous adventure.«[12]

»Unless, of course, one of (his) sequences should one day reveal...«[13]

1    Michael Newman and Jon Bird in their introduction to the volume *Rewriting Conceptual Art* (London, Reaktion Books, 1999), which they edited, state that Ed Kienholz already spoke about *Concept Art* in the late 1950s; they do not footnote the statement, and I have been unable to substantiate it. Walter Hopps, who founded the Ferus Gallery in Los Angeles with Kienholz in 1958, and curated Whitney Museum retrospective in 1996 does not remember it. It is on record, however, that in 1963 Kienholz began offering for sale what he called »concept tableaux«, works which existed only in concept and would be actually built upon being bought. See Walter Hopps, ed. *Kienholz: A Retrospective* (New York: Whitney Museum of American Art, 1996, cf. pp. 110–111).

2    Serge Lemoine's book on was appeared in 1996 in French (Éditions Flammarion). The first edition in three languages did not sell well. (Zurich, Waser Verlag, 1986). It is a pity that the 1996 version was only published in French: only France testily rejects the use of the current global second language, English, something which virtually no other nation in the world still does, as if to say to the rest of the world, »We just don't care what you think or say, as long as we are heard; we are sufficient unto ourselves«, etc. If Morellet's work had not been saddled with this burden of Gallic pride it might have entered the history books by now.

3    This sudden surge of belated academic interest began with a French catalogue: *L'Art conceptuel, une perspective*, Paris, Musée d'Art moderne de la Ville de Paris, 1989. Robert Morgan's *Between Modernism and Conceptual Art* appeared in 1996 but is rarely seen. Then almost at the very end of the millennium the floodgates opened; the main titles are: Tony Godfreu, *Conceptual Art*, London 1998; Michael Newman and Jon Bird, cf., note 1; Alexander Alberro and Blake Stimson (edd.), *Conceptual Art: A Critical Anthology*, Cambridge (Massachusetts), Massachusetts Institute of Technology, 1999. The work which emphasizes extra-New York developments is Luis Camnitzer, Jane Farver and Rachel Weiss (edd.), *Global Conceptualism: Points of Origin 1950s–1980s*, New York, Queens Museum of Art, 1999.

4    Jan van der Marck, »François Morellet or The Problem of Taking Art Seriously«, *François Morellet: Systems*, Exh. Cat. Buffalo (New York), Albright-Knox Art Gallery, 1984, see p. 12. Reproduced in French under the title »François Morellet, ou de la difficulté de prendre l'art au sérieux«, in *Morellet*, Exh. Cat., Paris, éditions du Centre Pompidou, 1986, see p. 206.

5    Ibid., p. 206.

6    Ibid.

7    Victor Vasarely, quoted by Jan van der Marck, *ibid.*, p. 14.

8    Quoted by Jan van der Marck, *ibid.*, p. 206.

9    François Morellet, »Les cheminements de π«, *François Morellet dans l'atélier du Musée Zadkine, Paris, Musée Zadkine*, 1999, see p. 5–9.

10   Ibid., p. 7.

11   Ibid.

12   Ibid., p. 9.

13   Ibid.

# What Makes the Ideal Spectator?

*Arnauld Pierre*

»I always have been and am still convinced that the artist's role, compared to that of the spectator, has been grossly overrated. In this respect, art history will have to be re-written.«[1]

The careful attention which François Morellet pays to the spectator, his desire to involve him increasingly in all aesthetic considerations, is not the least proof of the marvelous generosity Morellet has towards him. Naturally, this approach is also the result of very important strategic considerations: a re-evaluation of the role of the spectator in his interaction with the artist and his work helps to destroy the legend of the creative process and of an art »inhabited« by transcendental awareness: the spectator is to be elevated, the artist is to be brought down from his throne.

The question then becomes: should the newly wooed spectator now take the place on the throne? The answer must be no – since he, too, is an emperor without clothes. Perhaps the time has come to do away with the glorification of the role and status of the artist – but another misconception going hand in hand with it must be stopped at the same time: that of an importance derived from some higher meaning of a work of art which is supposed to be it's *raison d'être*. And this is exactly the crux of the matter: it is the spectator who is affected by this latter deception, and, in most cases, it is he who is also guilty of perpetuating it and even of intensifying it by giving some explanation which he then goes on to accept gladly. This is the notorious »picnic theory«, an ironic theory of reception: plastic arts are expected to »enable the spectator to find what he is searching for, which is what he himself brings into the experience. Works of art would then be like picnic places, like Spanish ›merenderos‹ where you eat what you bring.«[2] It is therefore understandable when you hear some grinding of the teeth when someone hears another person proclaim, tongue-in-cheek, that spectators are geniuses[3]...

Well, aren't they? They even manage to amaze the artists themselves at times with »everything they say his works say – disregarding the fact that these very works were intended to say nothing, absolutely nothing,«[4] and that even »in sculpture there is (really) nothing to understand.« This approach is worded even more radically where abstract art is concerned: »Abstract art has nothing to say. There is no message. It is a system of signs pointing the spectator back to himself.«[5] Morellet's voice here unites with that of François Molnar,[6] who – since 1956 – had been his main ally in the search for a theory of »semantics of abstract art« based on reason. This theory would silence the spectator-receptor-commentator overeager to step in with his observations and would lead to lower demands on the »world creators«, that is the artists themselves, whose sources of power are very dubious to begin with.

»À la recherche d'une base« (Looking for a Basis), a text published in 1958 on the occasion of a Morellet exhibition at the Galerie Colette Allendy, Morellet already assigned his friend to the circle of artists to whom even the »inner drive« which was considered so important by the pioneers of abstraction was not a sufficient justification for artistic ventures; instead, they question the physiological and psychophysical processes involved in their creative activities, in what they see and paint. Cézanne pointed the way towards the goal, a goal originating in the doubts and excuses always preceding the first stroke of the artist's brush; the goal was to »minimize arbitrariness.«[7] This – previously unthinkable – dream of a »science of art« can be observed here once again, as it was in the best days of Neo-Impressionism; here was a small, marginalized group of artists throwing fierce arguments at each other like echoes to justify their own position. Vasarely, one of the first Morellet collectors, used his admiration for him to describe what could ideally be called a speech about competent art in relation to its object: anti-literary, anti-poetic, anti-subjective and yet derived from the language of »codified plastic arts«, the »new science of a plasticity which is merely hinted at« – a future science of art which places emphasis on thought »as much as Molnar did«[8].

Earlier, Molnar had sharpened his thinking about the expressiveness of abstract painting by looking to Vasarely, of all people; those thoughts were taken up once more in the text Morellet co-signed. He had always claimed that »there is absolutely nothing to say about painting« and that »his painting shows nothing except what is shown in it«. He observes that Vasarely's work conveys a »feeling of evidence« and that his paintings »do not allow any subjective interpretation«, on the contrary, that »what you see can be described with the most objective means.« In what is actually a fascinating anticipation of the tautological debate about Minimal Art in America, he reaffirms that Vasarely's art »represents exactly what you see in it«[9] – a description which would have been just as valid for Morellet himself at that time period.

If a work has no other significance than that what is visible in it, then it can – indeed it must to justify that fact – become a tool in analyzing that visibility and its conditions; it must lead the way on a road to an experimental aesthetics which updates the basic rules of visual experiences, because only in this manner will it be possible to arrive at the goal of creating a science of art. »We try to see a little clearer«, Morellet declared in 1958. »We try to achieve this by using a most simple and unambiguous language and attempt to deal with all major questions of design, one at a time. We are convinced that we can gain not only a deep aesthetic satisfaction, but also a better understanding of our own aesthetic feeling, by using very basic forms (e. g., geometric elements).«[10] The first person plural is an indication: it aligns the de-mythologizing voice of the artist – which is also as free of subjectivity as possible – with the voices joining him in this effort to remain collective and anonymous.

After the foundation – in 1960 – of the center, which was later renamed *Groupe de Recherche d'Art visuel* (GRAV), the intellectual approach of the small threesome of Molnar-Morellet-Vasarely spreads like wildfire, based on contacts with other participants (artists and other groups) of the Nouvelle Tendence.[11] The question of whether this »programmatic experimental painting«

(Morellet) should be limited to the studios or whether it should be permitted to join the regular art circuit (galleries, collections, museums) was eventually solved by breaking off with the most radical representatives of a purely experimental art form.[12] However, Morellet and the other GRAV members still regarded »codifying of signs, nets, structures, and certain physical or visual constants« as a high priority in »the attempt to achieve knowledge of the ›visual phenomenon‹.«[13] The spectator is not absent in this effort, on the contrary, it is meant to serve as »an enrichment of the awareness which is inherent to the spectator based on his own visual perception« to enable him »to have even better control of the mechanism of his own perceptions.«[14]

Morellet himself says that he is »more interested in the physiology of the human eye than in a more or less refined culture of only a few spectators«; he sees in this approach the will »to find the most direct access to the eye of the spectator.«[15] This would make the spectator a mirrored image of the artist. The artist, on his part, renounces his capability of relating »meaning« to the spectator in the name of an almost sacred inspiration. Under these circumstances, the spectator is left with only the sight of his eyes to work with, and it is obvious that this organ of vision does not permit communication freed of any subjectivity. After all, the mechanism of the organ is triggered by a spectator deceptively deprived of his affects and memory and forbidden to let his eyes simply roam wherever they want; but his eyes will still have an activated vision which can serve as an object of experience and a yardstick for measuring the laws of vision. The artist, on the other hand, is handed the tool of chance and can rely on the certainties of a psychology of perception based on experimentally confirmed experiences.

> »If, after 1950, it is true that my works ›flirt‹ with space, then it is a very special kind of space, the space created by an absence of ›nature‹. (...) The raison d'être for these ›denaturated‹ works lies in the fact that they are in harmony with the world as I see it, which is ›denatured‹ in itself and discarded God and his last remnant: the very idea of ›nature‹.«[16]

This spiritual view which aspires to an artist without a halo is, in a way, ›denatured‹ in itself. It is true that

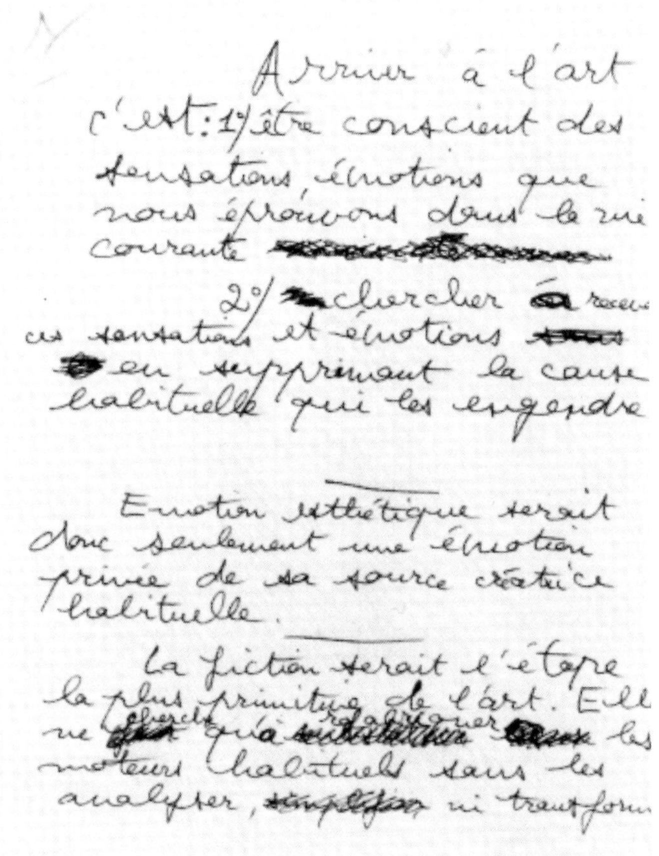

Arriver à l'art c'est: 1/ être conscient des sensations, émotions que nous éprouvons dans la vie courante ~~...~~

2/ ~~...~~ chercher à ~~...~~ ces sensations et émotions ~~...~~ en supprimant la cause habituelle qui les engendre

Emotion esthétique serait donc seulement une émotion privée de sa source créatrice habituelle.

La fiction serait l'étape la plus primitive de l'art. Elle ne ~~cherche~~ qu'à ~~...~~ ~~...~~ les moteurs habituels sans les analyser, ~~simplifier~~ ni transform[er]

---

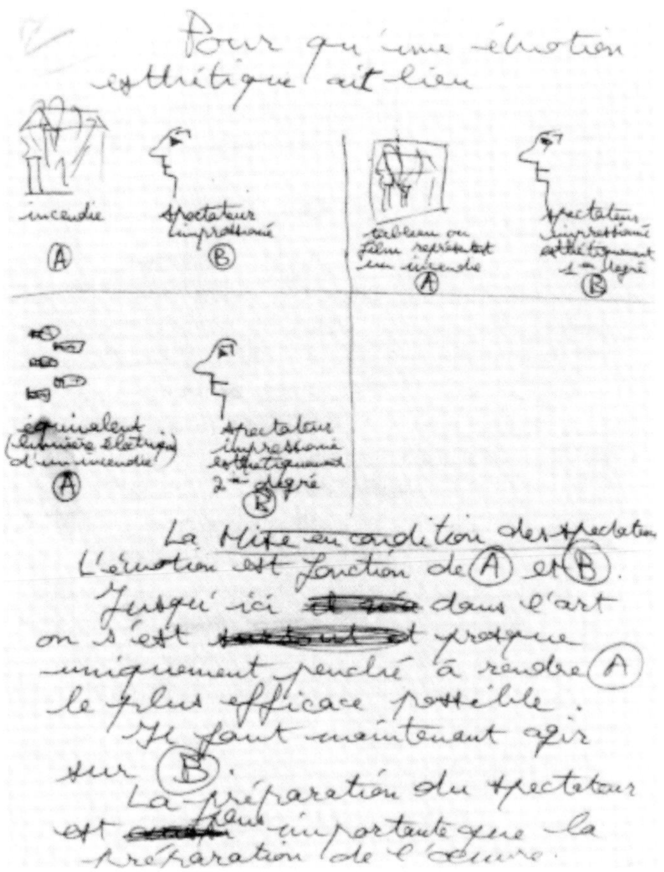

Pour qu'une émotion esthétique ait lieu

incendie / spectateur impressionné (A) (B)

tableau ou film représentant un incendie / spectateur impressionné esthétiquement 1er degré (B)

équivalent (lumière électrique) d'un incendie (A) / spectateur impressionné esthétiquement 2ème degré (B)

La Mise en condition des spectateurs
L'émotion est fonction de (A) et (B).

Jusqu'ici ~~...~~ dans l'art on s'est ~~...~~ presque uniquement penché à rendre (A) le plus efficace possible.

Il faut maintenant agir sur (B). La préparation du spectateur est ~~...~~ importante que la préparation de l'œuvre.

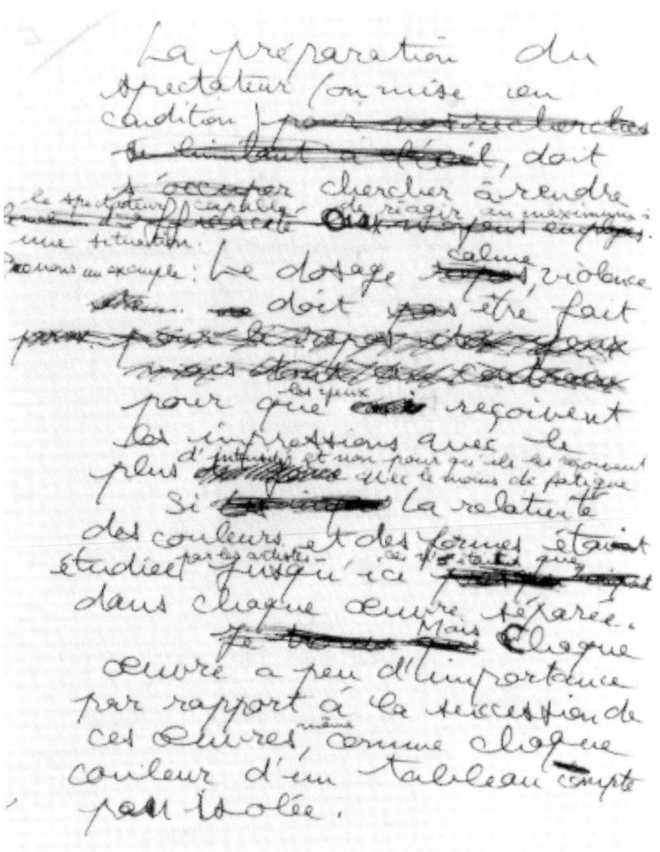

---

La préparation du spectateur (ou mise en condition) ~~...~~, il doit ~~...~~ chercher à rendre ~~le spectateur capable~~ de réagir au maximum à une situation. ~~Prenons un exemple:~~ Le dosage ~~calme~~, violence ~~...~~ doit ~~pas~~ être fait ~~...~~ ~~...~~ pour que les yeux ~~...~~ reçoivent les impressions avec le plus d'intensité et non pour qu'ils les reçoivent avec le moins de fatigue. Si ~~...~~ la relation des couleurs et des formes était étudiée jusqu'ici ~~...~~ dans chaque œuvre séparée. Mais Chaque œuvre a peu d'importance par rapport à la succession de ces œuvres, même comme chaque couleur d'un tableau compte peu isolée.

Draft of the text »Mise en condition du spectateur«, drawn up between 1964 and 1966

the spectator is no longer forced to recognize forms, especially in their discriminative relation to the background, a very clear remainder of the phenomenal world, of »nature« – but at the same time, he no longer sees composition, this background which gives meaning to a regulating consciousness. The formal structure which readily subordinates itself to the spectator does not facilitate such simple processes of recognition; on the contrary, it discourages them from the outset and fights forces which take shape naturally when optical perception is happening; it works against this tendency to build it up, to redo it, to put it in order, which is normally achieved by the searching movement of the eye and which Gestalt theoreticians compare to the »hand of the master builder«[17] – even if there is no more need for the artist himself or the spectator to take a point of view: The invention of a pictorial structure which has abandoned the classical separation of picture content and picture background at the same time it gave up the idea of composition gets the highest score.

The distinction of content and background within a painting is a hierarchical process which mirrors what happens during the »natural« process of seeing: the figure is systematically judged in relation to the background. The subject portrayed is always of the highest attraction, so it will automatically be at the center of the vision process, while the background is only registered peripherally. The content of a painting therefore is at the field of perception which the eye focuses on the strongest, where this perception is the richest and most detailed. This is the reason why in life we see things, but not the spaces separating them.

In Morellet's œuvre, the struggle against this discriminating built-in capacity of man begins early on, in 1950, with a series of paintings in noticeably pale colors framed by a fine net of lines; they permit very little color contrast and thus preclude spatial evaluation (*Peinture*[18] [Painting]; 1950, private collection). The same approach can be found in a more formal realization in 1957 in a work like *2 500 carrés* (2 500 Squares; 1957, private collection). In that work, the approach becomes evident in a contrast between two literally contradictory ideas: there is a juxtaposition of the colors black and white or of white with another bold color to create a strong contrast and to evoke, with their continuous interaction, the interchangeability of pictorial content and background (*Lignes parallèles* [Parallel Lines]; 1957, Amsterdam, Stedelijk Museum, see p. 210).

This victory over any remains of memory of a natural form would not be complete without its logical mate, the abandonment of any compository structure aimed at achieving a standardization and homogenization of the pictorial area. Starting in 1952, such features are achieved by using repetition and juxtaposition of small units of a similar kind, such as triangles in *Peinture* (Painting; 1952, Paris, Musée national d'Art moderne); by superposition of simple forms, e. g. crosses in *Violet bleu vert jaune orange rouge* (Purple Blue Green Yellow Orange Red; 1953, Paris, Musée national d'Art moderne; see p. 237); the extension of regularly drawn nets of lines from border to border (90° 90° 45° 45° etc.; 1957, private collection) or by sequences of lines (*Tirets (peinture)* [Dashes (Painting)]; 1960, private collection); and finally, by using systematic grids and raster screens which are best represented in the succinct simplicity of the map grid network in *16 carrés* (16 Squares; 1953, Mönchengladbach, Städtisches Museum Abteiberg; see p. 126). All these elements, different though they are, play – consciously or subconsciously – on the laws of proximity and similarity (which determine the mechanisms connecting the elements one sees with the ones closest and most similar to them). The idea is to achieve the desired tabular or »carpet-like« effect, which American modernist critics, referring to painting traditions of their country, labeled »all-over«.

All-over seems to be the most efficient method of facing up to a subjective evaluation of composition and of replacing it with the neutral perception of a continuum. Traditional composition is always geared to form a unity, and it continues to evaluate the uneven components of a picture, which are often of interest *per se*; their mechanism was always thought to be the key for the demiurgical dreams of an artist, within more or less complex and thought-out rules of the game of balances and imbalances. The non-compositional structure of all-over is convincing because of the complete and homogenous unity it forms; it surpasses the sum total of its individual elements, which, taken by themselves – because of their indifferent banality and their repetitious and predictable quality – would be rather dull.

In this manner, the artist breaks all psychological ties between himself and his work of art, he moves away from the dominant point of interest in the painting – and the spectator has no other choice but to follow him. In a certain manner the loss of this focal point, which definitely seals the artist's renouncement, naturally has an influence on the spectator as well. The tabular manner in which the painting is arranged changes his entire visual perception. The arrangement is designed to avoid centering the spectator's gaze in one spot and to avoid an impression of centralization, which would cause overrating one part of the visual field in comparison to others.

In *Répartition aléatoire de 40 000 carrés suivant les chiffres pairs et impairs d'un annuaire de téléphone* (Random Distribution of 40 000 Squares Following Even and Uneven Numbers of a Telephone Book; 1961, private collection), the multiplication of modular units prevents a redistribution of color; the colors are spread evenly, homogeneously. This effect is increased by the obvious contrast and the bright blinking which causes it: the broad spreading of visual incentives on this »pixilated« surface does not permit an acknowledgement of form. Among other things, this is the result of the relation the artist has chosen between the format of his grid and the painting (a square of 100 cm per side), which turns the matter into a question of perspective and scale. As soon as the scale is changed, you find yourself returning to more traditional ways of viewing things, as can easily be seen in the triptych *Répartition aléatoire de triangles suivant les chiffres pairs et impairs d'un annuaire de téléphone* (Random Distribution of Triangles Following Even and Uneven Numbers of a Telephone Book; 1958, Musée de Grenoble). The first painting shows a surface broken up into small units; the spectator's gaze searches in vain for a form of organization. In the next two paintings – which show a detail from the first painting on a uniform area – the eyes of the spectator are focused on the ever simpler black forms in front of a white background.

Another way of avoiding any clustering might be to multiply the numbers, to offer a huge number of possible polarization points to the eyes of the spectator. This strategy resulted in, e. g., *4 doubles trames traits minces 0°–22°5–45°–67°5* (4 Double Grids of Thin Lines; 1958, Paris, Musée national d'Art moderne) and in other paintings based on a similar system of a superposition of shifted right-angled grids. They are arranged in a way which gives the impression of rosette motifs with lines departing from their center – except that the overall graphic system evolving on the surface is interwoven in a manner which makes it impossible for any of the lines to cross the center from which they flow. From this untraceable center the gaze is attracted – in a round-about manner in which the spectator's eyes follow the constant repetition of the knots of lines which, at first, he mistook for fixed points – to the painting's borders whose centrifugal forces drive him away in the end.

In this context, the rectangular format which Morellet has consistently used since 1953 seems to make sense: it does not favor a particular direction, not the anthropomorphic vertical or the horizontal form of landscapes, and it helps to eliminate any reference to the phenomenal structure of the world by guaranteeing a uniform extension of the painted area with consistent intensity. Its isomorphism ensures the doubly neutralizing goals of all-over: the neutralization of the subjective center of the work of art and the neutralization of the center of viewing the work, from which the spectator might reach a point of pseudo interiorization which the artist does not believe him capable of, just as he does not believe he himself has the capacity for it.[19]

»If all other senses could be neutralized temporarily while viewing visual art, only the question of what would be the best way to sharpen the spectator's eyes would remain. [...] But the other senses exist, and sensitivity towards sounds, smells, contacts, and warmth stay active, so that neither sounds, smells, contacts nor warmth can be eliminated.«[20]

The first *Labyrinthe*, which was installed by GRAV at the 3rd Paris Biennale in the fall of 1963, opened in the form of an almost cubistic room; walls and ceiling were covered with a wallpaper which showed the random grids of the *40 000 carrés* (40 000 Squares) in blue and red into infinity; the grid was blinking with a bright electric illumination which »caused such intense vibrations that the spectator was forced to recognize the image in its continuous instability and according to a temporarily unpredictable process due to the physiological composition of his eyesight.«[21] This environment can no longer be considered as an expansion of earlier

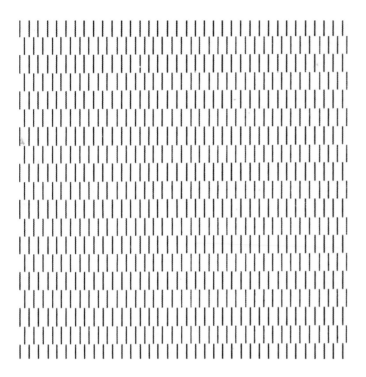

*Lines (Painting)*, 1960

Morellet in his studio in front of *Random Distribution of Triangles
Following Even and Uneven Numbers of a Telephone Book*, Cholet, 1958     *40 000 Squares*, Paris Biennale, 1963

works, but exemplifies the changed attitude Morellet and the other pioneers of the group had towards the typical spectator.

In its original version, the paintings and serigraphs of the panels of the *40 000 carrés* series hardly varied from the almost standard size of 80 x 80 cm. Even in their realization on canvas, with the measurements 100 x 100 cm, the works remained absolutely approachable; the distance of observation which these neither small nor large works spontaneously caused him to take originated from tilting them at a 30° viewing angle and thus fulfilling one prerequisite for a unifying and homogenizing way of viewing them. The environment of 1963 – by separating these formats without abandoning the format of the modular grid – increased the challenge for the spectator at the periphery of his field of vision and caused exploring movements, (futile) efforts of holding on to something, which lead to motor reactions and involved the head, indeed, the entire body.

These effects were stronger than they were in *4 néons programmés* (4 Programmed Neons), which were installed at the exit of the same labyrinth. This work was not shown in the »pictorial« manner of today with the 4 panels (80 x 80 cm) combined as a single work, but formed its own complete environment, which had its effect on the spectator from all four sides of a cell immersed in darkness (see p. 263). The unpredictable and desynchronized rhythm of turning the illumination on and off triggered a range of motor reflexes in the spectator by forcing him to concentrate his attention on all areas of his vision. The persistent effects on the retina shifted the capability of seeing the consecutive pictures – created by the light effects – to the normal powers of visual perception. The aggressiveness inherent in the spectator prevented him from taking a contemplative attitude, but kept him at a state of probing over-sensibility which left only one escape route: leaving this cell of stimulation.

As early as 1961, GRAV was convinced that stimulating the peripheral powers of vision can be used as a means of creating *inconstancy* in the field of vision and logically attacked certain values which normally are linked to the continuing and permanent character of a work of art; the leaflet »Assez de mystifications« (Stop Art) contains a passage about the necessity to *shift* the habitual function of the eye (perception of form and

things related to it) towards a new way of seeing based on the peripheral power of vision and *on inconstancy*[22]. As compensation for this increased challenge to the senses and sensorimotor, François Morellet's dynamo-genetic environments at the Paris Biennale undoubtedly have the potential of exceeding yet another suggestion of the tract of 1961, by »limiting the work to a purely visual state of affairs«.

This touches upon one of the most rewarding contradictions of the group's practical and theoretical activities; GRAV heavily emphasized the primacy of visuality (it is often forgotten that even before the *Labyrinthe* of 1963, schools used an anatomy table showing an eye in section[23]), but was forced at the same time to take the whole spectrum of the human sensorium into consideration, starting the moment the spectator is asked to participate actively – and this is the true measure of the joint works of the group – in ways which will increasingly mean a physical and holistic participation, e.g. a polysensory involvement. Morellet seems to go beyond his own initial concept of the – in the ideal case – spiritual eye of the spectator when he demanded not to ignore »sounds, smells, contacts, and warmth« to intensify perception even more and lend substance once again to the core element, the power of vision.

»Let us talk about warmth, which has never really been examined for its influence on aesthetic perception. It is obvious that the red on a wall will appear more or less bright depending on whether the room's temperature is 10° lower or higher than the outside temperature. If it is true that a red surface conveys a feeling of great warmth, then great heat will intensify that impression.«[24]

Such thoughts were anticipated by an installation like *Flash sur ROUGE* (Flash on RED; see p. 223) which was shown in the second GRAV *Labyrinthe* at the Musée des Arts décoratifs in Paris; in this work, the color RED was triggered by a strong electronic flash trained on the word »ROUGE« depicted in capital letters. The intensity and instantaneousness of this illumination and lighting phenomenon, which was arranged in a cell of 250 x 200 x 280 cm, was so strong that it saturated the eyes or, even more, it flooded them, to a point where it prompted a physiological reaction comparable to an uneasiness or even an unwellness. What gave this installation its unique character was the fact that a truly mental space was created, in which the perceived phenomenon is combined with the feeling of intensity or even aggression some-times associated with the word red.[25]

Other installations were even more obvious in their focal point, i.e. an attempt to trigger off sensorimotor reactions of the spectators who were asked to participate actively. That is especially true of *Bowling lumineux* (Light Bowling; see p. 264), one of the elements of *Propositions pour une salle de jeu / Participation active du spectateur* (Propositions for a Play Room / Active Participation of the Spectator), which GRAV showed at the 4th Paris Biennale in 1965 and in which the spectators were given a playroom with bowls which activated the random blinking of the light bulbs on a huge panel. (These light bulbs were simply recycled from *Allumages avec 4 rythmes superposés* [Illumination with 4 Superimposed Rhythms]) which Morellet had shown as single pieces two years earlier).

This type of work plays an important role in the demystification of the traditional position of the artist. As Morellet says: »Playing, the active participation of the spectator in the creation or in the alteration of a work of art, undoubtedly implies a definition of the term ›artist‹ which is as far removed from the traditional definition of the artist as omnipotent creator as possible. The arbitrary geniuses around of which the legends of the 19th century were spun pale in the spectator's eyes.«[26] The role of the spectator is not an easy one, however. In the same tour, in *Bonbon Flash Claxon* (Sweets Flash Horn) the spectator is asked to trigger the double phenomenon of sound and light himself, which turns him deaf and blind at the same time, and in the end, he is rewarded – in a viciously ironic manner – by sweets dropping on him, which are supposed to compensate and comfort him.

Its educational and festive dimension should by no means sweeten the evaluation of this part of Morellet's activities for the spectator; after all, the problem of violence is consciously addressed head-on.

The flashes of the *Boîte à flash* (Flashbox; 1964, private collection), the lights of the *9 lumières tournantes* (9 Flashing Blue Lights; 1963, private collection) some-times put the spectator to the test with a bombardment of light which the artist uses as an antidote to the soothing surrounding, to the »approving flattering« with which advertising, television, the marketplace, and politics lull modern mankind to sleep.

In that sense, the disrespectful neon tubes which, with their programmed blinking, show up obscene motifs in *Néons abscons* (Obscure Neons; 1968), or the neon tubes which blink on vicious or derogatory words like »cul«, »con«, »nul« (ass, asshole, nothing) in *Néons avec programmation aléatoire-poétique-géometrique* (Neons with Random-Poetical-Geometrical Programming; 1967, private collection, see p. 156–157), and the ones in the English version, *Néon bilingue aléatoire* (Random Bilingual Neons), are not so much the product of the artist's sense of humor, which in itself is not important, but should rather be seen as an attempt to drive a wedge into this dictatorial system, as if the obscenities of Bruce Nauman's neon tubes had asserted themselves – with a time lapse – against the aesthetisizing views of his generation (*Run From Fear, Fun From Rear*; 1972). As Morellet puts it: »Even if it were my conviction, I would never attempt to prove that at certain moments, aggressiveness and brutality in art are a social necessity. I would concede, however, that our society [...] is characterized by a complete repression of any form of aggressiveness and brutality in aesthetics, ethics, and politics.«[27]

What a stark contrast it is between the spectator's caresses of the polyester ball contained in the lighting system of *2 trames 0° 90° de tirets de néon blanc avec participation du spectateur* (2 Grids 0° 90° Made from White Neon Stripes with the Spectator's Participation; 1971, installed at the Stedelijk van Abbemuseum in Eindhoven) or *2 trames de néons interférentes sur 3 murs et 1 plafond* (2 Grids from Interfering Neons on 3 Walls and 1 Ceiling; 1972, Paris, shown at the exhibition »60–72. Douze ans d'art contemporain en France« [60–72. Twelve Years of Contemporary Art in France]) and the intensity of the lighting effects triggered by those caresses! In Morellet's Environment at the Biennale in Venice in 1970, where sheer muscle strength, used to hit a punching ball, triggers the lightning storm (see p. 226), a more natural harmony seems to have been achieved between cause and effect, between physical shock and visual shock. In both cases – as in Yaacov Agam's Environment *Fiat Lux* (1967), though without the mystical-theological background – a gesture is supposed to render something visible which links the organic to the visual.

The renewed involvement of the body at that time meant more than giving up the use of one's eyes – in the sense of the *Gestalt* theory – in favor of the involvement

*2 Grids from Interfering Neons on 3 Walls and 1 Ceiling, »60–72.*
*Douze Ans d'art contemporain en France«*, Paris, 1972

*Untitled*, Aya Irini Church, Istanbul, 1987

*Flash on Rouge*, 1964

*Transparence n° 2*, Westfälisches Landesmuseum, Münster, 1989

of other senses as well, which then take on their own shape and are challenged by all sides; it also means the inclusion of the »social body«[28], as Morellet says in his »Protestation« (Protest), against the »taste of a false softness« and the »smiling and soothing aspects«[29] of social realities, which all too often simply serve to cover up a much darker state of affairs. The spectator who is now part of the event is an acting person from within a social reality on whom the artist, in his role as mediator, can exert an influence. A leaflet published by GRAV in 1963 puts it this way: »If contemporary art has a social cause it must inevitably take the social environment – the spectator – into consideration. Within the framework of our possibilities, we wish to free the spectator of his apathetic dependence, which causes him not only to accept as art whatever is put in front of him, but even to accept passivity as his whole way of life.«[30] The participative modules of *Variations sur l'escalade* (Variations on Escalade Theme) which GRAV showed at the Albright-Knox Gallery in Buffalo, in 1968, pointed to the increasing military involvement of the United States in Vietnam; at the same time, the concept of participation met with a wide response in contemporary socio-political reality. The slogan of participation was taken up by all followers of the idea of a continuing evolution in the balance of power in public life.[31]

The oft-told joke by Morellet – that the dissolution of GRAV in 1968 was a logical consequence of the fact that the public assumed direct responsibility for its destiny (he is talking about the events in the months of May) – was more than just a joke: the politics of participation which had been anticipated by the questioning of certain aesthetic structures – especially in the relationship between artist and his public – was now taking concrete form.

> **»Why was – at least in my own case – the term ›environment‹ replaced by the term ›installation‹? No doubt because I now had greater interest in the place than in the spectator (and the ›total spectacle‹). With an installation, it is the place that counts for more than anything else; it existed before and will continue to exist.«**[32]

With the early seventies, François Morellet's priorities seem to turn away from the question of the spectator and be replaced by a new conflict, that of place ((*Dés)inté-grations architecturales* [Architectural (Dis)integrations]) and of *in situ*. This is the time of his first commissioned works for public squares (*Trames 3°–87°–93°–183°*; 1971, Paris, Plateau La Reynie [destroyed, see p. 277]) and a long-lasting work theory which toppled the constructivist ideology of a synthesis between painting and architecture by developing various strategies which enabled it to face up to the architectural context[33].

One of the most interesting phenomena of those days is the fact that painting jumps out of the neutrality of two-dimensional space; it enters into the physical space of the spectator and »is exploring the ambiguous, exquisite and vast borderline between painting and sculpture.«[34] Since 1979, the series *Tableaux en situation* (Canvases in the Limelight) uses painting as a medium to analyze and criticize the exhibition facilities, as a »visual tool« in the same sense Daniel Buren used it with his repetitious vertical stripes. In most cases, the canvas – simply covered with a white surface – had only one single line on it, at the most two, which leave their traditional place on the wall and emphasize the architectural structure they cover: a door angle (*Tableau 100° 10°*; 1979, Barcelona, Galería Eude), a column (*Transparence n° 2*; 1989, Münster, Westfälisches Landesmuseum; see p. 223), the profile of an arc or the lower part of an opening in a wall (*Sans titre* [Untitled]; Istanbul, Aya Irini Church; see p. 223).

These transitory »portraits of places«, as he himself called them, are the entrance ticket to the genre of Morellet's *in situ* work, where he meets with Michel Verjux' ideas. At the same time, his interest in the »lowly material constraints« of the backdrop (format, strength, weight, orientation...) and of the location itself (sun, walls, ceilings, openings...) increasingly enter into his projects, which were always intended to reducing »presumptuous ›information-oriented‹ painting« to a more modest role, e. g. »by referring to horizontality-verticality«[35]. That is the objective of works like *Seule droite traversant 2 carrés inclinés à 0° 90° par rapport au mur* (Single Straight Line Crossing through 2 Squares Tilted toward the Wall at 0° 90°; 1978, Paris, Musée national d'Art moderne).

The question of the spectator will reappear, though, in art and in Morellet's deliberations on his way to a criticism of sculpture which was worthy of the era of great discourse on paragons. By returning to Baudelaire's critique of sculpture, »that round ephemeral object you can walk around« and which creates »neither an overall impression nor an overall effect«[36], Morellet is resisting traditional sculpture – which was not satisfied with taking up space but, because of its inherent complexity, also claimed time – by saying: »How can you accept this hunting for points of view which the spectator then must submit too. This walking around a base where visitors' bodies bump into each other, eyes furtively glancing at one another, and each one of the spectators struggling to find the best location.«[37] The very diversity of possible points of view about sculpture which earlier had been the foundation for Benvenuto Cellini's praise became its greatest handicap; because sculpture required long periods of time to be discovered, this approach had become obsolete in our modern times with their rapid perception. Morellet truly understood that modern art is hampered to a degree by an apprehension basically based on what Walter Benjamin called »entertainment value«. Today's artist is in competition with the speed of mechanical images (photography, television, cinema …) and sees himself put in a position where he himself must mourn the death of the patient, contemplative rapport with a work of art needed for the spectator's subjective viewing: »Yes, my painting requires only a minimum amount of attention«[38], Morellet calmly admits.

Sculpture is affected by this development in two very different ways: either sculpture is characterized by a strict definition of itself as the only point of view possible, or, quite the opposite, by the search for an open and unlimited sculpture without a viewpoint of its own. In the first case – »one sculpture, one viewpoint«[39] –, the plastic is denied the third dimension from the outset; taken to an extreme, the polyptic *Arc de cercle brisé* (Broken Arc of a Circle; 1954, Collection Manfred Wandel, Stiftung für konkrete Kunst, Reutlingen) and the entire series of *Fragmentations* (Fragmentations; begun in 1973) present a paradigm of this limited sculptural concept: space plays its role in this turning-point of the motif shown which is continued only in the virtual realm of the spectator, without the work moving beyond its position in the two-dimensional level of the rails which, in turn, determine the frontal position of the spectator.

A large part of Morellet's work since the seventies therefore could be said to play with the shaky borderline between painting and sculpture, as had always been the case with the independent genre of the relief. This is true of works like the series *Géométrie dans les spasmes*, (*Par derrière à trois*; 1989, Dijon, Le Consortium). With the series of the *Adhésifs*, which was begun in 1971, (see p. 277, 281, and 282) the artists grabbed the object of his wrath directly by the horns, e. g. at the Musée des Beaux-Arts in Nantes in 1973, where he stuck his improvised material, black scotch tape, on several sculptures representative of the 19th century – without doubt the most aggravating century for this noble art – with no regard whatsoever for their relief or unevenness. To be able to view this grid – whose arrangement is reminiscent of the organization of viewing things in perspective – with a minimum of deformation, there was one single point which was always centrally located, in the front, and for all practical purposes limited the perception of the location for viewing the work. This viewing point was thus deformed and flattened to the rectangularity of an absolute geometrical net of lines: *Cléopâtr'amée (Parallèles 0°–90°)*, 1973 (Squared Cleopatra [Parallels 0°–90°]).

In the second case, the artist endeavors to create a »sculpture without viewpoint and thus without dimension« or even a sculpture »with a universal viewpoint« which, in a manner of speaking, transfers the problematic issues of all-over to sculpture. The installation *Structure infinie de tétraèdres limitée par les murs, le sol et le plafond d'une pièce* (Infinite Tetrahedron Structure Limited by the Walls, the Floor and the Ceiling of a Room; see p. 148–149), shown at the CNAC (Centre National de l'Art et de la Culture) in Paris in 1971, is the first of its kind: a scaffolding of aluminum pipe is arranged over the entire room, limited only by the architecture itself. These limits seem to be arranged at random with a potentially infinite extension, similar to the borders of Morellet's pictures with centrifugal all-over grids. In this case, however, it is not only the eye of the spectator which acknowledges the experience of an abandonment of any compositional center, but it is the whole spectator who dives into a structure which, from a purely physical aspect, goes beyond him.

In the same exhibition, Morellet shows a second version of this form of sculpture with a viewpoint dis-

*Punching-Ball* at the Venice Biennale, 1970,
reconstructed for the Groninger Museum, Groningen, 1981

*Cléopâtr'amée – Squared Cleopatra (Parallel Lines 0°–90°)*, adhesive tape,
Musée des Beaux-Arts, Nantes, 1973

*Geometrical Progression of Weight (Salt)
in Space (on Grass)*, Marsal, 1993

solved in its multi-faceted character: a number of rods which were planted on the entire surface of the CNAC gardens in regular distances and in a manner which – disregarding the unevenness of the ground – arranged for all rod ends to be of the same height level. This arrangement points to the possibility of a horizon in virtuality which seems to float in space and perhaps has no limits, as can be also be seen in a realization shown at the Rodin Museum once again in 1990. In the latter case, it is the turning surface of a stool of the artist – arranged amidst a small group of lime-trees – which embodies this level, that is the level of presence, just as virtually there, which are called to mind by four horizontal squares – which enclose even the most distant trees like rings – and which are the only and almost ridiculous signs towards infinity.

Finally we should mention the strange and unusual, but very rare works of the artist which – in their arrangement – rather explicitly raise the question of monocular perspective as central point, as has been the tradition in painting since Renaissance, e. g. *Vanishing Point of View* (1984, private collection), in which the scheme of the optical pyramid in sequence is shown from left to right, starting with a black dot on the wall and ascending vertical lines; two of these are hinted at by actual wooden parts; or an ephemeral installation like *Progression géométrique de poids (sel) dans l'espace (herbe)* (Geometrical Progression of Weight [Salt] in Space [on Grass]); these were arranged in Marsal (near Nancy) in 1993 in the form of seven small piles of salt which were arranged in a straight line of 100 m length in a manner in which the weight of each pile increased in the same relation as the distance separating them.

Even though unexpected and difficult to explain, especially within the framework of Geometrical Abstraction, these variations on perspective – these spatial extensions of perception in perspective – are reminders that the majority of François Morellet's works contain a story about a viewpoint, and therefore one about the spectator.

1   François Morellet, »Lettre à une étudiante« (November 23, 1989), *François Morellet sculpteur* 1949–1990, Exh. Cat., Calais, Musée de Beaux-Arts et de la Dentelle, 1990, p. 42.
2   François Morellet, »Du spectateur au spectateur ou l'art de déballer son pique-nique« (1971), *Mais comment taire mes commentaires*, Paris 1999, p. 47.
3   François Morellet, quoted in Serge Lemoine, *François Morellet*, Zurich 1986, p. 53.
4   François Morellet, *op. cit.*, note 2, p. 45.
5   François Molnar and François Morellet, »Pour un art abstrait progressif«, *Nove Tendencije* 2, Exh. Cat., Zagreb, Galerija Suvremene Umjetnosti, 1963, n. p.
6   François Molnar (1922–1993), Hungarian artist, lived in Paris after 1947, worked closely with his wife, artist Vera Molnar; expert in the field of psychophysiology of vision at CNRS (Centre National de Recherche Scientifique – national institute for scientific research) where he founded and worked in the laboratory for experimental aesthetics. See, e. g., François Molnar, »A Science of Vision for Visual Art«, *Leonardo*, vol. 30, no 3, 1997, p. 225–232. About Molnar's art, see *Vera Molnar, inventaire 1946–1999*, collected volumes, Landenberg 1999.
7   François Molnar (no title), *À la recherche d'une base – Peinture de Morellet*, Paris, Galerie Colette Allendy, 1958, n.p.
8   Victor Vasarely, »Ce que devrait être la critique d'art«, *Les Beaux-Arts*, no 907 and 908, October 28, 1960 (published in a special edition without citing the author's name), see p. 4 and 7.
9   François Molnar, *À la recherche d'un langage plastique… pour une science de l'art*, Paris 1959, n. p. Note: Frank Stella's words: »My painting relies on the fact that it contains only that which can actually be seen. [...] What you see is what you see.« [»Questions to Stella and Judd. Interview with Bruce Glaser« (1964) in Claude Gintz (ed.), *Regards sur l'art américain des années soixante*, Paris 1979, p. 58. Vasarely and GRAV (and that includes Morellet) are frequently quoted in this conversation, but as a permanent opposite and always on behalf of extremely unfair arguments, e. g. the continuance of the composition formula which all these artists continue to adhere to in their work.
10   François Morellet: »En Italie, au XXe siècle«, *Ishtar*, Paris, no 2, June 1958, p. 74. For Morellet and Molnar perception and aesthetic feeling are combined in the same essential impulse: »The model to which we can compare aesthetic feeling in the search for clarity is perception. [...] Perception is just as vital as aesthetic pleasure.« (Pour une art abstrait progressif«, *op. cit.*, note 5).
11   That is the name describing various artistic events which, in the sixties, showed the artists of the concrete-kinetic trend together; the first such event was organized by Matko Mestrovic, Bozo Bek, and Almir Mavignier in Zagreb.
12   Meaning François Molnar and Vera Molnar and Servanes. Vasarely never belonged to any group, but his active participation is mentioned several times in the public discussions organized by GRAV.
13   Groupe de Recherche d'Art visuel, »Recherche d'Art visuel«, *Melpomène*, Paris, no 16, December 1964, p. 11; quoted in *Stratégies de participation – GRAV – Groupe de Recherche d'Art visuel – 1960/1968*, Exh. Cat., Grenoble, Le Magasin, 1998, p. 149.
14   Jean-Pierre Yvaral (April 1965), quoted in *Stratégies de participation…, op. cit.*, note 13, p. 158.
15   François Morellet (May 1965), quoted in *Stratégies de participation…, op. cit.*, note 13, p. 161. The first part of this quote must be seen in relation to a passage in the tract »Assez de mystifications«, which was published by GRAV in October, 1963, and contained the following demand: »The renewed upgrade of the role of the spectator whose viewing of a work of art is shaped by how educated he is as to culture, information, aesthetic feeling, etc. We believe that the specta-

tor is absolutely capable of reacting with the perception capacities which he already possesses.« (*Stratégies de participation...*, *op. cit.*, note 13, p. 126).

16 François Morellet, »Les années soixante-dix«, *Art actuel*, Genf, no 6, 1980, p. 95; reprint in Morellet, Exh. Cat., Paris, éditions du Centre Pompidou, 1986, p. 186.

17 François Molnar, »Les mouvements exploratoires des yeux dans la composition picturale«, *Sciences de l'art, annales de l'Institut d'esthétique et des sciences de l'art*, Paris, I, 1964, p. 137.

18 See reproduction in Serge Lemoine, *François Morellet*, Paris 1996, p. 115.

19 Morellet's spatial continuum of *all-over* is not identical with the one Jesús Rafael Soto created at the same time, however; Soto saw the continuum as a mirror image of the structure of the universe (see Arnauld Pierre, »L'immatériel de Soto et la peinture du continuum«, *Soto*, Exh. Cat., Paris, éditions du Jeu de Paume, 1997, p. 17–30.)

20 François Morellet, »Mise en condition du spectateur«, *Lumière et Mouvement*, Paris, Musée d'Art moderne de la Ville de Paris, 1967, n. p.; reprinted in *Morellet*, Paris, éditions du Centre Pompidou, 1986, p. 179.

21 Guy Habasque, »Le GRAV à la Biennale de Paris«, *L'Œil*, Paris, November 1963, p. 46.

22 »Assez de mystifications« (October 1961), reprinted in *Stratégies de participation...*, *op. cit.*, note 13, p. 74. A similar text was published in the common text »Proposition sur le mouvement« in *Groupe de Recherche d'Art Visuel*, Exh. Cat., Paris, Galerie Denise René, 1961, n. p.

23 The author in conversation with the artist, August 6, 2000.

24 François Morellet, *op. cit.*, note 20.

25 These are the same factors which created the sensorimotor effect of Claude Lévêque's environment for the exhibition »Elysean Fields« (Centre Georges Pompidou in the spring of 2000: a square room with a red carpet; the corners are lined with rows of mirrors tinted in red, and the room was illuminated with red spotlights and heated with a small radiator).

26 François Morellet, »Le choix dans l'art actuel«, *Morellet*, Paris, éditions du Centre Pompidou, 1986, p. 178.

27 François Morellet, »Protestation«, *Robho*, Paris, no 2, November–December 1967, n. p., republished in *François Morellet*, *op. cit.*, note 2, p. 36.

28 To quote the title of the exhibition organized by Éric de Chassey in the fall of 1999 at the École nationale supérieure des Beaux-Art in Paris.

29 François Morellet, *op. cit.*, note 27.

30 GRAV, »*Assez de mystifications*« (October 1963), reprinted in *Stratégies de participation...*, *op. cit.*, note 13, p. 127.

31 In the remarkable study about GRAV (»Le GRAV sous le signe du jeu«, *Stratégies de participation...*, *op. cit.*, note 13, p. 25–32), Marion Hohlfeldt describes an approach toward the term as the situationists might have defined it, but I believe that is limited by the status visuality still enjoys with GRAV and which is not compatible with its denial by Guy Debord, who consistently plays with »la vie contre la vue« (life or sight) with sight being the preferred mediator of the »spectacle with the spectator«.

32 François Morellet, »Mes installations«, *in* Susanne Anna (ed.), *François Morellet – Installations*, systematic cat. of installations, Chemnitz, Städtische Kunstsammlungen, Stuttgart 1994.

33 Serge Lemoine researched this issue in *François Morellet – Désintegrations architecturales*, Exh. Cat., Chambéry, Musée savoisien / Angers, Musée d'Angers, 1982; and in *François Morellet – Sur commande*, Exh. Cat., Calais, Galerie de l'Ancienne Poste, 1988.

34 François Morellet, quoted by Patrick Le Nouëne, »François Morellet sculpteur«, *François Morellet, sculpteur 1949–1990*, *op. cit.*, note 1, p. 14.

35 François Morellet, in *François Morellet, sculpteur 1949–1990*, *op. cit.*, note 1, p. 77.

36 Charles Baudelaire, »Sculpture«, Salon de 1859, in *Écrits esthétiques*, Paris, UGE, Collection 10/18, p. 347. I am following an approach already explained by Patrick Le Nouëne, »François Morellet sculpteur«, *François Morellet, sculpteur 1949–1990*, *op. cit.*, note 1, p. 17.

37 François Morellet, »La sculpture et son point de vue«, *François Morellet, sculpteur 1949–1990*, *op.cit.*, note 1, p. 22–23.

38 *Ibid*, p. 22.

39 *Ibid*, p. 23.

*Acknowledgements*

The author would like to thank the many people who assisted him in preparing this text, foremost and most of all Danielle and François Morellet, who were incredibly generous with their time and patience, and also Serge Lemoine and Vera Molnar.

# Morellet or The Power of Neutrality

*Jacqueline Lichtenstein and Jean-François Groulier*

François Morellet's œuvre stands for the career of an artist who, for half a century, has been gathering experiences and making an effort to renew the structure of pictorial space. Neon lights, metal structures and compositions of light and minute elements are the result of new procedures which represent a break with the method of painting that ruled the École de Paris and the French art world of the fifties. We do not intend to sing the praise of this development or – as is so often done today – to describe the material features of these objects, nor do we wish to dwell on biographic details and previous exhibition sites because those are only incidental details. What this is more than anything else is a test of the traditional method of presenting an œuvre like this artist's.

The physical characteristics which shape a work cannot always be separated from its aesthetic properties, but they are not necessarily part of what we call its meaning. The work of Morellet – like that of many other contemporary artists – does not allow any more the use of terms like meaning, interpretation or aesthetic reference which still could have been employed half a century ago. Due to their functionality, their role within the space and their inherent relationship with our body, such compositions represent different awareness categories and a different procedure as that of interpretation; they consist in converting the pictorial properties, the artistic preferences or the implementation of an intent into an installation. That is why the question about the method of functioning of such objects is of primary importance, not the true meaning or the space design. In general, it is always difficult to define the specific and immanent advantages of a work without previous exact knowledge about whether this will withstand the structure of the object or the new categories of the discourse. The forms of identity, the features of the objects, the modalities of reference are conceptual procedures which have to be defined anew for every analysis of a work. This change

of process does not only depend on the appearance of new objects but also on the increasing contribution of aesthetics – even though that often remains unmentioned and hidden – which sometimes even takes the place of conventional critique. Even though this is often a problematic and controversial fact it still represents one of the basic components of our relationship with contemporary art, which in turn is influenced in part by the authorities of aesthetic categories and institutional camps.

With the majority of plastic and pictorial works we got used to see their meaning as a function of a – at least until recently – focal point of the arts and interpret them accordingly. In the classical tradition, this was called mimesis and consisted of an implicit and problematic relationship with the reality of modern or contemporary art, the incorporation of a place or a space with the intent to change the semiotic and sculptural deviations and to mix up the play of purposefulness with an ironic and critical intent. In any case, these varied relationship systems – mimetic, referencing, or focused on the symbolic destruction of any ordinary space – keep the familiar reality more or less skillfully and effectively at a distance.

If you consider Morellet's methods of intervention, e.g. his procedures in a given space and not his character, it has to be said that they primarily defy any relationship-oriented function. Looking for example at *Répartition aléatoire de 1/4 de cercles de néon avec 4 rythmes d'allumage* (Random Distribution of 1/4 Circles of Neon Flashing with 4 Missynchronized Beats, 1994; see p. 233), *2 rythmes interférents* (2 Interfering Rhythms; 1984 to 1986) or *Fragmentations de droites et de courbes de néon* (Fragmentation of Neon Straight Lines and Curves; 1978–1980), you find a gesture of strictest economy which tends to mix the elements with the corresponding structure of space. The placement of a neon tube is not meant to destroy the lines or structures of a space, but in its own style to make a contribution to the functionality of space.

The idea of an art which is defined as non-functional, superfluous, and no longer assimilated with its social environment is still tempting but is no longer in accordance with reality. Today, a work can only be defined as rebellious and exemplary for the resistance movement of a completely structured social environment by way of a pointless and basically naive simulation. The abstraction which Morellet has been taking to extremes for fifty years is not just an illusion, especially if it is implemented in the most neutral shapes and colors. Rather, Morellet's art is constructivist: he describes himself as an ironic and thorough engineer of installations, metal ensembles and neon carriers and tubes which integrate themselves in a pre-existing social environment. He does not create a technical structure or a chromatic ensemble based on so called »optical« or »sociological« rules like Vasarely does with the intent of imposing plastic and pictorial ideals on an increasingly shiny modernity.

Morellet's concepts are neither visionary nor profound: they tend to place the object in its true reality like a fact that refers to itself. The diagonally placed beam is primarily a girder, e.g. an object in itself. The fact that the work presents itself primarily as an object without immediately becoming a symbol, an expressed reference, shows his will, not just his intent, to defy the categories and aesthetic approaches that were or are the result of contemporary works: the meaning, the symbolic reference and the all too obvious intent. Morellet is quite aware that a beam in itself does not have any important or referencing properties. Like every element of contemporary representation its reality or rather its only purpose is relational, even though with modalities which the artist keeps as open as possible. This attempt to emphasize the physical reality of the object and to keep the intent it is based on as discreet and neutral as possible clearly shows his intent, which he deliberately keeps abstract. This tendency is already noticeable in his compositions of the fifties: the intentionally hidden obvious, or the persistent omission of the obvious and even ostentatious identity of the artist, the rejection of the œuvre as organic complete works or as an autopsy of an oddness.

In this respect, Morellet's ideas might help clarify Adorno's somewhat mystifying sentence: »The only works that count today are those which aren't works any more.« What Adorno somewhat categorically rejects here is the organic character of the artwork as a harmonic and self-sufficient unit. In other words, Adorno's sentence only makes sense in the light of a project where aesthetic and avant-garde theories were serving in the exact same critical function. This sentence originated from a text published in 1972. Therefore, twenty-eight years later, the »historic« calendar banned to the silence of museums and institutions, this unavoidable cooling of the messianic enthusiasm, of the yearning for an avant-garde and of the illusion that aesthetic thought would have enough autonomy and inner strength to suggest a certain creative power by its influence alone.

All we have left to do today is limited to a much more narrow, modest and obliging area, which means that we are forced to understand the functioning and character of a contemporary work. Furthermore, the term aesthetics, which comes naturally when defining our relationship to contemporary art, is ambiguous. In as much as Morellet's works function as technical objects and tend to be minimalist, they exhibit a rejection of *esthaisis*, a negation of the specific sensitivity of our visual perception; they do so by deciding in favor of functional reality. If they invade the urban area and become more familiar, they internalize the mysterious dimension of the trivial, e.g. basically that of distance. Any interchangeable and anonymous object which is created with regard to the unlikely and risky dissolution of functionality and expressiveness is far away, and, in a certain way, also inaccessible.

Indeed, one of the points contemporary art and aesthetic opinion agree on without any doubt is the evaluation of the common object, of banality as such. Any given or indescribable object is one that at first only exhibits serial properties, sort of species-specific characteristics. But it is quite thinkable that precisely an object like that might be the hardest to describe: a plastic bag, a trash can or a neon tube are not ideally suited for the use of aesthetic predicate nominatives. Without dwelling on the special case of Duchamp, it can be safely said that the trivial, be it as an *objet brut* or as motif for a painting, has become one of the ruling *topoi* of contemporary art. This lack of directly attributable properties renders it

*Random Distribution of 1/4 Circles of Neon Flashing with 4 Missynchronized Beats,*
Groninger Museum, Groningen, 1994

*La Défonce*, Entrance of FNAC, Esplanade de La Défense, Paris, 1991

234

so extremely receptive and, if you will, available for a form of relationship based on aesthetic subjectivity. And in the end, it determines the properties of the object. It may sound paradox, but the very fact that the object is interchangeable, anonymous and even banal gives it a discriminating power compared with other objects (a face, a section of nature) because it can serve as a means of venting objections and rejections which nevertheless are part of our aesthetic relationship systems. The term »banality« therefore has a right to exist in contemporary art in as much as it is problematic: it forces us to define the internal and external (and therefore aesthetic) properties of any given object. It was developed in the context of exclusiveness with the intent to reject that unspeakable e.g. extraordinary property which is based on an aesthetic innerness or a metaphysical image of art. Like other artistic *topoi* of our time, it is based on a complete and critical repeal of taste, beauty, shape in the sense of a intellectualized concept of so-called traditional art, of the work of art.

In other words, the term banality paradoxically is an axiological term, e.g. a term which makes the trivial or banal *per se* a precondition, contrary to the classical evaluation of the value of rarity and the special weighting of certain aesthetic properties. However, is not so important to emphasize the nature of this opinion, which is at the very least contradictory and is supposed to be based on so-called logical arguments but never clearly mentions the polemic character of its own value determinations.

For about half a century, object art has proven its unquestioned productivity. The aesthetic of banality got stuck more in an ideological than in a critical stage and was not able to build a theoretical foundation for its own requirements. Even though this aesthetic occupies a dominating, even triumphant position, it has been expressed up to this day in a way that has remained vague and matter of course. Indeed, so-called traditional aesthetics and art theory could be cited as proof that an artistic property or legitimation only exists in as much as it is not banal. It is precisely this unique, this exclusively qualitative property of artistic legitimation that the conceptual work of aesthetics tried to destroy by reaching back to such heterogeneous reference sources such as Pop Art, Duchamp and Anglo-Saxon analytical efforts, which doubtlessly produced operative categories of contemporary art.

A neon tube, whether red or blue, exhibits the banal properties of a trivial object. The problem which presents itself even with Morellet's art is to know, from an aesthetic standpoint, when and how it functions by transcending the purely practical dimension. In fact, the neon tube is not even an artifact in the artistic sense of the word and offers no possibility – since it is a purely industrial product – to find even the smallest intent. Like any other technical product it does offer the ability to forge some sort of a silent agreement, some sort of general entente which is conjured up by the presence of an object the purpose of which is familiar as well as obvious: it does not possess any specific or hidden qualities, no properties that appeal to an aesthetic institution, nor any special ability to evaluate sensitive properties. Its crucial instrumentalization seems to prohibit even the finality assigned to it by Morellet: a destabilization of the architectural structure, or ironic resistance against the main lines of the building.

The problem now is to understand the purpose of this deviation without immediately identifying with the intent of the artist, as if this were a case of teleology inherent to the object which is readable because of it specific qualities. In this context, the function of the title should be brought to mind once again; the title, however, must not be confused with the creative intent of the artist but is merely one component of the project. Judging by his works, Morellet seems to employ a certain method to achieve a certain effect at a certain location. He correctly realized that museums are not an appropriate place for the creation of a new aesthetic subjectivity, but rather places like the esplanade of La Défense, or train stations.

A work like *La Défonce* (1991; Play on the words »La Défense« [district of Paris] and »*défonce*« [to stave into the ground]) is symbolic because it accepts the new circumstances of the technical object. The large metal girders that were rammed into the ground seem to be part of a much larger ensemble: a block, the largest part of which seems to be buried under the stone plates of the foundation. Only the angles of the metal structure rise up and collide with the horizontal and vertical line play of the buildings around the square. Such girders are normally used as metal frames of garages and halls. But that is all that can be said about them: that their properties are limited to their technical function. Artistic

235

minimalism sometimes should justify minimalist forms of interpretation, e.g. a literal reading of what is shown, even if that means risking no more than the highlighting of simple truths.

The tilt angle of the girders results in a movement of their lines that seems to express an opposition to the monotonous and suppressing omnipresence of horizontal and vertical lines in the architecture. It could easily be suggested that this large-scale work symbolizes something, has a meaning, in spite of Morellet's openly stated rejection of all symbolic signs and messages. This is what is so difficult: not to assume that there is a deeper meaning to discover, but to find out which structurally inherent properties reveal this form of opposition towards the surrounding environment. One might say that it would be much more precise and do more justice to the function of the work if one would ask oneself, because of the properties and qualities we see, why we do recognize something akin to a symbolic meaning (some sort of opposition and parasitism). Is it the pronounced angles of the structure that create the opposition and mockery of the ensemble on the square? The metal frame in question is itself an industrial product, that is to say a form which belongs purely to the industrial world. The intent of the opposition, of the satirizing parasitism is not necessarily structurally imminent due to an essential property or quality. Therefore, given the structure of the object, we cannot deduct a meaning nor any kind of value from Morellet's work.

This summary and brutal interpretation of this rule applies to every artistic work and especially to contemporary art: the art work remains intact, and our perception categories are not questioned. The idea that meaning and value have an objective reality due to the presence of objective qualities immanent to the work's structure is without any doubt one of our most persistent convictions. It arises from a reality that is all the more illusory because the aesthetic advantages of the object cannot be reduced to its physical and material properties. This is true especially of contemporary art which makes the effect of the subjective aesthetics of the spectator the focal point and activates a complex network of relationships, of spaces and participation so that meaning cannot be so much derived from the inherent properties but mainly from the field of vision.

Although abandoning any attempt at identifying the characteristic properties of a plastic object does have its advantages, it only means that now, value and meaning are derived from a variety of applications and circumstances (e.g. the place of application), namely from functions which can not at all be traced back to the materialness of the metal structure. This in turn means that the aesthetic subjectivity of each individual spectator is exactly what might *transform* the metal structure of La Défonce into a meaningful system. If the aesthetic properties of the work are not identical with its physical properties, then, all we must add is that Morellet is extremely careful with the manufacture of the girders and the remaining components of his composition.

He indeed understood – long before other French artists in the fifties – that the novel forms of expression must merge into their immediate surroundings, a very average space totally structured by technology. The idea that the relationships between contemporary art and technology could only be of a negative nature can no longer be supported. There seems to be a well thought-through uprising that must certainly be dedicated to a new conformism. In reality, the ease with which contemporary art merges into the world of technical shapes and into the social environment constitutes a denial of all opposing arguments and rejecting manifests. Arman's suitcase conglomerates in front of the train station Saint-Lazare fulfill all kinds of functions (plastic, decorative, symbolic) but certainly no critical functions, as they appropriately blend into this traffic and transit square. Functionality means regulating function. Whatever the meaning that can be attributed to his compositions may be, their function does not include anything what might resemble resistance or opposition.

Morellet's intentions are totally different. During the creative process, he readily gives up his own subjectivity and his will to provide his works with the utmost freedom: »I can certainly say that I have always tried to limit my subjective musings and my handiwork to an absolute minimum with the objective to give my simple, logical and, preferably, absurd systems free reign.« The artist seems to think that, without doubt, the material possesses some sort of potential or possible meaning outside of his own perception and independent of his interventions. In his own comments on his works as well as in his writings and discussions, he sometimes dreams of

*Purple Blue Green Yellow Orange Red*, 1953

*Rotesque*, 1994

a kind of freedom the artist can instill upon the material and which enables the objects to take the initiative.

That is cause for doubt, such an endeavor seems to be just as difficult as leaving the initiative to words. Such an ambiguous and even utopian realism is a reaction to the representatives of abstract art, who, following Kandinsky and Klee in the fifties, insisted on the role of an »inner necessity« in the genesis of a creative system or believed in the participation of thought in the creative process. It should be added that neither in the area of creativity nor in that of philosophy can one be cured of the disease of idealism by simply focusing entirely on the object, or by using a material in its pure factual form.

The naked appearance of a material element does not bring us any closer to reality, and even less to a potential creation. Contrary to the idealism which contemporary art has often fallen victim to since its beginnings, Morellet sometimes strives for some sort of Platonism, e.g. the belief which explores the thought or the inherent intent of the work through the opaque presence of the material and through the subjectivity of the artist and the spectator. The presence of the material would thus arise from a play, and the play would have no author, no origin – nothing but matter itself. It is this ambiguity, unbearable at times, which occasionally feeds Morellet's intent and pushes his works beyond the limit of extreme abstraction.

The images of the fifties speak of a willingness to retreat, to eliminate, which tends to dampen the intensity of color, to weaken the flash of nuances, as if the space were forced to dissolve any sensible quality, any *esthaisis*. The title of one of his pictures from 1953, *Du jaune au blanc* (From Yellow to White; see p. 127), is not only indicative of this development towards an unclear diaphaneity: it indicates a process of self-annihilation of chromatic facts. An example which could be cited for the opposite would be Delaunay's Yellow – which he himself describes as »coleur-forme« (shaping color) – and the role of a constructor which the color here assumes in the pictorial space. But Morellet is a peaceful nihilist: his most noble gesture is to silence more and more any domineering color and to dissolve it into the emptiness of uniformity. From the very beginning, the tone is emptied of any suspicious fluctuation that could give rise to pathos or exaggerated sensitivity: Morellet's colors do not allow any sympathy or empathy. It is characteristic of the breach with the generation of

the French school which the artist must have been familiar with, e.g. that of Nicolas de Staël or of Bazaine's last Cézanne-type accents.

Nothing is more foreign to Morellet than everything that could even remotely be reminiscent of an existential content, of the pathos of a method of expression, or even of a deliberate meaning. The platonic dream of the artist would be a plain, pure, predetermined color void of any sensorial meaning. It would be pointless to look for the influence of Mondrian or Max Bill, as important as they may have been for his career: the absolutism of this search is a basic, however alien, liberation towards asceticism or other forms of minimalism. When he speaks about his experiences with the gable walls on the Plateau La Reynie in Paris, at the intersection of the streets Quincampoix and Aubry-le-Boucher (1971, see p. 277) he rather mentions the support, e.g. the roughness and unevenness of the surface than the colors, even though the latter cover large areas. Even the way he talks about the colors blue and red clearly indicates that the function of »subjective matters« is of greater importance than the description of the colors used. He restricts himself to the three primary colors. They are not really abstract: they only possess generic properties and therefore are endlessly adjustable. But it still must be explained why a color, a shape, a form should have an aesthetic meaning in the first place. Because that is exactly what has become the central topic of contemporary art, the art for the trivial. This rejection of mixtures, mixes, even juxtaposition of color nuances, is a constant in the compositions of the artist: »I always had problems with color, from the very moment on when I tried to use it systematically.«

It seems indeed as if color maintains its nature outside all creative processes or activities and without any frame of reference. Nevertheless, Morellet speaks of a »systematic« use of color. One of his compositions, *Violet bleu vert jaune orange rouge* (Purple Blue Green Yellow Orange Red, 1953; see p. 237) mobilizes all primary and three secondary colors in a rhythmic and symmetrical order of interlaced crosses. This distribution of crosses on a surface does not follow any »law of optics«: two crosses in one primary color are surrounded by two crosses in secondary colors; that pattern is repeated on vertical and horizontal lines. This approach of the artist is confusing because there is no beginning or end of the process, e.g. in Klee's sense (movement or genesis), no end of the chromatic values that is supposed to signal expressive light intensity. His process wants to test our old reflex to always look for a meaningful color that »expresses« something, even if it is solely limited to its own materiality.

During the second half of the twentieth century, many artists – and especially Morellet – treated color as a fact whose symbolic reality merely overlaps with their semiotic reality. The position the spectator takes for his perception of the art work, or, for that matter, changed light conditions do not alter the fact that this minimalism merely points to the absence of a phenomenology and that color does not serve any other purpose than just being a presence on the canvas. Therefore, it does not make any sense any more to attribute a property to it that refers to itself, unless one is to say that the white on a white wall points purely to itself. The artist does not have any other intent, then, than to treat the color from a – what he calls – »systematic« perspective, e.g. as pure color function within the pictorial space. In this sense it can be said that the compositions of 1953 quickly create an aporia, as the strong contrasts between the primary colors and the secondary colors quickly lead to a neutralization of pictorial values.

The difficulty expressed by Morellet could also be formulated differently: can color still have a meaning when one takes away the two big axes of the pictorial mimesis which up to now – if we may generalize a bit – have dominated the art of painting, e.g. symbolic allusions and, in imitation, references. Leaving aside their different meanings and purposes, the Blue of medieval gothic windows and Yves Klein's Blue would possess one common property: the referencing function of symbolism. If Morellet can be said to maintain the paradoxical and impossible ideal concept of a coloring that is frozen in its factuality and immortalized in its own reality, it must not be forgotten that his choice of a far reaching change of the color system had its origin in the sixties and was the result of a creative experience in will power. This change was brought on by an earlier process of secularization that culminated in the neutralization of color values, shades, and nuances. Let's look at an extreme example: It can safely be said that even a painter employing a whole range of nuances starts with a system of relationships, even if only for practical, decorative, or economic purposes. Pure or raw color can manifest itself negatively just by crystallizing a certain measure of rejection; the art which still defines itself as visual art, which actually appeals to the retina, an aesthetic sensitivity as the ability to perceive pictorial values, the primacy of symbolism and expression.

The synthesis of these successive negations has further restricted the field of possible applications of colors. That is the very reason Morellet is pointing out that the use of color has become ever more problematic. He does not, however, succumb to the erroneous conclusion that traditional art conceals things while modern art, e.g. modern painting has the task to express the true essence of painting and to show us art in the process of creation. Morellet's contribution has been to give up color as it presents itself in the classical modalities (intensity of nuances, coloring or expressiveness), in its pure phenomenology, but at the same time he claimed to discover a »nature of painting« long hidden or concealed by classical art. Thus he completely leaves this problem area rife with the most daring experimental set-ups and most unjustified aesthetic thoughts in order to go back again to color bars with pure colors and especially neon tubes.

In short, Morellet does indeed offer a convincing solution, thanks to his exceptional control of space which allows for an extremely inventive and sparing use of color. It offers unwavering strictness, as the artist has always been thriving to choose the line, e.g. the art of painting *in opposition to* color, the total structure *in opposition* to detail. Figuratively speaking, the color often rapidly looses all semantic content in favor of a certain syntactic function, as in the composition *Rotesque* (1994; a work from the series Grotesques, the title of which, Rotesque, is a play of words with the German word for the predominant color »Rot« (red); see p. 237). That is why he is constantly tempted to understand white and black simply and definitely as a dual juxtaposition. Just think of the pure white of his most ironic works (1994; work of the series *Géometrie dans les spasmes*, 1986 or *Steel Life* from 1990 [see p. 179 and 180–181]). The harmony of the lines and the color white does not draw a conclusion but develops in the fleeting present of the here and now, without opening itself to any near future. The white leaves all ambiguities untouched: beginning or end, dilapidation of the modern or overture to a future we are not yet able to understand.

# Chronology

*Stéphanie Jamet*

## 1926–1944

François Morellet was born on April 30, 1926, in Cholet/Anjou. His father, Charles Morellet, is under-prefect of Chinon, a cultured man with an open mind towards plastic arts and literature. He is a great influence in his son's upbringing and passes his love of plays on words on to him, especially of goat rhymes.

François' mother is the daughter of Chinon's mayor, who is also director of a toy and toy car factory. After his death, François Morellet takes over the operation of the factory. François Morellet has one sister, Fanny, who is three years his senior. He spends a happy and untroubled childhood in Chinon. His father raises him to keep an open mind. Another influence is his reading of Alphonse Allais and the spirit of Pierre Dac's *L'Os à moelle*, a magazine he describes in this way: »The first manifestation of the spirit of Dada in France. It was not until much later that *Hara-Kiri* emerged.«[1]

His parents often host writers, such as Paul Valéry or André Salmon; Charles Morellet himself writes several books which he publishes at his own expense: *Saint-Louis ou la Justice sous les chaînes* (Saint-Louis or Justice in Chains; Paris, 1949), which François illustrates with his drawings, or *Calembredaines* (Stupid Games; Cholet, 1952) and *Les Fables d'Olonne* (Olonne's

Fantastic Stories; Angers, 1956). They also invite painters, musicians, singers – especially Barbara or her friends Georges and André Bellec (two of the »Frêres Jacques«) – or chansonniers like Francis Blanche, but also restaurateurs like Curnonsky to their home.

At the age of 11, François Morellet moves to Paris with his parents, who own an apartment at 248, rue de Rivoli. »*My elementary and High School years were rather dull until I received my diploma in Russian. I did not greatly resent my teachers. No, my personal drama, my weakness was the fact that I simply never enjoyed any of the subjects that were being taught there. My religion, classical literature, and judo teachers have ruined my interest in these subjects to this day. On the other hand, of course, I never did have teachers for sexual education, enology, or deep sea diving and of course also ... for art that is a little more modern.*«[2]

Later, Morellet enrolls at the Lycée Charlemagne in Paris, where he finishes the first level of the *baccalauréat* (French school-leaving examination) in 1943.

1942 he takes part in various drawing classes – he has taught himself to draw at the age of 14 – given by Jean-Denis Maillart. This painter, who made a name for himself with his portraits of important people, will paint a portrait of young François Morellet at the request of Charles Morellet. Maillart entices Morellet to show a *Nature Morte* (still life) at the Salon de la Société nationale des Beaux-Arts in Paris.

The courses he takes, however, will have little impact on his painting. In 1944, Morellet returns to his family's

Morellet with his sister Fanny and his parents, 1932

country home in Clisson because of the war and finishes the second level of his *baccalauréat* in Nantes. With his school certificate in his pocket, he returns to Paris to study Russian at the École des Langues orientales.

*»In the late forties, there was a saying in France: ›Optimistic parents let their children study Russian, pessimistic parents let them study Chinese.‹ Therefore, thanks to my parents' optimism, I learned Russian – and thanks to the importance they attached to tradition, I also learned English and Latin.«*[3]

During the days of occupation, Morellet discovers jazz, one of his greatest passions: *»The love of my life, jazz, awakened a terrible racism within me: I could no longer accept white musicians.«*[4] He bought lots of used records back then, especially boogie-woogie.

### 1945–1946

During his student years in Paris, Morellet visits many museums and exhibitions. He also takes time off to paint portraits, still lifes, and landscapes. For example, he paints his family's apartment at rue de Rivoli, the Jeu du Paume, and the Place de la Concorde.

*»In 1945 I began discovering my true interests and what was really close to my heart, and began my education with very realistic paintings by artists painting more or less in Derain's style, such as Oudot, Rohner, and, most importantly, Chapelain-Midy, whose virtuosity and leaden skies made him a model for landscape painting. [...] The following years, 1946–1947, were stable, if poor; in those years, I returned to order, to a better sense of reality and to the paintings of Miserabilism, with its pastose and sombre colors. At that time, I was very enthusiastic about – and was*

Photograph of Morellet taken by Laure Albin-Guyot, around 1942

Jean-Denis Maillart, *Portrait* of *François Morellet*, around 1942–1943

certainly influenced by – colors and content of paintings by Laprade, with a touch of Soutine and a tiny hint of Balthus.«[5]

He is also attracted to Raoul Dufy and Amedeo Modigliani. For his 20th birthday, he wants a painting by André Marchand.

A friend of his father's, Emmanuel David of the Galerie Drouant-David, introduces him to some members of the Groupe de L'Échelle, which includes Jacques Busse, Jean-Marie Calmettes, Jean Cortot, and Michel Patrix. They are all students of Othon Friesz, professor at the Académie de la Grande-Chaumière. Their painting at that time is steeped in a mixture of Cubism and Fauvism.
»I knew Busse, Calmettes, Cortot, and Patrix very well. If I look at some of my landscape paintings of the time, I see a similarity between them and the composition that Busse and Patrix used quite often.«[6]

In September 1946, François Morellet marries Danielle Marchand, who is one year his senior. They met at a picnic in the country near Nantes, in June 1944. At first, the young couple make their home in Clisson, a small village about 30 km from Cholet.

## 1947–1949

The year 1947 is marked by many encounters which would help shape Morellet's artistic orientation. For example, in a vacation at the family villa in Sainte-Maxime, he met Philippe Condroyer, painter and – later – film director as well. He in turn introduces him to Christian Chenard and Dany, the sons of the photographer Jacques-Henri Lartigue.

That same year, Morellet paints a portrait of Chenard and Condroyer. He also makes friends with other painters who share Dany Latrigue's studio: François Arnal and Pierre Dmitrienko. The latter will entice him to simplify and geometrize his painting.
»These painters were not only close friends of François Morellet until 1951, but to him, they embodied the peak of modern art.«[7]

Morellet also meets the painter Joël Stein, who was in close contact with writers and surrealists of the time. A deep and sincere friendship springs up between the two men.

On October 13, 1947, Danielle gives birth to their first son, Frédéric, nicknamed Friquet.

In 1948, Morellet returns to the family business, Morellet-Guérineau, his diploma in Russian in his pocket. He takes over a large part of the actual running of the company and modernizes it; this puts him in the fortunate position of being able to finance his life and his artistic studies over 25 years.

At the same time, he is very much taken with Jean-Paul Sartre's works.
»I truly enjoyed Les Chemins de la liberté (Roads to Freedom) when I read it right after the war. After that, I had to see all of Sartre's theatre plays as soon as they were produced on stage [...] Like many other existentialists of the Café de Flore, I never managed to read all of L'Être et le Néant (Being and Nothingness) or Critique de la raison dialectique (Critique of Dialectical Reason). However, I did come to the conclusion that one must remain firm. I also agreed with his irony. What baf-

Marriage of Danielle and François Morellet: the young couple together with the »Frères Jacques«, 1946

Landscape, Paris, 1945

Morellet, Pierre Dmitrienko and Dany Lartigue, 1949

Morellet and Joël Stein with their catch, 1949

fled me, though, was his lack of humor.«[8]

He is enthusiastic about the book *La Psychologie de l'art* (The Psychology of Art) by André Malraux, which had just been published. The many illustrations in that book prompt him to visit, among others, the Musée de l'Homme in Paris in 1949. He was fascinated by the displays of Oceanic art.

*»In the late forties, I went there often using my education to explore the empty hallways of this museum at the Place du Trocadéro, which was light-years, even hundreds (of light-years) removed from the Place du Louvre or the Avenue de Tokyo.«*[9]
*»I was intrigued with* tapas, *a kind of bark bast material, made from the bark of trees and often covered with geometric forms and prints from leaves or hands …«*[10]

Regarding the *tapas*, he admits: *»A single sentence by Bazaine in his little book* Notes *made me want to know more about this subject and to actually see it.«*[11]

Under this influence, Morellet's style undergoes a dramatic change. Soon, he begins incorporating plant prints in his paintings and in his imprinted wood sculptures.

### 1950–1951

His first solo exhibition is organized in Paris by the Galerie Raymond Creuze from March, 10 until March, 25. It showed works which were heavily influenced by primitive arts, e. g. 24 paintings, drawings, and 9 sculptures. *Le Peintre* had the following to say:
*»This Polynesian Kanaka production has nothing whatsoever to do with art, not with wild art, not with the art of* madmen, *nor even with tame art. His ›paintings‹, which very badly imitate illustrations hitherto reserved for medical encyclopedias, have an aftertaste of tapeworm and cancerous growths. Cheers! We are ashamed for his parents, and also for him, even more so in that he was planning to surprise the gallery (and believe me, surprise is the term you want); certainly, with a small amount of good will, he might be able to do good work, because there actually are a few moments where one senses that nothing has been left to chance.«*[12]

Immediately following the exhibition, Morellet discovered the painting of Serge Charchoune, who at that time was represented by the Galerie Raymond Creuze, and of whom Morellet says: *»Even though he seemed not to have the will to structure his painting, he was the one who drove me to simplifying abstraction*[13]. *The paintings he did back then had no more ties to any sensitivity and consisted simply of a net of lines covering each other and creating a highly irregular chessboard pattern on the surface. The very light and transparent colors play on tiny nuances of blue, yellow, pink, green, and white and are of a very remarkable regularity.«*[14]

Under Dmitrienko's influence, Morellet becomes interested in Gurdjieff's esoteric teaching, or more precisely, in the writings of one of his pupils, the Russian philosopher Ouspensky. He goes so far as to mention a »great shock« when reading Ouspensky's book »Fragments from an Unknown Teaching«: *»What I found particularly intriguing was the idea of control of one's own body. This kind of thinking is to be found more easily in cultures outside of Western civilization. His referrals to* Tibet *and to the Orient fascinate me. I have always been interested in that. Gurdjieff's book* Récits de Belzébuth à son petit-fils *(Beelzebub's Tales to His Grandson), however, who claims to be Nietzean, is an example of presumptuous and hare-brained genre.«*[15]

Out of concern about a possible new war, Morellet went on a journey to South America, in particular to Brazil, with the intention of settling in that country. At the time, the view people had of Europe – »a Europe in which we can no longer believe« – was extremely sinister.[16] During his stay in Brazil he is received by Michel Arnoult, who lives in Rio de Janeiro with his Brazilian wife. On this trip, Morellet also discovers the work of Max Bill, who will play a fundamental role for the future direction of Morellet's painting. Very quickly, new artistic perspectives evolve. *»The treasure which I found was from Switzerland, in the form of Max Bill, and, with him, of course, ›Concrete Art‹. I did not see the Bill exhibition in São Paolo because it took place before my arrival, all I saw were a few bad reproductions, but I did meet several young artists who were utterly spellbound by the exhibition.«*[17]

Morellet befriends Almir da Silva Mavignier, who will play a big role in the beginnings of Morellet's artistic career.

After returning to France in early 1951, Morellet paints his first geometric works. The painting is gray in gray and of ever simpler and more austere forms.

At the same time, Joël Stein, who had met several artists close to Surrealism, introduces him to the work of Marcel Duchamp. Another discovery, that of Piet Mondrian, breaks further

GALERIE R. CREUZE

4 . Avenue de Messine . 4

PARIS - VIIIᵉ

*Morellet*

**PEINTURES ET SCULPTURES**

DU IO AU 25 MARS

**1950**

ground. While leafing through the volume *Peintures du XXe siècle* by Maurice Raynal and published by Skira, Morellet comes across a reproduction of a Mondrian painting, dated 1921 and belonging to the Museum in Basle. »*The first encounter went very badly. I was shocked, dumb-founded by the simplicity of the work which I saw to be a deliberate provocation by an unknown painter. I felt forced, however, to open the book occasionally while passing by, if only to vent my anger. This took at least ten times and ten days … before I was convinced, conquered, overwhelmed.*«[18]

In the summer of 1951, a few months after his second son, Christophe, is born on November 25, 1950, Morellet and his wife take a second journey to Brazil. The political climate in the world is much calmer now, and Morellet no longer plans to turn his back on France and live in another country.

**1952**

Almir Mavignier, who settled in Paris in December 1951 and had begun with his systematic work, introduces Morellet to Jack Youngerman. The American artist who lived in Paris since 1947 and was married to Delphine Seyrig worked in a manner influenced by Constructivism and Neo-Plasticism.

The vernissage of the exhibition »Abstractions«, organized by Almir Mavignier, took place at the small Galerie Bourlaouën in Nantes on January 18. The list of artists represented reflect the ambition of the exhibition's name: Morellet and Mavignier were being shown, as well as François Arnal, Philippe Condroyer, Pierre Dmitrienko, and Richetin, but also Geraldo de Bar-

Poster of the »Morellet« exhibition, Galerie Raymond Creuze, Paris, 1950

ros, Jack Youngerman, and Ellsworth Kelly, whom Morellet would not meet until several months after the opening. In an article for *Arts*, Guy David wrote: *»Under this courageous heading, this exhibition includes a number of young French, American, and Brazilian artists whose work is of rather uneven quality. Some of the works are merely a contrived textbook expression of Geometric Realism which fails to be convincing; others, however, fortunately reject the textbook attitude. Arnal, for one, is a real painter. Morellet, with his deliberately spare and austere pictures, hides the remarkable qualities of an extraordinary stylist.«*[19]

Serge Lemoine points out that Morellet attempted to renounce anything arbitrary not only in composition, but also in format and content: *»He was attempting to set limits to his pictorial language while trying to achieve a better understanding and mastering of its mechanisms; he therefore tried to fill the space with uniform forms: concentric lines which, in their uniformity, served their purpose well. […] This basic, repetitive structure, created in a very neutral manner (the lines were made with imprints from adhesive tapes), exhibits a certain rhythm.«*[20]

Morellet decides to use only rectangular formats – 80 x 80 or 140 x 140 cm – without any frames from now on.

In August, Morellet travels to Spain and visits the Alhambra in Granada. It was a revelation for him: *»I had goose-pimples instantly.«*[21] Moorish art with its refined, intricate decorations and geometric forms captures his imagination.

*»Never before or after have I experienced such a jolt. […] For me, this was the most intelligent, precise, refined, and systematic art I have ever seen.«*[22]

In Spain, he discovers unsettling parallels to his last paintings. And so, backed by his research, he finally accepts the principle of »all-over«, and will continue to adhere to it into the early eighties.
*»Since 1952, I plunged into systematic all-over, this even distribution which to me was the embodiment of the rejection of Constructivism.*[23] *I believe I was very aware at the time that I was contradicting every well-meaning constructivist, at least in the area of composition. I remember how proud I was of my all-over paintings.«*[24]

In this important year, Morellet also developed his first systems.
*»A system for me is like a rule or a very concrete game which exists before the actual work and thereby determines its development and execution. I chose this term because it describes an attitude which I highly value, that of artists who do not identify with what they are creating […] The system makes it possible to have fewer subjective decisions and to give the work itself the opportunity to present itself to the viewer.«*[25]

On November 8, through Mavignier, Morellet meets Ellsworth Kelly. On the same occasion he meets Alain Naudé, a friend of Kelly's, who is engaged in a rather radical style of geometric abstract painting at that time.

## 1953

Morellet finishes work on *16 carrés* (16 Squares; p. 126), a work which he himself describes as »the most minimalist [I have ever done].«[26] Gérald

Gassiot-Talabot writes:
*»The supporting wall of his work – that white canvas of 80 x 80 cm, divided into 16 identical squares – was done in 1953 and automatically became the basis for anything further. The mesh flows from there.«*[27]

During the same year, Morellet begins studying chromatics.
*»I have never been able to define the real violet, blue, green, yellow, orange and red tones. Therefore I have always used the three basic colors of the three-color printing process – blue, yellow, and red – as a kind of programmed coincidence, to be able to select a color from a whole range of nuances. Then, in the mid-fifties, I painted those pictures […], five or six, not more, which, with their color nuances which were so minimal that they were barely perceptible, explore the limits. That was a last rising up of my sensitivity. I wanted to create a ›mother-of-pearl‹-like monochromy.«*[28]

He noticed very quickly, however, how complex and subjective color can be, and preferred – almost exclusively – white and black: *»My choice of colors evolved in a manner similar to the way I found geometrical elements (lines, squares, circles…); it was a very natural process. This was the decisive criterion: each and every element used must be defined in a way that is precise, simple and obvious (to common sense). As I see it, only two colors fulfill this criterion: white and black. One color is the sum of all colors, the other the absorption of all light. These two are most rich in contrasts, they are the yes–no or the 0–1 of the binary system. As is common knowledge, they are connected to other colors, but at the same time opposed to (all) other colors.«*[29]

After the birth of their third son, Florent, on June 23, Danielle Morellet decides to withdraw from her career as a pianist and to focus on raising their sons, and, most importantly, on supporting her husband in his artistic career.

## 1954–1956

In 1954, Morellet designs his first fragmentation, *Arc de cercle brisé* (Broken Arc of a Circle), a picture structure which he will not return to until the seventies. Catherine Millet says: *»For me,* Arc de cercle brisé *(1954) is a 'quadriptic. Four white, rectangular panels looking identical and hung in regular intervals are crossed by a blue arc of a circle, which, however, is not consistently in the same place. If you were to hang them margin to margin, the arches would actually be tied in together, and would form a single circle. This explains the title of the painting. [...] Morellet's formal systems are in no way an addition or subtraction of elements: they are a fact in itself. Nor are they building block systems with one element being derived from the last and so forth. Morellet's paintings instantaneously take pieces from a whole entity the limits of which are beyond imagination. [...] What* Arc de cercle brisé *is about, however, is not an attempt to imagine what happens beyond the borders of the painting but simply to face and prevent the intrusion of this vast space into the painting itself. The work would lose its intrinsic value, however, if the four panels were hung directly adjoining each other or if the four arcs of the circle were shown on one and the same rectangular surface separated by white spaces instead of on four individual panels. The distances between the pan-els are precisely gauged: they are not too close together, since that would create too close a link between the four, but they are not too far apart either, since that would lend undue importance to each one, it would, in a way, remove them from the space of the painting (*Arc de cercle brisé, *after all, is not an installation). The distances are part of the outer area of the work which only exists if one includes the infinite inherent in it, the space which is not qualifiable.«*[30]

Very quickly, he gives up the curve in favor of the straight lines which will dominate his output into the early nineties.

On February 4, 1954, Morellet travels to Germany and reunites with Almir Mavignier, who has been taking courses at the University for Design (Hochschule für Gestaltung, HfG) in Ulm for one year. He discovers this school founded by Max Bill and Otl Aicher, which attracts many artists at the time; the school's stated goal is becoming a new *Bauhaus*.

On February 6, Morellet travels to Zurich with Mavignier, who introduces him to Max Bill. Upon his return to Paris, he visits the neoplastic artist Georges Vantongerloo. These meetings strengthen him in his determination to follow his chosen rigorous path. *»In the early fifties, I found valid justification for my systematic geometry in* Gestalt Theory *and in* Concrete Art.*«*[31]

In the same year, he reads *Ulysses* by James Joyce and develops interest in Samuel Beckett's writings – »Jack Youngerman and his wife Delphine Seyrig taught us to love him.«[32]

He already knew *Exercises de styles* (Exercises in Style) by Raymond Queneau which were discovered around 1948 at *La Rose Rouge*, a Paris cabaret which he frequented, and made famous by the Compagnie Grenier-Hussenot. He also reads *Cent Mille Milliards de poèmes* (One Hundred Billion Poems). Bernard Blistène compares their linguistic common ground:
*»Morellet's principle is to drive something to the extreme, to the end of the system.* L'absurde est en soi discordant *(The Absurd is Disharmonious in Itself). The greatness in François Morellet's scheme is the way he transforms dissonance into logic. His method and his argumentation, however, use mathematical reasoning whenever it comes to drawing conclusions from the absurd and proving that the vanity of a proposed idea consists in wanting to prove inconsistencies by means of an opposite suggestion [...]
In most cases, François Morellet's interventions resemble a reconstruction and can thus be seen as an exercise in style. The parallel between art and gymnastics is well-known, of course. In* Le Mont analogue *(The Analogous Peak) René Daumal describes the tricks of a team in search of equilibrium, Alphonse Allais implores us to win ›the race of millimeters‹, and Queneau cannot avert his ›oulipique‹ eyes (Comment of the translator: Oulipo stands for Workshop of Potential Literature in French). And so it is that Morellet, an enthusiastic fan of plays on words and goat rhymes, develops a method whose motivation is not all that far removed from* littérature potentielle. *In the foreword to Oulipo, Queneau writes: ›Which goals do we pursue with our work? We want to suggest to writers new mathematical ›structures‹ or invent new artistic or mechanical devices which could perhaps make*

a contribution to literature: support for inspiration, if you wish, or possibly a certain prompt for creative powers.‹ Obviously, this concept does not shy away from using mathematics or, more precisely, that which Queneau calls per-imathematics [...]
We must not forget that Queneau succeeds in reminding us that topology or the theory of numbers partly stemmed from what in those days was called ›amusing mathematics‹ or ›pastime‹ [...]
So in Morellet's method, there are traces of this ›lipogrammatie‹ a word, which Queneau assures us in Robert *truly exists*.«[33]

The end of the year 1954 is spent in great artistic loneliness for Morellet: »I was all alone.«[34] In fact, Ellsworth Kelly returns to the United States, Alain Naudé gradually withdraws from painting, while Jack Youngerman changes his style and turns to a freer abstraction.

In 1955, Morellet does his first picture with lines, *Tirets 0°–90°*. Serge Lemoine says:
»Tirets 0°–90° *moves along the lines of parallel superposition. A net of vertical, parallel lines and lines of equal length is combined with a net of absolutely identical horizontal lines.*«[35]
This painting is the beginning of a range of works from the sixties and seventies.

Since 1956, the titles systematically announce the program according to which the work has been done. This new rule, to which Morellet voluntarily submits himself, will be valid for the next thirty years of his creative work.

At that time, he was working on rather radical pieces, e. g. *Angles droits concentriques* (Concentric Right Angles)

Geraldo de Barros, Morellet, Almir Mavignier, Place de la Concorde, Paris, 1951

Morellet and Jack Youngerman, Angers, 1954

Morellet, Joël Stein, Almir Mavignier, Clisson, Christmas, 1954

and *Du jaune au violet* (From Yellow to Violet), »*which seem to anticipate the ideas of Frank Stella, Kenneth Noland, and Sol LeWitt, sometimes by decades.*«[36]

On November 17, Morellet shows his work to Paris gallery-owner Denise René, who displays little interest. Jesús Rafael Soto, however, who had an exhibition at the gallery and just happened to be present, sees the pictures the moment Morellet is repacking them. He advises him to contact François and Vera Molnar, a Hungarian couple of painters. Morellet meets them a few months later. A mutual feeling of high respect develops between Soto and Morellet which has lasted to this day.

During another stay at the Hochschule für Gestaltung in Ulm, Mavignier arranges for Morellet to meet with Friedrich Vordemberge-Gildewart, who has been teaching there since 1955 and whose work belongs to Neo-Plasticism. For the first time, Morellet hears about Josef Albers, whom he meets several years later in New York and who was giving lectures at the University at the time.

## 1957

In January, the Morellet family moves from Clisson to Cholet, where they live to this day. François Morellet continues to commute between Paris and the country.

During one of his stays in Paris, he meets François and Vera Molnar for the first time, and a deep and lasting friendship evolves. To him at the time, they seemed »to be the only, uncompromising, and systematic masters of any and all categories.« Their research shares the same spirit as his own, and »*is based on scientific methods, on physiology, and* Gestalt Theory.«[37]

François Molnar points Morellet to other theoretical texts: »*My friends François and Vera Molnar and myself believed we found a better [theory] with our brand-new ›information theory‹. According to this theory, we had to undertake experimental work which would then serve a new science of art. At any rate, our art form, with its belief in reason and progress and with its suspicion of individualism and so on, seemed to us to do justice to the ideas of true Marxists.*«[38]

Through Molnar, Morellet is invited by Victor Vasarely on May, 22; it is the beginning of a close friendship. Vasarely – whose sense of the paradox, subversion, cynicism and modernism he remembers[39] – will greatly encourage him and, a few years later, be the first to buy one of his paintings.

On October 19, Morellet again visits Max Bill, this time accompanied by Molnar. The next day, the three friends use this brief stay in Switzerland to visit Verena Loewensberg, a painter belonging to the Concrete Art group. On October 21, they meet again with Mavignier at the Hochschule in Ulm, where Tomás Maldonado is now the controversial successor of Max Bill. On this trip, Morellet visits a few German baroque churches, but does not find them very intriguing. It will not be until the nineties that he develops an enthusiastic liking for them.

For the first time, he accepts the aid of outsiders[40] to finish his *Coupé-glissés* (Slipped Cuts).

»*Is that a new dance step? No, it is simply small flat reliefs which I did in a beautiful black glass material for the funeral home which still is located in my street, as well as the cemetery, inciden-*

Hélène and Jesús Rafael Soto and the Morellets in Molnar's studio, Paris, winter 1956–1957

tally. *Perhaps this is the reason they always seemed a little too sinister to me, so that I have rarely exhibited them.*«[41]

## 1958—1959

Morellet creates the first of his *Trames* (Grids; p. 134, 136, and 137); it consists of »*superimposed parallels which create an absolutely homogenous picture on the entire surface and coincide with the picture plane. This principle can then, as a function of the variations of the given quantities, lead to a host of different results.*«[42]

Morellet now starts implementing the process of superposition systematically and, starting from the next year, uses a technique similar to that of a blueprint with a drawing board for rapports for the composition of his *Trames*: »*They have enabled me not only to win time for my projects, but also to achieve results much closer to finished paintings. [...] Also, I am gaining experiences which I never would have had the patience to find with the traditional means I was using up to then.*«[43]

In 1958, enticed by a description by Ellsworth Kelly, he also studies the *Duo-Collages* by Sophie Taeuber-Arp and Jean Arp, created in 1918 using the principle of »the law of chance«. While still under the impression of those collages, he creates his first *Répartition aléatoire de triangles suivant les chiffres pairs et impairs d'un annuaire de téléphone* (Random Distribution of Triangles Following Even and Uneven Numbers of a Telephone Book; p. 220); coincidence is a major element of the work. As Serge Lemoine puts it: »*Here, a system triggering a random sequence of numbers allows him to make decisions regarding the placing of*

an element or the color of a surface.«[44] »*The use of coincidence shows a well-founded knowledge of matters such as taste, sensitivity, and subjectivity.*«[45]

Morellet writes about his system of coincidence:
»*The marriage of order and disorder and the question of which creates which and which disrupts the other has always fascinated me. Around 1958, I discovered that chance might help to reawaken (and rattle) those of my systems which lay dormant, resting on their laurels. I loved the irritations, the accidents caused by programmed coincidence and not by the subjectivity of my own arbitrary artistic decisions.*«[46]

In 1958, he created pieces whose colors – chosen by chance – are decimals of $\pi$, used according to Eugène Séguy's *Code universel des couleurs* (Universal Color Code), published in Paris in 1936, a book Morellet will use again for several works in 1996.

At François Molnar's recommendation, Morellet's second solo exhibition takes place at the Galerie Colette Allendy from May 6–24. In an introduction to the catalogue, Molnar writes: »*What can I say about Morellet's work except express my admiration? There is nothing to add. Some people may have a stronger reaction to other works, well, there is no certainty. Normally, the work of an artist described in an introduction is an excuse for a poem. What vanity! All a foreword can do is translate the work of art into a different language ... So I shall leave the poetry to the ›real‹ writers of forewords. Instead, I would rather mention Cézanne and his doubts ... If we can understand Cézanne's doubts, we will understand Morellet's painting [...]*

*Beware, partisans of coincidence – to create something based purely on the laws of chance takes much thought! [...] Those who perceive chance to be a great danger must follow Cézanne's and Morellet's reasoning. He must paint in the proud hope that some day he will understand.«*[47]

In the magazine *Cimaise*, Pierre Restany – who is more interested in Molnar's text – shows little enthusiasm for Morellet's works.

In June, in the second issue of the magazine *Ishtar*, Morellet describes his latest line of reasoning as follows: *»We try to see things a little more clearly; to that purpose, we use a simple and hopefully unambiguous language, and we try to tackle each important plastic problem individually. We are convinced that the simplest rapports (e.g. geometrical elements) can bring us great aesthetic pleasure, and more, can improve our sense of what is beautiful. The creators of the ›arabesques‹ of the Alhambra must have had similar problems: their achievements encourage us.«*[48]

Morellet is invited to the 13th Salon des Réalités Nouvelles at the Musée d'Art moderne de la Ville de Paris July 7–August 3, which he will attend only one more time, in the following year. A critic compares his *Trame* (Grid with Straight Lines) to »compass exercises«.

Morellet meets Julio Le Parc, Francisco Sobrino and Horacio García Rossi, young Argentineans whom Vasarely sent to him. These three artists had just arrived in France, wanting to meet the Hungarian painter whose exhibition they had seen in Buenos Aires in early 1958.

During a stay in Basel in 1959, Morellet »experiences« a Mondrian for the first time, a »wonderful little picture made in 1933«[49] in the home of Dr. Müller, the great collector who bought the painting directly from the artist.

Molnar's radical approach strengthens Morellet's determination to continue on his path to systematization.[50] His work takes on a more scientific character.
*»In the late fifties and under Molnar's influence I believed I had to create works of art which would be the subject of a future science of art. This meant having to eliminate anything not measurable and anything unpredictable.«*[51]

François Molnar suggests that he read *La Destruction de la raison* (The Destruction of Reason) by the philosopher György Lukács.

## 1960

On April 15, the group exhibition »Motus« opened in the Azimuth gallery in Milan, which was operated by Enrico Castellani and Piero Manzoni, both of whom Morellet met for the first time on this occasion. In this group exhibition with García Miranda, Servanes, Joël Stein und Yvaral, he showed *16 carrés* (16 Squares; 1953, p. 126) and *4 doubles trames 0°–22°5–45°–65°* (4 Double Grids 0°–22°–5–45°–65°; 1958, p. 134).
From June 8 until August 4, Morellet – showing *Tirets 0°–90°* (Dashes, 1950) – takes part in an important international exhibition: »Konkrete Kunst – 50 Jahre Entwicklung« (Concrete Art – Development of Fifty Years). This exhibition at the Helmhaus in Zurich was organized by Max Bill and Margit Staber. Among the artists invited

are Richard-Paul Lohse, Kenneth Martin, Georges Vantongerloo, Ellsworth Kelly, and Karl Gerstner, whose acquaintance Morellet made on this occasion. He also met the polish painter Wladyslaw Strzeminski and later is quite enthusiastic about the work of his wife, Katarzyna Kobro:
*»If I had to chose just one picture or sculpture for myself, it would certainly be a Strzeminski or a Kobro.«*[52]

In July, as a reaction against the predominance of the École de Paris, the Centre de Recherche d'Art Visuel is founded. The most important signatories were: Hector García Miranda, Horacio García Rossi, Hugo Demarco, Julio Le Parc, Vera and François Molnar, François Morellet, Moyano, Servanes, Joël Stein, Francisco Sobrino, and Yvaral.

The group is composed of artists from different nations whose artistic interests, however, are very similar. On the whole, one might describe them as artists of Geometrical Abstraction. The main function of this center, which is located in a common studio at 9, rue Beautreillis, is to serve as a meeting place and a place to think about »giving a social meaning to geometry.«[53]

Morellet's first solo exhibition abroad takes place at the Galerie Aujourd'hui in Brussels October 22 – November 5. Victor Vasarely, whose initiative was essential in organizing this event, backs Morellet in his article »Ce que devrait être la critique d'art« (What art criticism should be) which was published in two issues of the magazine *Les Beaux-Arts*:
*»This rectangular, coated painting (80 x 80 cm) is covered by an impersonal, but immaculate white layer, over*

which the artist put a seemingly extremely complex net of very fine black lines; in reality it is a simple rectangular pattern which has been repeated eight or ten times at the same tilt angles. The squares are arranged like roof tiles; they form circles and thus give an all-pervading power to this ambiguously kinetic and ever changing structure... it evokes in me Cézanne's carefully thought-out style, his almost mathematical structure from which – for us – plasticity seems to spring [...] If I permitted myself to be subjective for a moment, it is because I am euphoric about Morellet's work, where had planned to make critical remarks at a point where art critics would have an opportunity to be silent or at least to be a little less astute towards us.«[54]

In that year, for the first time, Morellet sells three paintings with superimposed grids to three painters: Vasarely, Karl Gerstner (a gift from his wife for his 30th birthday), and Lucio Fontana (sold by Manzoni). The latter, who never paid the 50,000 Lira for that painting, offers Morellet two of his *Boîtes de merde* (Shit Cans) in an exchange, and Morellet accepts the offer.

*Répartition aléatoire de 40 000 carrés suivant les chiffres pairs et impairs d'un annuaire de téléphone* (Random Distribution of 40 000 Squares Following the Even and Uneven Numbers of a Telephone Book) is the first painting of the magnificent series Morellet will dedicate to color. In a brief text he sums up his procedure as follows:
»1. I avoid drawing the slightest attention to form or structure,
2. use only two colors,
3. in a ratio of 50% to 50%, evenly distributed over the entire painting surface and
4. figure in the random distribution of all details.
[...] On a painting surface of 1 x 1 m, I painted 200 horizontal and 200 vertical lines, creating 40 000 squares with a 5 mm length of side.
I had decided to use numbers from a telephone book chosen at random and asked my wife and my children to read them to me. Each square was assigned a number. I marked each even number with a cross, and left an unmarked field for each uneven number. After completing this process, I had around 20 000 unmarked squares. Now all I had left to do, was to paint the marked squares in one color (blue) and the unmarked ones in another color (red). This work took almost an entire year. To be able to observe other color reactions, I took pictures of this painting and systematically made silk-screen printings with around hundred different experiences. Primarily, I used colors of a very similar ›value‹ in order to achieve a mixture which is more alluring optically. I tried to preclude my personal taste from influencing my choices. I destroyed many of those experimental arrangements later.«[55]

Serigraphy allowed him to achieve even more neutral objectives touching upon the anonymous and mechanical, as Serge Lemoine observed:
»A great number of variations with the measurements 80 x 80 cm were made using a serigraphy procedure, e. g. mechanically, just like Andy Warhol's pictures from the same period and for the same reasons.«[56]

In 1960, Morellet disavows painting on traditional picture surfaces for about ten years and turns to other

Philippe Condroyer (in the back to the left), Vera Molnar (in the middle),
Jean Gorin (in the front to the right), »Morellet« exhibition,
Galerie Colette Allendy, Paris, 1958

François Molnar and Morellet, »Morellet« exhibition,
Galerie Colette Allendy, Paris, 1958

The Molnars and the Morellets, Les Sables-d'Olonne, 1959

Joël Stein, François Molnar, Victor Vasarely, Horacio García Rossi,
»Morellet« exhibition, Galerie Aujourd'hui, Brussels, 1960

Letter by Piero Manzoni addressed to Morellet, 1960

media (such as metal grids and neon...).

His comment on painting:
*»The claim that painting is still around today may have been a little premature. In the Middle Ages, people believed in the devil just as firmly as one believes in aesthetics today. But the inspiration of courts, wizards, art critics and painters is no longer sufficient; I prefer to master and perhaps even understand the matter at hand.«*[57]

## 1961

From May 9 until June 3, there is a Morellet solo exhibition at the Galerie Nova in Munich, which is managed by his friend, artist Gerhard von Graevenitz, and the writer Jürgen Morschel. Almir Mavignier helps to organize several events in Germany: at the Galerie Studio F in Ulm, and at the Studium Generale of the University of Applied Sciences (Technische Hochschule) in Stuttgart in June. This latter exhibition is arranged by Max Bense – to whom François Molnar had given an understanding of art theories – who also agrees to write a short text about Concrete Art for the exhibition catalogue.

On June 10, Morellet once again meets ZERO artists Heinz Mack, Otto Piene, and Günther Uecker.

Pontus Hulten, Willem Sandberg, Jean Tinguely, and Daniel Spoerri are in charge of the exhibition of this movement, »Bewogen Beweging« from March to November at the Stedelijk Museum in Amsterdam and at the Moderna Museet in Stockholm. Consequently, the members of the Centre de Recherche d'Art Visuel – who were not invited with the exception of Le Parc and Yvaral – publish the manifesto *Propositions sur le mouvement* (Propositions on the Movement) in French and in Swedish.

In May, the Gallery Denise René, who supported the publication of this text, exhibits a group of personal works of each single member of the group for the first time.

In July, the Centre de Recherche d'Art Visuel officially changes its name to Groupe de Recherche d'Art Visuel (GRAV). The signatories are François Morellet, Horacio García Rossi, Julio Le Parc, Francisco Sobrino, Joël Stein, and Jean-Pierre Yvaral.
*»The reasons why I joined GRAV were both of a practical as well as a theoretical nature. I felt very lonely, and in France I seemed to meet only the sort of people who appeared hard, cold, and yes, at first glance not even very artistic. I needed contacts and criticism.«*[58]
Later, Pierre Descargues would write in *Graphics*:
*»In Paris, a group of young people met on a regular basis in a courtyard in the Quartier du Marais [...] They painted the walls and ceilings white, put up a few shelves, and in no time at all, the old shack had become their laboratory, their cell, their studio, their study hall – they, at their young age, did not meet to find distraction, but to learn discipline and to discipline the world. [...] Wonderful and fascinating events took place in that run-down place in Rue Beautreillis. [...] The group acknowledged Moholy-Nagy, Max Bill, Nicolas Schöffer, Tinguely, Alexander Calder, Agam, Soto and, most of all, Albers and Vasarely. Vasarely's influence in particular is pervasive, they view him as a sort of ›elder brother‹ who helps them see things more clearly. The group differs from these artists though in that group members have disavowed all classical teachings of composition, even though those teachings are still evident in their*

*works now and then. They no longer compose; their works have neither beginning nor end; they experiment by using possible combinations, e. g. statistics, probability, chance, mobility.«*[59]

The group has a recalcitrant, not to say revolutionary spirit, which it maintained until it dissolved in 1968, and which runs like a thread through their publications.

From August 3 until September 14, Morellet participates in the first exhibition »Nove Tendencije« (New Trend) in the Galerija Suvremene Umjetnosti in Zagreb. Almir Mavignier, art critic Matko Mestrovic and Bozo Bek, the director of the city's Museum of Modern Art, are the instigators showing works of painters who share a point of view, most importantly Karl Gerstner, Julije Knifer, Julio Le Pac, Piero Manzoni, Otto Piene, Joël Stein or Günther Uecker. In the catalogue, Morellet says:
*»I think we are on the eve of a revolution in art which is comparable to what is happening in science. For that reason, I believe that reason and a systematic spirit of exploration and research must replace individualistic expression.«*[60]

On September 29, the 2nd Paris Biennale opens its doors; to express their opposition to that event, the group publishes a leaflet titled »Assez de mystifications« (Stop Art!).[61]

*»The ›Groupe de Recherche d'Art Visuel‹ insists on its deep concern, its confusion and questions which arise vis à vis a situation where is always kept up an easy regard for art works, unique artists, the myth of creating works of art, and towards what seems to be up to date now, ›teams‹ considered as ›super-individuals‹.*

*The Group insists on expressing its dis-
taste of a situation which goes on and
on though the aspects keep changing
(the last one... »op-art«)*

*– Integration of arts – Poetical situa-
tions – New concept in art
– Visual or scientific studies ...are no
warrant.*

*The roads of modern art are making a
loop.
One can sputter around aesthetic problems, sensitiveness, cybernetic, brutality
or testimony... one never finds a way
out.*

*Modern art is a tremendous bluff.
It is a mystification variously interested
around a simple activity called ›artistic
creation‹.*

*Of course there is an open contradiction
in pointing out such a situation and par-
ticipating in it at the same time.
But the structures are too firmly set to
be modified right away.*

*An artist who disagrees, must choose
between:
– refuse to show his works, keep quiet
and vanish
– or exhibit his works in the Galleries,
that is to say help their vitality, while he
secures his living.*

*We must find a way out of the dead end
of modern art.
If there is any social aspects in modern
art, it must involve the spectator.
We are tied up by such a situation with
the contradictions implied.*

*The divorce between artistic creation
and the audience is obvious.
The audience stands 1,000 miles away*

*from art shows even the ›avant-garde‹
and one needs the boosting of the press
to attract people for a short while.*

*As far as we can, we want to stir the
spectator out of his subdued drowsiness
which makes him submissive, accepting
any kind of so-called art pressed upon
him.*

*This subdued drowsiness is carefully
nourished by a literature where art spe-
cialists
stand as initiators and burden the spectator with a well meant inferiority complex.
These writings find willing and unwill-
ing accomplices with most artists who
fell
they are in a prophetic and privileged
position, creating unique and everlasting
works.*

*Once this is over the closed in and
definitive aspect of traditional work of
art,
it does imply the meaning itself of the
over-estimate act of creating.*

*A first step has been made towards a
greater importance given to the spectator,
who has always been submitted to
watching in the true sense of the word,
according to his culture, his information, his way of apprehending aesthetic
problems.*

*The spectator is able to react, with the
common means of perception.
We have in view to involve him into an
action which will let his qualities
of perception loose in a communicative
mood.*

*Our labyrinth is but an experience*

*which
tends to narrow the distance between
the spectator and the work.*

*The importance of the artist's personali-
ty is diminishing, so it is
with the importance of the whole framework related to creating.*

*We want to catch the spectator's inter-
est, to make him free, to have him relax.
We want him to participate.
We want to place him into a situation
that he sets in motion and masters.
We want him to be conscious of playing
a part.
We want him to aim to an interaction
with other spectators.
We want to develop with him more perception and action.*

*A spectator conscious of his power and
tired of so many errors and mystifications will
be able to make his revolution in art
and follow the signs:*

*HANDLE AND COOPERATE*

On October 25, the group published another leaflet titled »Transformer l'actuelle situation de l'art plastique« (Transformation of today's state
of plastic arts) on the occasion of an
exhibition in their own rooms in Rue
Beautreillis. It follows the lines of the
first leaflet and suggests three large
areas of changing relations:
»Artist–society, artwork–eye and traditional plastic values«.

# 1962

Morellet finishes his first structure
in space, *Sphère-trames* (Grid Spheres;
p. 145 and 261), made from metal elements. It is the immediate result of the

# assez de mystifications

La 2ᵉ Biennale de Paris est ouverte ; le Groupe de Recherche d'Art Visuel

## signale :

1° La platitude et l'uniformité des œuvres exposées.
2° La lamentable situation de dépendance de la « Jeune Génération ».
3° La soumission absolue de la « Jeune Peinture » aux peintres consacrés.
Nous espérons qu'il s'agit là seulement d'une crise de croissance.
4° L'inconséquence et l'inconscience chez les exposants et organisateurs
des caractères réels de la vie où l'homme de notre temps est plongé.

## constate :

1° L'altération flagrante de ce qui fut un acte de rébellion,
fossilisé actuellement dans une répétition continue.
2° La consécration officielle et intéressée de tendances actuellement dévitalisées.
3° Que rien n'a été fait pour informer le public
de toutes les préoccupations de l'Art actuel.
4° Que dès sa seconde année d'existence, la Biennale de Paris est déjà enfermée
dans une formule comparable à celle des salons anodins
(Salon d'Automne, Salon de Mai, Comparaisons, Réalités Nouvelles).
5° Que le seul aboutissement logique du courant officialisé de l'Art
est désormais le Geste Superbe des Néo-Dadaïstes.
(le dernier en date est l'envoi à l'Exposition « Nouvelle Tendance »
de Zagreb d'une boîte de conserves étiquetée en 5 langues
« Merde d'artiste, poids net 200 grammes »).

## affirme :

1° Que de jeunes peintres de nombreux pays ont de nouvelles préoccupations,
autres que celles que nous offre la Biennale.
2° La notion de l'Artiste Unique et Inspiré est anachronique.
3° La réalité plastique doit cesser de se placer toute entière
dans un moment éphémère tel que :
a) le moment de la réalisation de l'œuvre ou sa propre réalité,
b) le moment de l'émotion du spectateur.
4° L'œuvre stable, unique, définitive, irremplaçable,
va à l'encontre de l'évolution de notre époque.
5° Que doit cesser la production en exclusivité pour :
l'œil cultivé,
l'œil sensible,
l'œil intellectuel,
l'œil esthète,
l'œil dilettante.

L'ŒIL HUMAIN est notre point de départ.

6° La réalité plastique doit être placée
dans la Relation existant entre l'objet et l'œil humain.
7° La recherche de l'œuvre définitive mais pourtant précise, exacte et voulue.
8° Le rapport entre l'œuvre et l'œil humain crée lui-même
des situations visuelles nouvelles et l'œuvre n'existe que dans ce rapport.
9° Chaque œuvre doit avoir une part de possibles et une instabilité
qui provoque des mutations visuelles après l'achèvement.
10° La forme, considérée jusqu'à présent comme valeur en soi et utilisée
avec ses caractéristiques particulières devient un élément anonyme.
11° La relation entre les éléments acquiert ainsi une homogénéité pouvant créer
des structures instables, seulement perçues dans le champ de la vision périphérique.

LE GROUPE DE RECHERCHE D'ART VISUEL AFFIRME EGALEMENT

que contrairement à la 2ᵉ Biennale de Paris,
le phénomène artistique commence à sortir de ses limitations
(esthétique traditionnelle, création individuelle)
et qu'à l'égal des nouveaux courants de la pensée,
il s'appuie sur des bases nouvelles.
Nous sommes directement concernés par des préoccupations telles que :
physique de la vision, nouvelle méthode d'approximation,
possibilité combinatoire, statistiques, probabilités, etc...).

A Paris, septembre 1961

Groupe de Recherche d'Art Visuel, 9, rue Beautreillis, Paris-4ᵉ.

## assez de mystifications

## TRANSFORMER L'ACTUELLE SITUATION DE L'ART PLASTIQUE

Le Groupe de Recherche d'Art Visuel vous invite
à démystifier le phénomène artistique,
à réaliser une union des efforts
afin de clarifier la situation
et d'établir de nouvelles bases d'appréciation.

Le Groupe de Recherche d'Art Visuel est composé
de peintres qui placent leurs efforts dans
la recherche continue et la réalisation visuelle
des premières données de base tendant à
éloigner l'art plastique des conventions.

Le Groupe de Recherche d'Art Visuel croit utile
de donner son point de vue,
bien que celui-ci ne soit pas définitif
et appelle des analyses ultérieures
et d'autres confrontations.

## propositions générales du groupe de recherche d'art visuel :

RAPPORT ARTISTE-SOCIETE

Ce rapport est actuellement basé sur :
L'artiste unique et isolé
Le culte de la personnalité
Le mythe de la création
Les conceptions esthétiques
ou anti-esthétiques surestimées
L'élaboration pour l'élite
La production d'œuvres uniques
La dépendance au marché de l'art

RAPPORT ŒUVRE-ŒIL

Ce rapport est actuellement basé sur :
L'œil considéré comme intermédiaire
Les sollicitations extra-visuelles
(subjectives ou rationnelles)
La dépendance de l'œil à un niveau
culturel et esthétique

VALEURS PLASTIQUES TRADITIONNELLES

Ces valeurs sont actuellement
basées sur l'œuvre :
unique
stable
définitive
subjective
obéissant à des lois esthétiques ou
anti-esthétiques

### 1 propositions pour transformer ce rapport

Dépouiller la conception et la réalisation
de l'œuvre de toute mystification et
les réduire à une simple activité de l'homme.
Rechercher de nouveaux moyens de contact
du public avec les œuvres produites.
Eliminer la catégorie « œuvre d'art »
et ses mythes.
Développer de nouvelles appréciations.
Créer des œuvres multipliables.
Rechercher de nouvelles catégories
de réalisation au-delà du tableau
et de la sculpture.
Libérer le public des inhibitions
et des déformations d'appréciation produites
par l'esthétisme traditionnel, en créant
une nouvelle situation artiste-société.

### 2 propositions pour transformer ce rapport

Eliminer totalement les valeurs intrinsèques
de la forme stable et reconnaissable
soit :
La forme idéalisant la nature (art classique).
La forme représentant la nature (art naturaliste).
La forme synthétisant la nature (art cubiste).
La forme géométrisante (art abstrait constructiviste).
La forme rationalisée (art concret).
La forme libre (art abstrait informel, tachisme), etc.
Eliminer les rapports arbitraires
entre les formes (rapport de dimensions,
d'emplacements, de couleurs,
de significations, de profondeurs, etc...).
Déplacer l'habituelle fonction de l'œil
(prise de connaissance à travers la forme
et ses rapports) vers une nouvelle
situation visuelle basée sur le champ
de la vision périphérique et l'instabilité.
Créer un temps d'appréciation basé
sur le rapport de l'œil et l'œuvre
transformant la qualité habituelle du temps.

### 3 propositions pour transformer ces valeurs

Limiter l'œuvre à une situation
strictement visuelle.
Etablir un rapport plus précis
entre l'œuvre et l'œil humain.
Anonymat et homogénéité de la forme
et des rapports entre les formes.
Mettre en valeur l'instabilité visuelle
et le temps de la perception.
Chercher l'ŒUVRE NON DEFINITIVE,
mais pourtant exacte, précise et voulue.
Déplacer l'intérêt vers les situations
visuelles nouvelles et variables
basées sur des constantes issues
du Rapport œuvre-œil.
Constater l'existence de phénomènes
indéterminés dans la structure et
la réalité visuelle de l'œuvre
et à partir de là, concevoir de nouvelles
possibilités qui ouvriront
un nouveau champ d'investigations.

Garcia Rossi, Le Parc, Morellet, Sobrino ; Stein, Yvaral du GROUPE DE RECHERCHE D'ART VISUEL.

A Paris, le 25 octobre 1961.

Poster designed by Almir Mavignier for the »Morellet« exhibition, Galerie Nota, Munich, 1961

»Assez de mystifications«, Leaflet by the GRAV, 2nd Paris Biennale, 1961

painted *Trames* of the fifties, but here it is projected into space. Morellet calls this way of working plastic. At the same time, he describes the difficulties inherent in sculpture:

»*How can we accept this hunting for the one ideal location for the viewer which he then will have to accept – this walking around a pedestal, where visitor's bodies bump into each other, eyes glancing at one another, and each one of the viewers trying to find the best location (the one seen on the ›official‹ photo). [...] In 1962, I thought that perhaps I had discovered a solution: a system whereby the hesitant waltz of the spectator is replaced by that of my plastic (Sphère-Trames) which the art lover can turn or stop as he pleases.*«[62]

Between April 4–18, GRAV, backed by Galerie Denise René, had an exhibition in the Maison des Beaux-Arts in Paris. Morellet exhibited his *Tirets 0°–90°* (Dashes, 1960). During this exhibition titled »L'instabilité« (Instability), the group distributed a brochure with a foreword by Guy Habasque and a general questionnaire about art and about the pieces shown. The GRAV members then evaluated the 2,000 responses to the questionnaire, which they planned to use as the basis for the preparation of a meaningful exchange with the visitors. A text by Morellet, »Pour une peinture expérimentale programmée« (In favor of programmed experimental painting), is contained in the brochure:

»*In conclusion, let it be said that programmed experimental painting would seem to fulfil two needs: one is the need of the public to take part in the ›creative process‹ of art works because – based on a desire for art to be more accessible and understandable – it is in favor of*

Christophe, François, Frédéric, Danielle and Florent Morellet, taken by Almir Mavignier, Mykonos, 1961

Klaus Standt, unknown, Vera Molnar, Danielle Morellet, Jürgen Morschel, Roland Helmer, Gerhard von Graevenitz, François Molnar, Galerie Nota, Munich, 1961

Matko Mestrovic and Morellet, Studio G, Zagreb, 1962

demystifying art; the other one is the great need of aestheticists for new materials, those scientists who are mathematicians as well as psychologists and use the theories of modern psychology (specifically regarding the transmission of messages) as a basis for a new science of art.«[63]

In *Le Monde*, on April 13, Jacques Michel writes:
»*A new trend can be observed in visual arts, and is on display at the exhibition which the Galerie Denise René organized in the Maison des Beaux-Arts. Six painters are exhibiting their works and grasped the opportunity to publish a brochure which is of great help to visitors and which analyzes the different proposals of this movement in a very positive spirit. We find names in it like García Rossi (Argentinean), Le Parc (Argentinean), Morellet (French), Sobrino (Spanish), Stein (French), and Yvaral (French). A change in the relationship between artists and society – traditionally based on the personality cult of the ›unique‹ artist and the myth of unbridled creative powers – seems to be forward in the mind of this group. It desires to free the conception and realization of a piece of art from any secrecy and to want it looked upon as a simple human act, an act which is comparable to any other skilled or technical act.*
*When expressed as a plastic, this style of art chooses the eye as its sole vehicle and excludes any point of reference which is not visual (e. g. anecdotal, literature, curiosity, eroticism). It eliminates any form of stable and recognizable form by way of an arrangement of forms which shatters any idea of constancy [...] Contrary to the idea of ›the unique piece‹ which reflects an artist's subjectivity, the Group de Recherche d'Art Visuel suggests anonymous ›posi-*tive‹ *forms, where expression is to be derived from their movements and will become accessible only over time. To this end, these young painters use new materials and often transfer the pictorial quality into space instead of onto the painted surface of a canvas, and they do this by using a specific construction of elements which generates an unstable and vague motion. [...]*
*Their attitude towards the concept of art and its creative processes is interesting: they want to master the pictorial signs and, at the same time, encode them to produce a ›positive programming‹ of the art work which has yet to be created.*«[64]

In his report about the exhibition »Ligne constructive de l'art abstrait« (Constructive Line in Abstract Art) at the Galerie Denise René, Gérald Gassiot-Talabot points out:
»*[The magazine] Cimaise has never been particularly attracted to geometric sculpture in the past; the very motivation for creating this art style, at a time when this tendency triumphed over the ›cimaises‹ (picture rails) and in avant-garde publications, lead our magazine and the battle it was fighting, historically speaking, for an art liberated from any type of sclerosis of form into a position which was hardly open to communication across the trenches or to mutual concessions. The exhibition organized by Galerie Denise René now offers the opportunity to study the status quo and to put the elements of a dispute which may already be settled into some chronological order.*«

He emphasizes some of the new kinetic works of GRAV members:
»*The pitch of Morellet's rectangular grids, his play on subtle hints about choosing a viewpoint when looking at works of Yvaral and Costa, are very* interesting approaches. The artists add a fourth dimension to the three previously contained in the reliefs – the dimension of time – as part of a fascinating search which originated with Cubism and may point the way to the future of art.«[65]

From May to June, the exhibition »L'instabilité« can be seen in Italy, in the Galleria Enne in Padua and in the Galleria Danese in Milan. In the summer, the group participates in the exhibition »Arte progammata« in the Galleria Vittorio in Milan. The exhibition's title was taken from a text Umberto Eco wrote for the catalogue.

Starting November 27, this exhibition is shown in the gallery The Contemporaries in New York. It is the first time that GRAV exhibits their works in the United States. Stuart Preston writes in *The New York Times* of December 2:
»*A brilliant exhibition of mobiles by six young French artists whose captivating inventions made from varied materials uproot our ways of viewing things. They practically assault the retina, but you cannot help but look at them to see if you are to believe your own perception and that of their creators. These artists have formed the ›Groupe de Recherche d'Art Visuel‹ and there can be no doubt that they have made a visual discovery.*«[66]

Between November 17 and February 14, the Galerie Argos in Nantes shows a joint exhibition of works of Morellet and Vasarely.

## 1963

Morellet finishes his first work with neon tubes, *4 panneaux avec 4 rythmes d'éclairage interférents* (4 Panels with 4 Missynchronized Flashing Beats; p. 263):

»Neon light has always fascinated me. It is a hard and cold material which I like. It has also helped me to incorporate factors like time and rhythm into my works. I also like to work with interferences which are based on repetitious processes and which connect elements of my series in a certain staggered order. You might compare it to Steve Reich's music or even to certain chimes in the tower of churches.«[67]

As part of their experiments, GRAV uses artificial light.

»At the moment, a number of artists are working with the reflection from artificial light sources, either on objects or on screens. We are at a [...] stage where the source of light itself rather than just its reflection must be regarded as plastic material, if only for reasons of logic and economic viability. Only routine and tradition are standing in the way of putting artificial light sources (bulbs and neon tubes) into the foreground where, in an aesthetic sense, they belong. This new material paves the way for a whole host of new experiences in visual art: programming, visual images in sequences, steeredeye movement, light-rhythms, etc.«[68]

Between August 1 and September 15, the exhibition »Nove Tendencije« is shown in the Galerija Suvremene Umjetnosti in Zagreb. GRAV and other groups, e. g. Equipo 57, Gruppo M and Gruppo N also participate. The catalogue contains a text by Morellet, written with François Molnar: »Pour un art abstrait progressif« (In Favor of a Progressive Abstract Art).

In the fall, GRAV exhibits works at the 3rd Paris Biennale and receives the first prize for group works. GRAV publishes yet another version of its leaflet, »Assez de mystifications« (trans-lated as »Stop Art«) in which the criticism stated in the 1961 leaflet is elaborated on. This third edition is clearly a success: there are over 40 000 visitors; the main attraction is *Labyrinthe*, a joint work of GRAV made especially for the Biennale. One of the more playful interactive pieces shown outside is Morellet's *Sphères-trames* (1962). Inside, visitors see a rather complex installation:

»My first two installations were designed for 2 cells of ca 3 x 3 m of a labyrinth conceived by GRAV for the 3rd Paris Biennale. [...]
– The entirety of my first cell (at the entrance to the labyrinth) was covered – all four walls and the ceiling – with an enlargement of Répartition aléatoire de 40 000 carrés – 50% bleu – 50% rouge (Random distribution of 40 000 Squares – 50% Blue – 50% Red) from the year 1960.
– My second cell (at the exit of the labyrinth) showed a panel (80 x 80 cm) on each wall with parallel lines of white neon tubes with a tilt angle of 0°– 45°– 90°– 135°. The lighting of the individual panels is animated by the regular blinking in 4 different rhythms. The very brief lighting times give the impression of a flash and cause superimposed images and images in sequence.«[69]

Press reports about GRAV are enthusiastic; e. g., Guy Habasque writes in *L'Œil*:

»The third and most recent Biennale would justify this pessimistic view, had it not been for the organizers' brilliant idea of inviting and making room for one of the few groups of young artists whose experiments are truly captivating and who are of a modernity which is not a mere façade: the Groupe de Recherche d'Art Visuel.«

Meeting of the Group Nouvelle Tendance in the studio of the GRAV, Paris, 1962

*Grid Sphere* (1962), 3rd Paris Biennale, Musée d'Art moderne de la Ville de Paris, 1963

He describes visitors' reactions to the labyrinth:

»Some visitors were mislead by the title of these tiny chambers lined up next to each other, Labyrinthe. They believed they were expected to discover some metaphysical plan derived somehow from Kafkaesque myths. They must be disabused of such a notion immediately. It would in no way reflect the objectives of a group whose name in my view fully explains their intentions. The mobiles and other works of individual group members are not easily accessible, on the contrary, they will have to be viewed over time. [...]
This time-related quality is the most interesting and novel aspect of the systematic experiments of the Groupe de Recherche d'Art Visuel over the past few years. This is no trivial putting-in-motion of things, interesting how that might be, but rather a true synthesis of the three factors image-motion-time, which are – and will be – irrevocably linked. The factor ›motion‹ may seem more obvious when a mobile is involved, but in no way does it disappear or lose importance the moment the work is immobile; it just takes on a different character. The first cell of the Labyrinthe shown at the Biennale is a perfect example: the juxtaposition of tiny red and blue squares covering the walls (squares of equal color intensity, distributed using a statistical method) actually manages to make use of the peripheral field of vision in a way that causes a flickering so intense that it forces the observer to look at the work in its continually changing character and – given the physiological composition of the eye – in a quite unforeseeable sequence. This changeableness is not a result of the mere setting-in-motion process, but rather of the (intended) indecisiveness of its transitory structure. [...] This new way of viewing the composition of an aesthetic object and the new role given back to the observer seems to implicate a total rephrasing of the traditional understanding of art, involving the very physical aspect of viewing it. Many visitors of the Biennale were shocked by the experimental character of the Labyrinthe – and perhaps even more upset by the fact that it simply would not fit into any of the traditional categories such as painting, sculpture, relief, or decorative art. [...] The Groupe de Recherche d'Art Visuel breaks away from traditionally accepted dogmas and is taking us on a journey into unknown territory. [...]
The originality of the group's experiments is undisputed, regardless of where it might lead us. If it can be assigned to any existing artistic style, it is only because a new universal language of plastic expression is on the verge of breaking through. [...]
No form of artistic expression is more suitable to accommodate the facts determined by architecture. Used intelligently, and taken seriously enough, it might lead to a true synthesis of art and architecture.«[70]

Even the American press reported on these events, e. g. Edouard Roditi in Arts Magazine:
»Among these group projects, those of the Groupe de Recherche d'Art Visuel demonstrate a superior intelligence mirrored in the majority of their experiments.«[71]

In December, Morellet travels to Iceland where – upon recommendation by Karl Gerstner – he meets Swiss artist Dieter Roth.

# 1964

On April 17, the Musée des Arts decoratifs de Paris organizes the exhibition »Nouvelle Tendance«. For this exhibition, GRAV installes a second *Labyrinthe*; Morellet contributes 4 installations: *Reflets dans l'eau* (Reflections in the Water) *Joconde animée* (Animated Gioconda), flash sur ROUGE (Flash upon RED; p. 223) and *Néon programmé* (Programmed Neon).

Morellet had this to say about *Labyrinthe* later on:
»*Le Parc and Joël Stein were the most active in the creation of these labyrinths. They determined the eventful course of these group exhibitions which were turning into festivities.*«[72]

In *Le Monde* of April 24, Jacques Michel stated:
»*Naturally, not everything is equally original and courageous, but still: we are experiencing a new vision inseparably and directly connected to our technological age. This vision is the sensitive, or more precisely, the visual manifestation.* [...]
*A crucial element unites all these young artists of* Nouvelle Tendance: *they have chosen geometry as their medium of expression, even though they strongly resent the very idea of being imitators of the neo-plastic – and by now almost historical – movement* »De Stijl« *from the Netherlands.*
*Their concept aims at studying precise and predictable effects. Theirs is an art which is open and fascinating at the same time.*«[73]

In the same year, GRAV is finally acknowledged in the international community. The group exhibits in South America: Rio de Janeiro (Museu de Arte Moderna), Buenos Aires (Museo Nacional de Bellas Artes) and São Paolo (Fundação Armando Avares Penteado). The works exhibited vary greatly depending on where they are shown. A catalogue are printed in Portuguese and Spanish. The group is invited to Japan to participate in the group exhibition »From Labyrinth to Love Chamber« in the department store Seibu in Tokyo. Also, works of GRAV and ZERO were among the many exhibits included in the Documenta III in Kassel, from June to October. Morellet showed *64 lampes. Allumage avec rythmes superposés* (64 Light Bulbs. Lighting with Superposed Rhythms; 1963), a work consisting of 4 panels.

GRAV also participates in various other exhibitions centering on the idea of »mouvement«: »Mouvement 2«, Galerie Denise René, in Paris (a follow-up on the now historic first event ›Mouvement‹ in 1955); in Zurich, at the Gimpel-Hanover gallery, in London, Hanover Gallery, and in the United States, in the Contemporary Arts Center in Cincinnati.

Morellet's father dies on August 13.

Even during his 8-year membership in GRAV, Morellet does not limit himself to the group. For example, he is part of the group exhibition »54/64 Painting and Sculpture of a Decade« at the Tate Gallery in London, showing a *Sphère-trames*. The sculpture is pictured in the December issue of *Life International* in an article about Op Art. The author, W. R. Young, specifically mentions Morellet.

# 1965

In February, GRAV is part of several exhibitions in New York. On February 22, the exhibition »The Responsive Eye« opens at MoMA. This highly

»Assez de mystifications«, Leaflet by the GRAV, 3rd Paris Biennale, 1963

*4 Panels with 4 Missynchronized Flashing Beats*, 3rd Paris Biennale, 1963

*Light Bowling*, 4th Paris Biennale, 1965

successful exhibition was organized by the museum's director, William C. Seitz. Among the artists invited: Josef Albers, Max Bill, Equipo 57, Gruppo N, Ellsworth Kelly, Morris Louis, Agnes Martin, Kenneth Noland, Ad Reinhardt, Frank Stella and also Victor Vasarely. This touring exhibition was presented in St. Louis, Baltimore, Seattle, and Pasadena. The exhibition was harshly criticized from the first – William C. Seitz resigned while it was still in progress. The press described the exhibition as »too European«. The Canadian magazine *Vie des Arts* attempted to explain the group's objectives by describing several of the works exhibited: »*Morellet creates circle-shaped structures with a strong flickering effect within a close-meshed grid.*«[74]

From February 27, the group exhibits *Labyrinthe III* at the gallery The Contemporaries, their second exhibition there. Their leaflet, »Assez de mystifications II«, is translated into English under the title »Stop Art«.

An article in *Chroniques de l'Art vivant* sums up the exhibition: »*The walk-through of the labyrinth is dynamically designed, it offers a number of unexpected situations which keep visitors in suspense and awe. Whole children's group come – the best visitors in a way, because they do not analyze, they are just having fun looking at what is offered to them! [...] Observers are forced to stop and adapt their behavior to those who are facing them, they lose their inhibition, they interact. »Luna Park«, »Foire du Trône« (Paris fairground), gadgets – the specialized press is having the time of its life!*«[75]

Donald Judd offers general remarks about the group's objectives in *Art International* and adds: »*Morellet has a rather good piece using neon tubing. [...] The labyrinth is mostly just all the work together. It is not a coherent environment.*«[76]

That summer, Harald Szeemann, director of the Kunsthalle in Bern, organized an exhibition titled »Licht und Bewegung« (»Light and Movement«) including GRAV artists. The exhibition continued on to Brussels, Baden-Baden, and Düsseldorf.

In the fall of the same year, at the 4th Paris Biennale, GRAV offers a parody of a »total spectacle« with its new installation, which mobilizes all the visitors' senses and invites them to be active participants. Morellet shows *Bowling lumineux* (Light Bowling) and *Bonbon Flash Klaxon* (Candy Flash Horn), works in which the spectator becomes the leading character who activates the piece: he must actually press a button to illuminate the installation and honk to get a candy.

Otto Hahn says in *L'Express*: »*The realization is fine, but sometimes the group gets too carried away by their idée fixe: the playful integration of art into architecture.*
*That takes away from the work's intrinsic value. Ever since Mondrian, you can do a material, a chair, a skyscraper, but does that mean that Mondrian must be a tailor or a carpenter? The Groupe de Recherche d'Art Visuel all too often turns into the carpenter, and this makes it difficult for them to distance themselves from the technical impact, to go beyond the technical level and focus on a ›Weltanschauung‹.*«[77]

Morellet also shows *Interférences avec mouvements ondulatoires* (Interfer-

ences with Wave-Shaped Movements) – which he withdraws hastily after having seen Gabo's vibrating steel plates[78] – and *Grilles se déformant* (Distorting Grids), which Max Imdahl describes as follows:

»*Each of three metal grids is hung on a support and driven by a silent motor, with the result that each one contracts and opens in constant succession on the same plane like a folding steel trellis. Each grid contracts from the form of a square stood on one corner into a vertical (rhomboid) form, opens again into a square, contracts from square into a horizontal position and back again into a square. It then contracts again into a vertical position and so on and so forth. [...] The movement takes place extremely slowly so that the observer cannot perceive the whole movement just from the first glance. Precisely its slowness provokes a constant patient observation. The even movements of one of such grids could, in fact, would have to appear spatial to the eye. [...] Now if a square stood on one of its corners were to turn in reality, first on its vertical and then on its horizontal diagonal axis, the optical perception of the distance either from top to bottom or left to right would always remain constant – it would always be the same, e. g. a square remaining the same in its surface dimension, turning first in one direction, then in the other. Opening and closing and again opening and closing. Morellet's grid square, however, changes its distance between all its four corners, so that the square seems to be turning in space, it seems to be continually enlarging and decreasing its dimensions in its process of turning (and according to this process). Morellet's grids suggest movement in space and movement on the same plane in one. [...]*

*Each of the three grids operates in the same way and renders the same described experience possible, but the actions of each single grid has a different speed. [...]*

*The whole movement of the tree grids progresses without a fruitful moment, e. g. without a stage in the movement which is more pregnant than others. [...] They are the model for an empty space like inner space which is optically immediate and positive, which, through each complex occurence in the movement traverses differently and newly and becomes conscious. [...] We are placed into a state of meditation at the sight of a kinetic system which itself does not realise what it causes for the perception. That which cannot be preconceived developes as a semblance (and that too is an object or reflection) and this semblance has a special quality, on the other hand, in the tension which exists between the mechanical simplicity of the movements on one plane of the grids and the complexity of their effects. [...] Precisely the incapability of rationalizing the image, presented in its rational linear severity, causes an irritable sensation which is intensified even more by the almost unsurveyable size of the canvas.«*[79]

In *Art Press*, Morellet has the following to say to those who describe his works as kinetic:

*»If you talk of actual movement in art, you must mention Calder and Tinguely, but their work is not considered kinetic. Kinetic Art is almost a synonym for Op Art and trompe-l'œil. Vasarely has been called a kinetic artist, even though he never considered actual movement. There seems to be a certain logic missing here. Kinetics is nothing but a label stuck on the Paris School which did show an interest in Op Art or in geome-try, even though it used actual movement only occasionally and worked much more often with phenomena of visual irritation. I do not see myself as belonging to this school. It is true that some of my systematic programs create a moiré effect, yet my starting point was not to create optical phenomena but instead to superimpose two nets of parallels; if the distance is very small, there is a certain moiré effect which is simply the effect of the program used.«*[80]

In late October, at the opening of the »Sigma« exhibition at the Galerie des Beaux-Arts in Bordeaux, Morellet published a new manifesto, »Le choix dans l'art actuel« (Choice in Today's Art), a theoretical treatise about the role of the spectator in a work's creation:

*»An active participation of the spectator in the creation of or in the transformation of a piece of art undoubtedly implies a definition of the term ›artist‹ which is as far removed from the traditional definition of the artist as well as from the omnipotent romantic creator as possible. Arbitrary geniuses – of which the 19th century has produced hosts – pale in front of the spectator. There is a deep gap, therefore, between the ›inspired artists‹ – who create pieces in which each detail is set to remain the same forever and whose raison d'être is intuition and intuition only – and the ›experimental artists‹ who create conditions which change over time and space, for them as well as for the spectator.«*[81]

## 1966

On April 19, GRAV swings into action and organizes *Une journée dans la rue* (A Day in the Street). From 8 a.m. until 11 p.m., small presents are distributed to passengers of the Paris Métro at the Place du Châtelet, moveable plates are installed across the Café La Coupole at Montparnasse; on the Boulevard Saint-Michel, a tour of electronic flashes beckons. The event was filmed by Charles Chabaud and Michel Chapuis; unfortunately, the film as been lost. The group uses this occasion to distribute another leaflet:

*»The city, the street is shaped by a pattern of habits and daily routines. We believe that the sum total of these routine activities can lead to complete passivity or can generate a need for reactions.*

*It is our objective to insert a number of consciously orchestrated accents into this net of recurring and repetitive facts of Paris everyday life.*

*Life in the city could come under massive bombardment, not so much with real bombs but with new situations which would challenge the inhabitants to react and participate. We do not believe, though, that our actions will be sufficient to disrupt the routine of a Paris workday.*

*It could be seen as a simple shift in situations. In spite of its limited impact perhaps it will be possible to establish a contact with an unprepared public. We regard it as an attempt to expand the traditional relationship between the arts and the public*[82].«

All GRAV members will feel the impact of this operation. Morellet himself will later say:

*»That was sheer madness. After a brief moment of hesitation, people started playing with the objects, breaking them, turning the whole thing into a festivity.«*[83]

Pierre Restany commented after having done the whole tour offered:

*»This time, instead of the arbitrary museum visit or tours which feel like visits to a laboratory, the members of*

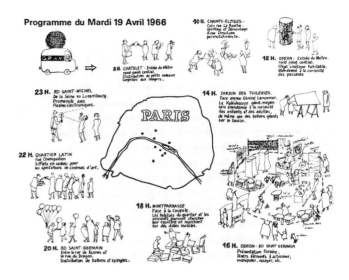

GRAV turned everything upside down and started from the bottom. The Op Art shock troops took to the streets, for a whole long day, from eight in the morning until midnight with everything at their disposal: glass, signs, moveable plates, etc. The whole gang (García Rossi, Le Parc, Morellet, Sobrino, Stein, Yvaral) went on a pre-determined marching route, a whole series of demonstration stops which were distributed every two hours at various ›hot spots‹ all over the city.
I followed the spectacle and watched peoples' reactions: there was a certain amount of curiosity, but also much indifference, and distrust caused by the element of surprise; but no real aggressiveness. Châtelet, Champs-Élysées, Opéra, Tuileries, Saint-Germain-des-Prés, Montparnasse, Quartier latin: the tour took on the form of a boy scout rally or a fashion show and – because of the bad weather – also of a hide-and-seek game with the rain. [...]
The members of GRAV approached the public. They carried out their exercise without cheating, with (perhaps a little too much) methodology, and in high spirits. Paris did not show up for the rendezvous. It would be deeply unfair to be angry at the city's residents, though. This trial shot was not yet a masterpiece, but a useful exercise: it has become more obvious how far art is still removed from everyday life.«[84]

The supplement of the Times Literary talks of an event symbolizing the »increasing popularity of happenings«.[85] In his text »Environmental Art«, published by Studio International, Stephen Bann gives his account of the subject: »The GRAV demonstration consisted in putting up a number of projects at strategic points in Paris. Some of them,

Program for »A Day in the Street«, organized by the GRAV, Paris, April 19, 1966

Hein Stunke and Karl Gerstner, »Morellet« exhibition, Galerie Der Spiegel, Cologne, 1966

César, Antonio Segui, Soto, »Morellet« exhibition, Galerie Denise René, Paris, 1967 such as Passage accidenté (Wobbling Passage) made from unstable wooden boards had been shown previously at their Labyrinthes *for interiors. The group's objective here was to open a dialogue with the public, which would enable the latter to engage in a mutual exchange with the group's work and ideas. The visitors were able to test the suggested working possibilities themselves. Even if unexpected situations developed, they had the possibility to adapt to those. However, it turned out that no dialogue was possible at the happening.«*[86]

Stephen Bann published a book – together with Reg Gadney, Frank Popper and Philip Steadman, at Motion Books – about Kinetic Art, one part of which deals exclusively with GRAV.

In its summer edition, *Cimaise* prints an interview which Jean-Jacques Lévêque did with Denise René. She talks about her work as a gallery-owner and about how she supports the members of GRAV:

*» [Their ambition] was to blast away not only the traditional concept of art works, but of the creative process as such. Up to now it had been a given that an artist usually was an isolated single person, an ingenious, even marginalized existence, whereas for GRAV, publicity work took place at the most elementary, most simple level: in everyday life, in the street, from game to necessity.«*[87]

At his own expense, Morellet publishes a small catalogue which summarizes all important works since 1947, both individual and group works. In July, he has an exhibition at the Galerie Der Spiegel in Cologne, arranged for by Daniel Spoerri and Karl Gerstner.

In 1966, Julio Le Parc wins the prize at the Biennale in Venice. This event disrupts the group's unity. Nevertheless, the members of GRAV decide to continue to work together. Most importantly, they participate in two important group exhibitions: »Weiß auf Weiß« (White on White), which takes place starting May 25 at the Kunsthalle in Bern, where Morellet shows a *Sphère* (1962), and at the Stedelijk van Abbemuseum d'Eindhoven with its exhibition »Kunst Licht Kunst« (Art Light Art). For this second exhibition (from September 25 until December 4), organized by museum director Jan Leering and Frank Popper, GRAV chose a new *ambiance,* a shared room in the form of a light labyrinth. In the catalogue, Morellet publishes a new text titled »Les sources lumineuses directes dans l'art« (Direct Sources of Light in Art).

## 1967

In the spring, the Galerie Denise René organizes Morellet's first solo exhibition there. It shows new works, e. g. *Néons,* but also pieces from his series *Tirets, Répartitions aléatoires* and *Trames,* as well as *Peintures* from the fifties. Several multiples are edited. On March 24, Jacques Michel writes in *Le Monde:*
*»The two exhibitions at the Galerie Denise René (rive droit and rive gauche), in a retrospective of Morellet's work, show how a large sector of today's young painting opposes to what the artists see as the legend of the unique specimen, of inspiration, and of the so-called ›uncontrolled‹ artistic creative act. [...] Here, the painter no longer identifies with a style and rejects the ›shaking of the hand‹ so highly valued in traditional drawing. They do not wish to be ›interpreters‹ any more, but*

*›designers‹. Once the system stands, it can be reproduced at will, and the recipe for it can be passed on. The artist acts like a scientist in the visual field. Yet, intention is one thing, the result another: a piece by Morellet, and also by Le Parc or Yvaral, is recognizable even from a distance. Perhaps this can be explained by the fact that they unintentionally chose lines and forms in a manner that is a little less controlled than the new painters are willing to admit even to themselves. They create personal elements of language which adapt to the style and present their personal way of expressing themselves. Paradoxically, Morellet's strict experimental arrangements often contain definite lyrical elements: the straightforwardness of his works often creates an abundance of expressiveness which the program had not intended, on the contrary. ... ›Morellet, you practice tachism without getting your hands dirty‹, he was told one time by Vasarely, the master of geometry...«*[88]

At the same time, Morellet has another solo exhibition, at the Indica Gallery in London. The British press shows an interest in his work, which it nicknames »very frenchy«. Guy Brett writes in *The Times* on May 8:
*»The work of François Morellet in its simplicity and elegance can be called French in the best sense of the word. Of course not all his ideas have the same effect, but a clear red thread runs through all of them. He has been a member of the Groupe de Recherche d'Art Visuel for some time now, but this is a solo show. His œuvre is small and concentrated and is being shown here from 1958 onward. His first works were paintings; his latter works complement those and open up the possibility of using the factor of light. [...] In his*

most recent works, Morellet uses neon tubing. It must have been this preference for light as a direct source of illumination which made him renounce form and composition almost completely, even in his very early paintings.«[89]

In the April issue of *Opus International*, Jean Clay discusses the question of the spectator's involvement: »With modest means, GRAV attempts to address non-specialized and non-conditioned public, to give them an opportunity to react and act. [...] This search started out from the work of art as such, with its final and closed definite character, and went on to see artistic work as an open, undefined work, open even to imponderabilities, work which tries to create an immediate bond with the spectator. [...] The experimental possibilities of this chosen path are vast, variations never-ending. It is clear that the apathy and inhibitions of people will have to be overcome first, and interim solutions will have to be found: a minimum of spectator participation might lead to great and decisive changes. Or there could be someone acting as a ›master of ceremonies‹, ascertaining that a certain degree of interaction is maintained, combined with a high degree of initiative and improvisation.«[90]

From May to August, the Musée d'Art moderne de la Ville de Paris invites GRAV to be part of its exhibition »Lumière et Mouvement« (Light and Movement), the first of its kind about Kinetic Art. The group offers a new *Parcours à volumes variables* (Course with Variable Volumes). The catalogue contains a text by GRAV about this course and a new one by Morellet titled »Mise en condition du spectateur« (Conditioning the Spectator):

»The necessity of preparing the spectator is generally neglected in favor of preparing the work itself.
This preparation or conditioning of the spectator is an absolute prerequisite in art, however. Its purpose lies in enabling the spectator to react in the best possible way to a certain aesthetic given. [..]
We are not talking about ›conditioning‹ in the educational, social, or historical sense, or in anything else the spectator has learned before entering the exhibition space prepared for him. We do know that these preconditions are of the utmost importance and that with their help, anything can be turned into something beautiful or moral.
Since we have no influence over these preconditions, we will have to rely on the short attention span which the spectator normally has for entertainment.
In preparing the spectator, the following factors should be taken into consideration:
luminous intensity,
room temperature,
sound level,
odors,
sunlight,
straight, crooked, interrupted paths, etc.«[91]

On June 15, Morellet briefly meets Duchamp at the exhibition »Readymades et éditions de/et sur Marcel Duchamp« (Ready-mades and Editions by/about Marcel Duchamp) at the Galerie Givaudan in Paris, a short meeting that Morellet later would describe as follows:
»I met him once at a vernissage *shortly before he died. He was wearing a pink shirt, a green tie, and he was very wonderful. On my best behavior, I told him:* ›Please allow me to introduce to you

a friend of mine, a Czech who is an historian. When I told him we were going to meet Duchamp, he was rather sceptical: ›You are joking‹. Duchamp stopped smiling and seriously said: ›But it is a joke, isn't it‹.«[92]

Morellet has this to say about Duchamp:
»For a time, he was made to look like some kind of bomb-carrying assassin attacking society, even though in reality he was more of an ingeniously ironic petit bourgeois. *That makes me less ashamed to say that he was a role model for me.*«[93]

In the fall, he finds a new friend in Daniel Spoerri, who is spending several months in Nantes with his companion Kichka. The Morellets repeatedly invite them to supper, often together with the writer Emmet Williams.
»The first ›talking‹ neon was made in 1967. Next to simple geometric forms you see the words: cul, con, non, nul (ass, asshole, no, nothing). I must confess that this choice of words was justified not only by the geometry of the letters, but that they represent a subjective choice, e. g., they stand for a ›grave/GRAV‹ reaction to geometric art.«[94]
Morellet calls these works *Néons avec programmation aléatoire-poétique-géométrique* (Neons with Random-Poetical-Geometrical Programming; p. 156–157). In an article in the magazine *Robho* in its 5th, November-December issue, Morellet says about the neons, which some consider too aggressive:
»Even though it is my personal conviction, I would never attempt to convince you in turn that at certain moments, aggressiveness and brutality in art are a social necessity. I would like to concede

*that our society, compared to previous societies, is characterized by a repression of any aggressiveness and brutality in aesthetics, ethics, and politics. This calming effect of a constant smile covers up something entirely different. It is not so much the idea that it hides the friendly structures of today, but that it keeps silent about a potentially much more turbulent future, since the taste of false friendliness may some day well be replaced by a false power (just like the nazism knew very well how to flatter and encourage spiritual laziness). So if my neon pieces hurt your eyes, if its battery hurls itself upon your ears, or if the pepper in your stomach and the love in your heart are aching, then please do not blame it on the times, but turn over in your bed and continue sleeping in peace.«*[95]

## 1968

Between February 10 and March 31, GRAV has an exhibition at the Museum am Ostwall in Dortmund, Germany. On the eve of the *vernissage*, the group tours the city in a remodeled car with the inscription »Anti-Voiture« (Anti-Car) and invites the citizens to take part in the event. The exhibition is a summary of the last eight years. Works of the early days, based on visual perception, and interactive works are also shown; their playfully educational character becomes increasingly notable. The exhibition even includes a playroom. Morellet shows *4 rythmes lumineux avec images consécutives* (4 Light Rhythms with Consecutive Pictures), *Environnement lumineux avec plusieurs rythmes superposés* (Light Environment with Several Superimposed Rhythms) with the aid of 30 projectors, *Grandes trames superposées* (Large Superimposed Grids) 5 x 3 m, *Rythmes lumineux superposés*

The members of the GRAV: Julio Le Parc, Joël Stein, Horacio García Rossi, François Morellet, Yvaral, Francisco Sobrino, Dortmund, 1968

François Morellet (in the middle) with his two assistants, on the left his son Frédéric, on the right Owain Hughes, Cholet, 1968

Morellet, Frank Popper, Julio Le Parc, Joël Stein, Galerie Denise René, Paris, 1968

(Superimposed Light Rhythms) on 4 panels, *Environnement avec 3 grandes grilles se déformant* (Environment with 3 Distorting Grids), several *Mouvements ondulatoires* (Wave-Shaped Movements), *Rythmes lumineux circulaires* (Circular Light Rhythms), using neon, and *Images déformées par le spectateur* (Images Distorted by the Spectator), which are produced on water by means of a projection set.[96]

From March 3 until April 14, GRAV participates in the exhibition »Plus by Minus: Today's Half-Century« in the Albright-Knox Art Gallery in Buffalo, New York. This exhibition is widely regarded as the very first event of Minimalism. Director Douglas Mac Agy shows a selection of pieces, most notably by Dan Flavin, Donald Judd, and Robert Morris.

As a second event in this framework, GRAV shows another spectacular installation, the *Variations sur l'escalade* (Variations on Escalation Theme), which is planned as a true environment. »*It was a number of impossible staircases painted in red and blue which welcomed the visitor at the entrance to the exhibition*[97].«

Morellet explains his construction as follows:
»*We had several types of staircases built, all symmetrically arranged, but each with a different distribution of steps*[98].«

The group – which had retained its rebellious and outspoken nature – intentionally left the title of the exhibition ambiguous since they expressly wanted to point to the problem of the Vietnam war.

In the spring, GRAV takes part in two group exhibitions – the last before the group dissolves: »L'art vivant 1965–1968« (Living Art from 1965–1968) at the Fondation Maeght in Saint-Paul-de-Vence and »Cinétisme Spectacle Environnement« (Kinetics Spectacle Environment), which Frank Popper organizes at the Maison de la Culture in Grenoble. Morellet describes his two installations:
»– *Fondation Maeght in Saint-Paul-de-Vence. We hung a great number of chromium tubes from the ceiling with nylon strings, in a rectangular arrangement. When walking through the room, the visitors must move the elements, which make chiming noises like bells when they hit each other.*
*– Maison de la Culture in Grenoble. Above the movable ring of the exhibition hall, we attached balloons, metal circles, nylon strings, whereas on the ground floor (the bottom part of the ring) we installed other objects to hamper the visitor who is trying to cross the room.*«[99]

GRAV works on the decorations for the film *La Prisonnière* by Henri Georges Clouzot; a year before, the group had already done the decorations for *Vivre la Nuit* by Marcel Camus. The group also begins work on stage decorations for a modern ballet set to the music of Edgar Varèse, *Déserts*, to be performed in the fall of 1968 in Amiens.

Morellet himself takes on a number of unusual commissions: he does the light programming for night clubs in Grenoble and Fréjus, for instance, where he uses adhesive tape for the first time. His *Adhésifs éphémères* (Ephemeral Adhesives) are attached to the architecture and to any number of other surfaces. »*Around 1968, my grids seem to have sensed that they were no longer wanted in my tilted pieces; they took the initia-*

*tive and fled from traditional surroundings and expanded on walls, windows, and sculptures that got in their way. This was possible because of the wonderful adhesives which were easy to install and could be taken off without leaving a trace later.*«[100]
»*Also, I love to paint all-over beyond the arbitrary borders of a work; I love ephemeral works as well, which disappear without leaving the slightest trace, I enjoy precise and neutral realization techniques which exclude any possibility of expressing sensitivities, and I truly enjoy the interaction which occurs when a rigid system meets with an uneven surface by chance.*«[101]

Morellet returns to painting, without forgetting his latest experiences.

Through Daniel Spoerri, he meets Robert Filliou, a member of the Fluxus movement, whom he befriends.

In the summer, he takes part in several exhibitions; e. g. the documenta 4 in Kassel, Germany, and he will also be part of documenta 6 in 1977; and in »Le silence du mouvement« (The Silence of Motion) at the Rijksmuseum Kröller-Müller in Otterlo (Netherlands). The cohesion within GRAV becomes less and less noticeable. The members of GRAV see no possibility in working together any further, the directions they are taking, their engagements and commitments, make them drift apart.

Its main project, which was planned for the summer months in Paris, falls through. The plan had been to buy a bus from the Paris public transportation company (RATP) and organize events in all of France and ask people to come see them and participate.

The unanimous decision to dissolve GRAV came in November, at a time when they had success and increasing recognition on their side. In fact, their work is welcomed at various international exhibitions, most importantly in Bern, Berlin, Detroit, and Utrecht. True to their democratic principles, each member writes a brief text explaining the reasons for the dissolving of the group. Morellet's text:

*»I started out with the big utopian dream of giving up any personal note and only do group projects in the future. This idea could not be enforced within the group. At least we did about ten real group works and a number of labyrinths, interesting courses, and other street festivals which went quite far in integrating the visitors. Our last project to give the visitors a wake-up call was planned for May 1968 … The ›amateur‹ competition in the streets then was a little bit too much, actually it proved fatal for our plans; the program was cancelled, and the group was dissolved in late 1968.«*[102]

He adds: *»Well, at least we had ourselves a few great laughs along the way!«*[103]

## 1969–1970

In April 1969, Morellet was invited to exhibit at the first »Biennale 69 Nürnberg – Konstruktive Kunst, Elemente und Prinzipien« (Constructivism, Elements, and Principles) at the Kunsthalle Nuremberg. In the fall, the German gallery Halmannshof in Gelsenkirchen, run by artists, offers Morellet to show his work there. Alexander von Berswordt-Wallrabe, director of the Galerie m in Bochum, who visits this exhibition, decides to show it again in the following year. This first contact between the two men is the beginning of a close cooperation which continues to this day.

Gérald Gassiot-Talabot published an article titled »Morellet et l'objet« (Morellet and the Object) in the 9th and 10th issue of *Opus International*, a text which he comes back to in a short monograph in French and English, which is printed in 1971 by All'insegna del pesce d'oro with the backing of the Galleria Cenobio in Milan.

Two years after GRAV is dissolved, *Chroniques de l'Art* publishes a chronology of the various actions and the theoretical statements of the group in its March edition. This article recollects:

*»Due to a paradox which may not have been accidental, it [GRAV] dissolved at the very moment that ›their‹ ideas were most recognized.«*[104]

*»Their example lives on, even though few artists have actually had the self-denial needed to turn over their talent to the objectives of a group. The achievements of these bright thinkers must be admired. Their fighting spirit, their pioneering ways and their undisputed influence on a whole generation are irrefutable.«*[105]

In the spring of 1970, Morellet designs a huge moving neon piece (12 x 36 m) for the French pavilion at the World Fair in Osaka, Japan. He creates *Punching-Ball* for the French pavilion at the Biennale in Venice (p. 226).

*»In 1970, the visitor had to be athletic to a degree. That is what Claude Parent believed in, anyway; he put the floor and ceiling of the French pavilion in the tilted position he favors. My installation had to follow him, of course; the visitors were forced to hit a punching ball if they actually wished to see the erratic and random forms attached to the ceiling. A side effect that was quite intentional was a second surprise – the rebound of the punching ball which hit the unsuspecting visitor, distracted by the neon lights, in the face.«*[106]

Between September and November, the Hayward Gallery in London presents the group exhibition »Kinetics«; Morellet shows two *Grilles se déformant* (Distorting Grids). In Cholet, he publishes – at his own expense – the first edition of his book *90°– 90° Trames*.

In 1970, Morellet for the first time sells some of his works to public institutions. The Museum Abteiberg in Mönchengladbach acquires *Angles droits concentriques* (Concentric Right Angles; 1956), via the Galerie m in Bochum; Blaise Gauthier – for the Centre national d'Art contemporain – buys *4 doubles trames, trait minces 0°– 22°5 – 45°– 67°5* (4 Double Grids with Thin Lines 0°– 22°5 – 45°– 67°5; 1958). In Germany, other museums and collectors will buy a number of his works, e. g. museums in Essen and Wuppertal. Germany has had a deep-rooted and consistent record of appreciation for Morellet's œuvre.

## 1971

In January of 1971, the self-proclaimed »amateur artist« is finally recognized in all of Europe. His first retrospective, organized by Jan Leering, the director of the Stedelijk van Abbemuseum d'Eindhoven, travels to Paris (Centre national d'Art contemporain; March/April), Hamburg (Kunstverein), Leverkusen (Schloss Morsbroich), Frankfurt (Kunstverein), and Bochum (Kunstmuseum), with its final stop in Brussels (Palais des Beaux-Arts). The French language catalogue contains a contribution by Serge Lemoine. The meeting of the two men leads to a close and lasting friendship.

Danielle and François Morellet with Owain Hughes setting up the installation for the exhibition
»L'art vivant 1965–1968« (Living Art), Fondation Maeght, Saint-Paul-de-Vence, 1968

The members of the GRAV (from left to right): Gabriele de Vecchi, Joël Stein, Davide Boriani,
Julio Le Parc, Manfredo Massironi, Gianni Colombo, Enzo Mari, François Morellet, Francisco
Sobrino, Maison de la Culture, Grenoble, 1968

Danielle Morellet, Denise René and Rudi Oxenaar during the vernissage of the exhibition
»Le silence du mouvement« (The Silence of Motion), Rijksmuseum Kröller-Müller, Otterlo, 1968

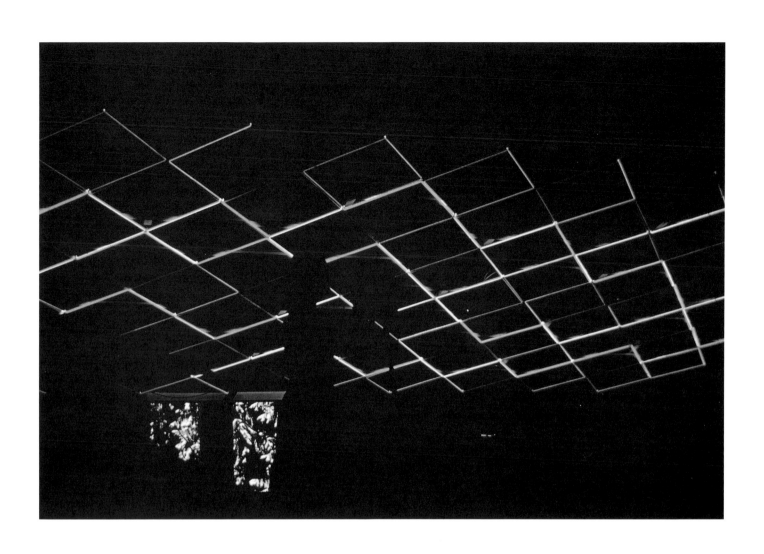

*2 Grids of Neon Squares with Participation of the Spectator*, Biennale of Venice, 1971

*»I remember that in 1971, the director for this exhibition had my* Du jaune au violet *(From Yellow to Violet) printed in the catalogue of the retrospective at CNAC on a double page. No one had ever shown much interest in the painting, including myself. And here all of a sudden was this artist, a great star who unintentionally did some free advertising for it.«* [107]

Morellet is talking about several of Frank Stella's works. Dieter Honisch compares the search of both artists for their goals:

*»As Stella performs various solutions to a problem, and finds quite various solutions to the painting field, Morellet shows in one and the same field quite different structure qualities. Whereas Stella ties his ideas to the canvas frame and makes the painting a concrete object, Morellet disengages himself from the painting and attaches himself more strongly to the idea. In this way, despite certain formal similarities in their work, Stella and Morellet are diametrically opposed in their intentions. The one is pragmatic, the other conceptual but they both belong to the co-founders of a new concrete language of painting which has released painting from its metaphysical bondages and obligations.«* [108]

For the Paris event, Morellet – with the help of two electronic engineers, José Bréval and Michel Bugaud – designs a work with 21 neons and neon tubing.

*»The neon tubes turn themselves on and off in a fairly quick rhythm and form random constellations or words. When a comprehensible word is found, the system stops for about ten seconds and then restarts; it contains thirty-two English and French words. The spectator can choose between the English or French word or both. He can also stop*

the system in its illuminated state by pressing a button.«* [109]

The press has been following the touring exhibition in all three countries with great interest. For many, it was the first time they had seen Morellet's works. In Germany, Detlef Wolff wrote in the *Mannheimer Morgen*:

*»François Morellet's name evokes foggy memories of moveable objects made from aluminum pipe; we have encountered his work at one or another documenta in Kassel. These memories now take a more concrete shape thanks to the Hamburg exhibition. Morellet – next to Vasarely – is one of the most important representatives of Op Art. His reputation remains limited, however, since the artist – born in Cholet in 1926 – has always managed to keep his independence and to avoid commercialization by operating the family company. This independence to do non-commercial experiments has had a draw-back: Morellet was never promoted in the market-place. The exhibition in Hamburg informs about the subject of Op Art without putting this information at our fingertips. You register Morellet's version of this art style, you categorize it and decide that Op Art in general may be too popular to create real enthusiasm. Morellet's paintings are a different thing. With Vasarely, color aesthetics win over construction principles; with Morellet, the principle becomes visible. François Morellet is a purist designer who is more excited by the rules of the game than by the final result and lines on the canvas. [...] For Morellet, color is a mere and unavoidable factor of marking, while his lines are put across a surface and overlap at a certain angle; when the mesh system is moved by a few degrees, suddenly there is a precise theme of black lines on a white*

surface. This could be continued in any order; a closed system of lines, turning around a fixed point, evolves.[...] By no means is Morellet a mere engineer of art; he does not exclude chance, on the contrary, he lets chance play its part, and then the rest is once again subject to a mathematical rule.«* [110]

In France, Gérald Gassiot-Talabot, writing for *Chroniques de l'Art vivant*, mentions the tour which awaits visitors at the CNAC (Centre National de l'Art et de la Culture Georges Pompidou) exhibition:

*»Morellet's quickly focuses on an administration of forms with the goal of reconciling programming with chance or coincidence. The painter selects a building plan, but the result remains open, there are different options as to what might occur [...].*

*He covers the entrance hall with an arrangement of black parallels which seem out of place in the baroque surroundings and give us a new perspective of and way of looking at the location. By setting up a row of surveying rods in the garden the upper ends of which are flush, he emphasizes the unevenness of the terrain and adds a voluntary and artificial constant into the natural environment, and there is a rapport between the new element and the garden. The arrangement of the neon tubes enables them – through an arbitrary procedure – to form words of three letters. The unorganized constellation and extremely high frequencies create English and French words which the visitor can stop at any time he chooses by pressing a button. The maliciousness evoked by this sudden appearance of funny or vicious words is supplemented by the cold electronic arrangement of these arbitrary tricks. The fact that the visitor* has a way of interfering enhances the power of the surprise element in the arrangement.«[111]

On April 21, *Le Monde* prints an article by Jacques Michel in which he describes the monumental sculpture *Sphère-trames* (Grid Spheres) which welcomes the visitor in the first hall: »*It is far from being an ›object‹; one could call it an ›environment‹, not a physical, but an imaginary one. The view of the spectator relentlessly penetrates it and the visitor finds himself at the center of an overwhelmingly fantastic technical space. [...] Morellet's structures have an improvised feel about them, almost reminiscent of Piranesi, which lend an air of romantic and baroque abundance to the most pale, sober, and naked lines. One could even sense a touch of Proust because the pieces seem to evoke reawakened feelings or feelings provoked after the fact.*«[112]

In *Combat*, Jacques Darriulat echoes this feeling very clearly: »*He [Morellet] invents for us the ›règles des nos jeux‹ (Rules of Seeing; play on the words ›jeu‹ [game] and ›yeux‹ [eyes]). Playful freedom is nothing if not a paradox consequence of the tyranny of rules. Light, for example, can only exist in certain combinations programmed by the artist himself. [...] Art must be submitted to the same rigorous set of rules as the game of chess. While the actions of the chess player are subject to the logic of a strategic reason, the actions of the artist are subject to the logic – no less demanding – of the absolute meaninglessness of the absurd. Of all games, art is the only one which is truly and absolutely free of charge.*«[113]

Jean-Marc Poinsot says in *Opus International*:
»*Anonymity [...] is even part of the creative process of any piece of art. True, Morellet invents organizational principles and applies them, but his hand, the development of his own psychology and the evolvement of the pieces over time add nothing new to his work. The private life of the life in general of the artist Morellet is of little interest to us, or even the question of what kind of person has thought up or produced such systems for our perception of such works.*«[114]

As Michel Baudson puts it in *Clés pour les arts*:
»*More than anything else, his neons and his other searches are open works which art lovers are invited to interpret at their own discretion.*«[115]

On March 24, the Galerie Denise René opens a Morellet solo exhibition – for a brief 16 days – which runs parallel with the exhibition at CNAC. It exclusively presents graphic works and multiples. In a brochure published by the gallery, Morellet answers a questionnaire about Concrete Art:
»*Basically, back then I agreed with Swiss Concrete Art since it was searching for a system and renounced the improvisation of the genius. On the other hand, I did not go along one hundred percent with the systems, the ›rules of the game‹ of Bill, Lohse etc.. With very few exceptions (e. g. certain Bill sculptures), the systems seemed literary, complicated and not easily visible to the spectator.*«[116]

In *Les Lettres françaises* of April 7, Georges Boudaille writes about both events:
»*The Morellet exhibition which just opened at CNAC and the simultaneous*

exhibition of his ›multiples‹ at the Galerie Denise René, Rive Gauche, show us the work of an artist who has discreetly stayed in the background so far. It would be regrettable if these works were once again to sink into oblivion; they should make us take a look at where we stand today concerning certain forms of Visual Art which increasingly replaces traditional artistic creativity with their use of technology and systematic methods. Since the creativity of such an artist must be demonstrated at first, looking at works of this nature inevitably lead to the question: and where is the art? [...]
On to Morellet's work and our position towards it: if we were to judge him according to the traditional art criteria, we would have to be harshly critical because from an aesthetic viewpoint, his contribution – meaningful as it may be – is minimal. If we think about the fact, on the other hand, that our times do not only possess the space, but even clamor for new artistic forms of expression, whose very task it would be to fight against the ›gray in gray‹ of banality, then the Morellets of this world would be rehabilitated, even more, they might be useful for us. [...]
However, in a way we must express our regret that there has been a misunderstanding of sorts: Morellet is being shown in the same place and under the same heading as others whose objectives are completely different. Furthermore, the logic which is inherent to his system is also of secondary importance. He should represent himself in a much more monumental and decisive manner in his very own field, the environment.*«[117]

Morellet's very first *Intégration architecturale* (Architectural Integration) is also his first big public commis-

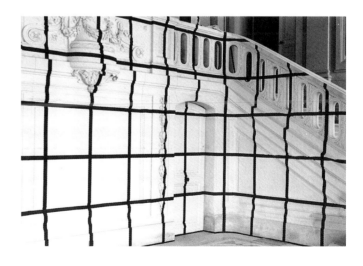

*Grids 3° – 87° – 93° – 183°*, at the plateau La Reynie, at the junction of the roads Quincampoix and Aubry-le-Boucher, Paris, 1971

Grids 0° – 90°, adhesive tape, CNAC, Paris, 1971

sion; he starts work on it immediately after the exhibition at CNAC. It was titled *Trames 3°–87°– 93°–83°* (p. 277); the work does not exist any longer. It was located in Paris, at the plateau La Reynie, at the junction of the roads Quincampoix and Aubry-le-Boucher. *»The people who gave me this commissioned work (those responsible for CNAC, decorative arts...) wanted to put up a first signal close to the big area where the future Musée national de l'Art moderne was to be built. They wanted me to create a symbol. Other than the sheer size of the walls, the disconnected and irregular surface fascinated me from the very beginning. The walls with their gables form a corner, have large cuts and are completely different from the usual square or rectangular canvas that artists normally work with. I was able to use one of my favorite principles here (which was then actually used for these walls): to draw my parallel grids with my eyes closed, to allow them to end at the cuts, to let them swell over the uneven parts, to continue around corners. It must be precisely those disruptions, those deformations which make this work so interesting. [...]*
*The craftsmen who did the actual painting had asked me to give them a draft which was true to scale, but I had no way of measuring the walls, so I simply explained the rules of the game to them, and everything went perfectly. They drew their parallels, skipped the cuts and continued their work around the corners. I have always maintained that my work is better executed by people other than myself.«*[118]

His interest in the question of architectural space grows continuously. A number of public commissions in France and other countries follow: *Inté-*

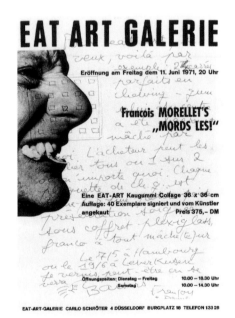

*grations architecturales*, which he mockingly calls *Désintegrations architecturales* (Architectural Disintegrations).

In June, Morellet has an exhibition with Daniel Spoerri at Eat Art Galerie in Düsseldorf, which is widely known for its provocative program. He suggests a »dadaist« piece titled *Mords-les!* (Bite them!), which he describes to Spoerri in a letter:
*»Dear Daniel:*
*For eat art I have the following suggestion: 24 perfect squares made from chewing gum. I have slightly nibbled on the middle gum. The buyer can chew them all or each second one or whatever he wants to. Each ch.g. is stuck on a small needle, the whole thing nicely presented under a Plexiglas cover, free delivery to the ›mache(te)ur‹ (Play on the words: ›macheur‹ [chewer] and ›acheteur‹ [buyer]).*
*On May 7, I open in Hamburg, on June 19, in Leverkusen. Perhaps we'll have a chance to get together.*
*Many regards,*
*François.«*[119]

A few other gums were chewed on by Heinz Mack and Günther Uecker, among others.

During this year, Morellet meets Henri Chotteau, who will become one of his most loyal collectors. He also discovers the literary work of Georges Perec after he had become interested in André Thomkins' palindromes.
*»I have become an ›accro‹ (Pun on the words ›accro‹ [addict] and ›accrochage‹ [to hang up pictures]) of palindromes, the worst of all puns: I must take my hat off to André Thomkins and Georges Perec, who – long before me – have spent whole days and nights composing*

Morellet, Takis, Iris Clert, CNAC, Paris, 1971

»François Morellets ›Mords-les!‹ (Bite them!)« Poster of the exhibition organized by Daniel Spoerri, Eat Art Galerie, Düsseldorf, 1971 *phrases which serve only one purpose, have only one* raison d'être: *to be readable from left to right as well as from right to left.*«[120]

## 1972

On January 27, Morellet installs a *Trame de ronds blancs posés sur des fonds noirs déplacés par la circulation et replacés par des petites filles entre 15h et 17h* (Grid of White Circles on Black Background Displaced by Traffic and Put Back into Place by Little Girls between 3 and 5 p.m.) in front of the Galerie Arca in Toulon.

In the summer, the Groupe de Recherche d'Art Visuel is brought back to life for the duration of an exhibition. Shortly after its dissolution, the group takes part in the highly controversial exhibition »60 – 72, Douze Ans d'art contemporain en France« (60 – 72, Twelve Years of Contemporary Art in France) at the Grand Palais in Paris. Julio Le Parc is the only former group member who refuses to participate. In the catalogue, Michel Frizot writes the following passage about Morellet:
»*Morellet perpetually questions things; his art integrates problems without always solving them: what is an open work of art? What does the sacrosanct ›composition‹ of geometrical art consist of? Is a work of art something personal, unique and never-changing? Does not the spectator have to make a contribution vis-à-vis the enthroned artist? […]*
*Morellet, who moves from smiling skepticism to feverish actionism, from reason to chance, knows how to connect irony and gags with the search for an identification with the spectator, and he does so by communicating an art without constraints and without concessions*

*to traditional aesthetics or to the classical concept of uniqueness.*«[121]

Morellet completes the little book he had financed and published in 1966. He adds more illustrations and, more importantly, a declaration of principle: »Du spectateur au spectateur ou l'art de déballer son pique-nique« (From spectator to spectator or the art to unpack your picnic). It will become a true *Leitmotiv* which will influence his entire future œuvre and which he refers to in most of his later writings, in most cases by quoting the following sentence:
»*Plastic arts are expected to enable the spectator to find what he is searching for, which is what he himself brings into the experience. Works of art would then be like picnic places, like Spanish ›merenderos‹ where you eat what you bring. Pure art, art for art's sake means nothing (or everything).*«[122]

This text is published for the first time during the exhibition at the Musée de Peinture et de Sculpture in Grenoble (the director then was Maurice Besset, who invited Morellet and Roman Cieslewicz).
»*In Grenoble, Maurice Besset encouraged me to use an interference light which alters the look of the paintings of the collection and to scotch tape a copy of a work by Nicolas Poussin. Shortly before the exhibition opened, we were told that we could not hammer nails into the walls of the museum, so we were forced to use rails.*«[123]

The »Avertissement« (Communication), which he wrote some time after »Du spectateur au spectateur…«, is taken from the longer text and summarized for easier distribution as follows:
»*Bearing in mind: – that works of fine art have never succeeded in transmitting to the observer the message, philosophy,*

*poetry or even sensibility which the artists intended.*
*– that the observers are ingenious (see Robert Filliou), but need to unpack their poetical philosophical picnics in empty places specially prepared for this cause.*
*For 20 years I have produced useless (consequently artistic) objects characterised by the total absence of interest in composition and execution and by the presence of simple and obvious systems, frequently concerned with pure chance or the participation of the observer.*
*I have reduced my intervention, my creativity and my sensibility (I hope) to a minimum and I can consequently announce that everything that you find, apart from my small systems (and if this were nothing) belongs to you as observer.*«[124]

During that time, Morellet is not content with some of his most recent results and destroys a large number of works which he considers »not systematic enough« or »less successful«.

## 1973–1974

Morellet does his first »destabilized« work: *5 toiles de 4 m de périmètre avec une diagonale horizontale* (5 Paintings with a Perimeter of 4 m with a Horizontal Diagonal; 1,5 x 8 m) in which the canvas becomes the objective of construction. This principle of creating unrest will dominate the majority of his future works. Serge Lemoine says:
»*The work is a painting of sorts, composed of five different panels. Each has a perimeter of 4 m. […] These panels are arranged from corner to corner in a manner which makes one of their diagonals form a continuous horizontal line. The irregular, »saw tooth-shaped« arrangement of the picture margins cre-*

ates an original excerpt which integrates the environment into the composition.«[125]

Maurice Besset goes into more detail:

*»Rectangular paintings are hung tilted on their corners and create the impression of being overmounted or of not being hung correctly, not perpendicularly, or simply of hanging ›wrong‹. In our heads, we are tempted to hang them ›right‹, even more so because we notice that we see each of those five segments which form the horizontal as an equal number of diagonals, in relation to the five pictures studied individually. But: if we do make these corrections, we are depriving ourselves of a confrontation with the work from its most interesting aspect, which is the very fact that here, we are looking at identical pictures which are not the same, with distance between them and without distance; that means we would destroy the many contradictions of the visual facts of the matter which the artist – by keeping the number of his decisions to a minimum and using the simple principle of confrontation – conjures up.«[126]*

Susanne Anna states:

*»For the first time, these pictures of different sizes create – by means of differing tilt or inclination angles – a form constellation on the wall which seems to break up the wall itself.«[127]*

Alexander von Berswordt-Wallrabe of Galerie m in Bochum has an announcement published in *Flash Art*[128] in which he protests against one of the works of Sol LeWitt[129] from 1972. The painting does strongly resemble Morellet's works from 1958. The ensuing March and April issues of the magazine are filled with polemic.

In Germany, Morellet participates in the exhibition »Programm, Zufall, System« (Program, Coincidence, System) at the Städtisches Museum Abteiberg in Mönchengladbach, and in the fall of 1973, he has his first solo show in Poland, at the Muzeum Sztuki in Lódz.

In January, 1974, the Lucy Milton Gallery in London shows works by Morellet from 1953 until 1957 and *Néons* from the past year. From here, Lucy Milton organizes a touring exhibition through Great Britain.

In his article in the *London Times*, »Picnic places for the people« from March 5, Paul Overy expresses his regrets that London was the only city not to have had this exhibition at a major museum.

Morellet creates his first monumental installation outside of France: a sculpture of 236 m length between two lanes of highway at the entrance to Gorinchem in the Netherlands.

In Paris, there is talk of a project at the square la Défense, a thought which originated with Germain Viatte in an article titled »Rêver La Défense« (Dreaming of La Défense).

## 1975–1976

In May of 1975, at the 13th Biennale at São Paolo, France is represented with the exhibition »Idée, Système, Matière« (Idea, System, Matter); Morellet participates and wins the first prize.

In the spring, there are a number of solo exhibitions in the Italian cities Brescia, Milan, Bolzano, and Parma. In September, the first important GRAV retrospective takes place, also in Italy – on a ship which moors at the major cities along Lake Como.

In December, the Art Research Center in Kansas City organizes an exhibition which focuses exclusively on Morellet's *Trames*. He has the various installations built according to his instructions; he himself is not present and sees the installations only on photographies. He notices that some of them have been arranged in a manner which allows the grids to play with the transparency and the empty space of the architecture.

In 1976, Morellet resigns from the family business to devote his time entirely to his artistic activities.

In the fall of 1976, the Westfälische Kunstverein in Münster shows a retrospective of his light objects. The exhibition titled »François Morellet – Lichtobjekte« is shown once again during the following year, at the Kunsthalle in Kiel.

## 1977

In January of 1977, Dieter Honisch, director of the Nationalgalerie in Berlin, organizes the second major Morellet retrospective. The exhibition is shown in several European museums: in the spring at the Staatliche Kunsthalle in Baden-Baden, in the fall at the Musée d'Art moderne de la Ville de Paris and, in the winter of the following year, at the Nijmeegs Museum Commanderie van St. Jan (Netherlands). In a new text for the exhibition catalogue, Morellet describes the division of his works into five large groups which can be combined with each other: »Juxtaposition, superposition, hasard, interférence et fragmentation.«. In a conversation with Sylvain Lecombe in the magazine *Canal*, Morellet has this to say about these classifications:

»*Each of these systems does not determine a single picture, but innumerable pictures. In my superpositions, for example, I create a picture at each ten or twenty degree tilt angle. Still, it happens that I am not satisfied with the result, but will show it anyway out of honesty towards the system.*«[130]

He makes it very clear that his most recent works fall into the category of fragmentation.

Werner Rhode writes in the *Frankfurter Rundschau*:
»*It was about time to organize an overview, which in this case might just as well be called a retrospective and which contains several early works from the forties. Morellet actually hovered much too long in the shadow of Vasarely and his spectacular success. For many years, Morellet was misunderstood or underrated. The pieces shown in this exhibition, paintings, drawings, light objects and environments-neon (which are on display in the basement) put the spotlight on him where it belongs. [...] Morellet, a rigorous defender of systems, is also a true* homo ludens, *an intellectual player who constantly creates links between rationality, mathematical laws and calculation on one hand and sensitivity, imagination and fun on the other.*«[131]

Heinz Ohff comments, in *Der Tagesspiegel*, January 15:
»*A world of pure art with no visible links to reality, an introverted and yet highly poetic world. In his best, most surprising works logic and poetry are combined in a breathtaking manner. [...] The entire exhibition is a paean to creativity which seems to grow stronger the more limited the artistic means employed in the work are. This art overcomes the artificiality to which it owes*

*Adhesive tape 45°–135°*, Musée des Beaux-Arts, Grenoble, 1972

Morellet, Henryk Stazewski, Ryszard Stanislawski, Muzeum Sztuki, Lódz, 1973

Gerhard von Graevenitz, Gianni Colombo, Morellet, Studio Marconi, Milan, 1973

*Grid 0°*, adhesive tape, Musée des Beaux-Arts, Nantes, 1973

Alexander von Berswordt-Wallrabe, his wife Kornelia, Bernadette and Claude Souviron,
Musee des Beaux-Arts, Nantes, 1973

Danielle and François Morellet with Christine and Dieter Mueller-Roth,
Galerie D + C Mueller-Roth, Stuttgart, 1973

its existence and which remains doubly visible. [...]
However, Morellet leaves us to our own devices. The visual impressions we gain when we let his work lead us, find their sense within themselves with the same degree of modesty and authority.«[132]

Numerous articles were published in the German press. Another example is Camilla Blechen in the *Frankfurter Allgemeine Zeitung*:
»His paintings are proof that the player ›chance‹ is capable of turning into an aesthetic necessity when merely thinking functions according to theorems. Morellet does not only suggest to the spectator, in all modesty, to engage in an intellectually stimulating viewing of his ›petits systèmes‹ (little systems), but he wants to offer them ›empty paintings‹ which should enable the spectator to ›unpack their impressions, their picnic‹.«[133]

Lore Ditzen has this to say in the *Süddeutsche Zeitung*:
»He [Morellet] puts vertical lines in juxtaposition by increasing the distance between them with each line, and thus opens the door to the unexpected and a whole range of imaginative associations. He will show hop-poles in the snow, for example, or endlessly continuing match-games. Morellet whets our appetite to discover, develop, or destroy new perspectives.«[134]

Jacques Michel writes in *Le Monde*:
»This exhibition gives a much clearer picture of Morellet's system. There were concerns that there was not much left to discover after his last exhibition at CNAC. Not true – Morellet's work must now be re-evaluated in a new light. His name has always been linked to Kinetic Art; now, we experience him as one of the discoverers of ›Concept‹ and ›Minimal‹ Art. [...] One of his most recent

pieces – never shown in Paris before – consists of a row of white panels hung at different inclinations and arranged from one painting to the next according to the elongated median of each. This work alone is a revelation.
Yet, Morellet is not satisfied with a ›demystifaction‹ of contemporary art production – he goes on to add his treatises. [...]
Artists find it easy enough ›to sell their secret‹ in an access of personal honesty: Dalí did it with arrogance, Duchamp with a wink, Morellet does it with common sense. But fortunately, we never take them at their word!«[135]

In spite of these tributes, the recognition of Abstract Geometrical Art remains an extremely touchy subject in France. Certain critics, e. g. Gilles Plazy of the *Quotidien de Paris*, sees Morellet in the category of experimental artists engaged in a process of searching:
»His work seems to me to be more educational in nature than artistic.«[136]

In February and March, 1977, Morellet creates a special installation with adhesive tape for the Galerie Nancy Gillespie – Élisabeth de Laage. Susanne Anna writes:
»Morellet has created one of the most original works of its kind. The restraint with which the artist uses the most sparing means to turn the bearing partition into a painting of its own is impressive. He started by measuring the circumference of the partition, excepting the space heater; he then tilted the entire affair by 5 degrees before outlining it with black adhesive tape. This conceptual procedure, so strongly influenced by systematic doubt, allows the artist to create a magnificent visual effect which exudes a sense of humor as well as serious intent. It emphasizes the links be-

tween art and space and between artist and gallery.«[137]

This ephemeral nature is also evident in some of the Intégrations architecturales:
»I was happy to hear that my wall at plateau Beaubourg finally received a new coat of paint.«[138]

From December 15–18, the Ballet Théâtre contemporain d'Angers put on *Autumn Field*. The choreography was by Viola Farber, music by Philip Glass, and stage decorations by Morellet.
»The grids used for this stage decoration were made in 1965. The producers asked me to step in, but they did so only six weeks before production. Because of this time shortage, I used these grids which – in their continuous character – are inherently related to Phil Glass's music.«[139]

In 1977, Morellet started work on the first pieces of his series *Géométrie des contraintes* (Geometry of Constraints). Morellet sees in these works »a lack of belief in absolute and perfect geometry«.
»I therefore decided [...] to do no more fibbing, to no longer attempt to cover up unavoidable constraints. And so (still working in category five) I arrived at my ›à peu-près géométriques‹ (approaching geometry) by making it a principle to hide the constraints no longer, but instead to make them the very theme of the paintings. [...] I have my doubts whether these paintings will find the approval of the (serious) followers of geometry or painting, but I do have some hope that the (not so serious) followers of constraints will enjoy them.«[140]

In an interview Morellet expands on this topic:

»Very gradually, I have been developing an interest in the environment of the painting rather than in what is happening in the painting itself. Suddenly, I found it difficult to hang those paintings which I had regarded as unreal surfaces, with their lack of density and their flatness. So I began to play on the irony of these surfaces with their pretense at being intangible, and to transform them into concrete sculptures.«[141]

Morellet originally had a different approach towards fragmentation: »In 1973–1977, I played predominantly with the horizontality of a line which crosses several non-horizontal backgrounds. My new rules of the game now use a continuous and (with perhaps two exceptions) straight line on two surfaces which are not on the same plane. The surfaces are classical rectangular pictures hung on or leaned against a wall, at least one of which must not be parallel to the plane of the wall. [...] I believe that in my series, I have remained true to my uncompromising attitude of the past twenty-six years, which could be summed up as follows: ›Do as little as possible‹. Or, to put it in a slightly more sophisticated way: ›Finding a sufficient amount of simple and precise principles to explain the limits of my responsibility‹.«[142]

In another context he adds: »For example, I have often played with the prevailing presence of pairs: wall/floor, vertical/horizontal elements, which the paintings seemed to follow in a docile and wise manner in most cases. And I took great pleasure in making simplicity an ally in disobedience: a ›neutral painting background‹ which – by way of its unusual arrangement and inclination – is elevated to a work of art and reduces presumptuous »informa-

tion-carrying painting« to but a modest hint of things to come in horizontality/verticality.«[143]

That same year, his first works on transparent paper were created. *Tableaux en situations* (Canvas in the Limelight) were arranged in a way that in a certain place, a detail of that place was emphasized, »its portrait painted«. In this respect, the *Calques* (Transparents) are »portraits of transparent and bent walls«.

## 1978–1979

In the winter of 1978, the Leo Castelli Gallery in New York invites Morellet to participate in the group exhibition »Numerals 1924–1977« which, after its conclusion in New York, will tour numerous cities in the United States. In Canada, Morellet shows drawings and objects from the years 1954–1978 at the Galerie Gilles Gheerbrant in Montreal as well as at the Electric Gallery in Toronto. Gheerbrant writes in *Parachute*: »Morellet's rules of the game are actually those of generative models (in Chomsky's sense): he wants to create as many sets of grammar as he does works. [...] (Lower) maths may be helpful in the formulation of problems; however, it is always just an aid and never a means in itself.«[144]

Bernard Blistène goes into more detail: »Based on his dislike of any form of subjectivity it becomes easy to understand that what Morellet sees in mathematics resembles a little bit that which Vienna thinker [Wittgenstein] confirms: ›Mathematics‹ propositions do not include any thoughts«. If Morellet is a mathematician at all, it would be an arithmetician, because the foremost task

of arithmetic is to prove with the aid of numbers. Morellet is not an arithmetician in the sense that he wants to use arithmetic to create order, but he is intent on doing away with hidden archetypes and misunderstandings.«[145]

In 1978, Morellet uses neon tubing for the first time since 1973: »The neon tubes do not flicker any longer, their light has grown more constant. Furthermore, they are inside the room now and can repeat a figure or form which resembles the works of the artist to be seen just moments before leaving the wall and becoming independent.«[146]

In the eighties, Morellet will return to the new series mentioned here: *Néon dans l'espace* (Neon in Space); in it, he uses electric cables to achieve the perfect lining out of the desired form.

He reads *L'Anti-Nature* by philosopher Clément Rosset and will recommend the book to Claude Rutault in a letter in August 1978; it confirms him in his thinking about the issue of realization and the theory of emptiness: »My feeling for precision and abstraction found a philosophical anchor: my latest discovery, philosopher Clément Rosset and his book L'Anti-Naturel, was a revelation.«[147]
»Now, in 1979, I continue to make pieces which have (practically) nothing to say. I do believe, though, that this emptiness, this meaninglessness which has fascinated me now for thirty years, will have more validity than an obvious appeal to the spectator and his unpacking his picnic.
As early as 1950, my works have been flirting with emptiness, the special kind of emptiness which is explained by the absence of ›nature‹. It implies an

absence of any evocation of nature, any ›natural‹ justification and any principle related to ›nature‹. (›nature‹ has nothing whatsoever to do with my systems or my programmed coincidence).

One validation – as I see it – of these ›denatured‹ works is the fact that they are in harmony with the world as I understand it, because this world is ›denatured‹ in itself and has renounced God and his remnant: the idea of ›nature‹. This implies accepting a world which is ruled solely by chance and by the artificial and accepting a present which will no longer be rejected in favor of a long lost past or of a future which has yet to be shaped. What is at stake here is an attempt to create an ›artificial‹ art which is as far removed from naturalistic art as naturalistic art itself has moved from religious art. By naturalistic art I do not mean art which depicts the external aspects of the world but art which is not validated by chance and artifice, but which attempts to prove by other means that it is animated by mysterious forces from the depths of nature or even from the depths of history (and the meaning of history may be the final transformation of naturalism). This is the art of – among others – a Mondrian who had a desire to see nature ›a little more pure, or even puristic‹, or of a Malevitch who held the opinion that it was now left to mankind to improve on a nature which was not sufficiently natural. My personal goal, however, was well defined by Clément Rosset who said [...] ›ultimately, we must accustom man to a world which remains as foreign to him as the enigmatic of which Empedocles speaks in the remnants of his ›Hymns of Purification‹: man must learn to acknowledge an absence of any definable environment as ›his own‹, to gradually accus-

*Superposition of Dashes 45°–60°–105°–120°–135°*, Hochschule der Bundeswehr, Hamburg, 1975–1977

François Morellet, Frédéric Morellet, René Block, Joseph Beuys, Caroline Tisdall, Christos Joachimides, René Barreau, Berlin, 1977

Serge Lemoine and Morellet, Dijon, 1976

*Superposition of an Exhibition Surface with the Same Surface Tilted at 5°*, Galerie Nancy Gillespie – Élisabeth de Laage, Paris, 1977

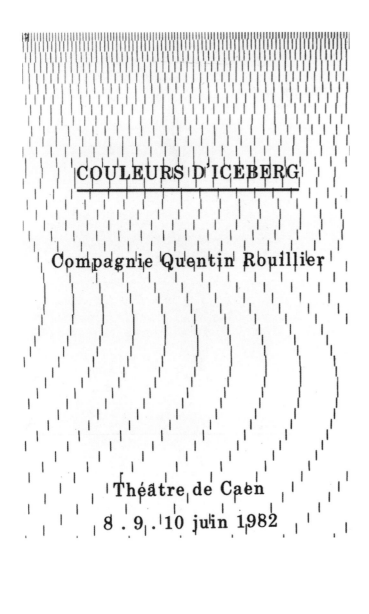

Poster for the choreographic performance of the ballet Quentin Rouillier,
stage design by Morellet, Caen, 1982

*Prolongation of a Grid (Spread out on the Floor) of Orthogonal Parallels up to the Walls
Forming Angles of 22°5 and 112°5*, Centre culturel de Compiègne, 1978–1979

*Fragmentation of Neon Straight Lines and Curves*, Stichting van Donksbergen, Duizel, 1980

Frits Bless, François Morellet, Jan Leering, Cholet, 1981

*tom him to the idea of the artificial by convincing him ever more to abandon all naturalistic depiction which, given its absence of respondents, is doomed to end in disappointment and fear‹.«*[148]

In September 1978, in issue no 38 of the magazine *Colloquio Artes* (Lissabon), Bernar Venet publishes an article titled »L'image rationnelle; contre l'abus d'expressions individuelles« (The Image of the Rational: Against Misuse of Individual Expressions) in which he quotes Rodtchenko, Kobro, Flavin, Lohse, and Morellet and chooses *Grille 0° – 22°5 – 45° – 67°5* as an example »of his rigorous theoretical research based on systems«.

In *XXe Siècle*, Marianne and Serge Lemoine point out the duality in Morellet's work:
*»Two different souls live in Morellet: one, filled with broken vigor and astute thoughtfulness searches and is the driving force behind his plastic expressivity; the other, falls silent and doubles up with laughter. So how is it possible not to see a division in his art: submission to the strict calculation of geometry on one hand and an attempt in lyrical abandon, an almost romantic protest against the ›irony‹ of the world on the other. [...] Traits of a mind which, in the end, is closer to Dadaism than to Constructivism.«*[149]

In 1978, the city of Compiègne commissions a culture center, which Morellet will finish the following year. His title is *Prolongation d'une trame de parallèles orthogonales (indiquée sur le sol) sur les murs formant (avec ces parallèles) des angles de 22°5 et 112°5* (Prolongation of a Grid (Spread out on the Floor) of Orthogonal Parallels up to the Walls Forming Angles of 22°5 and 112°5).

In 1979, Morellet receives the Will Grohmann prize of the Akademie der Künste in Berlin.

## 1980

Morellet's second public commission (which he started on in 1978) is opened in Duizel, Netherlands. This new *Intégration architecturale* with neon was made for the façade of the Stichting van Donksbergen.
*»The installation in Duizel awoke the desire in me to plan other stable neon installations in space.«*[150]

In the summer, Morellet accepts an invitation by Marie-Claude Beaud, curator of the Musée de Toulon. In a conversation published in *Var Matin République* he explains his approach towards the public:
*»How should an uninitiated audience understand a cricket match, let alone a football or soccer game? How should an uninitiated public value the violet color of your region or even our camembert cheese? I believe it is impossible to understand any venture (be it artistic, scientific, political etc.) if you are unaware of the times and the society in which it is taking place and which rules of the game it managed to create or to destroy.«*[151]

Morellet's sister Fanny dies; two years later, his mother passes away.

## 1981–1982

Starting on February 7, 1981, Le Coin du Miroir in Dijon and the Maison de la Culture de Chalon-sur-Saône show a group exhibition »Mise en pièces, mise en place, mise au point« (Destruction, Construction, Clarification). In the catalogue Morellet writes:
*»What interests me more at the moment is an architectural ›désintégration‹ (disintegration); to me, that means finding a rhythm which does not follow the one of the architecture and then playing with the interferences of these two rhythms. I may hint at my rhythm (a space repeated at regular intervals) with a painted stripe, a rod, a simple volume etc. Interventions of this kind take place after the architectural construction, e. g. they are by no means integrated into the construction project from the outset. Depending on the location, their can be more or less discreet. Architects in general do not like them (at least in my experience) because they seem to disregard the architects' aesthetic ideas or the structures of their constructions. That is to be expected since the work itself is a struggle between two structures, the architect's and mine.«*[152]

Serge Lemoine says:
*»The Désintégration architecturale (Architectural Disintegration) is built on the opposite of the traditional principle which emphasizes the integration of art and the relation of all art within architecture.«*[153]

On September 19, 1981, Morellet shows his work to Liliane and Michel Durand-Dessert for the first time. In *Art Press*, Michel Nuridsany writes:
*»When looking at the entire œuvre of this unique artist and co-founder of the Groupe de Recherche d'Art Visuel, we detect a rather educational and decorative aspect which – because of certain elements in his way of thinking – in an almost bizarre way makes him appear closer to the driving force in Vasarely than to that of Sol LeWitt or Stella. Morellet seems to have touched upon a large number of things briefly, but at the last minute he always seems to have escaped into what the critics writing in*

the Cahiers du cinéma *(before they became co-founders of the Nouvelle Vague) in a rather stigmatizing manner called the ›French quality‹. That is regrettable. In the exhibition organized by Durand-Dessert you find – especially in the large formats – precisely the kind of illusionist game which the proponents of Op Art used to enjoy playing with, even if today they create greater tension and are more ambitious than before. Yet, as before, we are not truly happy with this playing with white squares dotted by black lines. One work, however, seems to me to be more interesting than all the others: it uses neon lighting and represents a transition from a joint level to two different levels.«*[154]

In 1981, the Musée national d'Art moderne in Paris invites Morellet to participate in two exhibitions: one is the exhibition »Paris-Paris 1937–1957« where his pieces are shown in the section dedicated to the Salon des Réalités Nouvelles. Morellet creates his first works with wooden beams which are shown in a second exhibition: »Murs« (Walls), organized by Alfred Pacquement and starting in December. Serge Lemoine remembers these works:
*»In the early eighties, François Morellet chose normal wooden beams which he arranged in the room or along the walls and which were shown in the exhibition ›Murs‹ [...]. In 1982, François Morellet simplified their use by creating a series made from two elements: a pine beam and a line drawn with blue chalk, which formed a right angle. The wooden beam would either lie on the ground or lean against the wall; the use of the two elements is limited to their most simple forms, while the austere aspect of the material lends them a very brutal expression. [...] The artist explains:*

*›These works are to be found somewhere between independent works and installations, between sculptures and drawings. In this system a beam with a 45° incision is leaned against the wall and a vertical (in relation to the beam) line is drawn on the wall. I love that brutal change in direction and the contrast between the heavy beam of unplaned wood and the fragile line of blue chalk, which was drawn with a mason's marking string‹.«*[155]

From November 1982, Morellet shows his *Poutres* (Beams) in an exhibition at the Badhuis Kunstcentrum in Gorinchem, Netherlands, which, in 1983, was also shown at the Galerie Au fond de la cour à droite in Chagny.

Between April and July of 1982, the Stedelijk Museum in Amsterdam organizes a group exhibition titled »60'–80'–Attitudes/Concepts/Images«; Morellet is one of the artists shown.

During the same year, he accepts a public commission for the Musée des Beaux-Arts in Chambéry; he creates *Le Fantôme de Malévitch* (Malevitch's Ghost) (Regarding Malevitch's œuvre, Morellet will alternate between attraction and irony in the future).

On this occasion, the Musée savoisien de Chambéry has a single show of his works from October 9–31 and publishes a systematic catalogue of his works with architecture, *Désintégrations architecturales* (Architectural Disintegration) which contains an in-depth conversation between Morellet and Serge Lemoine. This catalogue is published in cooperation with the Musée des Beaux-Arts in Angers which, in December, also organizes a Morellet solo exhibition; a few months later, another *Désintégration architecturale* is dedicated at the Lycée Henri Bergson.

For a colloquium about Theo Van Doesburg held by the university of Dijon, Morellet writes »Doctor De Stijl and mister Bonset« (I.K. Bonset is Van Doesburg's pseudonym):
*»If I am willing to write about Theo Van Doesburg, it is only because in the last few years, for a few moments at a time, I had the courage to believe that he were me. In spite of this, I do not believe that he has had any direct formal influence on me. Quite the contrary: about 30 years ago, I violently (but also with a soft voice) took Mondrian's side against Van Doesburg and added further slander, e. g. ›dangerous deviationist‹ or ›irresponsible man of baroque‹. At the same time and side by side with my passion for Mondrian, my love for the exterminating angel Duchamp grew. This double liaison has certainly survived to this day.*
*For thirty years, I had a Bonset hidden in my heart. A Bonset who is allergic to all the naturalist, lyrical and individualistic (in himself as much as in Malevitch or Mondrian) pollution and would much rather turn to the mathematical than to artistic intuition, and would prefer the end of art to its renewal. A Bonset would laugh scornfully should I ever succumb to the temptation to submit to constructivist-suprematist-and-other-minimalist orders. And once you have accepted Bonset, there is no going back. Even the poetic-dadaist excretions could not cure Van Doesburg. Today, I am fascinated by that part of Van Doesburg's work in which destruction flirts with construction. The realization of the Ciné-Dancing in Aubette – among others – is a wonderful example of this kind of architectural disintegrations which are so much closer to Dada than to all neoplastic or constructivist principles.«*[156]

*Malevitch's Ghost*, Musée des Beaux-Arts, Chambéry, 1981–1982

Still in 1982, Morellet does a number of pieces with mirrors, a material he will not be using later on: »*I hate mirrors which look at you head-on, which follow you in elevators and bathrooms. For that reason, it has been a great pleasure for me to neutralize the few mirrors which passed through my hands systematically, to direct their virtuosity against themselves, that virtuosity which the ›Foire du Thrône‹ (Paris fairgrounds) and beer bars already got the best of. So, a pretentious mirror is turned into a vulgar piece of glass by a simple balancing act whereas another one, ›bent‹ in two parts, shows its one true characteristic: emptiness.*«[157]

## 1983

In Dijon, Morellet takes part in the group exhibition »Présence discrète« (Discreet Presence) from January 10 until February 28 at the Musée des Beaux-Arts; Morellet shows his »discreet« interventions, which attack the presentation of the works in an ironic manner.

In 1983, Morellet begins with his series *Géométree* (see p. 170–177). His fondness of word games now starts polluting even the English language: »*These relief-like paintings actually combine geometry, systems, and the* trees *(or, to be more precise, their branches).*«[158] »*From 1983 onward, Morellet explored new experiences which at least on a formal level seem to deviate strongly from his past ideas. The artist uses branches and brushwood he collects in nature and then attaches them to a surface made from wood, canvas, cardboard, or paper, painted white; he uses them as starting points for a composition which carefully tries to validate these elements. Starting from this ready-made element, he prolongs, completes or underlines their characteristics after having carefully staged them. Each Géométree, e. g. each new plant species from which the inserted pattern is taken has created its own rules. [...] Morellet manages to combine his artistic activities with one of his other passions: garden work. We should remember that in 1949, François Morellet – influenced at that time by primitive arts – did works at the Musée de l'Homme in which he used branch ramifications to create imprints.*«[159]

As Serge Lemoine so rightly points out, Morellet loves strolling through his garden in Cholet, where he has surrounded himself with a vegetable garden, rare plants and trees, and many animals, especially a parrot who is a full member of the family.

In his opinion, such an intrusion of the external world and of nature presents no danger to his systematic logic: »*If I were asked to describe the ›spirit‹ of my works (including the last Géométrees which would have caused my excommunication both by Pythagoras and by Mondrian) since 1952 in a single sentence, I would say that I have always strived to limit my subjective decisions and my technical intervention to a minimum to be able to give priority to and work freely with my simple, obvious, and preferably absurd systems. Yes, the systems have remained unaltered over the last thirty-two years, but their application has changed. At the outset, they attacked the flat geometry of the picture surface, then the geometry of the picture space, und then there was the geometrization of picture elements which truly were not fit to become geometric.*«[160]

Morellet and Jan van der Marck, Miami, 1981

Sybil Albers, Gottfried Honegger, Kenneth Martin, Morellet, 1982

*4 Squares (1 Square Divided into 4) Tilted at 0°, 30°, 60°, 90°,* Lycée Henri Bergson, Angers, 1982–1983

Manfred Wandel and Morellet, Josef-Albers-Museum, Bottrop, 1983

In the same year, Morellet does more pieces in which he closely combines nature or natural elements, e. g. at the »Forum Skulptur« in Middelburg between October 15–November 20: he redesigns the lawn in the middle of the square and calls it *A Public Square*. He explains:
»*I now ask you, dear visitors, to participate in the (oh so uneven) struggle between a famous* public square *composed of historical or natural elements, and an artificial square made of fake grass.*«[161]

In June, at the Musée des Jacobins in Toulouse, Morellet creates further ephemeral interventions, this time on the architecture and the inner court of the museum. With arcs of a circle, he completes a detail of the architecture and traces of an earlier portal on the ground and calls it *Arcs de cercle complémentaires* (Complementary Arcs of a Circle).

It is at this stage that titles loose their descriptive function and become »ridiculous and humorous«. He explains this transition:
»*I love to talk and to give commentaries (as I am doing this very minute), or to give my works titles by using (almost to excess) plays on words, corny puns, or other approximations.*«[162]

October is busy with the opening of an exhibition at the Josef-Albers-Museum in Bottrop which shows Morellet's most representative works since 1976. This exhibition is shown again at the Wilhelm-Hack-Museum in Ludwigshafen in early 1984.

## 1984–1985

In March, Morellet accepts an invitation of the Kunstmuseum in Bern and is part of the group exhibition »Die Sprache der Geometrie« (The Language of Geometry). He reminds us:
»*Mathematics no longer own me, and that is because of its insensitive neutrality and also because of its simplicity. On the subject of the mathematical level used in my work let me say this: perhaps 6th grade. From the 5th grade, I could not follow any more.*«[163]

In the spring, Line Sourbier-Pinter, director of the Institut Français in Belgrade, suggests to Morellet to do an intervention on one wall in the city. The project is supported by the city's mayor and by the French embassy and is to be titled *Bleu, Blanc, Rouge, 0° 90°* (Blue, White, Red, 0° 90°). About the poster published on that occasion Morellet says in a brief conversation: »It is intended to be a work that, if you really don't want to, you will not see.«

In the United States, starting in July, Robert Buck organizes the retrospective »François Morellet: Systems« at the Albright-Knox Art Gallery in Buffalo. This is an express acknowledgement of his work overseas. The exhibition actually tours the American continent, foremost to the Musée d'Art contemporain in Montreal in October and November. Then it travels to the Brooklyn Museum in New York and ends, in the following spring, at the Center for the Fine Arts in Miami. For the first time, Morellet exhibits his *Géométree* series which is received by an enthusiastic press. In her article, Lucie Normandin points out that this important retrospective contains 43 works from the years 1952 until 1984 and an ephemeral piece made especially for the museum. One year later, she publishes a text dedicated to the *Géométrees* in *Vie des arts*.

Jocelyne Lepage, in *La Presse*, emphasizes his »*humorous and ironic spirit which is diametrically opposed to the rational, logical and mathematical character of his œuvre.*«[164]

In her article for *The New York Times* on February 22, 1985, Grace Glueck states:
»*François Morellet is the perfect antidote to neoexpressionist overload [...]. This extremely attractive exhibition which Charlotta Kotik has wonderfully arranged in the spacious gallery of the museum rotunda, is proof that even in our times of advertising and promotion, a dissenting voice still has a chance of being heard*[165].«
And Robert C. Morgan writes in the *Sunday Democrate*: »*In the process of producing his art, Morellet believes that the application of systems allows for the most interesting results. Those familiar with the Minimal Art of the 1960s by artists such as Frank Stella, Ellsworth Kelly and Sol LeWitt will immediately see the connection. Looking at the green and tan stripes in Morellet's* Peinture *(Painting; 1952) or a later work called* Angles droits concentriques *(Converging Right Angles; 1956), it is difficult to see how Frank Stella could have ignored these antecedents in his* Black Paintings *several years later.*
*On the other hand, it is difficult to see how another New York artist like Sol LeWitt could not feel some very direct kinship with Morellet's* 8 Trames *(8 Grids), a painting in which linear grids have been painted in a rotating sequence to create an overall effect of small circles expanding and contracting at various intervals.* 8 Trames *(1958) is a painting that is identical to one of the sequences used in LeWitt's book* Arcs, Circles and Grids, *published in Bern, Switzerland, in 1972. [...] Morellet's gift to contemporary art is a genius for*

*resolving complex visual matters with the simplest of means.«*[166]

Morellet remembers this retrospective in his conversation with Ida Biard for *Flash Art*:
*»It meant very much to me to show my works in the United States, especially works from the fifties. I have often felt closer to American and especially to the minimalist artists among them than to European artists. Furthermore I believe that my works from the fifties resemble an art form which developed there in the sixties.«*[167]

When asked for artists other than Mondrian or Duchamp who have had an influence on him, Morellet adds:
*»There is another artist, Rodtchenko; perhaps it is the very fact that he is much less well-known which makes him so fascinating to me. To me, his constructions with identical wood elements are the first truly systematic works.«*[168]

In New York, Morellet has a wall painted and calls it *Sens dessus dessous* (Meaning above below; see p. 295), a work which no longer exists. It was a gift from France to the United States on the 100th anniversary of the Statue of Liberty.

In France, he does several public commissions, one for the media center in Nantes and one for a sports park in Mably, near Loiret. Morellet describes the latter in a letter to the city's mayor as follows:
*»I chose roof-tile as material. One reason was, of course, that they are made from the earth which the sport facility is erected on, but another reason was that I like the expressivity of roof-tiles, the way they form curves with straight segments, a very elegant solution to making the circle a rectangular, e. g. to achieve the impossible.«*[169]

The Galerie Liliane et Michel Durand-Dessert in Paris exhibits a number of *Géométrees* between February 14 and March 12, 1985. This is the first time they are shown in France. Catherine Francblin writes in *Art Press*:
*»The beauty exuding from the pieces is the result of a very cautious combination of reference systems [...] In view of these forms, it would be legitimate to refer to them as ›grafts‹; they resemble unknown fruit or hermaphrodites which belong more to the insatiable taste of mankind for the new than to the eternal circle of nature.«*[170]

In November the Royal Abbey of Fontevraud (near Tours) dedicates an entire exhibition to this series which has just been completed:
*»I have decided to end those dangerous exercises in style even though temporarily, they allowed me (to avoid an area where everything had become art) to hang from the branches on which (because of my mistake) everything that grew had become geometry.«*[171]

The systematic catalogue of the *Géométrees* (103 pieces were entered into this catalogue of works) was published with a text by Didier Semin titled »Nu descendant un arbre fruitier« (Nude Descending from a Fruit Tree):
*»It is said that in Mondrian's room, adjacent to his painstakingly meticulous studio, the very disorder which he condemns in his works reigns unhampered: an unmade bed, pin-ups on the walls... while in Morellet's studio, the opposite – and yet identical – principle is true: a right angle just hinted at, in a cozy, proliferate garden in which an exuberant parrot is watching amusedly how the carps in the pond head for their destiny. Are the Géométrees perhaps a sin of old age, trying to incorporate a little of nature into the artificial? [...]*

*His Géométrees play superbly on something which a few have suspected or known for a long time: François Morellet is not a ›geometrical artist‹: the advantage of geometry lies in the framework it sets and not in the material it uses, in the attitude it prescribes and not in the form adopted.«*[172]

As Daniel Soutif describes it in the *Libération*:
*»It is and remains an ensemble which – in spite of the sparingly used intellectual and technical means – exerts a strange fascination on the spectator and triggers off any number of possible impossible associations. That can not come as a surprise, however, if you imagine for just a moment how Morellet submits to the rules of his Géométrees and invents an artist of the utmost peculiarity: a kind of Mondrian or Newman who goes out to seek inspiration, of all places … in the woods and forests.«*[173]

Morellet did his first self-portrait *Masque King Tape* (see p. 295) – actually, the very first one was from the year 1947 – for the mask collection of Polly Hope. It is an adhesive tape which has been vertically attached over his face inclined to the side.

## 1986

In March, the commissioned work for the Grande Halle de la Villette in Paris is opened. It is his first large format *Intégration architecturale* with neon since 1980. *In Architecture intérieure/Créé* you could read:
*»Here, he has the possibility to use neon light in dealing with interferences more closely, a technique which combines the advantages of objectivity with the opportunity to discover new relationships with time. […] Faced with the precise arrangement of metal structures,*

*Morellet develops his own discourse on horizontality and verticality. Neon tubes […] are arranged along the vertical columns which emphasize the horizontal lines of the side façades and the ›chiens-assis‹. These light lines – whether they are turned on or off, continuous or arranged with interruptions – superimpose a different kind of graphics, a different reading of the structures of the Grande Halle. Disintegrations as a process. The way they play with the disruption of illumination opens the door for the introduction of time and movement into this venture of causing confusion. The ›light scheme‹ of the neon tubes changes every hour. At each change, it blinks for 20 seconds, interferences during which the Grande Halle seems to be disintegrating. A superposition caught by the time element.«*[174]

In its March issue, *Beaux-Arts Magazine* publishes writings by Serge Lemoine dealing exclusively with the *Désintégration architecturales*.

The Musée national d'Art moderne in Paris is the first French museum to hold a major Morellet retrospective. From March 4 until May 11, a selection of 60 works, chosen by Bernard Blistène, is shown, beginning with *Petite Tête* (Little Head; 1949); included are the most recent works of the artist, e. g. *Coupe en diagonale d'un parallélèpipède rectangle* (Cross-cut of a Rectangular Parallelepiped; 1985) made from neon tubes. The Stedelijk Museum in Amsterdam shows this exhibition from June 2 until July 20. The press is unanimous in its enthusiasm. In a conversation with Daniel Soutif for the *Libération*, Morellet explains:
*»A retrospective from 1952 until 1986: 34 years spent in faithful and loyal service to the system, to cold and pas-*

*tose painting, but also 34 years in which another part of me – my little Mr. Hyde – systematically destroyed my sincerity and my systems in a manner that was not exactly secretive. And lo and behold, after a while, some well-known experts who were not quite so deadly serious detected my irony and my taste for the absurd. So the exhibition is perhaps a little bit less obnoxious than could be expected given the trademark I have been labeled with.«*[175]

Geneviève Breerette says in *Le Monde*:
*»Experiencing Morellet – which is undoubtedly one of the richest experiences in the area of Geometrical Art or perhaps even of art in a more general sense – means experiencing an independent artist, almost a self-taught person, even an amateur week-end painter originally. This manufacturer from the Vendée area did not retire from running the family business, a toy car factory, until about 10 years ago. This unusual situation does not explain everything, but it does help us understand the conditions under which the artist started out on his artistic adventures: as an amateur, and, more importantly, as someone who did not depend on his art for a lucrative income.«*[176]

In *Le Quotidien de Paris*, Bruno Foucart emphasizes:
*»In all these consistent modernities, he [Morellet] knows how to combine the rare capacity of presence with the disconcerting capacity of flight. For thirty years, the name Morellet has been linked to any number of variations of cold and opaque op-art non-figuration. Today, the gurus of Beaubourg see in him a supposed heir to Duchamp, a ›decoder of all codes‹, a minimalist or a conceptionalist. But proponents of any one art trend should beware of claiming*

him. Tomorrow, Morellet will tiptoe away from it with a sarcastic smile on his face. This artist likes to travel light and is much too intelligent to permit himself to be categorized anywhere. [...] In the family of cold monsters, Morellet possesses the advantages and the smile of the classic.«[177]

The magazine *Art Press* focuses on Morellet, and Catherine Francblin elaborates:
»A re-evaluation of his sense of economy – and at times it seems that he is intoxicated with the very idea of emptiness – might enable us to discover, behind the man of protestant austerity, a man less obsessed with ›the ideal‹ and to see him in a purer and brighter light than the image which we associate with him whenever we hear his name, that image of absurd lines painted for no purpose and going nowhere, as in the paintings from 1971 dedicated to chance. Whenever François Morellet gave in to the cult of perfection, this peaceful agnostic tended to feed his taste for nothingness.«[178]

Serge Lemoine did not only write the text for the exhibition catalogue of the retrospective, but also the first Morellet monograph, a careful accounting of his entire œuvre published by Waser Verlag in Zurich.

From April 14–20, in the framework of the exhibition, the Andy de Groat dance company stages a dance event amidst Morellet's mobile geometric configurations at the Centre Georges Pompidou; Morellet will later comment:
»It is probably true that my sense of the ridiculous was more highly developed than my instinct for dance, but it is equally true that I felt that the dance here was as necessary (and pleasant) as ingesting and digesting food. Does this reasoning justify combining all these important activities? Well, it seems to me that a danced solo performance is much less obscene than all the standardized and sterilized group dances of military parades, Spartakiads, majorettes, and staged dances.«[179]

For six years now, the Musée des Arts de Cholet has been acquiring works by Morellet on a regular basis. This collection is now shown from April until June and travels on to Spain, from Catalonia (San Sebastian and Vitoria) to Granada, starting in December 1989.

Morellet works on a series using a procedure taken from wood engraving. He calls it »grattures« – a play on the words »gratter« [to scratch] and »gravure« [engraving].
»These pieces consisted of rectangular veneered wood with simple geometric forms scratched on them with a nail. Depending on the grain of the wood, the nail made a simple line or tore out small or large chunks from the veneering.«[180]

Since 1980, Morellet had shown an interest in engraving, documented in his sketch-pad (published by Fanal in Basle, Switzerland).

At the Consortium in Dijon, the exhibition »Géométrie dans les spasmes« (pun: Geometry in Space [espace] and in spasms [spasmes]) opens on December 4. It shows Morellet's most recent series, 8 paintings with rather explicit titles:

*En levrette, La Brouette, La Pipe, À croupetons, À la missionaire, 69, Par derrière à deux, Par derrière à trois.*

In the catalogue, Éric Colliard and Xavier Douroux state:
»The geometric forms of Géométries dans les spasmes *appear to the eye – and* make no mistake about this – as squares and rectangles in the process of ›copulating, licking, sucking, masturbating‹ as the great Marquis might have phrased it. This is a colossal geometry (square and rectangular paintings, each 200 x 200 cm and 400 x 100 cm or the other way around) which portrays the facts of hard life *as opposed to* Hard Edge *which is being offered in* ›tout Paris‹ *as the most outspoken style of* ›living painting‹ *to be found [...]. It is a perfect example of the duality of an exhibition in which Morellet is trying to convince us that it is possible to cross over from vulgar geometry to pornography just as easily as you can go from gymnastics to body-building: by observing the proprieties of form.*«[181]

Morellet specifies:
»In my series Géométrie dans les spasmes, *it gave me great pleasure to take up a subject which has been a taboo for constructivists, concrete, and other minimalist artists – that of pornography –, while at the same time strictly adhering to the external forms of geometry, of course. The square, which represents itself and only itself to the innocent onlooker, shows a person with his head inclined, ready to accept ultimate punishment. I did not dirty the square in any way; I left it clean, pure, and seemingly neutral; I did give it a certain position in relation to the identical second square or rectangle – and I did give it a title. This makes my world tumble into another world that I am equally attracted to. I adhered to the most common positions, at least as described in the everyday language of most countries. This happens to be a collection of the most wide-spread trivialities, which, incidentally, I illustrated with more minimalism than lust.*«[182]

South façade of Grande Halle de La Villette, Paris, 1986

*Masque King Tape*, Self-portrait of François Morellet
Contribution to Polly Hope's Mask Collection, 1985

*Sens dessus dessous*, New York, 1986

He also shows a number of imprints of his body, of his sex:
»*In* Geométrie, figures hâtives *(Geometry, mature figures), figuration is created in the pictorial imprints (with a ›Klein d'œil‹ [play on the French expression ›cligner‹ (winking) and the German word ›klein‹ (small)] to my own body), and it is painstakingly disfigured by the geometrical figures created by them.*«[183]

## 1987

In the spring, the Bruno Facchetti Gallery in New York – which had been closely following Morellet's work for years – shows the *Géométries dans les spasmes*. There are instant reactions in the press. Walter Thompson writes in *Art in America*:
»*Morellet is sending us a grinning group of his most recent works, under the heading of ›pornometry‹. [...]*
*What makes these works so interesting especially for us Americans, is the humor they display which is so seldomly seen here, especially in the minimalist traditions of this country. Morellet presents himself to us as a man of* esprit, *with a touch of the lewd, an* artist/philosopher.«[184]

In the Netherlands, the *Géométreedimensions n° 1 – Géométree –* is installed in the park of the Rijksmuseum Kröller-Müller in Otterlo (see p. 299). Several months later, Morellet has another exhibition in that museum, a juxtaposition with Bertrand Lavier. This event is part of »Vice Versa«, a series of exhibitions of French artists in the Netherlands. The Groninger Museum in Groningen, Netherlands, also dedicates an exhibition to Morellet which focuses on his light installations: »François Morellet – Lichtinstallaties«. In the exhibition catalogue, Morellet writes:

Inauguration of the installation of Grande Halle de La Villette, Paris, 1986:
Jean-Hubert Martin, Marie-Laure and Bernard Blistène, Morellet

Inauguration of the installation of Grande Halle de La Villette, Paris, 1986:
Denise René, Soto, Morellet

Morellet and his parrot Papagaïo

*»Let us look at a good example: my works from the eighties being shown in this retrospective [which] use light and the element of time. According to certain critics, they should be categorized as ›Light Kinetism‹ which was fashionable around 1965 (even though I was not exactly aware of that at the time) which went out of style around 1975 and seems to become fashionable again, assuming that Frans Hak's selection for this exhibition was determined by a well-founded sense that there is a new call for this movement from the sixties and not by his personal, subjective, and regrettable taste which would mean eliminating twenty or twenty-five years, which would not be so much, considering that the École de Paris of the fifties or the fascist architecture of the thirties are just now coming back into fashion.«*[185]

After the end of the exhibition, part of the works go to Nantes and are shown at the Salon d'angle of the DRAC (Direction régionale des Affairs Culturales) in November. In a public commission, Morellet »attacks« the corner of the building with his neon tubes (see p. 299).

Morellet takes part in two important exhibitions: »L'époque, la mode, la morale, la passion« (Epoch, Fashion, Morality, Passion) at the Musée national d'Art moderne in Paris and in »L'art en Europe – Les années décisives 1945–1953« (European Art – The Decisive Years 1945–1953) in Saint-Étienne.

After the series *Géométree*, he works more closely in harmony with nature. He does *Un paysage entre deux néons* (A Landscape between Two Neons) (at an altitude of 2 400 m) for the Hotel *Furkablick* on the Furkapass in Switzerland:

*»The principle of this installation is to cover the largest area possible and to do so with the most ridiculous means, or more precisely: two measuring rods are put as far apart as possible, but in a way that they still appear as a unit to the spectator. That is approximately what my cat does when she marks her territory, which reaches from the foot end of my bed to the other side of the garden.*

*Since our behavior has always been determined by the eyes, not the olfactory sense, the most appropriate material is light, and the most appropriate framework a large field of vision which reveals a glimpse of a night polluted by me and no one else.«*[186]

For his part in the exhibition »Skulptur Projekte« in Münster – which is held every ten years – Morellet chooses playing on the castle park's history and counteracts the park's romantic atmosphere by using geometrical elements in juxtaposition. He is trying to impart a little bit of the character of French gardens. A set of brick dug in the ground in irregular distances form a discreet triangle, a circle and a rectangle. He also plays with the erotic implication of the title, *À la française noch einmal* has in the German language (À la Française and »once again« in German).

## 1988

In an interview, Morellet answers: *»My aversion to anything serious increases with age; if you are young and pretty, it is all well and good to be serious; it is bull..., but very photogenic; but to be old and ugly AND serious, that is disgusting! […]*

*What interests me today is to flirt with anything I used to be against, everything that I could never so far depict with my usual means, such as landscapes and pornography. […] This return to pseudo-figuration is addressed mostly to the connoisseurs of constructivist, minimalist, or concrete art, especially those who are aware of what I have been doing for almost forty years now. I love the rigor of geometry, but what I like even more is cheating it.«*[187]

For the first time, the series *Paysages-Marines* (Marine landscapes) – which had been shown the previous year for the first time – was exhibited at the same time at the École régionale des Beaux-Arts-Georges Pompidou in Dunkirk and at the Galerie Liliane et Michel Durand-Dessert in Paris. In the catalogue, Morellet publishes a text about what he calls »›Le mal foutu‹ et le ›moins que rien‹« (The messed-up and the less-than-nothing):

*»A ›mal foutu‹ (a familiar, if disparaging term) for me is any work of art in which signs of its realization are made visible intentionally (e. g. if they are not themselves but instead the ›content of the painting‹), e. g. irregular brush strokes, running paint, faults etc. in paintings and irregular silhouettes, hand prints, clumsy assembly etc. in sculptures. This means that ›mal foutu‹ is irregular by principle, that it favors the means of their realization, increases the irregularities of manual work and therefore despises any tool, principle, or system which guides, corrects, or replaces the hand. With great pleasure, I would like to quote Filliou's wonderful and precise comparison regarding this subject: ›Bien fait, pas fait, mal fait‹ (Well done, not done, badly done).«*[188]

In a fax to Yves-Alain Bois of March 26, 1993 he writes:
»*The ›mal foutu‹, ›the artist as genius‹, ›the unfinished work‹ – all this drivel about art in the last 150 years (which, I must admit, I have often enjoyed very much), ran on all cylinders (Romanticism, Impressionism, Expressionism etc.), but fortunately it left a small, quiet oasis of precision, precision that gets on your nerves, cold, absurd, and systematic precision ...*«[189]

Morellet has this to say about *Paysages-Marines*:
»*I felt like leaving my rectangular canvases for a while and to use the strange rectangles into which ›Figure‹, ›Paysage‹, and ›Marine‹) are divided. I have tried in vain to understand why all these formats which compared to nothing were invented in France. I chose ›Paysages‹ and ›Marines‹ and decided – always following my general motto of doing as little as possible – to use the format of ›Paysages‹ for a landscape and the format ›Marine‹ for the ocean. I painted the oily sea with glycerophtalic oil and the landscape with acrylic. I also did five pieces which are composed of one ›Paysage‹ and one ›Marine‹:* Falaise et Mer *(Cliffs and ocean),* Vague *(Wave),* Marée basse *(Low tide),* Marée haute *(High tide),* Raz-de-Marée *(Storm tide).*«[190]

At the time of the exhibition »Paysages-Marines« in New York, Thomas McEvilley explained this juxtaposition of panels in *Art Forum*:
»*Morellet shows ›pictures‹ of a landscape and the sea; he uses the conventions which take over the function of reality or encode it to evoke pictures through their very absence. [...] Again, Morellet draws or starts with those virginal dice which, in an ironic and even*

machiavellian way, represent a parody of sublime monochromy. [...] The suggestive titles help the spectator see both panels as one single artistic realization; without the titles, he could not achieve that. Morellet shows us a tender and loving satire of the human obsession of wanting to rule the world by portraying it; at the same time, he uses the classical approach which consists in exploring the confusion of various realization techniques.*«[191]

Catherine Fayet writes in *Opus International*:
»*The titles and its content make us take a new look at his constructions; do they cast doubt on François Morellet's long-held principle of non-composition? Here, he uses means which are the most traditional and refined, yet reduced to their simplest and thus most meaningful and efficient function to present a landscape in a field of vision. [...] What we see here are models of landscapes rather than landscapes themselves.*«[192]

On the other hand, in that year Morellet did his first *Défigurations* (see p. 308). These works were done based on research by art historian Anne Granon de Barsky who was interested in coded formats:
»*She noticed that there was very little literature and, at my suggestion, began research on what actually was the most frequently used format of the great masterpieces of the last 150 years (when standard formats were first introduced). [...] As it happens, it was the vertical format ›30 Figures‹, e. g. 92 x 73 cm. Wishing to have luck on my side when creating my latest masterpieces, I decided to use primarily this ever-popular format. I did not want to give up its virgin white since it represented a guarantee for general approval and my person-*

*al trademark; so I decided to disguise it as a canvas. This surface (which remains untainted, even with the worst transgressions) can reflect things as well as hide them. Reflect what? All masterpieces of the ›30 Figures‹, naturally, primarily the twenty which are on my discreet and monochrome list. Hide or cover what? Well, the figures of other masterpieces (which generally exceed the ›30 Figures‹ format by far). These glorious paintings of famous personalities are ›disfigured‹ in this manner (in the etymological sense of the word) (play on the double meaning of the French word ›dé-figure-r‹, which can mean dis-figured and distorted). In the end, all these white paintings want to show is the absence of figures.*«[193]

In *Libération*, Hervé Gauville explains the creative process used in this series:
»*(You must know that) Morellet projects these pictures on the wall and then puts white rectangles in place of the figures painted on the canvas. Then he makes the projected picture disappear and there they are – his white pictures, replacing the deleted ones.*«[194]

In New York he »disfigures« Emanuel Gottlieb Leutze's painting *Washington crossing the Delaware* as well as Grant Wood's famous *American Gothic* during his exhibition at the Bruno Facchetti Gallery between September, 24 and October, 26. He is also showing several paintings of the series *Paysages-Marines*.

In the winter, the Galerie Dorothea van der Koelen in Mainz organizes a retrospective with a small selection of works from 1971 to 1988. Max Bense writes a text for the catalogue, which juxtaposes his »theoretical aesthetics« and Morellet's œuvre:

*»The example of ›snow-flake construct-ed from a triangle‹ makes visible in which way the works of François Morellet, particularly those which are usually based on a mathematical system, or – can be traced back to this mathe-matical (respectively geometrical, as for instance the snow-flake mentioned above) system – can be calculated and proved mathematically on grounds of their concrete, formal content and esthetical reality. [...] Not what is ›rep-resented‹ in the picture or what is ›readable‹ in the text itself is art, but the ›production‹ of the ›pictorial‹, ›tree-dimensional‹, what has been ›drawn‹ or ›written‹ (poetical-literary) is art, more precisely the ›esthetical reality within‹ is the object of art.«*[195]

In Paris, Morellet receives the Grand Prix national de Sculpture.

In December, the exhibition »François Morellet – Sur commande – *Désintégrations architecturales* et autres interventions en plein air 1982–1988« (Commissioned Works – Architectural Disintegrations and Other Open-Air Interventions 1982–1988) is shown in Calais, at the Galerie de l'Ancienne Poste. In the catalogue, there is a com-prehensive list of all public commissions which Morellet has done since 1982, and a conversation with Serge Lemoine. In the following year, there is an exhibi-tion at the Westfälische Landesmuseum in Münster, and a German version of the Calais exhibition catalogue is published.

## 1989

In January, Morellet is invited by the city of Rennes to exhibit works at various locations. At La Criée, Halle d'Art contemporain, he decided to »dis-figure« mostly important works from

*Angle*, DRAC, Nantes, 1986–1987

*Géométreedimensions n° 1*, Rijksmuseum Kröller-Müller, Otterlo, 1986/87

the collection of the Musée des Beaux-Arts, among others *La Femme entre deux âges* (Woman between Two Age Groups) of the École de Fontainebleau, *Le Nouveau-Né* (The Newborn) by Georges de la Tour or *La Chasse au tigre* (Tiger Hunt) by Peter Paul Rubens.

The *Objets non identifiés* (Non-Identified Objects) and the *Ombres de moi-même* (My Own Shadows) are exhibited at the Galerie Liliane et Michel Durand-Dessert in Paris for the first time. The objets are picture assemblies which, according to Morellet, are meant to evoke objects, the character of which he does not dwell on; the *Ombres* are gray zinc bands which simulate the shadow cast by a standard format.

The new cooperation with Line Sourbier-Pinter, director of the Institut français in Innsbruck, leads to the exhibition »François Morellet – Regards sur l'œuvre 1957–1989« (Views of his works 1957–1989) which takes place in April. The exhibition then travels to various European cities, Bolzano, Munich, Zagreb and Vienna.

Maurice Besset writes in the catalogue:
»*Concrete, concept, visual, fluxus, minimal, deconstruction: a whole range of terms comes to mind when looking at the unconventional turns in Morellet's personal development in the context of contemporary art in general. [...] One thing is obvious: Morellet has managed, for over 45 years, to remain completely untouched by fads, and he has done so without impatience, without pathos, and without losing – for even one single moment – the sense of humor which he considers so vital for survival. As a matter of fact, it is this sense of humor which helps him preserve a healthy dis-*

*Every 1, Every 2, Every 3…* , Alpexpo, Grenoble, 1988

*Malevitch's Sinking*, Domaine Kerguéhennec, 1987–1990

*Géométreedimensions n° 2*, FRAC Pays de la Loire, Clisson, 1989

*tance between himself and his work, without letting his art slip into a dangerous mystification.«*[196]

In the magazine *Du* Morellet tells Alexandra Reininghaus:
*»I feel much closer to constructivists of the fourth generation who are much younger than I am, such as John Armleder or Bertrand Lavier whose work occasionally shows an intelligence, irony, and ease which I appreciate very much. […]*
*My dream would be to become a kind of baroque minimalist, with fewer means but with a lot of earthiness, cheer, and impertinence.«*[197]

## 1990

At the time of the opening of an *Intégration architecturale*, at the municipal Lycée Gabriel Voisin, – a commission within the French state law of the sixties according to which 1% of the building budget for public commissions have to be spent on artistic contributions – the Abbey of Tournus organizes an exhibition of his neon works in June and July. One of the rooms has a retrospective with a selection of 30 works, while a special installation is shown in the refectory: for the first time, Morellet installs blue neon tubes of 2 m length on the floor:
*»I believe that these neon elements can be compared, to a degree, to the steps of a hiker in the woods or the bricks of a stonemason; they enable me to divide the rooms offered to me and to rearrange them.«*[198]

This work is titled *30 néons et 1 point de vue* (30 Neon Tubes and 1 Point of View) since the spectator is forced to view the piece from a single, elevated point of view.

*Le Naufrage de Malévitch*, created for the Centre d'Art contemporain in Kerguéhennec (Britanny), is dedicated.
*»The principle is the same as in* Fantôme de Malévitch: *a square is hinted at with a few of its corners; here, I have kept in three which appear in the form of large triangles made from white marble, positioned on the embankment of the pond, which seem to be sliding into the water in a way that the spectator can visualize a square of which 9/10 have disappeared.«*[199]
*»As many people did when I was young, so did I believe that Malevitch saw a certain charm (as Strzemiński so aptly put it) in squares; after all, he did make several ›portraits‹ of them. The truth lies elsewhere. The brave Malevitch focused on the square for a different reason. We must not forget that his satirical portraits of rectangles represent only a very short period and that before and after, he did regular paintings. What humor and what ferocity emanate from those mutilated squares! Certainly they show some traces of normality under the disfiguring retouching, as can be seen in* Carré rouge *from 1915.*
*I have spent numerous hours in renowned museums with a measuring tape in my pocket and waited until the guard would doze off to measure these monstrous squares. Of course, once I did find a square which was truly quadrangular. But the deceit was obvious, either they were frauds or else the work of a student with evil intentions. No, Malevitch never did like squares. Even Jdanov, who did not share his aversion, could never convince him. Malevitch preferred giving up geometry to being forced to paint normal squares.*
*After his death, his enemies triumphed and made a fool out of him by having*

*him buried with a perfect square. Mondrian, who was not exactly known for a tongue-in-cheek style, dealt with squares in a most vicious way. He managed to denature squares completely by turning them into grotesque rhombic forms balancing on one tip. Those were antecedents to my ballet. Albers on the other hand made the poor square shine in all colors. What macabre sense of humor was behind the title ›Hommage au carré‹ which he gave to his series of color samples which had nothing whatsoever to do with geometry. Why then not do a ›Hommage à Rodin‹ by smearing his sculptures?*
*The reader will understand that I wish to claim the right to join the ranks of these notable enemies of the square.«*[200]

Between June 26 and September 30, the Musée Rodin in Paris invites Morellet and shows his installation *Hommage aux tilleuls et à Rodin* (Homage to Lime-Trees and to Rodin). In his text »Sur la sellette ou la sculpture infinie« (About the Stool or Limitless Sculpture) which was published in the catalogue, Soutif writes:
*»In spite of all this, François Morellet has moved onto the treacherous ground of sculpture. He assumed that risk for one reason only: to prove that sculpture – with a calculated reduction to meet its desolate infinity – can be precise and tangible in the end.«*[201]
Hervé Gauville says in the *Libération*:
*»If you compare the empty stool in the middle of the small lime-tree forest with the rectangles enclosing the bark of the four tree trunks, you realize that these rectangles are identical to the upper part of the stool: they are stools whose frame has been replaced by the trunk itself. This would make the lime-tree itself the*

*absent sculpture which would normally occupy the place on the stool. [...] Morellet's piece shows extreme restraint. All the spectator must do is glance at the marble gallery next to the lime-trees to realize that a series of stools could normally be used as a base for sculptures. Therefore, the stool which the artist placed in the middle of the space is easily recognizable by a simple comparison. Final clarification: a plaque on Morellet's stool gives the name of the object:* La Pensée (The Thought). *The allusion to Rodin's* Penseur (The Thinker) *is so obvious it needs no further comment.«*[202]

On September 22, the exhibition »François Morellet, sculpteur 1949–1990« opens at the Musée des Beaux-Arts et de la Dentelle in Calais. This exhibition is dedicated fully to works which »might characterize him as a sculptor«. The catalogue contains a letter which Bernard Marcadé wrote to the artist:

*»I believe that your usage of the system is more polemic than purely formal. So I like the fact that it is part of a tradition which reaches far beyond the borders of art and deals with issues which I would not hesitate to call ethical and political in nature. When you say that you have doubts ›whether your work will be enjoyed by (serious) lovers of geometry and of painting‹ and when you hope that it might be appeal ›to the (not so very serious) lovers of constraints‹, you are part of a tradition, I think, which includes Joris-Karl Huysmans and Oscar Wilde, Raymond Roussel and Erik Satie, René Magritte (yes!) and Clément Rosset, a tradition which has always stood for the fight against the existing order of things, a fight not for disorder, but for a new kind of order which advocates and com-*

*bines an excess in precision with an elegant informality and short-circuits itself.«*[203]

After this exhibition, the city of Calais gives Morellet a commission to work in the quarter of Fort-Nieulay.

## 1991

Morellet does *Gitane* (Gipsy Woman; see p. 187), a masterpiece which was the first in a large number of works in which the curve increasingly asserts itself as a new element of construction.

*»This extremely systematic work is composed of three half-circles inclined at 0°, 45° and 90° and creates the impression of a very smooth, even kitschy work. It is the first of a number of works shown in the Vienna catalogue* BarocKonKret *and which open the door for an increasingly baroque spirit.«*[204]

From April 14 until June 10, the Musée de Grenoble, under the direction of Serge Lemoine, shows an exhibition of unpublished drawings from the years 1947 until 1961. The exhibition contains over 200 graphic works and several white paintings from the eighties. The drawings had been discovered a few years earlier »stuffed into a cardboard box« in Morellet's studio; he admits he would rather have »committed them to a dishonorable garbage can than to an honorable museum«.[205]

*»The drawings shown here are fascinating because they uncover procedures which are steered by intuition, observation, and logic and disappear under the rigorous mathematics of the finished work. [...] These sheets are filled with scribbled allusions, ›words within the drawing‹, which – compared to the absolute lack of expression in the final product – bear witness to an active pres-*

*30 Neon tubes and 1 point of view*, refectory of
the Abbaye de Tournus, 1990

Granada, 1990

ence of intelligence and personality. Carried to the extreme, the realization of a painting, if it is too mechanical – whatever aesthetic success it might entail – makes is trivial, because the real invention takes place in the earlier stages, even if the draft, as was the case with the trames is made from letraset. Morellet belongs to the tradition of the cosa mentale, even though that tradition has shed all its metaphysical luggage.«[206]

The exhibition is shown once again at the Cabinet d'art graphique du Musée national d'Art moderne in Paris. On that occasion, Claire Stoullig asks Morellet for CNAC Magazine:
»– Is (or was) there a kind of necessity to manipulate your pencil by the way you use your hand, to express your dissatisfaction at not being able to express something? To the degree that ›the hand points the way less straight than an arrow‹ (Matisse), the drawing re-mains more or less an approximation. A certain ›affect‹ is lost in that case. Does that not represent a contradiction to your will to control any creative process, to ›limit your intervention, your creativity, your sensitivity, to an absolute minimum‹?
– [...] Yes, my drawings were approximate, rich, and sensitive, while my paintings were precise, austere, and cold. First, you must understand that these drafts did not play the role of classical sketches for me, in which large parts of the future painting were broadly outlined. [...] While my sketch had only to get rid of its imprecisions to become a painting and show its proof naked. Therefore, the painting was always simpler and more austere than the sketch [...].
I have always agreed to the very conceptual part of this definition of Concrete

Art which roughly says: the piece must be completely designed before it is realized, and its realization must be equally precise and neutral.«[207]

After a time, the sketches are replaced by models made from paper or cardboard which were more appropriate for Morellet's ideas about space.

Many Intégrations architecturales were realized in that year. For example, Morellet plays with the architecture of the building of the Fonds national d'Art contemporain on the esplanade of the La Défense with his piece La Défonce (see p. 234):
»I received a commission for the building to be built for the Fonds national d'Art contemporain [...], which should be very simple in the part facing the street. This gave me the idea to conceive an almost ridiculously stable structure of thick steel beams which originally was to embrace the gable of the building, but collapsed after an earthquake and destroyed the underlying ground and fragile offices which they were meant to protect. The title is an example for my weakness for puns.«[208]

On his installation Or et Désordre (play on the French words »or« and »dés-or-dre«; Gold and Disorder) which he designed for the Théâtre de la Ville de Paris, he says:
»For many years now, I have been fascinated with the materials which gilders use: those tiny squares which fly off when you sneeze on them and which have a fragility and a grace, an immateriality even, which has but nothing to do with their origin: heavy gold, brutal, sacred, and immortal. [...]
I tried therefore to uncover a part of this gracefulness once again by showing them exactly how they are: square, small, capricious; a gush of wind suffices

Dorothea van der Koelen, Morellet, Bernhard Holeczek, Galerie Dorothea van der Koelen, Mainz, 1992

François Morellet, Nada and Julije Knifer, Danielle Morellet, Galerie Verney-Carron, Villeurbanne, 1993

A view of the exhibition »Relâches & Free-Vol«, Galerie Liliane et Michel Durand-Dessert, Paris, 1993

to whirl them up and stick them to the ceiling. [...]

The line-work was determined by combining two of each of the twelve letters of V-I, L-L, E-D, E-P, A-R, I-S, chosen from two alphabets and symmetrically arranged on both sides of the ceiling.«[209]

## 1992

The year was characterized by numerous exhibitions in museums in Germany. From January 18 until March 15, the group exhibition »Zufall als Prinzip – Spielwelt, Methode und Systeme in der Kunst des 20. Jahrhunderts« (The Principle of Chance – Games, Methods and Systems in Twentieth Century Art) is held at the Wilhelm-Hack-Museum in Ludwigshafen.

In the spring, the Sprengel Museum Hannover shows a selection from works of the series *Steel Life* (see p. 179 and 180–181) which Morellet had finished the previous year. The systematic catalogue of *Steel Life* contains 72 works. In it, Serge Lemoine describes Morellet's procedure:
»*In 1990, François Morellet began with a new series of compositions which he called* Steel Life, *a pun on the English term for ›still life‹ and the material with which they were made: a narrow steel strip which frames a square, white canvas. The frame and the painting do not coincide any more, but they play on various positions of these two elements following exact construction data, and, in this way, create a great number of variations on the wall and in the room.*«[210]

»*(The steel strip) takes on the role of the volume blown out of proportion, of the liberated frame, of the deadly parasite.*«[211]

Between September 12 and November 15, the Van Reekum Museum in Apeldoorn shows *Paysages-Marines*, *Steel Life* and *Défigurations* at the same time.

On October 23, the Galerie Mueller-Roth in Stuttgart shows an exhibition with Morellet's most recent works and 12 paintings from 1971 to 1972 (which the Museum in Wiesbaden proceeds to buy) which play with repetitions and superpositions of the word NON, the »ultimate palindrome«; a book titled OUI (Yes) is published.

Even though Morellet suffers a severe health crisis, he will not stop working and prepares his series *Relâches* (see p. 189 and 307) which does show a certain »relaxation from his minimalism«. It is a hidden accolade for Francis Picabia. Even earlier, Morellet had referred to himself as »that outrageous descendant of Mondrian und Picabia«. *Relâches* is also an immediate continuation of *Steel Life*:
»*There are different materials used; the painting on canvas is combined with neon tubes, metal rails, and adhesive strips which – summarizing the artist's complete œuvre – are arranged on the wall or superimposed in a way which is almost baroque, and at least confusing; these arrangements are the result of a random choice of right angles and somehow manage to give his compositions an extremely articulate form.*«[212]

## 1993

On January 15, the exhibition »Relâches & Free-Vol« is opened at the Galerie Liliane et Michel Durand-Dessert. In *Le Monde*, Harry Bellet writes:

»*The painter who is counted among the more rigorous minimalists offers us eight large format paintings in which the brightest colors mingle with the most glaring neon lights in a filigreed mesh of lines spreading in all directions, exuding a harmonious and sincere cheerfulness; however, they are never without a certain very up-to-date vulgarity. François Morellet has become a man of the baroque. [...]*
Free-Vol *is a bilingual pun, the meaning of which is limited to the French: ›Free‹ and ›vol‹ (flight), pronounced together sound like ›frivole‹, (frivolous) in French. The works are arranged following the same rules as* Relâches *and consist of only two elements: in all cases, one white painting and a right angle in color (or not) which is stuck in the canvas. [...] Morellet is not free of coquettishness: when he unwinds and – as he puts it – turns frivolous, he finds the strength to return to his earlier works with renewed energy. The painting reliefs shown here are an amalgam and a resume (or perhaps ›digestion‹ would be the more appropriate term) of ventures past. [...]*
He assigns the spectator a fixed position vis-à-vis his works. If the spectator accepts that pre-condition – and only then –, will he be aware of geometry shining through. If he steps out of bounds, he will discover an unleashed, lyrical, and baroque. Either way, it is a perfect pleasure.*«[213]

From April 28 until August 30, Morellet is invited to work at the Musée des Beaux-Arts Denys Puech in Rodez. For this exhibition titled »François Morellet – Dommage respectueux à Denys Puech« (Respectful Damage; please note the similar sound of »hommage« and »dommage«), he appropriates this sculptor's work and alienates it. He uses his models and presents them differently by enlarging their traits; a project for a memorial to the dead – which the artist never realized during his life-time – is illuminated to enlarge it with a shadow projected on the wall.

## 1994

Beginning on September 11, the Städtische Kunstsammlungen in Chemnitz show an exhibition dedicated to Morellet's ephemeral works. In the systematic catalogue, Morellet says:
»*In an installation, the location is what counts most, since it existed before and will continue to exist. The artist's intervention, regardless of what means he has at his disposal, will last only as long as the location is willing to tolerate it. This transitory character of any installation, however, is part of its magic and of a criterion which should in fact be indispensable: ›An installation can not be transported to another location.‹ From this, it follows that it can not be sold, except perhaps to the location's owner (if its ephemeral character were to be changed).*«[214]

During this event, Morellet designs a special installation titled *Chemnitzer Buerger-Eyd* (Chemnitz's Civic Oath). This work consists of 41 blue neon tubes of 2 m length which were used earlier in Toulouse. Once again, Morellet leaves the arrangement of the neon tubes to chance:
»*The tubes were distributed at random on the floor and on the walls; the artist decided to structure the entire space with lights forms and light rhythms, creating an unstable order or the impression of organized chaos.*«[215]

Morellet returns to this principle for the ceiling of the foyer of the Groninger Museum in Groningen (see p. 233).
(see p. 233).
»*This is a random distribution of 42 arcs of a circle made of red neon tubes. These neon elements were controlled by 4 different illumination rhythms.*«[216]

He publishes *La Chute des angles* (The Tumbling of Angles), a summary of 25 monotypes (Neuchâtel, éditions Média) with text. These works consist of white paper angles which the artist dropped from a certain height onto a freshly painted black canvas.

## 1995

From February 22 until May 1, the exhibition »Neonly« is held at the Städtische Galerie in the Lenbachhaus in Munich. In the catalogue, Erich Franz writes:
»*In Morellet's system, the ›disturbances‹, the tensions, the dramatic aspects, the versatility, the absurdity, the humor and the eternal fascination do not happen in the work itself, but in the spectator's head, in the very moment he tries to view and grasp the work. For that reason, it can never be enough to simply describe the work. [...] Morellet reminds us of Andersen's fairy tale,* The Emperor's New Clothes, *by constantly reminding us of the job of the modern artist (including himself) which is to create art which is made as empty as possible to put the spectator in the position to ›clothe‹ them with his own interpretations. In Morellet's texts, we meet essentially this same way of stepping back which we have already seen in his artistic work. He uses this approach with irony and manages a certain type of emptiness which we associate with a process of withdrawal and understand. If we ever were to see this emptiness as*

a loss, we would have lost in Morellet's ironic game, which is meant to discourage our appropriate attacks. In reality, this approach serves to strengthen that which is artistically possible because this stepping into the background of form makes it possible to reach a new state – a state without form. The ›equal worth‹ of several good forms makes the credible limits of figures as ›things‹ – which we are normally used to seeing in paintings – vanish. (In that respect, this is a much more radical ›informal‹ form of art than the pictorial resolution of figures which do not lose their efficiency as the basic principle of the resolution process and which never question the limits of pictorial representation. The resolution process does not take place in the spectator's head as in Morellet, but in the painting itself.) This impression of ›almost nothing‹ must be seen as the positive result of an active rejection of our perception capacity. The beauty and fascination of Morellet's work does not originate in its representation of the ›almost nothing‹, but in the fact that it leads the spectator in the shortest way possible to his very own, changeable, and variable projections.«[217]

In early March, the Hochschule für angewandte Kunst in Vienna organizes the exhibition »BarocKonKret«. For the first time, works of the series *Grotesques* are shown, which Morellet had begun the year before. These works are arranged with curves and opposite curves developing around a rectangular form. They were directly inspired by *Gitane* (see p. 187) from 1991 and by his latest passion for German and Austrian late baroque, whose humor, earthiness, and *joie de vivre* fired his enthusiasm:

Page of the telephone book of Maine-et-Loire (page 313, where Morellet is listed) from which numbers were used, instead of random digits, to design all the *Relâches*, 1992

Sketch for *Relâche n° 1*, 1992

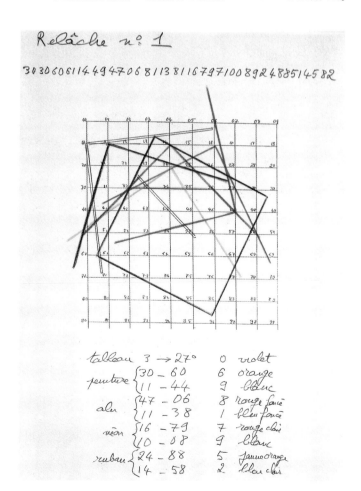

»It was love at first sight when I discovered, rather late in life, about fifteen years ago, the art of baroque and fell for the charms of – among others – the Wieskirche, Ottobeuren or Vierzehnheiligen in Germany, Stams, Melk, or Altenburg in Austria, during many wonderful excursions, traversing the countryside to churches from the baroque and rococo. [...] These plays on form, free of any message, those saints twisting and turning and leaving their pedestals to play with their halos – and what a grandiose disrespect of architecture, those wise disruptions of balance, those volumes, which seem to be playing off each other and yet to ignore each other and be aloof of any symmetry.«[218]

In May, a new commissioned public work titled *Les Hasards de la République* (The Hazards of the Republic) for the parking lot »République« in Lyon is opened. Serge Lemoine describes this installation:
»Lighting tubes in the colors of the seven stories, even of the cylindrical elevator shafts and the staircases, in which tubes with visible cables in the colors violet, blue, green, yellow, orange, red, and white were installed in the space on the concave wall, randomly in a wise disorder and in perfect cadences, and on the floor and the walls.«[219]

The *Géométreedimensions n° 2* (see p. 300) which had been installed six years earlier in the park of La Garenne-Lemot in Clisson, loses its very meaning and disappears: the tree which was a natural element of the work had to be cut down because of storm damages.

On the occasion of the 650th anniversary of the city of Oldenburg,

*Disfigurement of »Enseigne de Gersaint« by Antoine Watteau, Konzerthaus am Gendarmenmarkt, Berlin, 1996*

Morellet, John Armleder, David Boeno, Bertrand Lavier, Galerie Catherine Issert, Saint-Paul-de-Vence, 1998

Henri Chotteau, Morellet, Jan Hoet, Ghent, 1999

the Stadtmuseum invites Morellet to show 50 works from the last 50 years in an exhibition from June 9 until July 30. At the same time, his piece *3 murs, 2 angles, 1 ligne* (3 Walls, 2 Angles, 1 Line) is inaugurated at the museum façade.

On July 3, the exhibition »Ordres et cahots« (Pun on the words »cahots« [obstacles] and »chaos«, in French pronounced [ka'os]) opened its doors at the Capitou, the Centre d'Art contemporain of Fréjus. It shows ten works using ten different systems. The majority of these works are exhibited in France for the first time.

## 1996–1997

Morellet does a new series, *Lunatiques* (Moonstruck/Lunatics): on a round format, he arranges segments of arched lines. He explains the title:
»*The syllables ›Lune‹ are not only a reference to the round form of the full moon, but they also refer to the effect that this full moon has on somebody who is unstable.*«[220]
This series has some sub-groups such as *Lunatiques Neonly* (Pun on the English words »neon« and »only«), which is made exclusively from neon tubes, or *Lunatiques avec couleurs hasardeuses* (Lunatic with Hazardous Colors), modeled after the *Relâches*:
»*They all are identical, except for their forms; the squares were replaced by circles, the rectangles by arches, the grid to which the randomly chosen elements are attached was replaced by a spiral, which in turn was designed on the round picture which serves as a basis. I used a different starting point for the choice of colors also. Instead of using primary colors, I decided to use a book pub-*

*lished in 1936, which offered a scale of 720 carefully numbered color nuances to naturalists. All that is left to do is choose them at random. That way, you obtain colors which have very little constructivist or concrete about them: greenish, reddish, beige shades which are perfectly horrible and which, no doubt, some will find full of sensitivity.*«[221]

On the occasion of Morellet's 70th birthday, Serge Lemoine revises his monograph from 1986 and brings it up to date. The book is reprinted at Flammarion.
Beginning October 26, the Galerie Dorothea van der Koelen in Mainz celebrates his birthday with an exhibition. The book *Morellet – Discours de la méthode* (Discourse about the Method) is published by Chorus Verlag.

In the summer, the Museum of Grenoble honors Aurélie Nemours. Morellet, out of friendship and respect for the artist, participates in this exhibition titled »Histoires de blanc et noir – Hommage à Aurélie Nemours« (Black and White Stories – Homage to Aurélie Nemours). He shows the following works, among others: *La Motte croisée* (Pun on the words »motte« [*vulg.* cunt] and »mots croisés« [cross word puzzle]), *Répartition aléatoire de triangles suivant les chiffres pairs et impairs d'un annuaire de téléphone* (1958; see p. 220) und *4 panneaux avec 4 rythmes d'éclairage interférents* (1963; see p. 263).

In Bremen, there is an exhibition – starting in September – at the Kunsthandel Wolfgang Werner, where several series of drawings from the fifties are shown as well as two of the most recent *Lunatiques*; and the Neue Museum Weserburg suggests to Morellet to

»intervene« in the works of the collection. Giving him permission to do so is an ironic way of honoring him, since it gives him the opportunity to deal directly with the materiality of the museum's spaces. In this project, he uses adhesive tape, the standard format »30 figures« and neon tubes. In the same ironic spirit are the 21 copies of his work titled *Bouche-trou* (Stop-gap). According to Morellet, this is a »extraordinary and very up-to-date sculpture« which collectors can hang between their collected items if they are short on space for new paintings.

On the highest peak of the Bavarian Alps, the Zugspitze, Morellet does *Die Lawine* (*Avalanche*), a work commissioned by the Bayrische Eisenbahnen (Bavarian Railways) and the Kunsthalle in Nuremberg. This new installation with free-hanging neon tubes is then shown in the Neue Museum Nürnberg, which is inaugurated on April 15, 2000.

In the summer of 1997, the Musée des Beaux-Arts in Angers decided to hold an exhibition exclusively dedicated to early works by Morellet. The exhibition was titled »François Morellet (Peintre-Amateur) 1945–1968«. In *Le Monde*, Geneviève Breerette states:
»*An artist who dares enumerating his first loves, even if they are not an integral part of the pantheon of art, is a rarity. François Morellet does exactly that in this original exhibition. [...] These exercises of memory and analysis which he undergoes on the occasion of the exhibition in Angers throw a light on the apprenticeship years of an artist whose ability of renewing geometrically and systematically thought-out art without causing a yawn is akin to a great miracle.*«[222]

The Musée des Beaux-Arts in Rennes acquires *Lunatique Neonly n° 1* for its collection. There are two exhibitions between October 18, 1997 and March 8, 1998, one in the museum, the other in the Galerie Oniris.

In Seoul, Morellet exhibits at the Galerie Bhak and sells *5 toiles de 5 mètres de périmètre avec une diagonale horizontale* (5 Pictures with a Perimeter of 5 Meters with a Horizontal Diagonal), his longest fragmentation ever, to the Ho-Am Art Museum.

## 1998

Morellet begins a new series, the π *picturaux*, whose system is composed of an electronic transmission of the infinite series of the π decimals, e. g. 3, 14159..., slightly inclined, so that an infinite zigzagging line of straight segments is formed (see. p. 200–202 and 311).
»*Finally I was able to realize my dream of a self-perpetuating infinite line with an uncertain outcome. I found this possible because I had overcome my aversion to interrupted lines, and thanks to a broken accordion, the decimals of the number π and a computer in good repair. [...]*
*The degrees of the angles are determined by the sequence of the decimals of the number π after their conversion. The simplest way of converting them is 1=10°, 2=20°, 3=30° [...]. But the decimals can be assigned other values as well.*«[223]

Morellet had used the number π earlier for other works.

This series triggered a whole number of declinations which he calls, e. g., π *piquante*, when the straight segments are naked, or π *rococo*, when certain straight lines have arcs of a circle added

to them ... Through the use of the computer, and in collaboration with Rémi Bréval, a work is created which actually initiates an interactive effort of the new internauts.[224]

In Berlin, Morellet designs a new *Intégration architecturale* for Daimler-Chrysler, at the Potsdamer Platz:
»*In this inner court designed by Renzo Piano, which is comparable in size to Notre-Dame in Paris, I envisioned a large circle on the ground and on the (folded-back) walls which are covered with carpet material. In reality, this circle of a length of 265 m can be seen only in parts, and what can be seen is fragmented and disrupted.*«[225]

Thirty years after the dissolution of the Groupe de Recherche d'Art Visuel, the city of Grenoble honors the group with a retrospective between June 7 and September 8 at the Centre d'Art Le Magasin; the *Labyrinthe* of the 3rd Biennale of Paris is once again installed for this exhibition. This group work is then acquired by the Musée de Cholet, and – in September 2000 – becomes part of its permanent collection.

## 1999

When the systematic catalogue of Morellet's graphics from 1980 until 1999 is published, the Musée de la Cohue in Vannes shows a selection, from February 6 until May 9. The exhibition then travels to the Musée d'Art et d'Histoire in Cholet and then to the Musée Zadkine in Paris. At the Paris event, Morellet continues – on part of the museum's façade – the series of numbers π *rococo* which he had started in Tours and in Bourges.

In the *Libération*, Hervé Gauville writes:
»*François Morellet is to plastic arts what Raymond Roussel is to literature. They both share a love of systems: with Morellet, it is for calculation, with Roussel, for language. On the basis of this personal rigor they develop a protean œuvre with their systems which seems infinite by principle. They have something else in common: the artist of the* Géométrees *and the author of the* Impressions d'Afrique *share a skepticism of anything too serious and conventional; this becomes evident in the form of a very special sense of humor obvious in all their works, even though sometimes not at first glance. [...] A spectator not familiar with the story of their creation will be surprised by the serpentine-like arrangement of the neon lights in the garden or the interrupted line of the* π *rococo de façade.*«[226]

In the collection »Écrits d'artistes« (Writings by Artists), the Éditions de l'École nationale supérieure des Beaux-Arts in Paris publish *Mais comment taire mes commentaires* (I Just Can't Refrain from Expressing My Comments), an anthology of texts by François Morellet.

On December 2, at the Bibliothèque nationale de France, there is a preview – open to the public – of the conversation between Daniel Soutif and Morellet, videotaped by Camille Guichard; at the end, you can take the videocassette home.

Several *Intégrations architecturales* will be installed this year, especially *Delta du Doubs* (region and river in France) at both ends of a tunnel in Besançon. At the same time, the city organizes several exhibitions, at the

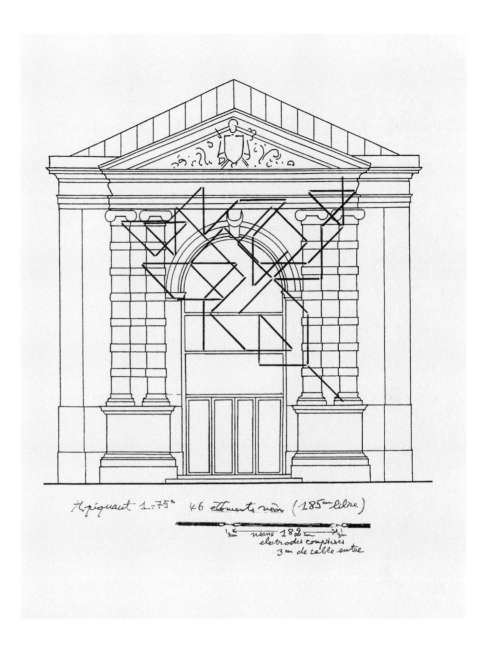

Project for the Jeu de Paume, π *piquant de façade n° 1, 1 = 45°*, 2000,
46 Red neon tubes, metal cables and structure, 800 x 870 cm, Private Collection

Morellet and his assistants: René Barreau, Philippe Lamy, Henri Dudit, Cholet, 2000

Galerie Le Pavé dans la mare, the Musée des Beaux-Arts et d'Archéologie, at the Galerie de l'Hôtel de Ville and the École régionale des Beaux-Arts.

For the first commissions Morellet receives from the Direction de l'Aviation civile (Headquarters of civil aviation) in Issy-les-Moulineaux and the Peter Merian Building in Basle, he uses a »new kind of installation with metal cables which are more or less tautened and with neons which partly follow the twists and turns of the cables.«[227]

## 2000

In January, the Musée d'Art moderne et contemporain in Strasbourg invites Morellet to organize a tribute to Abraham Moles – mathematician, author of the well-known book *Art et Ordinateur* (Art and Computer). *»I decided to show two series: the 40 000 carrés from 1961, which Moles held so dearly, he had even chosen one of them for one of his famous show conferences; and a series from my most recent work, which I did with a flat metal, decimals of the number π – and the computer which Moles accused me of not wanting to use back then.«*[228]

Morellet participated in several group exhibitions, e.g. »Light Pieces« from February 5 until March 6 at the Casino, Centre d'Art contemporain in Luxemburg, together with – among others – Dan Flavin, Joseph Kosuth, Bruce Nauman, and Otto Piene. He is also part of »Force Fields: Phases of the Kinetic«, organized by Guy Brett in April at the Museu d'Art Contemporàni in Barcelona (MACBA) and then, in July, is shown at the Hayward Gallery in London.

In June, Morellet travels to the 5th Biennale of Lyon, »Partage d'exo-tismes«, showing *Oiseaux-Feuilles* (Bird-Leaves; 1949) and π *ironicon n° 1* (2000); this was his second time at the Lyon Biennale after having participated in the first one in 1991.

On June 26, at the Tuileries Garden in Paris, a number of contemporary sculptures are inaugurated, among them *Arcs de cercles complémentaires.*

Serge Lemoine is put in charge of the organization of the exhibition »Art concret« to celebrate the ten-year anniversary of the Gottfried Honegger and Sybil Albers Collection; the event takes place from July 2 until October 29 at the Espace de l'Art concret de Mouans-Sartoux. Morellet shows *Tirets 0–90°* (1960).

On November 27, a comprehensive retrospective of Morellet's œuvre opens at the Galerie nationale du Jeu de Paume in Paris. Once again, π is installed at the façade of the building.

The author would like to thank Danielle and François Morellet for their indefatigable readiness to help and for their wonderful support throughout this project. A very special thank you also goes to: Horacio García Rossi, Julio Le Parc, Denise René, Jesús Rafael Soto, Joël Stein, and Yvaral.

Erika and Rolf Hoffmann with François Morellet during the
opening of the retrospective at Galerie Nationale du Jeu de Paume,
Paris, November 27, 2000

Morellet, Christo and Jeanne-Claude and Danielle Morellet at
the inauguration of Kunsthalle Würth in Schwäbisch Hall, May 2001

François Morellet and Gerhard Lenz

François and Danielle Morellet with Denise René at the inauguration
of Kunsthalle Würth in Schwäbisch Hall, May 2001

François Morellet with Reinhold Würth in his studio in Cholet,
July 1999

1 François Morellet in an interview with Christian Besson, *Morellet*, Exh. Cat., Paris, éditions du Centre Pompidou/Amsterdam, Stedelitz Museum, 1986, p. 118.
2 François Morellet, *Mais comment taire mes commentaires*, Paris 1999, p. 236.
3 *Ibid*, p. 228.
4 François Morellet in an interview with Christian Bresson, *op. cit.*, note 1, p. 116.
5 François Morellet in an interview with Christine Besson, *op.cit.*, note 5, p. 22–23.
6 *Ibid*, p. 23.
7 Serge Lemoine, *François Morellet*, Paris 1996, p. 10.
8 François Morcllet in an interview with Christian Besson, *op. cit.*, note 1, p. 118.
9 François Morellet, *François Morellet, sculpteur 1949–1990*, Exh. Cat., Calais, Musée des Beaux-Arts et de la Dentelle, 1990, p. 24.
10 François Morellet, *op. cit.*, note 1, p. 126.
11 François Morellet in a conversation with Christine Besson, *op.cit.*, note 5, p. 25.
12 Anonymous, »Morellet«, *Le peintre*, Paris, April 1, 1950.
13 Conversation of the author with the artist, July 15, 2000.
14 Serge Lemoine, *François Morellet*, Zurich 1986, p. 14.
15 François Morellet, quoted by Serge Lemoine, *François Morellet*, Paris 1996, p. 172 (note 15).
16 Serge Lemoine, *François Morellet*, Zurich 1986, p. 24.
17 François Morellet in conversation with Christine Besson, *op. cit.*, note 5, p. 27.
18 François Morellet, *op. cit.*, note 2, Paris, p. 153–154.
19 Guy David, »Nantes. Abstractions«, *Arts*, Paris, February 8, 1952.
20 Serge Lemoine, *François Morellet*, Paris 1996, p. 116.
21 François Morellet in an interview with Christian Besson, *op. cit.*, note 1, p. 124.
22 François Morellet, *op. cit.*, note 2, p. 57.
23 François Morellet, quoted by David Soutif, »Le système Morellet«, *Libération*, Paris, March 6, 1986.
24 François Morellet, *op. cit.*, note 1, p. 115.
25 François Morellet, *op. cit.*, note 23.
26 François Morellet in conversation with Ida Biard, *Flash Art*, Paris, No 9, autumn 1985, p. 53.
27 Gérald Gassiot-Talabot, »Morellet et l'objet«, *Opus International*, Paris, No 10–11, April 1969, p. 59.
28 François Morellet in conversation with Serge Lemoine, *CNAC Magazine*, Paris, No 31, January–February 1986, p. 11.

29 François Morellet, *op. cit.*, note 2, p. 83.
30 Catherine Millet, »Un individu nommé François Morellet«, *Morellet*, Exh. Cat., Paris, éditions du Centre Pompidou/Amsterdam, Stedelijk Museum, 1986, p. 56 and 60.
31 François Morellet, *op. cit.*, note 2, p. 226.
32 François Morellet in an interview with Christian Besson, *op. cit.*, note 1, p. 116.
33 Bernard Blistène, »François Morellet et l'ironie de genre«, *Morellet*, Exh. Cat., Paris, éditions du Centre Pompidou/Amsterdam, Stedelijk Museum, 1986, p. 13–14.
34 François Morellet, *op. cit.*, note 31, p. 39.
35 Serge Lemoine, *François Morellet*, Paris 1996, p. 132.
36 Marianne and Serge Lemoine, »François Morellet: l'art systématique«, *XXe Siècle*, Paris, No 51, December 1978, p. 80.
37 Serge Lemoine, *François Morellet*, Paris 1996, p. 24.
38 François Morellet, *op. cit.*, note 2, p. 226.
39 François Morellet in conversation with Christine Besson, *op. cit.*, note 5, p. 33.
40 Morellet increasingly works with assistants, among others Owain Hugues (1967–1969), René Barreau (1969–1976), Henri Dudit (1972–1995), Philippe Lamy (since 1989), and his son Frédéric (occasionally since 1970, and permanently since 1985).
41 François Morellet, *François Morellet, sculpteur, 1949–1990*, Exh. Cat., Calais, Musée des Beaux Arts et de la Dentelle, 1990, p. 28.
42 Serge Lemoine, *François Morellet*, Paris 1996, p. 27.
43 François Morellet, quoted by Serge Lemoine, *ibid*, p. 128.
44 Serge Lemoine, *ibid*, p. 122.
45 *Ibid*, p. 27.
46 François Morellet, quoted by Serge Lemoine, *ibid*, p. 83
47 François Morellet, [no title], *À la recherche d'une base – Peintures de Morellet*, Exh. Cat., Paris, Galerie Colette Allendy, 1958, n.p.
48 François Morellet, »En Italie au XIVe Siècle«, in »Les artistes écrivent: François Morellet«, *Ishtar*, Paris, No 2, June 1958. Quoted from *Mais comment taire mes commentaires*, Paris 1999, S. 13.
49 François Morellet, *op. cit.*, note 2, p. 153.
50 Conversation of the author with Vincent Baby, who is currently writing a doctor's thesis at the Sorbonne about the works of Vera Molnar, July 6, 2000.
51 François Morellet in conversation with Christian Besson, *op. cit.*, note 1, p. 123.
52 François Morellet in conversation with Ida Biard, *op. cit.*, note 26, p. 54.

53 François Morellet, *op. cit.*, note 2, p. 226.
54 Victor Vasarely, »Ce que devrait être la critique d'art«, *Les Beaux-Arts*, Brussels, No 907 and 908, October 21 and 28, 1960, p. 3–4.
55 François Morellet, *op. cit.*, note 2, p. 40–41.
56 Serge Lemoine, *François Morellet*, Zurich 1986.
57 François Morellet, *op. cit.*, note 2, p. 14.
58 François Morellet in conversation with Gislind Nabakowski, *Heute Kunst*, Milan, No 10–11, June–August, 1975, p. 4; quoted again in *Morellet*, Exh. Cat., éditions du Centre Pompidou/Amsterdam, Stedelijk Museum, 1986, p. 200.
59 Pierre Descargues, »Groupe de Recherche d'Art Visuel«, *Graphics*, Zurich, edition 19, no 105, January–February 1963, p. 72–80.
60 François Morellet, *op. cit.*, note 2, p. 15.
61 See *Stratégies de participation – GRAV – Groupe de Recherche d'Art Visuel –1960/ 1968*, Exh. Cat. Grenoble, Le Magasin, 1998, p. 71–72. The printed text corresponds to the slightly modified English version – the content of which is based on the French original – published two years later (1965) on the occasion of an exhibition in New York, see *Groupe de Recherche d'Art Visuel 1960/1968 GRAV*, Exh. Cat., Lago di Como 1975, p. 41.
62 François Morellet, *op. cit.*, note 2, p. 166.
63 *Ibid*, p. 17
64 Jacques Michel, »Une nouvelle tendance de l'art cinétique«, *Le Monde*, Paris, April 13, 1962, p. 10.
65 Gérald Gassiot-Talabot, »Abstraction et construction«, *Cimaise*, Paris, No 58, volume 9, March–April 1962, p. 28.
66 Stuart Preston, »Art: Anniversaries in Two Galleries«, *The New York Times*. New York, December 2, 1962, p. 22.
67 François Morellet in conversation with Sylvain Lecombre, *Canal*, Paris, No 10, December 1–15, 1977, p. 9.
68 François Morellet, »Mes installations«, *François Morellet – Installations*, Exh. Cat., Chemnitz, Städtische Kunstsammlungen, Stuttgart 1994, p. 14.
69 François Morellet, quoted by Serge Lemoine, *François Morellet*, Paris 1996, p. 134.
70 Guy Habasque, »Le Groupe de Recherche d'Art Visuel à la Biennale de Paris«, *L'Œil*, Paris, No 107, November 1963, p. 42, 45–46, 48.
71 Edouard Roditi, »The Critic as Babysitter«, *Arts Magazine*, New York, vol. 38,

No 2, November 1963, p. 50.

72 François Morellet, quoted by Gilles Gheerbrant, »François Morellet«, *Parachute*, Montréal, No 10, spring 1978, p. 6.

73 Jacques Michel, »›Nouvelle Tendance‹ at the Musée des Arts décoratifs«, *Le Monde*, Paris, April 24, 1964, p. 13.

74 Fernande de Saint-Martin, »Optical Art«, *Vie des Arts*, Montréal, No 39, summer 1965, p. 32.

75 Anonyme, »Le GRAV, autopsie d'un groupe«, *Chroniques de l'Art vivant*, Paris, No 9, March 1970, p. 22.

76 Donald Judd, »New York Letter«, *Art International*, Lugano, vol. 9, no 3, April 1965, p. 177.

77 Otto Hahn, »Début de saison électrique«, *L'Express*, Paris, no 746, October 1965.

78 François Morellet, *op. cit.*, note 2, p. 210.

79 Max Imdahl, ›*Grilles se déformant*‹ and ›*Deux trames superposés*‹, François Morellet«, Exh. Cat., Berlin, Nationalgalerie/Baden-Baden, Kunsthalle/Paris, Musée d'Art moderne de la Ville de Paris/Nijmegen, Commanderie van St. Jan, Nijmeegs Museum, p. 35–42.

80 François Morellet in conversation with Lise Brunel, *Art Press*, Paris, No 16, March 1978, p. 35.

81 François Morellet, *op. cit.*, note 2, p. 22–23.

82 The tract »Une journée dans la rue« was published together with the program and the GRAV questionnaire in *Stratégies de participation – GRAV – Groupe de recherche d'Art visuel – 1960/1968*, Grenoble, Le Magasin, 1998, p. 172.

83 François Morellet, quoted by Gilles Gheerbrant, »François Morellet«, *Parachute*, Montréal, no 10, spring 1978, p. 4–8.

84 Pierre Restany, »Quand l'art descends dans la rue«, *Arts*, Paris, April 27–May 3, 1966, p. 16–17.

85 See Stephen Bann, »Environmental Art«, *Studio International*, London, vol. 73, no 886, February 1967, p. 78.

86 Stephen Bann, *ibid*, p. 78.

87 Jean-Jacques Lévêque, »Galerie Denise René«, *Cimaise*, Paris, no 76, May–July 1966, p. 47.

88 Jacques Michel, »La contestation de Morellet«, *Le Monde*, Paris, March 24, 1967, p. 13.

89 Guy Brett, »French Paintings Concerned with Light«, *The Times*, London, May 8, 1967.

90 Jean Clay, »À la recherche d'un nouveau spectateur par le Groupe de Recherche d'Art

Visuel«, *Opus International*, Paris, no 1, April 1967, p. 38 and 43–44.

91 François Morellet, *op. cit.*, note 2, p. 30–31.

92 François Morellet in conversation with Ida Biard, *Flash Art*, Paris, no 9, fall 1985, p. 54.

93 François Morellet in conversation with Jenny Muller, Radio France Nancy, September 14, 1990.

94 François Morellet in conversation with Gislind Nabakowski, *Heute Kunst*, Milan, no 10 and 11, June–August 1975, p. 7; quoted in *Morellet*, Exh. Cat., Paris, éditions du Centre Pompidou/Amsterdam, Stedelijk Museum, 1986, p. 201.

95 François Morellet, *op. cit.*, note 2, p. 36.

96 It should be pointed out that the titles of these pieces can vary depending on the catalogue.

97 Anonymous, »Le GRAV, autopsie d'un groupe«, *Chroniques de l'Art vivant*, Paris, No 9, March 1970, p. 23.

98 François Morellet, »Mes installations«, *François Morellet – Installations*, Exh. Cat., Chemnitz, Städtische Kunstsammlungen, Stuttgart 1994, p. 16.

99 *Ibid*

100 François Morellet in conversation with Serge Lemoine, *CNAC Magazine*, Paris, no. 31, January–February 1986, p. 12.

101 François Morellet, *op. cit.*, note 2, p. 67.

102 François in conversation with Gislind Nabakowski, *op.cit.*, note 94, p. 4. Quoted again in *Morellet*, Exh. Cat., Paris, éditions du Centre Pompidou/Amsterdam, Stedelijk Museum, 1986, p. 200.

103 François Morellet, *op. cit.*, note 2, p. 37.

104 Anonymous, »Le GRAV, autopsie d'un groupe«, *Chroniques de l'Art vivant*, Paris, no 9, March 1970, p. 22.

105 Gérard Xuriguera, »Le Groupe de Recherche d'Art visuel«, *Cimaise*, Paris, special edition, February–March 1983, p. 96.

106 François Morellet, *op. cit.*, note 2, p. 163.

107 François Morellet, *op. cit.*, note 2, p. 210.

108 Dieter Honisch, »On the form of organisation of Paintings by Stella and Morellet«, *François Morellet*, Exh. Cat., Berlin, Nationalgalerie/Baden-Baden, Kunsthalle/Paris, Musée d'Art moderne de la Ville de Paris/Nijmegen, Commanderie van St. Jan, Nijmeegs Museum, 1977, p. 17.

109 Gérald Gassiot-Talabot, »Morellet«,

*Opus International*, Paris, no 24 and 25, May 1971, p. 118.

110 Detlef Wolf, »Nachholbedarf an Information über Op-Art«, *Mannheimer Morgen*, Mannheim, May 12, 1971.

111 Gérald Gassiot-Talabot, »Morellet«. *Chroniques de l'Art vivant*, Paris, no 19, April 1971.

112 Jacques Michel, »Points, lignes et surfaces au CNAC. Morellet ou l'imagination programmée«, *Le Monde*, Paris, April 21, 1971, p. 18.

113 Jacques Darriulat, »Jeux de hasard«, *Combat*, Paris, March 29, 1971.

114 Jean-Marc Poinsot, »Morellet«, *Opus International*, Paris, no 24–25, May 1971, p. 118.

115 Michel Baudson, »François Morellet. La règle du jeu«, *Clés pour les arts*, Brussels, no 19, March 1972.

116 François Morellet, *op. cit.*, note 2, p. 39.

117 Georges Boudaille, »Au CNAC, Morellet ›l'environneur‹«, *Les Lettres françaises*, Paris, no 1380, April 7–13, 1971, p. 27.

118 François Morellet, quoted by Serge Lemoine, *François Morellet*, Paris 1996, p. 137.

119 François Morellet, *op. cit.*, note 2, p. 55.

120 *Ibid*, p. 255.

121 Michel Frizot, »François Morellet«, *60–72, Douze Ans d'art contemporain en France*, Exh. Cat., Paris, Grand Palais, 1972, p. 282.

122 François Morellet, *op. cit.*, note 120, p. 78.

123 François Morellet in an interview with Christian Besson, *Morellet*, Exh. Cat., Paris, éditions du Centre Pompidou/Amsterdam, Stedelijk Museum, 1986, p. 120.

124 »François Morellet«, *François Morellet*, Exh. Cat., Berlin, Nationalgalerie/Baden-Baden, Kunsthalle/Paris, Musée d'Art moderne de la Ville de Paris/Nijmegen, Commanderie van St. Jan, Nijmeegs Museum, 1977, p. 72, note 2.

125 Serge Lemoine, »Les désintégrations architecturales de François Morellet«, *Beaux-Arts Magazine*, Paris, no 33, March 1986, p. 64.

126 Maurice Besset, »Des objets (presque) sans qualités«, *François Morellet – Regards sur l'œuvre 1947–1989*, Cat. of the touring exhibition, Innsbruck, Galerie im Taxispalais – Institut Français, 1989, n. p.

127 Susanne Anna, »Les œuvres éphémères de François Morellet: Remarques générales«, *François Morellet – Installations*, Exh. Cat.,

Chemnitz, Städtische Kunstsammlungen, Stuttgart 1994, p. 31–32.

128 *Flash Art*, Milan, no 39, February 1973, p. 33.

129 Marianne and Serge Lemoine, »François Morellet: l'art systématique«, *XXe Siècle*, Paris, no 51, December 1978, p. 81, note 7. Sol LeWitt gave several interviews declaring that he did not know Morellet's work, but several years later he admitted to having seen several works of the French artist, most notably the exhibition »The Responsive Eye« in 1965.

130 François Morellet in a conversation with Sylvain Lecombre, *Canal*, Paris, no 10, December 1–15, 1977, p. 9.

131 Werner Rhode, »Konkret. Morellet in der Nationalgalerie«, *Frankfurter Rundschau*, Frankfurt, February 5, 1977.

132 Heinz Ohff, »Gegenwelt zur Wirklichkeit. Retrospektive François Morellet in der Neuen Nationalgalerie«, *Der Tagesspiegel*, Berlin, January 15, 1977.

133 Camilla Blechen, »Morellet in der Nationalgalerie Berlin. Spielerischer Zufall und ästhetische Notwendigkeit«, *Frankfurter Allgemeine Zeitung*, no 34, February 14, 1977.

134 Lore Ditzen, »Ornament und Ironie. François Morellet stellt in der Berliner Nationalgalerie aus«, *Süddeutsche Zeitung*, Munich, February 23, 1977.

135 Jacques Michel, »Morellet au Musée d'Art moderne. Le hasard et le système«, *Le Monde*, Paris, December 15, 1977, p. 20.

136 Gilles Plazy, »Morellet: le désir et la peur de géométrie«, *Le Quotidien de Paris*, Paris, December 8, 1977.

137 Susanne Anna, *op. cit.*, note 127, p. 36.

138 François Morellet, *op. cit.*, note 2, p. 65.

139 François Morellet in conversation with Lise Brunel, *Art Press*, Paris, no 16, March 1978, p. 34.

140 François Morellet, *op. cit.*, note 2, p. 94–95.

141 François Morellet in conversation with Mo Gourmelon-Le Carrérès, *François Morellet – Figurations et Défigurations*, Exh. Cat., Rennes, La Criée/Galerie Art et Essai/Galerie Oniris, 1989, n.p.

142 François Morellet, *op. cit.*, note 2, p. 75–76.

143 François Morellet in conversation with Serge Lemoine, *CNAC Magazine*, Paris, no 31, January–February 1986, p. 12.

144 Gilles Gheerbrant, »François Morellet«, *Parachute*, Montreal, no 10, spring 1978, p. 5.

145 Bernard Blistène, »François Morellet et l'ironie de genre«, *Morellet*, Exh. Cat., Paris, éditions du Centre Pompidou/Amsterdam, Stedelijk Museum, 1986, p. 10.

146 Serge Lemoine, *François Morellet*, Paris 1996, p. 148.

147 François Morellet, *op. cit.*, note 2, p. 227.

148 *Ibid*, p. 81–82.

149 Marianne and Serge Lemoine, *François Morellet: l'art systématique*, XXe Siècle, Paris, no 51, December 1978, p. 80–81.

150 François Morellet in conversation with Pascal Pique, *François Morellet – Néons*, Exh. Cat., Abbaye de Tournus, 1990, n. p.

151 François Morellet in conversation with Marie-Claude Beaud, *Var Matin République*, Ollioules, July 6, 1980.

152 François Morellet, *Mise en pièces, mise en place, mise au point*, Exh. Cat. coll., Chalon-sur-Saône, Maison de la Culture/Dijon, Le Coin du Miroir, 1981, p. 60.

153 Serge Lemoine, *François Morellet*, Paris 1996, p. 152.

154 Michel Nuridsany, »François Morellet. Galerie Durand-Dessert«, *Art Press*, Paris, no 53, November 1981, p. 40.

155 Serge Lemoine, *op. cit.*, note 153, p. 144.

156 François Morellet, *op. cit.*, note 2, p. 100–101.

157 François Morellet, in Michel Nuridsany, *Effets de miroir*, Ivry-sur-Seine, 1989, p. 181.

158 François Morellet, *op. cit.*, note 2, p. 127.

159 Serge Lemoine, *François Morellet*, Paris 1996, p. 146.

160 François Morellet quoted by Serge Lemoine, *François Morellet*, Paris 1996, p. 53.

161 François Morellet, *op. cit.*, note 2, p. 110.

162 *Ibid*, p. 228.

163 François Morellet in conversation with Ida Biard, *op. cit.*, note 92, p. 55.

164 Jocelyne Lepage, »François Morellet, pionnier de l'art systématique«, *La Presse*, Montreal, October 13, 1984.

165 Grace Glueck, »Art: François Morellet, Austere Abstractionism«, *The New York Times*, New York, February 22, 1985.

166 Robert C. Morgan, »Morellet reveals magic of systems at Albright-Knox«, *Sunday Democrate and Chronicle*, Rochester, New York, August 5, 1984, p. 3D–4D.

167 François Morellet in conversation with Ida Biard, *op. cit.*, note 92, p. 55.

168 *Ibid*, p. 53.

169 François Morellet, *op. cit.*, note 2, p. 119–120.

170 Catherine Francblin, »François Morellet. Galerie Durand-Dessert«, *Art Press*, Paris, no 91, April 1985, p. 64.

171 François Morellet, *op. cit.*, note 2, p. 123.

172 Didier Semin, »Nu descendant un arbre fruitier«, *François Morellet – Géométree*, Exh. Cat. Fontevraud, Abbaye royale, 1985, p. 18 and 24.

173 Daniel Soutif, »Les morelles de Morellet«, *Libération*, Paris, December 9, 1985, p. 36.

174 François Morellet, anonymous conversation, *Architecture intérieure/Créé*, Paris, no 209, December 1985–January 1986, p. 58.

175 François Morellet, quoted by Daniel Soutif, »Le système Morellet«, *Libération*, Paris, March 6, 1986.

176 Geneviève Breerette, »François Morellet au Centre Pompidou. Quand le hasard fait bien les choses«, *Le Monde*, Paris, March 26, 1986.

177 Bruno Foucart, »Le monumental minimal de Morellet«, *Le Quotidien de Paris*, Paris, April 10, 1986, p. 27.

178 Catherine Francblin, »François Morellet, élémentaire mon cher Watson«, *Art Press*, Paris, no 100, February 1986, p. 6.

179 François Morellet, *op. cit.*, note 2, p. 170.

180 François Morellet, »Correspondance« with Danielle Cohen-Lévinas, *François Morellet, Tout Chatou*, Exh. Cat., Chatou, Maison Levanneur, 1997, p. 13.

181 Éric Colliard and Xavier Douroux, »Relaxe pour vice de formes«, *François Morellet*, Exh. Cat., Dijon, Le Consortium, 1986, n. p.

182 François Morellet, quoted by Serge Lemoine, *François Morellet*, Paris 1996, p. 150.

183 François Morellet, *op. cit.*, note 2, p. 129.

184 Walter Thompson, »François Morellet at Bruno Facchetti«, *Art in America*, New York, vol. 75, no 10, October 1987, p. 187.

185 François Morellet, *op. cit.*, note 2, p. 135–136.

186 François Morellet, *op. cit.*, note 2, p. 129.

187 François Morellet, anonymous conversation, *François Morellet, sculpteur 1949–1990*, Exh. Cat., Calais, Musée des Beaux-Arts et de la Dentelle, 1990, p. 18.

188 François Morellet, *op. cit.*, note 2, p. 194.

189 *Ibid*.

190 François Morellet in conversation with

Mo Gourmelon-Le Carrérès, *François Morellet – Figurations et Défigurations*, Exh. Cat., Rennes, La Criée/Galerie Art et Essai/Galerie Oniris, 1989, n.p.
These terms stand for specific standard formats generally used by painters of marines and landscapes. »Marine landscapes« represent elements of nature by means of respective uniform canvas.

191 Thomas McEvilley, »François Morellet, Bruno Facchetti Gallery«, *Artforum International*, New York, vol. 27, no 4, December 1988, p. 116.

192 Catherine Fayet, »Morellet: Systèmes et paysage«, *Opus International*, Paris, no 108, May–June 1988, p. 49.

193 François Morellet, *op. cit.*, note 2, p. 156.

194 Hervé Gauville, »Morellet, la peinture à blanc«, *Libération*, Paris, January 24, 1989, p. 29–30. Morellet chooses famous paintings from art history and transposes the constellation of their figures onto his white canvas.

195 Max Bense, [no title], *François Morellet – Arbeiten 1971–1988*, Mainz, Galerie Dorothea van der Koelen, 1988, p. 11.

196 Maurice Besset, »Des objets (presque) sans qualités«, *François Morellet – Regards sur l'œuvre 1957–1989*, Cat. of the touring exhibition, Innsbruck, Galerie im Taxispalais – Institut français, 1989, n. p.

197 François Morellet in conversation with Alexandra Reininghaus, *Du*, Zurich, no 12, December 1989, p. 64.

198 François Morellet, »L'installation de néon au Musée de Chemnitz«, *François Morellet – Installations*, Exh. Cat., Chemnitz, Städtische Kunstsammlungen, Stuttgart 1994, p. 66.

199 François Morellet in conversation with Serge Lemoine, *François Morellet – Sur commande – Désintégrations architecturales et autres interventions en plein air 1982–1988*, Exh. Cat., Calais, Galerie de l'Ancienne Poste, 1988, p. 47.

200 François Morellet, *op. cit.*, note 2, p. 169–170.

201 Daniel Soutif, »Sur la sellette ou la sculpture infinie«, *Hommage aux tilleuls et à Rodin – Installation de François Morellet*, Exh. Cat., Paris, Musée Rodin, 1990, n. p.

202 Hervé Gauville, »Morellet sur la selette«, *Libération*, Paris, 24. August 1990, p. 31.

203 Bernard Marcadé, Letter to François Morellet, *François Morellet, sculpteur 1949–1990*, Calais, Musée des Beaux-Arts et de la Dentelle, 1990, p. 7 and 9.

204 Author in conversation with the artist, July 18, 2000.

205 François Morellet in conversation with Antoine Cormery, *Le Journal de Maine-et-Loire*, February 18, 1992.

206 Robert Fohr, »Les brouillons de Morellet«, *Le Quotidien de Paris*, Paris, May 30, 1991.

207 François Morellet in conversation with Claire Stoullig, *CNAC Magazine*, Paris, no 66, November 15, 1991–January 15, 1992, p. 17.

208 François Morellet, quoted by Serge Lemoine, *François Morellet*, Paris 1996, p. 162.

209 François Morellet, *op. cit.*, note 2, p. 179–180.

210 Serge Lemoine, »Jump De La Ba«, *François Morellet – Ordres et cahots*, Exh. Cat., Fréjus, Le Capitou, 1995, p. 19.

211 François Morellet, *op. cit.*, note 2, p. 186.

212 Serge Lemoine, *op. cit.*, note 210, p. 19–20.

213 Harry Bellet, »Morellet, de la géométrie au baroque«, *Le Monde*, Paris, January 23, 1993.

214 François Morellet, »Mes Installations«, *François Morellet – Installations*, Exh. Cat. Chemnitz, Städtische Kunstsammlungen, Stuttgart 1994, p. 11.

215 Serge Lemoine, »Jump De La Ba«, *François Morellet – Ordres et cahots*, Exh. Cat., Fréjus, Le Capitou, 1995, p. 17.

216 Author's conversation with the artist, June 18, 2000.

217 Erich Franz, »Entzug der Verläßlichkeit. Zu Morellets Neon-Arbeiten«, *François Morellet – Neonly*, Exh. Cat., Munich, Städtische Galerie im Lenbachhaus, p. 10 and 12.

218 François Morellet, *op. cit.,* note 2, p. 207–208.

219 Serge Lemoine, »Jump De La Ba«, *François Morellet – Ordres et cahots*, Exh. Cat., Fréjus, Le Capitou, 1995, p. 17–18.

220 François Morellet, quoted by Dorothea van der Koelen, »François Morellet's Experiments for a New Science of Art or a Discourse on the Method…«, *Morellet – Discourse About the Method*, Mainz, Galerie Dorothea van der Koelen/Munich, Chorus Verlag/Seoul, Galerie Bhak, 1996, p. 72, note 44.

221 François Morellet, quoted by Serge Lemoine, *François Morellet*, Paris 1996, p. 168.

222 Geneviève Breerette, »Morellet avant Morellet pour la première fois, à Angers«, *Le Monde*, Paris, September 12, 1997.

223 François Morellet, *op. cit.*, note 2, p. 252.

224 Website: www.culture.gouv.fr/entreelibre/.

225 Author in conversation with the artist, July 18, 2000.

226 Hervé Gauville, »Morellet, système«. De l'art en chiffres au Musée Zadkine«, *Libération*, Paris, December 24, 1999, p. 33.

227 Author in conversation with the artist, July 18, 2000.

228 *Ibid.*

# Individual Exhibitions

## 1950

Galerie Raymond Creuze, Paris, »Morellet, Peintures et Sculptures«, March 10–25, 1950.

## 1958

Galerie Colette Allendy, Paris, »À la recherche d'une base – Peintures de Morellet«, March 6–24, 1958. Catalogue: text by François Molnar.

## 1960

Galerie Aujourd'hui, Palais des Beaux-Arts, Brussels, »Morellet«, October 22–November 5, 1960.

## 1961

Galerie Studio F, Ulm, »Morellet – Adrian«, April 8–30, 1961.

Galerie Nota, Munich, »Morellet«, May 9–June 3, 1961.

Studium Generale, Technische Hochschule, Stuttgart, »François Morellet, Uli Pohl, Bernhard Sandfort«, June 27–July 11, 1961. Catalogue: text by Max Bill.

## 1962

Studio G, Zagreb, »Morellet«, March 19–April 14, 1962. Brochure: text by Matko Mestrovic.

Galerie Argos, Nantes, »Vasarely – François Morellet«, 17 November– December 14, 1962. Catalogue without text.

## 1966

Galerie Argos, Nantes, »Mavignier – Morellet – Stein – Vasarely«, as from January 29, 1966.

Galerie Der Spiegel, Cologne, »François Morellet bilder und die folge trames«, as from July 22, 1966. Catalogue: text by François Morellet.

## 1967

Galerie Denise René, rive droite et rive gauche, Paris, »Morellet«, March 15–April 8, 1967. Catalogue without text.

Indica Gallery, London, »Morellet at Indica«, April 19–May 20, 1967.

## 1969

Gallery Plus-Kern, Ghent, »François Morellet«, as from March 5, 1969.

Gallery Swart, Amsterdam, »Morellet«, April 12–May 2, 1969.

Galerie Halmannshof, Gelsenkirchen, »Morellet«, October 10– November 1969. Catalogue: text by Anneliese Knorr and François Morellet.

## 1970

Galerie m, Bochum, »François Morellet and Wolfgang Ludwig«, January 16–February 4, 1970.

Galerie Denise René – Hans Mayer, Düsseldorf, »Morellet«, July 10–September 10, 1970.

Galleria Arte Studio, Macerata, »Morellet«, as from November 2, 1970.

Gallery Swart, Amsterdam, »Morellet«, November 15–December 14, 1970.

## 1971

Galleria Cenobio Visualità, Milan, »François Morellet«, January 12–February 13, 1971. Catalogue: Monograph by Gérald Gassiot-Talabot, édition All' insegna del pesce d'oro.

Stedelijk Van Abbemuseum, Eindhoven, »Morellet in Van Abbe«, January 22–February 28, 1971. Touring exhibition: Centre national d'Art contemporain, Paris, »Morellet«, March 23–April 26, 1971 (catalogue: texts by Serge Lemoine; conversation with Jan Leering); Kunstverein, Hamburg, »François Morellet«, May 7–June 6, 1971; Städtisches Museum Schloss Morsbroich, Leverkusen, »François Morellet«, June 16–July 30, 1971; Kunstverein, Francfurt-on-the Main, »François Morellet – Bilder, Lichtobjekte Kinetic«, August 13–September 26, 1971; Kunsthalle, Basel, January 22–February 19, 1972; Palais des Beaux-Arts, Brussels, »Morellet«, March 3–26, 1972. Catalogue: texts by Max Imdahl and Rolf Wedewer; conversation with Jan Leering.

Galerie Denise René, rive gauche, Paris, »Morellet – Œuvres graphiques, Multiples«, March 24–April 10, 1971. Brochure: texts by François Morellet.

Eat Art Galerie, Düsseldorf, »François Morellet's – Mords-les!«, as from June 11, 1971. Poster-catalogue: text by François Morellet.

Galerie m, Bochum, »François Morellet – Grillages«, June 15–July 6, 1971.

Galerie Thomas Keller, Starnberg, »François Morellet«, September 11–October 21, 1971.

École régionale des Beaux-Arts, Angers, »Morellet«, December 6–18, 1971.

## 1972

Galerie Arca, Toulon, »François Morellet«, January 27–February 13, 1972.

White Gallery, Lutry, »François Morellet«, February 3–March 15, 1972. Catalogue: text by Serge Lemoine.

Gallery Plus-Kern, Ghent, »Morellet«, February 29–March 1972.

Galerie Inge Steuer, Lippstadt, »Morellet«, March 24–April 21, 1972.

Kunstmuseum, Bochum, »François Morellet – Helmut Vakily«, April 15–May 28, 1972.

Lucy Milton Gallery, London, »François Morellet«, May 10–30, 1972.

Kunstmuseum, Düsseldorf, »François Morellet – Prinzip Seriell«, June 28–August 30, 1972. Catalogue: text by Friedrich W. Heckmanns.

Musée de Peinture et de Sculpture, Grenoble, »Morellet – Cieslewicz«, June 28–September 30, 1972. Poster-catalogue: text by François Morellet.

Galerie Média, Neuchâtel, »François Morellet«, October 12–November 5, 1972. Touring exhibition: Galerie Zodiaque, Geneva, »François Morellet – Peintures, sculptures, reliefs, sérigraphies«, February 1–28, 1973. Brochure without text.

Galerie 2001, Poitiers, »Art cinétique – Morellet«, November 4–22, 1972. Journal-catalogue: texts by Christian Genet and François Morellet.

»François Morellet«, Touring exhibition organized by the Centre national d'Art contemporain, Paris, 1972–1974: Maison de la Culture, Royan, November 18–December 8, 1972; Centre culturel, Saint-Pierre-des-Corps, January 13–30, 1973; Maison des Jeunes et de la Culture, Dole, February 10–March 10, 1973; Musée des Beaux-Arts, Bordeaux, March 15–April 15, 1973; Musée des Beaux-Arts, Rouen, April 15–May 15, 1973; École des Beaux-Arts, Lille, May 25–June 15, 1973; Musée des Beaux-Arts, Saintes, June 22–September 1, 1973; Musée des Beaux-Arts, Troyes, October 1–28, 1973; Musée municipal, Évreux, November 6–December 7, 1973; ENAC, Toulouse, December 11, 1973–January 4, 1974.

## 1973

Musée des Beaux-Arts, Nantes, »François Morellet«, May 17–September 2, 1973. Catalogue: texts by François Morellet and Claude Souviron.

Galería Arte Contacto, Caracas, »François Morellet«, May 20–June 1973. Catalogue: text by Alvaro Campusano.

Muzeum Sztuki, Lódz, »Morellet«, September 18–October 14, 1973. Catalogue: texts by François Morellet and Ryszard Stanislawski.

Galerie Le Disque rouge, Brussels, »François Morellet«, November 1973.

Galerie D + C Mueller-Roth, Stuttgart, »François Morellet«, November 23–December 20, 1973.

Gallery Swart, Amsterdam, »Morellet«, December 17, 1973–January 5, 1974.

## 1974

Lucy Milton Gallery, London, »François Morellet – Paintings 1953/57, Néons 1973«, January 9–29, 1974. Touring exhibition: City Museum and Art Gallery, Birmingham, February 16–March 24, 1974; Laing Art Gallery, Newcastle, April 6–28, 1974; Scottish National Gallery of Modern Art, Edinburgh, May 4–June 2, 1974; Graves Art Gallery, Sheffield, June 8–30, 1974; Ferens Art Gallery, Hull, July 6–28, 1974; National Museum of Wales, Cardiff, August 6–September 1, 1974; City Art Gallery, Southampton, November 7–27, 1974; Museum of Modern Art, Oxford, December 3, 1974–January 1, 1975; City Art Gallery, Leicester, January 11–February 8, 1975. Catalogue: text by François Morellet.

Galerie Lydia Megert, Berne, »François Morellet«, January 12–February 8, 1974.

»François Morellet«, Touring exhibition organized by the Centre national d'Art contemporain, Paris, 1974: Musée Bargoin, Clermont-Ferrand, January 18–February 25, 1974; Maison des Arts et Loisirs, Laon, March 2–April 2, 1974 (brochure); Maison de la Culture, Gradignan, April 11–24, 1974 (brochure: text by François Morellet; conversation with Jan Leering); Foyer culturel, Brive-la-Gaillarde, May 9–31, 1974; Maison des Jeunes et de la Culture, Chaumont, June 13–28, 1974; Hôtel de Bellegarde, Clamecy, July 13–August 30, 1974; Maison de la Culture, Valence, September 15–October 15, 1974; Musée de l'Hôtel Sandelin, Saint-Omer, November 9–December 30, 1974.

Studio Casati, Merate, »François Morellet«, as from February 8, 1974. Catalogue: text by François Morellet.

Galleria Uxa, Novara, »François Morellet«, April 5–25, 1974.

Galerie Plus-Kern, Brussels, »Morellet«, April 30–May 25, 1974.

Galleria del Cavallino, Venice, »François Morellet«, May 10–29, 1974. Catalogue: text by Ernesto L. Francalanci.

Galleria della Trinita, Rome, »François Morellet«, May 16–June 1974. Catalogue: text by Filiberto Menna.

Galerie Seestrasse, Rapperswil, »François Morellet«, July 21–August 24, 1974. Brochure without text.

Galerie Ernst, Hannover, »François Morellet – Peintures, grillages, néons«, September 10–October 4, 1974.

Galleria 2 B, Bergamo, »François Morellet«, October 12–26, 1974.

Kunsthalle, Bielefeld, »François Morellet«, November 17, 1974–January 5, 1975.

## 1975

Galleria Sincron, Brescia, »Morellet«, April 12–May 2, 1975.

Studio Marconi, Milan, »François Morellet, James Coleman«, April 16–May 27, 1975. Poster-catalogue: text by François Morellet.

Galleria Il Centro, Naples, »Morellet«, as from April 18, 1975.

Galleria E, Bolzano, »Morellet«, as from May 20, 1975. Brochure: text by François Morellet.

Galerie m, Bochum, »François Morellet«, September 6–October 1975.

Galleria A-arti visive, Parma, »François Morellet«, November 22, 1975–January 21, 1976. Brochure: text by François Morellet.

Galerie m, The Hague, »François Morellet«, November 28, 1975–January 21, 1976.

Art Research Center, Kansas City, »Morellet Trames«, December 7, 1975–January 4, 1976.

Gallery Swart, Amsterdam, »Morellet«, December 24, 1975–January 4, 1976.

## 1976

Club 44, La Chaux-de-Fonds, »François Morellet«, January 16–February 14, 1976.

Verfindustrie Jac Eyck, Heerlen, »Morellet«, January 24–February 8, 1976. Catalogue: text by Frans Haks.

Galeria Multipla de Arte, São Paulo, »François Morellet – Pinturas/ Gravuras/Multiplos«, as from March 15, 1976.

Galerie Mueller-Roth, Stuttgart, »François Morellet«, March 19–April 24, 1976.

Studio d'Arte F.L., Rome, »François Morellet«, April 1–21, 1976.

Galerie Hermanns, Fürstenfeldbruck, »François Morellet«, April 29–June 5, 1976.

Gallery 13, Angers, »Morellet«, June–July 18, 1976.

Galleria Beniamino, San Remo, »François Morellet«, as from August 10, 1976. Catalogue: text by François Morellet.

Westfälischer Kunstverein, Münster, »François Morellet – Lichtobjekte«, September 3–October 3, 1976. Touring exhibition: Kunsthalle zu Kiel, Kiel, May 1–June 5, 1977. Catalogue: texts by François Morellet; conversation with Herbert Molderings.

Galleria Giuli, Lecco, »François Morellet«, as from September 28, 1976. Brochure: text by François Morellet.

Centro Serra Ratti, Como, »François Morellet«, September 29–October 29, 1976. Brochure: text by François Morellet.

**1977**

Nationalgalerie, Berlin, »François Morellet – Bilder und Lichtobjekte«, January 15–February 20, 1977. Touring exhibition: Staatliche Kunsthalle, Baden-Baden, March 16–May 1, 1977; Musée d'Art moderne de la Ville de Paris, Paris, November 30, 1977–January 2, 1978; Commanderie van St. Jan, Nijmeegs Museum, Nimwegen, January 7–February 12, 1978 (catalogue: text by Frits Bless). Catalogue: texts by Gottfried Boehm, Dieter Honisch, Max Imdahl, Serge Lemoine and François Morellet.

Gallery Swart, Amsterdam, »Morellet«, February 8–March 5, 1977.

Galerie Nancy Gillespie – Élisabeth de Laage, Paris, »François Morellet«, February 26–March 23, 1977.

Annely Juda Fine Art, London, »François Morellet«, March 1–April 2, 1977. Brochure without text.

Centro del Portello, Genoa, »François Morellet«, May 7–28, 1977.

Le Disque rouge, Brussels, »François Morellet«, October 1977.

Studio Casati, Merate, »François Morellet«, as from October 21, 1977.

Galerie Latzer, Kreuzlingen, »François Morellet«, November 5–December 31, 1977. Catalogue: text by Serge Lemoine.

Dritte Galerie, Zofingen, »F. Morellet«, November 6–26, 1977.

Atelier de Recherche esthétique, Caen, »Morellet«, December 6, 1977–January 5, 1978.

**1978**

The Electric Gallery, Toronto, »François Morellet«, January 21–February 15, 1978. Brochure without text.

Galerie Gilles Gheerbrant, Montréal, »François Morellet, dessins et objets 1954/1978«, January 26–February 25, 1978.

Cloître Saint-Trophime, Arles, »Morellet«, June 23–September 30, 1978. Catalogue: texts by Gilles Gheerbrant, François Morellet and Michèle Moutashar.

Galería Cadaqués, Cadaqués, »François Morellet«, July 1–13, 1978. Brochure: text by François Morellet.

Galerie Seestrasse, Rapperswil, »François Morellet, Objekte, Bilder und Grafik«, September 9–October 7, 1978. Brochure: text by Serge Lemoine.

Galerie Lydia Megert, Bern, »François Morellet«, September 13–October 14, 1978. Catalogue: text by François Morellet.

Galerie Nancy Gillespie – Élisabeth de Laage, Paris, »François Morellet«, September 23 – October 18, 1978. Text by François Morellet distributed on that occasion.

Galerie Michèle Lachowsky, Brussels, »François Morellet«, as from September 28, 1978.

Galerie Magazijn, Groningen, »François Morellet«, October 6–28, 1978.

Galleria Uxa, Novara, »François Morellet«, October 27–November 16, 1978.

Galleria Piero Cavellini, Brescia, »François Morellet, à propos de la grille et des murs de la galerie«, as from November 24, 1978.

Studio Marconi, Milan, »François Morellet, Tullio Pericoli«, as from November 30, 1978. Catalogue: text by François Morellet.

### 1979
Galeria Eude, Barcelona, »François Morellet«, as from March 6, 1979.

Gallery Swart, Amsterdam, »Morellet, Herman de Vries«, September 28–October 18, 1979.

Galleri Mörner, Stockholm, »François Morellet«, November 17–December 16, 1979. Touring exhibition: Galleri Nordenhake, Malmö, January 1980. Brochure without text.

### 1980
Galerie Le Coin du Miroir, Dijon, »François Morellet«, January 23–February 9, 1980.

Galerie Geneviève et Serge Mathieu, Besançon, »François Morellet«, January 26–February 1980.

Galerie Hermanns, Munich, »François Morellet«, as from March 3, 1980 (within the framework of the topic »Farbe« of the galleries of the Maximil-

ianstrasse). Catalogue: text by François Morellet.

Galerie D + C Mueller-Roth, Stuttgart, »François Morellet neue arbeiten«, April 20–May 31, 1980.

Musée des Beaux-Arts, Toulon, »François Morellet«, June 5–July 7, 1980. Catalogue: text by François Morellet.

Galleria La Bottega del Quatro, Bergamo, »François Morellet«, as from June 18, 1980.

Galerie Fritz Bühler, Biel-Bienne, »François Morellet«, September 15–October 14, 1980.

Galerie m, Bochum, »François Morellet, Kenneth Martin«, November 23, 1980–January 14, 1981.

### 1981
Centre Jean Vilar, Angers, »François Morellet – Métal et néon des années 60«, January 1981.

Helsingin Kaupungin Taidemuseo, Helsinki, »François Morellet«, January 16–March 22, 1981. Brochure without text.

Galerie Gilles Gheerbrant, Montréal, »François Morellet«, February 14–March 14, 1981.

S. East Gallery, London, »François Morellet«, May 31–June 28, 1981.

Annely Juda Fine Art, London, »François Morellet«, June 3–27, 1981. Brochure without text.

Galerie Liliane et Michel Durand-Dessert, Paris, »François Morellet«, September 19–October 28, 1981. Catalogue: *Bulletin*, n° 12, extracts from texts by François Morellet.

### 1982
Galerie Lydia Megert, Bern, »François Morellet«, March 4–27, 1982. Brochure: text by François Morellet.

Musée savoisien, Chambéry, »François Morellet – Désintégrations architecturales«, October 9–31, 1982. Touring exhibition: Musée d'Angers, December 9, 1982–February 27, 1983. Catalogue: text by Françoise Guichon; text by and conversation with Serge Lemoine.

Kunstcentrum Badhuis, Gorinchem, »François Morellet ›histoire d'o‹«, November 13–December 11, 1982. Brochure: Kunstinformatie 39, text by Antoinette Hilgemann-de Stigter.

Centre culturel, Cherbourg, »François Morellet«, November 24–December 22, 1982.

### 1983
Galerie Convergence, Nantes, »François Morellet«, February 26–March 24, 1983.

Musée municipal, La Roche sur-Yon, »François Morellet«, April 8–May 2, 1983.

Tours narbonnaises, Carcassonne, »François Morellet«, April 28–June 28, 1983.

Galerie Au fond de la cour à droite, Chagny, »François Morellet«, July 2–August 15, 1983.

Hoger architectuurinstituut Sint-Lucas, Ghent, »Désintégrations architecturales de François Morellet«, October 10–27, 1983. Catalogue: extracts from texts by Frits Bless and Gislind Nabakowski.

Josef-Albers-Museum, Bottrop, »François Morellet – Werke / Works 1976–1983«, October 30–December 4, 1983. Touring exhibition: Wilhelm-Hack-Museum, Ludwigshafen, February 5–March 11, 1984. Catalogue: texts by Bernhard Holeczek and François Morellet.

## 1984
Gallery Nordenhake, Malmö, »François Morellet – Nya arbeten«, March 30–April 28, 1984.

Albright-Knox Art Gallery, Buffalo (New York), »François Morellet: Systems«, July 20–September 16, 1984. Touring exhibition: Musée d'Art contemporain, Montréal, October 11–November 25, 1984; The Brooklyn Museum, New York, January 19–March 24, 1985; Center for the Fine Arts, Miami, April 27–June 23, 1985. Catalogue: texts by Charlotta Kotik and Jan Van der Marck.

## 1985
Galerie Liliane et Michel Durand-Dessert, Paris, »François Morellet«, February 14–March 12, 1985.

Musée Saint-Pierre Art contemporain, Lyon, »François Morellet«, May 23–June 9, 1985.

Galerie m, Bochum, »François Morellet – Géométrees – Neons – Vanishing Points of View 1983–1985«, August 30–October 23, 1985. Catalogue: texts by Bernhard Holeczek and François Morellet.

Galerie Zôgraphia, Bordeaux, »Chemins de croix 1953/1985«, September 13–October 13, 1985.

Galerie Kunst + Architektur, Hamburg, »François Morellet«, November 1–30, 1985.

Abbaye royale, Fontevraud, »François Morellet – Géométree«, November 30, 1985–January 18, 1986. Catalogue: texts by Alain Béchetoille, Catherine Bompuis, Jean de Loisy, François Morellet, Lucie Normandin, Didier Semin and Mario Toran.

## 1986
Musée national d'Art moderne, Centre Georges Pompidou, Paris, »François Morellet, rétrospective«, March 4–May 11, 1986. Touring exhibition: Stedelijk Museum, Amsterdam, June 2–July 20, 1986. Catalogue: texts by Bernard Blistène, Dominique Bozo, Johannes Cladders, Alain Coulange, Gilles Gheerbrant, Antje von Graevenitz, Max Imdahl, Serge Lemoine, Catherine Millet, François Morellet, Rudi Oxenaar, Jan van der Marck, Victor Vasarely and Rolf Wedewer; conversation with Christian Besson, Catherine Grenier, Jan Leering and Gislind Nabakowski.

Galerie Plus-Kern, Brussels, »Grattures sur bois«, March 23–April 21, 1986.

Artothèque, Montpellier, »François Morellet – Dessins«, April 12–May 6, 1986.

Musée des Arts, Cholet, »François Morellet – Œuvres acquises par la Ville de Cholet«, April 26–June 29, 1986. Catalogue: texts by Bernard Fauchille and François Morellet.

Galerie Steendrukkerij, Amsterdam, »François Morellet«, June 14–July 5, 1986.

Galerie Oniris, Rennes, »François Morellet«, September 9–October 18, 1986.

Musée Fabre, Montpellier, »François Morellet – Géométrees – Grattures«, September 20–October 31, 1986.

Gallery Blanche, Stockholm, »François Morellet«, October 10–29, 1986.

Bruno Facchetti Gallery, New York, »François Morellet«, October 29–November 3, 1986.

Oscarsson-Siegeltuch Gallery, New York, »François Morellet«, November 5–29, 1986.

Galerie Emmerich-Margrit Bauman, Zurich, »François Morellet«, November 21, 1986–January 10, 1987.

Le Consortium, Centre d'Art contemporain, Dijon, »Morellet – La Géométrie dans les spasmes et Géométrie, figures hâtives«, December 4, 1986–January 17, 1987. Catalogue: texts by Eric Colliard, Xavier Douroux and François Morellet.

## 1987

Bruno Facchetti Gallery, New York, »François Morellet – Géométrie dans les spasmes (Pornometry)«, April 5–28, 1987.

Rijksmuseum Kröller-Müller, Otterlo, «Lavier – Morellet«, as from May 15, 1987.

Groninger Museum, Groningen, »François Morellet – Lichtinstallaties (Installations lumineuses)«, May 24– July 5, 1987. Touring exhibition: Salon d'angle, DRAC, Nantes, »François Morellet – Installations lumineuses 1964–1973«, November 20, 1987– January 8, 1988. Catalogue: texts by Marie-Claude Beaud, Frans Haks, François Morellet and Mario Toran.

École polytechnique, Palaiseau, »Mathématiques à venir, Quels mathématiciens pour l'an 2000? Peintures d'Arakawa et de François Morellet«, December 9–10, 1987.

## 1988

Galerie D + C Mueller-Roth, Stuttgart, »François Morellet«, March 12–April 23, 1988.

»François Morellet – L'Art-Présentation et Paysage-Marine«, École régionale des Beaux-Arts-Georges Pompidou, Dunkirk, April 1–30, 1988; Galerie Liliane et Michel Durand-Dessert, Paris, April 9–May 14, 1988. Catalogue: texts by Jean Geslin, Jan Hoet, François Morellet and Daniel Soutif.

École supérieure d'Art visuel, Geneva, »François Morellet«, April 27– May 26, 1988. Catalogue: texts by François Morellet, Carmen Perrin,

Catherine Quéloz; conversation with and texts by the students of the College.

Galerie Sollertis, Toulouse, »François Morellet«, June 28– August 25, 1988.

Bruno Facchetti Gallery, New York, »Paysages-Marines, Landscapes«, September 24–October 26, 1988.

Maison du Livre, de l'Image et du Son, Villeurbanne, »Adhésifs Livres Morellet Néons«, October 6–November 20, 1988. Catalogue: text by François Morellet.

Château Génicart, Lormont, »François Morellet«, October 19– November 19, 1988. Brochure: text by Gérard Sendrey.

Galerie Dorothea van der Koelen, Mainz, »François Morellet – Arbeiten 1971–1988«, October 28–December 17, 1988. Catalogue: texts by Max Bense, François Morellet and Dorothea van der Koelen.

Galleria Piero Cavellini, Milan, »François Morellet«, November 10, 1988–January 1989.

Galerie de l'Ancienne Poste, Calais, »François Morellet – Sur commande – Désintégrations architecturales et autres interventions en plein air 1982–1988«, December 9, 1988–January 22, 1989. Catalogue: texts by Serge Lemoine, François Morellet and Alain Rérat; conversation with Serge Lemoine.

## 1989

La Criée, Halle d'Art contemporain, Rennes, »Défigurations«, January 13–February 18, 1989; Galerie Art et

Essai, Université Rennes 2, Rennes, »Adhésifs« , January 13–February 18, 1989; Galerie Oniris, Rennes, »Paysages-Marines«, January 13–February 18, 1989. Catalogue: François Morellet – Figurations et Défigurations, texts by François Morellet, text and conversation with Mo Gourmelon-Le Carrérès.

Galerie Média, Neuchâtel, »Paysages-Marines«, February 18– March 31, 1989.

Galerie im Taxispalais – Institut français, Innsbruck, »François Morellet – Regards sur l'œuvre 1957–1989«, April 4–30, 1989. Touring exhibition: Institut français, Vienne, May 10–26, 1989; Galleria Prisma, Bolzano, September 16–October 6, 1989; Galerija Suvremene Umjetnosti, Zagreb, October 25–November 19, 1989; Galerie Hermanns, Munich, December 7, 1989–January 27, 1990. Catalogue: texts by Maurice Besset, Jesa Denegri, Magdalena Hörmann, François Morellet and Line Sourbier-Pinter.

Piero Cavellini e Maria Cilena Galleria, Milan, »François Morellet – Opere recenti«, April 12–May 13, 1989.

Westfälisches Landesmuseum, Münster, »François Morellet – Interventionen«, April 23–June 11, 1989. Catalogue (German version of the Calais catalogue, 1988): texts by Klaus Bußman, Gerhard Graulich, Serge Lemoine and François Morellet; conversation with Serge Lemoine.

Galerie Catherine Issert, Saint-Paul-de-Vence, »François Morellet«, August 8–September 9, 1989.

Galerie Liliane et Michel Durand-Dessert, rue des Haudriettes, Paris, »François Morellet – Objets non identifiés«, September 9–October 17, 1989.

Galerie Liliane et Michel Durand-Dessert, rue de Montmorency, Paris, »François Morellet – Ombres de moi-même«, September 9–October 17, 1989.

Institut français, Zagreb, »François Morellet, œuvres en espace public«, October 25–November 19, 1989.

Galleria Paolo Giuli, Malgrate di Lecco, »Enrico Castellani e François Morellet«, October 27–December 20, 1989. Catalogue: text by Adachiara Zevi.

Galerie L'Idée, Zoetermeer, »Accrochage François Morellet«, December 20–30, 1989.

Museo San Telmo, San Sebastián, »Obras de François Morellet en la colección del Museo de Cholet/ Cholet-ko Museoko Bildunan François Morellet-en lanak«, December 29, 1989–February 5, 1990. Touring exhibition: Sala Amárica, Museo de Bellas Artes de Alava, Vitoria, February 23–March 1990; Palacio de Los Condes de Gabia, Granada, April 30–June 30, 1990. Catalogue: texts by Bernard Fauchille, Serge Lemoine, François Morellet and Iñaki Moreno Ruiz de Eguino.

## 1990

Gallery Artaffairs, Amsterdam, »François Morellet, défiguration et objets non identifiés«, January 20–February 14, 1990.

Bruno Facchetti Gallery, New York, »François Morellet, Ombres de moi-même – Shadows of Myself«, February 3–24, 1990.

Galerie Plus-Kern, Brussels, »François Morellet«, February 27–April 14, 1990.

Museum für Moderne Kunst des Landkreises Cuxhaven, Otterndorf, »François Morellet«, March 3–April 4, 1990. Brochure: extract of a text by François Morellet.

Palais des Beaux-Arts, Brussels, »François Morellet, Daniel Walravens, affinités sélectives II«, April 20–May 20, 1990. Livret: text by François Morellet.

Institut français, London, »François Morellet à l'Institut français«, May 10–June 30, 1990. Catalogue: text by Michel Monory and extracts from texts by François Morellet.

Refectory and monastic cells, Abbaye de Tournus, »François Morellet – Néons – Tournus Art contemporain«, June 15–July 15, 1990. Catalogue: text by Marie Lapalus; conversation with Pascal Pique.

Musée Rodin, Paris, »Hommage aux tilleuls et à Rodin – Installation de François Morellet«, June 26–September 30, 1990. Catalogue: texts by François Morellet, Daniel Soutif and Jacques Vilain.

Galerie Art Attitude, Nancy, »François Morellet«, September 14–October 17, 1990.

Musée des Beaux-Arts et de la Dentelle, Calais, »François Morellet,

sculpteur 1949–1990«, September 22, 1990–January 20, 1991. Catalogue: texts by Patrick Le Nouëne, Bernard Marcadé and François Morellet; conversation with Alexandra Reininghaus.

Galerie Sollertis, Toulouse, »François Morellet«, October 2–November 3, 1990.

Galería Theo, Barcelona, »François Morellet«, November 8–December 1990. Touring exhibition: Galería Theo, Madrid, September 18-October 31, 1991. Catalogue: text by Serge Lemoine; conversation with Alexandra Reininghaus.

Annely Juda Fine Art, London, »François Morellet – Installation and Paintings«, November 16–December 15, 1990. Brochure.

## 1991

Saarland Museum, Saarbrücken, »François Morellet – Grands formats«, March 10–April 28, 1991. Catalogue: texts by Meinrad Maria Grewenig, Serge Lemoine, François Morellet and Ernest W. Uthemann.

Musée de Grenoble, Grenoble, »François Morellet – Dessins/Zeichnungen«, April 14–June 10, 1991. Touring exhibition: Stiftung für konkrete Kunst, Reutlingen, June 23–October 27, 1991. Catalogue: texts by Serge Lemoine and François Morellet.

Musée de Grenoble, Grenoble, »François Morellet – Tableaux blancs, œuvres des années 80«, April 14–June 10, 1991. Magazine-catalogue: texts by Serge Lemoine and Jean-Paul Monery.

Galerie Artcade, Nice, »François Morellet«, April 16–May 18, 1991.

Galerie Oniris, Rennes, »François Morellet – Néons, Ombre, Steel Life«, June 10–July 13, 1991.

Galerie Catherine Issert, Saint-Paul-de-Vence, »François Morellet«, September 7–October 2, 1991.

Théâtre de la Ville de Paris, Paris »François Morellet – Or et désordre«, September 10, 1991. Brochure: text by François Morellet.

Galerie Friebe, Lüdenscheid, »François Morellet«, September 29–November 10, 1991.

Studio Dabbeni, Lugano, »François Morellet«, October 3–December 14, 1991. Catalogue: magazine Temporale, texts by Tiziano Dabbeni and François Morellet.

Galerie Rivolta, Lausanne, »François Morellet – Steel Life«, November 19, 1991–January 15, 1992.

Galerie Mark Müller, Zurich, »François Morellet«, November 22–December 31, 1991.

Musée national d'Art moderne, Centre Georges Pompidou, Paris, »François Morellet – Dessins«, December 10, 1991–March 8, 1992.

## 1992
Galerie Dorothea van der Koelen, Mainz, »François Morellet«, January 25–April 30, 1992.

Sprengel Museum Hannover, Hannover, »François Morellet – Steel Lifes«, March 24–April 26, 1992. Catalogue: texts by François Morellet and Petra Oelschlägel.

Gallery Artaffairs, Amsterdam, »François Morellet – Steel Lifes + Neon Canvases«, May 23–July 1, 1992.

Van Reekum Museum, Apeldoorn, »François Morellet«, September 12–November 15, 1992. Catalogue: texts by Frits Bless and François Morellet; conversation with Catherine Quéloz.

Galerie Mueller-Roth, Stuttgart, »Oui – François Morellet – Série NON«, October 23–December 19, 1992. Catalogue: texts by Bernhard Holeczek and François Morellet.

Institut français, Salonika, »François Morellet – Œuvres créées à l'Institut français de Thessalonique«, November 9–30, 1992. Catalogue: text by Emmanuel Mavrommatis.

Galleria Piero Cavellini, Brescia, »François Morellet – Steel Lifes«, as from November 27, 1992. Touring exhibition: Galleria Piero Cavellini, Milan, February 23–April 10, 1993. Catalogue: text by Petra Oelschlägel.

## 1993
Galerie Liliane et Michel Durand-Dessert, Paris, »François Morellet – ›Relâches‹ & ›Free-Vol‹«, January 16–March 6, 1993. Catalogue: text by François Morellet.

Galerie Sollertis, Toulouse, »François Morellet, Gitane, Free-Vol, Grotesques«, March 14–April 10, 1993.

Musée des Beaux-Arts Denys Puech, Rodez, »François Morellet –

Dommages respectueux à Denys Puech«, April 28–August 30, 1993. Brochure: text by François Morellet.

Galerie Art Attitude, Nancy, »François Morellet«, June 4–July 31, 1993; Musée du Sel, Marchal, »François Morellet«, June 5–September 19, 1993; Synagogue, Delme, »François Morellet«, June 5–August 15, 1993. Catalogue: text by Hervé Bize.

Galerie Georges Verney-Carron, Villeurbanne, »François Morellet – Julije Knifer«, September 1–October 8, 1993. Catalogue: text by Pascal Pique; correspondence between Julije Knifer and François Morellet.

Théâtre Gérard Philippe, Saint-Denis, »Carré basculé – François Morellet«, as from September 22, 1993. Brochure: text by Gérard Denizeau.

Galerie Hlavniho Mesta, Prague, »Forme ouverte, John Cage, François Morellet et Milan Grygar«, December 15, 1993–January 23, 1994. Catalogue: text by Alexandre Broniarski.

## 1994
Galerie Gisèle Linder, Basel, »Nemours – Morellet – Honegger«, January 22–March 5, 1994.

A arte Studio Invernizzi, Milan, »Dadamaino – François Morellet – Günther Uecker«, February 24–April 19, 1994. Catalogue: texts by Carlo Invernizzi and Lorenzo Mango.

Maçka Sanat Galerisi, Istanbul, »François Morellet«, April 19–May 28, 1994. Brochure: texts by François Morellet and Necmi Sönmez.

Galerie Oniris, Rennes, »Nemours – Morellet – Mecarelli«, April 26–May 28, 1994.

Galerie Art Attitude, Nancy, »Conversation, Gottfried Honegger et François Morellet«, May 14–July 9, 1994. Livret: text by Gottfried Honegger and François Morellet.

Städtische Kunstsammlungen, Chemnitz, »François Morellet – Chemnitzer Buerger-Eyd«, September 11–October 16, 1994. Catalogue: texts by Susanne Anna and François Morellet.

Les Entrepôts Laydet, Paris, »François Morellet – Éditions et multiples de 1965–1994«, September 17–October 22, 1994.

French Embassy, Main Gallery, New York, »François Morellet – Installation«, November 16–December 9, 1994.

Galerij S 65, Aalst (Belgium), »François Morellet«, December 3, 1994–January 21, 1995.

## 1995

Galerie Liliane et Michel Durand-Dessert, Paris, »Stanley Brouwn, Hans-Peter Feldmann, François Morellet, Fred Sandback«, January 14–March 4, 1995.

L'Usine, Dijon, »François Morellet – All Over«, January 20–March 8, 1995.

März Galerien, Mannheim and Ladenburg, »Vera Molnar – François Morellet«, February 17–April 2, 1995.

Städtische Galerie im Lenbachhaus, Munich, »François Morellet – Neonly«, February 22–May 1, 1995.

Catalogue: texts by Erich Franz, Helmut Friedel and François Morellet.

Heiligenkreuzerhof/Hochschule für angewandte Kunst in Wien, Vienne, »Morellet – BarocKonKret«, March 10–April 15, 1995. Catalogue: texts by Dieter Bogner, François Morellet and Oswald Oberhuber.

Immeuble Transparence, Tours, »›Transparence (S)‹, François Morellet, Gérard Collin-Thiébault, Jacqueline Dauriac«, April 1–17, 1995.

Galerie m, Bochum, »François Morellet… depuis la dernière…«, May 5–June 21, 1995.

Stadtmuseum, Oldenburg, »François Morellet – 50 Werke aus 50 Jahren künstlerischer Arbeit 1945–1995«, June 9–July 30, 1995. Catalogue: texts by Erich Franz, Ewald Gäßler, Siegfried K. Lang and François Morellet.

Le Capitou, Centre d'Art contemporain, Fréjus, »François Morellet – Ordres et cahots«, July 3–September 24, 1995. Catalogue: texts by Serge Lemoine and François Morellet.

L'Espace d'Art contemporain, Demigny, »François Morellet«, September 23–November 19, 1995. Catalogue.

Institut français, Cologne, »François Morellet – Installation lumineuse«, November 3, 1995–January 16, 1996.

Galerie Oniris, Rennes, »211 – Julije Knifer, Vera Molnar, François Morellet – Dessins 1970–1990«, November 9–December 13, 1995.

## 1996

Galerie Mark Müller, Zurich, »François Morellet – ›Neonly‹ – Cécile Bart – ›But Also‹«, January 13–February 24, 1996.

Galerie Sollertis, Toulouse, »François Morellet – Courbettes et Cloneries«, January 23–March 2, 1996.

Galerie Friebe, Lüdenscheid, »François Morellet«, March 22–May 3, 1996.

Galerie Mueller-Roth, Stuttgart, »François Morellet – Néons«, April 20–June 5, 1996.

Galerie Gisèle Linder, Basel, »François Morellet«, June 11–July 20, 1996.

Zugspitzgipfel, Grainau (Germany), »François Morellet«, June 22–October 27, 1996. Catalogue: text by Lucius Grisebach.

Kunsthandel Wolfgang Werner, Graphisches Kabinett, Bremen, »François Morellet – Entre autres – Werke aus 40 Jahren«, September 9–October 26, 1996; Neues Museum Weserburg, Bremen, »François Morellet – Entre autres – Interventionen«, September 8, 1996–March 2, 1997. Catalogue: text by François Morellet.

Galerie Oniris, Rennes, »François Morellet – Lunatique comptact; cloneries, courbettes, courbinettes«, September 13–October 19, 1996.

Musée des Beaux-Arts, La Chaux-de-Fonds, »François Morellet – Trames«, September 27–November 10, 1996.

Galerie Dorothea van der Koelen, Mainz, »François Morellet – Discours de la méthode«, October 26, 1996–January 17, 1997. Touring exhibition: Galerie Bhak, Seoul, August 29–September 13, 1997. Catalogue: texts by François Morellet and Dorothea van der Koelen.

Galerie Artaffairs, Amsterdam, »François Morellet – Relâche, Récréation, Courbettes, Lunatiques«, November 23–December 31, 1996.

## 1997
Institut français, Bonn, »45e anniversaire de l'Institut français – Inauguration de l'œuvre de François Morellet Un penchant pour la culture«, January 10, 1997.

Schloss Morsbroich, Leverkusen, »François Morellet, Frühe und späte Arbeiten, Neues aus der Sammlung Lühl«, March 12–June 1, 1997.

Galerie Georges Verney-Carron, Villeurbanne, »Gottfried Honegger – François Morellet – Bernar Venet, 1975–1997«, March 13–May 31, 1997.

École nationale des Beaux-Arts, Nancy, »Pièce unique – François Morellet«, March 20–April 10, 1997.

Galerie Art Attitude, Nancy, »François Morellet, Peintures – Jean Prouvé, Mobilier«, March 21–May 31, 1997.

Kunstmuseum, Bonn, »François Morellet – Rokokolossal«, April 25–September 28, 1997.

Studio d'Arte Contemporanea Dabbeni, Lugano, »François Morellet –

Répartition aléatoire, Récréation, Lunatique, Lignes au hasard«, May 15–July 12, 1997.

Schloss Detmold, Detmold, »François Morellet – Néon prinzip«, June 22–August 10, 1997.

Musée des Beaux-Arts, Angers, »François Morellet (peintre amateur) 1945–1968«, July 5–October 12, 1997. Catalogue: texts by Patrick Le Nouëne and François Morellet; conversation with Christine Besson.

Galerie Liliane et Michel Durand-Dessert, Paris, »François Morellet – NOENDNEON et Stainless Still-Life«, September 13–November 8, 1997.

Maison Levanneur, Chatou, »François Morellet. Tout Chatou«, September 27–December 21, 1997. Catalogue: text by François Morellet; conversation with Danielle Cohen-Lévinas.

A arte Studio Invernizzi, Milan, »François Morellet ∞ NOENDNEON ∞«, October 14–December 15, 1997. Catalogue: texts by Pierre Berthier, Carlo Invernizzi and François Morellet.

Galerie Mathieu, Lyon, »François Morellet, Dessins, Estampes – Jörn Kausch, Sculpture«, October 21–November 29, 1997.

Galerie Oniris, Rennes, »Mecarelli, Morellet, Verjux – Œuvres récentes«, October 28–November 29, 1997.

Musée des Beaux-Arts, Rennes, »François Morellet – L'Armor relais de l'art Morellet«, October 29, 1997–March 8, 1998. Catalogue: texts by François Morellet and Laurent Salomé;

notes by François Coulon, Catherine Elkar, Odile Lemée and Laurent Salomé.

Galerie Martine & Thibault de La Châtre, Paris, »François Morellet – Œuvres photographiques et domestiques«, November 26–December 31, 1997.

Nicholas Davies & Co, New York, »François Morellet, ∞ NOENDNEON ∞«, December 16, 1997–January 16, 1998.

## 1998
Schloss Güstrow, Güstrow, »Inauguration: Güstrower Rämz I und II – Lange Lichtschlange néon«, April 1, 1998.

Galerie der Hochschule für Grafik und Buchkunst, Leipzig, »François Morellet – Gravures«, April 27–28, 1998.

SchmidtBank Galerie, Nürnberg, »Poesien«, as from September 17, 1998.

Musée d'Art moderne et contemporain (Mamco), Geneva, »Pyromanie n° 1«, as from October 6, 1998.

Städtische Galerie Am Abdinghof, Paderborn, »François Morellet Touchatou«, October 16–November 15, 1998.

Université Paris I, Centre Saint-Charles, Paris, »François Morellet – π Rococos«, November 5–18, 1998.

## 1999
Centre culturel contemporain, Tours, »François Morellet – π Rococos«, January 23–March 14, 1999.

La Box, Bourges, »∞ Noendneon ∞«, January 29–February 18, 1999.

Musée de la Cohue, Vannes, »François Morellet. Encres et lumières«, February 6–May 9, 1999. Touring exhibition: Musée d'Art et d'Histoire, Cholet, June 10–September 6, 1999. Catalogue: texts by Marie-Françoise Le Saux and François Morellet.

Galerie Oniris, Rennes, »François Morellet – Éditions«, March 2–April 17, 1999.

Galerie Mark Müller, Zurich, »Lunatiques, π Rococos, π Puissants, π Cycles«, April 17–May 29, 1999.

Gallery Artaffairs, Amsterdam, »Bernar Venet – François Morellet«, April 24–May 23, 1999.

Galleria Vismara Arte, Milan, »Knifer, Molnar, Morellet chez Vismara«, June 3–July 3, 1999.

Galeriji Tivoli, Ljubljana, »François Morellet – Estampes«, June 19–September 30, 1999. Catalogue.

Galerie Mueller-Roth, Stuttgart, »François Morellet – Neue Arbeiten«, September 17–October 30, 1999.

Galerie Karas, Zagreb, »François Morellet: Tout Chatou« (Exhibition organized by the Institut français in Zagreb), October 7–23, 1999. Catalogue.

Four exhibitions in Besançon, from October 21, 1999 until January 7, 2000, on the occasion of the inauguration of *Delta du Doubs,* on October 22, 1999: Musée des Beaux-Arts et d'Archéologie, »Proposition de François Morellet pour un espace donné«; École régionale des Beaux-Arts, »Interférence de tirets 0° – 90°, 1981«; Galerie Le

Pavé dans la mare, »Noendneon 1999«; Galerie de l'Hôtel de Ville, »François Morellet et l'art public«. Catalogue: text by Serge Lemoine.

Musée Zadkine, Paris, »François Morellet dans l'atelier du Musée Zadkine«, December 10, 1999–March 5, 2000. Catalogue: texts by Catherine Francblin and François Morellet.

## 2000

Musée d'Art moderne et contemporain, Strasburg, »François Morellet: 40 000 carrés et 20 décimales«, January 19–March 25, 2000.

Dany Keller Galerie, Munich, »François Morellet – Arbeiten 1962–98«, May 2–June 27, 2000.

Galerie Friebe, Lüdenscheid, »François Morellet«, May 19–June 30, 2000.

Fondation Louis Moret, Martigny (Switzerland), »François Morellet ›Mots relais‹ et autres estampes« (exhibition conceived by the Musée de Vannes), July 2–August 27, 2000.

Galerie Martine et Thibault de la Châtre, Paris, »François Morellet – Travaux en courbes«, November 24, 2000–January 18, 2001.

Galerie nationale du Jeu de Paume, Paris, »François Morellet«, November 28, 2000–January 21, 2001. Catalogue: texts by Stéphanie Jamet, Jacqueline Lichtenstein and Jean-François Groulier, Thomas McEvilley and Arnauld Pierre.

A – Arte Studio Invernizzi, Milan, »François Morellet«, December 14,

2000–February 14, 2001. Catalogue: text by Francesca Pola.

## 2001

Galerie Gisèle Linder, Basel, »François Morellet«, January 18–March 10, 2001.

Au »Garage« sepace pour l'art actuel, Malines, »François Morellet«, February 10–April 29, 2001. Exhibition organized in cooperation with Galerie national du Jeu de Paume in Paris and under the auspices of Alliance Française d'Anvers. Catalogue: see exhibition Galerie national du Jeu de Paume, 2000.

Galerie Dorothea van der Koelen, Mainz, »François Morellet – Constructions avec le nombre π«, April 28–June 22, 2001. Catalogue: texts by Jean-Hubert Martin and François Morellet.

Musée Fabre, Montpellier, »Morellet discrètement«, June 27–October 21, 2001. Catalogue (belonging to both exhibitions in Montpellier): text by Christian Skimao.

Carré St Anne, Montpellier, »Morellet carrément«, June 27–September 30, 2001. Catalogue (belonging to both exhibitions in Montpellier): text by Christian Skimao.

Institut Culturel Français d'Innsbruck and Tiroler Sparkasse, Innsbruck, »François Morellet«, as from September 25, 2001.

# Bibliography

## Notice

For a detailed bibliography on the GRAV refer to Coll. Exh. Cat.: *Stratégies de participation – GRAV – Groupe de Recherche d'Art Visuel – 1960/1968*, Grenoble, Le Magasin, 1998.

## Abbreviated works

### Paris, 1986

*Morellet*, Exh. Cat., Paris, éditions du Centre Pompidou/Amsterdam, Stedelijk Museum, 1986.

### Lemoine, 1986 and Lemoine, 1996

*François Morellet*, Zurich, Waser Verlag, 1986 (in German, English and French); introduction by Margit Weinberg-Staber, »François Morellet aujourd'hui«. New abbreviated and updated edition: Paris, Flammarion, collection »La Création contemporaine«, 1996.

### Paris, Énsba, 1999

François Morellet, *Mais comment taire mes commentaires*, Paris, École nationale supérieure des Beaux-Arts, collection »Écrits d'artistes«, 1999, 272 pages.

## Texts by the artist

### 1958

»En Italie au XIVe siècle«, in »Les artistes écrivent: François Morellet«, *Ishtar*, Paris, n° 2, June 1958, p. 74. Resumed in Bulletin, Paris, Galerie Liliane et Michel Durand-Dessert, n° 12, September–December 1981, n. p.; in Paris, 1986, p. 176; partly: in Lemoine, 1986, p. 32; partly *in* Lemoine, 1996, p. 30; and in Paris, Énsba, 1999, p. 13.

### 1961

»Na pragu novog« (with Almir Mavignier), *Télégram*, Zagreb, August 11, 1961.

»Déclaration«, *Nove Tendencije*, Exh. Cat., Zagreb, Galerija suvremene umjetnosti, 1961, n. p. Resumed *in* Elverio Maurizi, *Il GRAV, Storia e Utopia,* Rome, Ed. Multigrafica, 1991, p. 266; in *Stratégies de participation – GRAV – Groupe de Recherche d'Art Visuel – 1960/1968,* Coll. Exh. Cat., Grenoble, Le Magasin, 1998, p. 70 (in French and in English); and *in* Paris, Énsba, 1999, p. 15.

### 1962

»Pour une peinture expérimentale programmée«, *Groupe de Recherche d'Art Visuel*, Paris, Galerie Denise René, 1962, n. p. (brochure). Resumed under the title »Für eine programmierte, experimentelle Malerei/In Favour of an Experimental and Programmed Painting«, in *Tendenzen/Tendencies*, Ulm 6, Ulm, October 1962, pp. 31–32; in *François Morellet*, Exh. Cat., Cologne, Galerie Der Spiegel, 1966, n. p.; in *Il principio*, Coll. Exh. Cat., Milan, Galleria Cenobio Visualità, 1972, n. p.; in *Groupe de Recherche d'Art Visuel 1960–1968, GRAV*, Coll. Exh. Cat.,

Milan, Electra Editrice/Como, Centro Serra Ratti, 1975, p. 27 (in Italian); in »Morellet«, *D'Ars*, Milan, n° 84, 1977, pp. 94–96; in *François Morellet*, Exh. Cat., Berlin, Nationalgalerie/Baden-Baden, Kunsthalle/Paris, Musée d'Art moderne de la Ville de Paris/Nijmegen, Commanderie van St. Jan, Nijmeegs Museum, 1977, pp. 61–63 (in German, in French and in English); partly in *Bulletin*, Paris, Galerie Liliane et Michel Durand-Dessert, n° 12, September–December 1981, n. p.; *in* Paris, 1986, p. 177; partly in *François Morellet, sculpteur 1949–1990*, Exh. Cat., Calais, Musée des Beaux-Arts et de la Dentelle, 1990, p. 36; *in* Elverio Maurizi, *Il GRAV, Storia e Utopia*, Rome, Ed. Multigrafica, 1991, pp. 268–269; in *Stratégies de participation – GRAV – Groupe de Recherche d'Art Visuel – 1960/1968*, Coll. Exh. Cat., Grenoble, Le Magasin, 1998, p. 8 (in French and in English); and *in* Paris, Énsba, 1999, pp. 16–17.

### 1963

»Pour un art abstrait progressiste« (with François Molnar), *Nove Tendencije 2*, Coll. Exh. Cat., Zagreb, Galerija suvremene umjetnosti, 1963, n. p. Resumed partly *in* Paris, 1986, p. 178; and *in* Paris, Énsba, 1999, p. 18.

### 1965

»Le choix dans l'art actuel«, *Sigma*, Coll. Exh. Cat., Bordeaux, Galerie des Beaux-Arts, 1965, p. 101. Resumed *in* Anthony Hill (ed.), »The choice in present day art«, *Data: Directions in Art Theory and Aesthetics*, London, Faber and Faber, 1968, pp. 236–238; in *The Six Options for the 1970's*, New York, Rinehart and Wilson, 1972, pp. 296–299; in *Groupe de Recherche d'Art Visuel 1960–1968, GRAV*, Coll. Exh.

Cat., Milan, Electra Editrice/Como, Centro Serra Ratti, 1975, pp. 69–70 (in Italian); *in* Paris, 1986, pp. 176 et 178; *in* Elverio Maurizi, *Il GRAV, Storia e Utopia*, Rome, Ed. Multigrafica, 1991, pp. 303–305; in *Stratégies de participation – GRAV – Groupe de Recherche d'Art Visuel – 1960/1968*, Coll. Exh. Cat., Grenoble, Le Magasin, 1998, pp. 167–169 (in French and in English); and *in* Paris, Énsba, 1999, pp. 19–23.

### 1966

»Les sources lumineuses directes dans l'art«, *Kunst Licht Kunst*, Coll. Exh. Cat., Eindhoven, Stedelijk Van Abbemuseum, 1966, p. 121. Resumed in *Groupe de Recherche d'Art Visuel 1960–1968, GRAV*, Coll. Exh. Cat., Milan, Electra Editrice/Como, Centro Serra Ratti, 1975, p. 71 (in Italian); in *François Morellet Lichtobjekte*, Exh. Cat., Münster, Westfälischer Kunstverein/Kunsthalle zu Kiel, 1976, n. p. (in German); partly in *ars + machina 3*, Coll. Exh. Cat., Rennes, Maison de la Culture, 1984, p. 29; *in* Paris, 1986, pp. 178–179; *in* Lemoine, 1986, p. 152; *in* Elverio Maurizi, *Il GRAV, Storia e Utopia*, Rome, Ed. Multigrafica, 1991, pp. 306–307; in *François Morellet – Neonly*, Munich, Städtische Galerie im Lenbachhaus, 1995, p. 8; in *Stratégies de participation – GRAV – Groupe de Recherche d'Art Visuel – 1960/1968*, Coll. Exh. Cat., Grenoble, Le Magasin, 1998, p. 188 (in French and in English); and *in* Paris, Énsba, 1999, pp. 28–29.

### 1967

»Mise en condition du spectateur«, 1st part published in *Lumière et Mouvement*, Coll. Exh. Cat., Paris, Musée d'Art moderne de la Ville de Paris, 1967, n. p. Resumed and developed under the title »Das Kunstwerk

und der Betrachter«, in *Morellet*, Exh. Cat. Gelsenkirchen, Galerie Halmannshof, 1969, n. p.; in *Flash Art*, Milan, n° 20, November–December 1970, pp. 7–8; under the title »Zur Situation des Kunstbetrachters«, in *Schriften des Förderkreis des Wilhelm Lehmbruck Museums*, Duisburg, n° 2, 1970, pp. 35–37; in *Groupe de Recherche d'Art Visuel 1960–1968, GRAV*, Coll. Exh. Cat., Milan, Electra Editrice/Como, Centro Serra Ratti, 1975, p. 69 (in Italian); *in* Paris, 1986, pp. 179–180; *in* Elverio Maurizi, *Il GRAV, Storia e Utopia*, Rome, Ed. Multigrafica, 1991, pp. 302–303; in *Stratégies de participation – GRAV – Groupe de Recherche d'Art Visuel – 1960/1968*, Coll. Exh. Cat., Grenoble, Le Magasin, 1998, pp. 199–200 (in French and in English); and *in* Paris, Énsba, 1999, pp. 30–33.

»Morellet: protestation«, *Robho*, Paris, November–December 1967, n. p. Resumed in *Groupe de Recherche d'Art Visuel 1960–1968, GRAV*, Coll. Exh. Cat., Milan, Electra Editrice/Como, Centro Serra Ratti, 1975, p. 71 (in Italian); *in* Elverio Maurizi, *Il GRAV, Storia e Utopia*, Rome, Ed. Multigrafica, 1991, p. 307; in *Stratégies de participation – GRAV – Groupe de Recherche d'Art Visuel – 1960/1968*, Coll. Exh. Cat., Grenoble, Le Magasin, 1998, pp. 212–213 (in French and in English); and *in* Paris, Énsba, 1999, pp. 35–36.

### 1969

»Dissolution du GRAV« (December 1968), *in* Joël Stein, »Dissolution du GRAV«, *Leonardo*, London, vol. II, n° 3, July 1969, p. 296. Resumed in *Groupe de Recherche d'Art Visuel 1960–1968, GRAV*, Coll. Exh. Cat., Milan, Electra Editrice/Como, Centro Serra Ratti, 1975, p. 77 (in Italian);

*in* Elverio Maurizi, *Il GRAV, Storia e Utopia*, Rome, Ed. Multigrafica, 1991, p. 289; in *Stratégies de participation – GRAV – Groupe de Recherche d'Art Visuel – 1960/1968*, Coll. Exh. Cat., Grenoble, Le Magasin, 1998, p. 251 (in French and in English); and *in* Paris, Énsba, 1999, p. 37.

### 1971

»40 000 carrés«, *Morellet*, Paris, Galerie Denise René, rive gauche, 1971, n. p. (leaflet). Resumed in »Entre la raison et le hasard«, *Galerie 2001* (magazine of the exh.), Poitiers, November 1972, n. p.; in *François Morellet*, Exh. Cat., Geneva, École supérieure d'Art visuel, 1988, p. 29; and *in* Paris, Énsba, 1999, pp. 40–41.

»Un NUL«, *Morellet*, Paris, Galerie Denise René, rive gauche, 1971, n. p. (leaflet). Resumed in Paris, 1986, p. 182; in *François Morellet*, Exh. Cat., Geneva, École supérieure d'Art visuel, 1988, p. 29; and in Paris, Énsba, 1999, pp. 42–43.

»Mords-les!« (letter to Daniel Spoerri), *François Morellet's Mords-les!*, poster-catalogue, Düsseldorf, Eat-Art Gallery, 1971. Resumed in Paris, Énsba, 1999, p. 55.

### 1972

»Du spectateur au spectateur ou l'art de déballer son pique-nique«, 1st version in *Morellet*, Cholet, 1972, pp. 1–12. Resumed in *Morellet – Cieslewicz*, leaflet-catalogue, Grenoble, Musée de Peinture et de Sculpture, 1972; under the title »Vom Betrachter zum Betrachter oder die Kunst sein Picknick auszupacken/From the Spectator to the Spectator or the Art of Unpacking the Picnic«, in *François Morellet*,

Exh. Cat., Berlin, Nationalgalerie/ Baden-Baden, Kunsthalle/Paris, Musée d'Art moderne de la Ville de Paris/ Nijmegen, Commanderie van St. Jan, Nijmeegs Museum, 1977, pp. 64–71 (in German, in French and in English); partly *in* »Morellet«, *D'Ars*, Milan, n° 84, July 1977, pp. 95–96; partly in *François Morellet*, Bern, Galerie Lydia Megert, 1978, n. p.; in *System + Zufall*, Coll. Exh. Cat., Stuttgart, Landespavillon – Galerie Mueller-Roth, 1978, n. p.; in *Bulletin*, Paris, Galerie Liliane et Michel Durand-Dessert, n° 12, September–December 1981, n. p.; partly in »François Morellet«, *Artension*, Poitiers, n° 8–9, 1983, p. 36; *in* Paris, 1986, pp. 180–183; partly *in* Lemoine, 1986, pp. 51–52; *in* records of the colloquium *Architecture et Arts plastiques aujourd'hui*, Lyon, École d'Architecture, 1989, pp. 59–60; under the title »Posada española y pique-nique français«, in *Obras de François Morellet en la collección del Museo de Cholet*, Exh. Cat., San Sebastián, Museo San Telmo/Vitoria, Museo de Bellas Artes de Avala/Granada, Palacio de Los Condes de Gabbia, 1989, pp. 20–21 (in Spanish and in Basque); in *Temporale, Rivista d'arte e di cultura*, Lugano, Edizioni Dabbeni, n° 27, 1991, pp. 20–22; partly *in* Lemoine, 1996, p. 80; and *in* Paris, Énsba, 1999, pp. 44–54.

Variant: under the title »1re partie historique – 2e partie moralisatrice«, in *François Morellet*, Exh. Cat., Nantes, Musée des Beaux-Arts, 1973, n. p.; in *Morellet*, Exh. Cat., Lódz, Muzeum Sztuki, 1973, n. p. (in Polish and in French); in *François Morellet*, Exh. Cat., Birmingham, City Museum and Art Gallery, 1974, n. p.; in *François Morellet*, brochure, Merate, Studio Casati, 1974, n. p.; in *François Morellet*, leaflet-

catalogue, Milan, Studio Marconi, 1975; in *Idée, Système, Matière/Participation de la France à la XIIIe Biennale de São Paulo*, brochure, 1975, n. p.; in *François Morellet*, Exh. Cat., San Remo, Galleria Beniamino, 1976, n. p.; in *François Morellet*, brochure, Lecco, Galleria Giuli, 1976, n. p.; in *François Morellet*, brochure, Como, Centro Serra Ratti, 1976, n. p.; in *Studium Generale van de Rijksuniversitet Limburg*, Maastricht, 1980, pp. 43–50; and in *François Morellet – Œuvres acquises par la Ville de Cholet*, Exh. Cat., Cholet, Musée des Arts, 1986, n. p.

»J'ai découvert, il y a vingt ans environ, l'art linéaire musulman«, *Occident-Orient, l'art moderne et l'art islamique*, Coll. Exh. Cat., Strasbourg, Musée de l'Ancienne Poste, 1972, p. 91. Resumed in Paris, 1986, p. 180; in *Temporale, Rivista d'arte e di cultura*, Lugano, Edizioni Dabbeni, n° 27, 1991, p. 23; and *in* Paris, Énsba, 1999, p. 57.

### 1974

»Avertissement, 1972«, *Dunhill présente l'Idée et la Matière*, Coll. Exh. Cat., Strasbourg, Pavillon Joséphine of the Orangerie, 1974, n. p. Resumed in *Morellet*, brochure, Bolzano, Galleria E, 1975, n. p.; in *François Morellet*, brochure, Parma, Galleria A-arti visive, 1975, n. p.; under the title »Mitteilung/ Communication«, in *François Morellet*, Exh. Cat., Berlin, Nationalgalerie/ Baden-Baden, Kunsthalle/Paris, Musée d'Art moderne de la Ville de Paris/ Nijmegen, Commanderie van St. Jan, Nijmeegs Museum, 1977, p. 72 (in German, in French and in English); under the title »Advertencia«, in *François Morellet*, brochure, Cadaqués, Galería Cadaqués, 1978, n. p.; in *Bulletin*, Paris, Galerie Liliane et Michel Durand-

Dessert, n° 12, September–December 1981, n. p.; in *1, 2, 3, etc.: progressions numériques dans l'art contemporain*, Coll. Exh. Cat., Besançon, Musée des Beaux-Arts et d'Archéologie/Autun, Musée Rolin, 1982, n. p.; in *François Morellet – Werke/Works 1976–1983*, Exh. Cat., Bottrop, Josef-Albers-Museum/Ludwigshafen, Wilhelm-Hack-Museum, 1983, p. 11 (in German, in English and in French); in *François Morellet – Géométrees – Neons – Vanishing Points of View 1983–1985*, Exh. Cat., Bochum, Galerie m, 1985, cover (in English, in German and in French); in Lemoine, 1986, p. 53; in *Mots relais, Mor elle t*, Basel, Atelier Fanal, 1992, n. p.; in Lemoine, 1996, p. 82; and in Paris, Énsba, 1999, p. 58.

»Classification des œuvres«, *Dunhill présente l'Idée et la Matière*, Coll. Exh. Cat., Strasbourg, Pavillon Joséphine de l'Orangerie, 1974, n. p. Resumed in *François Morellet – Lichtobjekte*, Exh. Cat., Münster, Westfälischer Kunstverein/Kiel, Kunsthalle zu Kiel, 1976, n. p. (in German); under the title »Die Ordnung der Arbeiten/The Classification of the Works«, in *François Morellet*, Exh. Cat., Berlin, Nationalgalerie/Baden-Baden, Kunsthalle/Paris, Musée d'Art moderne de la Ville de Paris/Nijmegen, Commanderie van St. Jan, Nijmeegs Museum, 1977, pp. 75–76 (in German, in French and in English); in *François Morellet – Werke/Works 1976–1983*, Exh. Cat., Bottrop, Josef-Albers-Museum/Ludwigshafen, Wilhelm-Hack-Museum, 1983, p. 11 (in German, in English and in French); in Lemoine, 1986, p. 53; in *Mots relais, Mor elle t*, Basel, Atelier Fanal, 1992, n. p.; and in Paris, Énsba, 1999, p. 59.

## 1975

»Lettre à Richard A. Moggio, New Haven, Connecticut (U.S.A.)« (May 1965), *Groupe de Recherche d'Art Visuel 1960–1968, GRAV*, Coll. Exh. Cat., Milan, Electra Editrice/Como, Centro Serra Ratti, 1975, pp. 70–71 (in Italian). Resumed in Elverio Maurizi, *Il GRAV, Storia e Utopia*, Rome, Ed. Multigrafica, 1991, pp. 305–306; in *Stratégies de participation – GRAV – Groupe de Recherche d'Art Visuel – 1960/1968*, Coll. Exh. Cat., Grenoble, Le Magasin, 1998, p. 161 (in French and in English); and in Paris, Énsba, 1999, pp. 24–25.

»À l'occasion du prix de la Biennale de Venise à Julio Le Parc« (1966), *Groupe de Recherche d'Art Visuel 1960–1968, GRAV*, Coll. Exh. Cat., Milan, Electra Editrice/Como, Centro Serra Ratti, 1975, p. 63 (in Italian). Resumed in Paris, 1986, p. 181; in Elverio Maurizi, *Il GRAV, Storia e Utopia*, Rome, Ed. Multigrafica, 1991, pp. 290–291; in *Stratégies de participation – GRAV – Groupe de Recherche d'Art Visuel – 1960/1968*, Coll. Exh. Cat., Grenoble, Le Magasin, 1998, pp. 185–186 (in French and in English); and in Paris, Énsba, 1999, pp. 26–27.

»Pourquoi K. M., etc.«, *Kenneth Martin*, Exh. Cat., London, Tate Gallery, 1975, p. 19. Resumed in Paris, Énsba, 1999, p. 63.

## 1977

»Juxtaposition, superposition, hasard, interférence, fragmentation«, *François Morellet*, Berlin, Nationalgalerie/Baden-Baden, Kunsthalle/Paris, Musée d'Art moderne de la Ville de Paris/Nijmegen, Commanderie van St. Jan, Nijmeegs Museum, 1977,

pp. 78, 111, 147, 158 and 172 (in German, in French and in English). Resumed partly in *François Morellet – Ordres et cahots*, Exh. Cat., Fréjus, Le Capitou, 1995, p. 58; and in Paris, Énsba, 1999, pp. 60–61.

## 1978

»J'ai réalisé depuis 1968«, *Morellet*, Exh. Cat., Arles, Cloître Saint-Trophime, 1978, n. p. Resumed in enlarged versions in *Mise en pièces, mise en place, mise au point*, Coll. Exh. Cat., Chalon-sur-Saône, Maison de la Culture/Dijon, Le Coin du miroir, 1981, p. 60; in *Média/81*, Coll. Exh. Cat., Neuchâtel, Galerie Média, 1981, n. p.; in *Murs*, Coll. Exh. Cat., Paris, éditions du Centre Pompidou, 1981, p. 11; in *Vonal, Line, Linie, Ligne*, Coll. Exh. Cat., Pécs, Pécsi Galéria, 1981, p. 32; in Lemoine, 1986, pp. 167–168; in Paris, 1986, p. 189; in *François Morellet*, Exh. Cat., San Sebastián, Museo San Telmo/Vitoria, Museo de Bellas Artes de Avala/Granada, Palacio de Los Condes de Gabbia, 1989, p. 19 (in Spanish and in Basque); in *François Morellet – Installations*, Exh. Cat., Chemnitz, Städtische Kunstsammlungen/Stuttgart, Daco-Verlag Günter Bläse, 1994, pp. 16–17 (in German and in French); and in Paris, Énsba, 1999, pp. 67–68.

»En faire le moins possible«, text distributed on the occasion of the exhibition »François Morellet« at the Galerie Nancy Gillepsie – Élisabeth de Laage, Paris, 1978. Resumed in *Studio Marconi*, Milan, n° 8–9, February 1978, pp. 32–35; in Paris, 1986, pp. 185–186; partly in Lemoine, 1986, pp. 204 and 206; in *Temporale, Rivista d'arte e di cultura*, Lugano, Edizioni Dabbeni, n° 27, 1991, pp. 22–23; in *François Morellet – Ordres et cahots*, Exh. Cat.,

Fréjus, Le Capitou, 1995, p. 34; and *in* Paris, Énsba, 1999, pp. 75–76.

### 1979

»S'exprimer«, *Dur dur la peinture*, brochure, Dijon, Le Coin du miroir, 1979, n. p. Resumed *in* Paris, 1986, p. 186; and *in* Paris, Énsba, 1999, p. 79.

### 1980

»Les années soixante-dix« (1979), *Art actuel*, Geneva, Skira, n° 6, 1980, p. 95 (extract). Resumed and enlarged in *François Morellet*, Exh. Cat., Toulon, Musée des Beaux-Arts, 1980, n. p.; *in* Paris, 1986, pp. 186–187; and *in* Paris, Énsba, 1999, pp. 80–82.

»La couleur« (Cholet, January 1980), in »François Morellet, Systematische und aleatorische Farbverteilung«, *Farbe*, Exh. Cat., Munich, Galerien Maximilianstrasse/Galerie Hermanns, 1980, n. p. Resumed partly under the title »Zu Beginn der fünfziger Jahre«, in *Rot Gelb Blau*, Coll. Exh. Cat., Saint-Gallen, Kunstmuseum/Kassel, Museum Fridericianum, 1988, p. 130; and *in* Paris, Énsba, 1999, pp. 83–84.

*Sur la fragmentation, la gravure et l'art de ne rien dire*, Basel, Éditions Fanal, 1980, n. p. Resumed in *François Morellet. Gravures 1980–1999*, Exh. Cat., Vannes, Musée de la Cohue/Cholet, Musée d'Art et d'Histoire, 1999, pp. 16–17; and *in* Paris, Énsba, 1999, pp. 85–87.

»Pourquoi ai-je été incapable d'écrire un article dans *Quad*?« (Cholet, New York, 1980), *Quad*, Maarsen, n° 1, July 1980, n. p. Resumed *in* Paris, 1986, pp. 187–188; partly *in* Lemoine, 1986, p. 92; partly in *François Morellet*, Exh. Cat., Apeldoorn, Van Reekum Museum,

1992, pp. 14–16 (in English and in Dutch); and *in* Paris, Énsba, 1999, pp. 88–93.

### 1981

»On a un peu vite dit que la peinture existait« (1960), *Bulletin*, Paris, Galerie Liliane et Michel Durand-Dessert, n° 12, September–December 1981, n. p. Resumed *in* Paris, 1986, p. 90; and *in* Paris, Énsba, 1999, p. 14.

»Géométrie iconoclaste et géométrie accidentée«, *Bulletin*, Paris, Galerie Liliane et Michel Durand-Dessert, n° 12, September–December 1981, n. p. Resumed in *François Morellet*, leaflet, Bern, Galerie Lydia Megert, 1982, n. p.; *in* Paris, 1986, pp. 188–189; under the title »Ikonoklastische Geometrie und verunfallte Geometrie«, in *François Morellet – Grands formats*, Exh. Cat., Saarbrücken, Saarland Museum, 1991, pp. 30–32; and *in* Paris, Énsba, 1999, pp. 97–99.

»À propos d'œuvres éphémères et d'intégrations architecturales (extract from a letter to a student of architecture)« (March 22, 1977), *Média/81*, Coll. Exh. Cat., Neuchâtel, Galerie Média, 1981, n. p. Resumed in *Mise en pièces, mise en place, mise au point*, Coll. Exh. Cat., Chalon-sur-Saône, Maison de la Culture/Dijon, Le Coin du miroir, 1981, pp. 59–60; *in* Paris, 1986, pp. 189–190; partly *in* Lemoine, 1986, p. 186; in the records on the colloquium *Architecture et Arts plastiques aujourd'hui*, Lyon, École d'Architecture, 1989, pp. 61–62; under the title »Über vergängliche Werke und Kunst am Bau«, in *François Morellet – Grands formats*, Exh. Cat., Saarbrücken, Saarland Museum, 1991, pp. 113–115; in *Temporale, Rivista d'arte e di cultura*, Lugano,

Edizioni Dabbeni, n° 27, 1991, p. 23; and *in* Paris, Énsba, 1999, pp. 64–66.

»La géométrie des contraintes«, *Média/81*, Coll. Exh. Cat., Neuchâtel, Galerie Média, 1981, n. p. Resumed *in* Paris, 1986, pp. 192–193; under the title »Die Geometrie der Zwänge«, in *François Morellet – Grands formats*, Exh. Cat., Saarbrücken, Saarland Museum, 1991, pp. 12–13; in *François Morellet – Installations*, Exh. Cat., Chemnitz, Städtische Kunstsammlungen/Stuttgart, Daco-Verlag Günter Bläse, 1994, p. 47 (in German and in French); and *in* Paris, Énsba, 1999, pp. 94–95.

### 1982

»Doctor De Stijl and Mister Bonset«, text written for the »Colloque international Theo Van Doesburg«, Université de Dijon, January 1982. Resumed *in* Paris, 1986, p. 190; *in* Serge Lemoine (under the direction of), *Théo Van Doesburg: peinture, architecture, théorie*, Paris, Philippe Sers Éditeur, 1990, pp. 180–181; in *François Morellet – Grands formats*, Exh. Cat., Saarbrücken, Saarland Museum, 1991, pp. 59–61; partly *in* Lemoine, 1996, p. 104; and *in* Paris, Énsba, 1999, pp. 100–102.

»Depuis sept ou huit ans«, text written on the occasion of the exhibition »Sculptures dans la ville«, organized by the city of Caen, 1982. Resumed in Paris, 1986, p. 191; in *François Morellet, sculpteur 1949–1990*, Exh. Cat., Calais, Musée des Beaux-Arts et de la Dentelle, 1990, p. 77; and *in* Paris, Énsba, 1999, pp. 103–104.

»Comme quatre-vingt-dix autres artistes«, *60'80 Attitudes/Concepts/Images*, Coll. Exh. Cat., Amsterdam, Stedelijk Museum, 1982, p. 172.

Resumed in *Choix pour aujourd'hui. Regard sur quatre ans d'acquisitions d'art contemporain*, Coll. Exh. Cat., Paris, éditions du Centre Pompidou, 1982, p. 32; *in* Paris, 1986, pp. 190–191; and *in* Paris, Énsba, 1999, p. 105.

»Conscient que la prochaine vague rétrogardiste«, *Saint-Nazaire 82*, Coll. Exh. Cat., Saint-Nazaire, Musée de Bourbon-Lancy, 1982, n. p. Resumed *in* Paris, 1986, p. 190; and *in* Paris, Énsba, 1999, p. 106.

## 1983

»Vorwort des Künstlers/Artist's Preface« (Cholet, December 1982), *François Morellet – Werke/Works 1976–1983*, Bottrop, Josef-Albers-Museum/Ludwigshafen, Wilhelm-Hack-Museum, 1983, pp. 7–10 (in German, in English and in French). Resumed in *François Morellet – Géométrees – Neons – Vanishing Points of View 1983–1985*, Exh. Cat., Bochum, Galerie m, 1985, pp. 4–7 (in German, in English and in French); partly in Lemoine, 1986, p. 214; *in* Paris, 1986, p. 191; partly in Lemoine, 1996, pp. 140–141; and *in* Paris, Énsba, 1999, pp. 107–109.

»A Public Square«, *Forum Skulptur 1983*, Coll. Exh. Cat., Middelburg, Kultureel Centrum Kuiperspoort/Vleeshal, Grote Markt/Abdijcomplex, 1983, n. p. Resumed *in* Paris, Énsba, 1999, p. 110.

»Quelques questions sans réponse au sujet de l'œuvre de Heurtaux«, *Hommage à André Heurtaux*, Exh. Cat., Cholet, Musée des Arts/La Roche-sur-Yon, Musée municipal, 1983, n. p. Resumed *in* Paris, 1986, pp. 193–194; and *in* Paris, Énsba, 1999, pp. 111–112.

»Trois questions aux artistes participant à l'exposition *Électra*«, *Électra*, Coll. Exh. Cat., Paris, Musée d'Art moderne de la Ville de Paris, ARC, 1983, p. 328. Resumed partly *in* Paris, 1986, p. 192; in *François Morellet, sculpteur 1949–1990*, Exh. Cat., Calais, Musée des Beaux-Arts et de la Dentelle, 1990, p. 64; and *in* Paris, Énsba, 1999, pp. 113–114.

## 1984

»J'aime bien Duchamp« (March 12, 1974), *in* Anthony Hill (ed.), *Duchamp: Passim, A Duchamp Anthology*, London, Gordon and Breach, 1984. Resumed *in* Paris, Énsba, 1999, p. 62.

»À cache-cache à travers la forêt«, *À travers la forêt II*, Coll. Exh. Cat., Recologne-lès-Ray, Association Art Action, 1984, n. p. Resumed *in* Paris, 1986, p. 193; under the title »Im Bäumchen–wechsel–dich durch den Wald«, *in* »François Morellet«, *Künstler, Kritisches Lexikon der Gegenwartskunst*, Munich, W.B. Verlag, 1992, p. 14; partly in *François Morellet – Ordres et cahots*, Exh. Cat., Fréjus, Le Capitou, 1995, p. 58; and *in* Paris, Énsba, 1999, pp. 116–117.

## 1985

»Géométrees, Camouflages et travestis, branchages et géométries«, *François Morellet – Géométree*, Exh. Cat., Fontevraud, Abbaye royale, 1985, pp. 4, 90 and 92. Resumed *in* Paris, 1986, p. 192; and *in* Paris, Énsba, 1999, pp. 121–123.

»Ta pisserie dans un pantalon«, end of a pair of striped trousers confectionned by Olivier Agid and Philippe Riveman upon invitation of the group

Nouveau Mixage and presented on the occasion of »La tapisserie de Bayeu sans x«, a project by Joël Hubaut, Caen, May 15, 1985. Resumed *in* Paris, Énsba, 1999, p. 118.

## 1986

»Réponse inédite à un questionnaire, 1970«, *Morellet*, Exh. Cat., Paris, éditions du Centre Pompidou/Amsterdam, Stedelijk Museum, 1986, p. 180; and *in* Paris, Énsba, 1999, pp. 38–39.

»Lettre à Victor Vasarely« (July 2, 1957) and »Lettre à François et Vera Molnar« (1957), *Morellet*, Exh. Cat., Paris, éditions du Centre Pompidou/Amsterdam, Stedelijk Museum, 1986, pp. 194–195. Resumed *in* Paris, Énsba, 1999, pp. 9–12.

»Le Groupe de Recherche d'Art Visuel«, *Morellet*, Exh. Cat., Paris, éditions du Centre Pompidou/Amsterdam, Stedelijk Museum, 1986, p. 183. Resumed *in* Paris, Énsba, 1999, p. 56.

»Correspondance avec Claude Rutault« (1978), *Morellet*, Exh. Cat., Paris, éditions du Centre Pompidou/Amsterdam, Stedelijk Museum, 1986, pp. 184–185. Resumed *in* Paris, Énsba, 1999, pp. 69–74.

»Extrait de la réponse à une lettre de Frits Bless, 1979«, *Morellet*, Exh. Cat., Paris, éditions du Centre Pompidou/Amsterdam, Stedelijk Museum, 1986, p. 186. Resumed in *Temporale, Rivista d'arte e di cultura*, Lugano, Edizioni Dabbeni, n° 27, 1991, p. 23; and *in* Paris, Énsba, 1999, pp. 77–78.

»Commentaire à la géométrie des contraintes« (1983), *Morellet*, Exh. Cat., Paris, éditions du Centre Pompidou/Amsterdam, Stedelijk Museum, 1986, p. 193. Resumed *in* Paris, Énsba, 1999, p. 96.

»Quelques réflexions au hasard (June 27, 1984, for Auckland City Art Gallery, Auckland, New Zealand)«, *Morellet*, Exh. Cat., Paris, éditions du Centre Pompidou/Amsterdam, Stedelijk Museum, 1986, p. 193. Resumed *in* Lemoine, 1986, p. 55; in *François Morellet*, Exh. Cat., Geneva, École supérieure d'Art visuel, 1988, p. 44; in *Zufall als Prinzip*, Coll. Exh. Cat., Ludwigshafen, Wilhelm-Hack-Museum, 1992, p. 278; partly in *François Morellet – Ordres et cahots*, Exh. Cat., Fréjus, Le Capitou, 1995, p. 22; partly *in* Lemoine, 1996, p. 83; in *Le Bel Aujourd'hui: œuvres d'une collection privée*, Coll. Exh. Cat., Villeurbanne, Nouveau Musée, 1998, n. p.; and *in* Paris, Énsba, 1999, p. 115.

»Sur l'économie de moyens et les coins«, *Die Ecke. The Corner. Le Coin*, Coll. Exh. Cat., Ingolstadt, Stadtmuseum/Friedberg, Galerie Hoffmann, 1986, p. 247. Resumed *in* Paris, Énsba, 1999, p. 125.

»Géométree and Through – Lézarde et fente à ce mur«, *Morellet Raumkonzept Buchberg V*, brochure, Gars am Kamp, Schloss Buchberg, 1986, n. p. Together with other brochures of the exhibition, in *Raumkonzept Buchberg, 1982–1988*. Resumed *in* Paris, Énsba, 1999, pp. 127–128.

»Au secours, la droite revient«, *François Morellet*, Exh. Cat., Dijon, Le Consortium, 1986, n. p. Resumed *in* Éric Colliard and Xavier Douroux, »Morellet, la géométrie dans les spasmes«, *Kanal Magazine*, Paris,

n° 27–28, 1987, p. 49; »Help, the straight line's coming back«, in *Biennale of Sydney*, Coll. Exh. Cat., Sydney, 1988, pp. 195–196; partly in *François Morellet – Ordres et cahots*, Exh. Cat., Fréjus, Le Capitou, 1995, p. 42; and *in* Paris, Énsba, 1999, pp. 129–130.

## 1987

»Courants alternatifs et lumières clignotantes«, *François Morellet – Lichtinstallaties*, Exh. Cat., Groningen, Groninger Museum/Nantes, DRAC, Salon d'angle, 1987, pp. 40–43. Resumed in *Haute Tension*, Coll. Exh. Cat., Corbeil-Essonnes, Centre d'Art contemporain Pablo Neruda, 1988, p. 17; in *François Morellet, sculpteur 1949–1990*, Exh. Cat., Calais, Musée des Beaux-Arts et de la Dentelle, 1990, p. 40; and *in* Paris, Énsba, 1999, pp. 135–137.

»À la française (encore une fois)«, *Skulptur. Projekte in Münster 1987*, Coll. Exh. Cat., Münster, Westfälisches Landesmuseum für Kunst und Kulturgeschichte, 1987, p. 188. Resumed in *François Morellet – Sur commande – Désintégrations architecturales et autres interventions en plein air 1982–1988*, Exh. Cat., Calais, Galerie de l'Ancienne Poste, 1988, p. 64; and *in* Paris, Énsba, 1999, pp. 131–132.

»Je voudrais montrer ici«, *Pays de la Loire, Hôtel de la Région*, brochure, Nantes, Éditions de la Ville de Nantes, 1987, p. 54. Resumed *in* Paris, Énsba, 1999, pp. 133–134.

»Musique et peinture«, *Musiques, formes et couleurs*, Coll. Exh. Cat., Cholet, Musée des Arts, 1987, p. 42. Resumed *in* Paris, Énsba, 1999, pp. 138–139.

## 1988

» ›Le mal foutu‹ et ›le moins que rien‹«, *François Morellet – L'Art-Présentation et Paysage-Marine*, Dunkirk, École régionale des Beaux-Arts-Georges Pompidou/Paris, Galerie Liliane et Michel Durand-Dessert, 1988, pp. 22–23. Resumed in *François Morellet*, Geneva, École supérieure d'Art visuel, 1988, pp. 38–41; in *François Morellet – Arbeiten 1971–1988*, Exh. Cat., Mainz, Galerie Dorothea van der Koelen, 1988, pp. 28–30 (in German, in English and in French); and *in* Paris, Énsba, 1999, pp. 143–146.

»Un paysage entre deux néons«, *François Morellet*, Exh. Cat., Geneva, École supérieure d'Art visuel, 1988, p. 47. Resumed *in* Paris, Énsba, 1999, pp. 140–141.

»Réduire à une phrase trente-cinq ans de travail«, *François Morellet*, Exh. Cat., Geneva, École supérieure d'Art visuel, 1988, p. 47. Resumed *in* Paris, Énsba, 1999, p. 142.

»À propos de l'exposition *L'époque, la mode, la morale, la passion*«, *CNAC Magazine*, Paris, n° 40, July 15–September 15, 1988, p. 8. Resumed *in* Paris, Énsba, 1999, p. 147.

»Livres, néons, adhésifs.................«, *Adhésifs Livres Morellet Néons*, Exh. Cat., Villeurbanne, Maison du Livre, de l'Image et du Son, 1988, n. p. Resumed in *Temporale, Rivista d'arte e di cultura*, Lugano, Edizioni Dabbeni, n° 18, 1988, p. 8; and *in* Paris, Énsba, 1999, pp. 149–150.

»L'estampe et le ›mal foutu‹«, *Nouvelles de l'estampe*, Paris, n° 100, October 1988, p. 14. Resumed in

*François Morellet – Arbeiten 1971–1988*, Exh. Cat., Mainz, Galerie Dorothea van der Koelen, 1988, p. 30 (in German, in English and in French); in *François Morellet. Tout Chatou*, Exh. Cat., Chatou, Maison Levanneur, 1997, pp. 9–10; in *Estampes contemporaines. Regard sur l'estampe en France de 1945 à nos jours*, Coll. Exh. Cat., Angers, Hôtel du Département, 1998, p. 46; and *in* Paris, Énsba, 1999, pp. 151–152.

### 1989

»Figuration et Défigurations«, *François Morellet – Figurations et Défigurations*, Rennes, La Criée, Halle d'Art contemporain/Galerie Art et Essai, Université de Rennes 2/Galerie Oniris, 1989, n. p. Resumed under the title »Der Triumph der Dalila«, in *Prospect 89*, Coll. Exh. Cat., Frankfurt, Frankfurter Kunstverein, Schirn Kunsthalle Frankfurt, 1989, p. 155; under the title »Figuración y Desfiguraciones/Itxuraketa eta desitxuraketa«, in *François Morellet*, Exh. Cat., San Sebastián, Museo San Telmo/Vitoria, Museo de Bellas Artes de Avala/Granada, Palacio de Los Condes de Gabbia, 1989, pp. 64–68 (in Spanish and in Basque); and *in* Paris, Énsba, 1999, pp. 155–157.

»Innsbruckwienbolzanobozenzagrebmünchen«, *François Morellet – Regards sur l'œuvre 1957–1989*, Exh. Cat., Innsbruck, Galerie im Taxispalais – Institut français (touring exhibition), 1989, n. p. (in French, in German and in Croatian). Resumed *in* Paris, Énsba, 1999, p. 158.

»Je déteste les miroirs«, in Michel Nuridsany, *Effets de miroir*, Ivry-sur-Seine, Information Arts plastiques Île-de-France (IAPIF), 1989, p. 181. Resumed in *François Morellet, sculpteur 1949–1990*, Exh. Cat., Calais, Musée des Beaux-Arts et de la Dentelle, 1990, p. 70; and *in* Paris, Énsba, 1999, p. 159.

»Géométreedimensions n° 2, une expression dénuée de sens?«, *Les Grâces de la nature*, Coll. Exh. Cat., Clisson, FRAC des Pays de la Loire, VIe Ateliers internationaux des Pays de la Loire, 1989, p. 13. Resumed *in* Paris, Énsba, 1999, p. 160.

»Posada española y pique-nique francés/Espainiar ostatua eta frantses pique-niquea«, *François Morellet*, Exh. Cat., San Sebastián, Museo San Telmo/Vitoria, Museo de Bellas Artes de Avala/Granada, Palacio de Los Condes de Gabbia, 1989, p. 19 (in Spanish and in Basque).

### 1990

»La sculpture et son point de vue«, *Hommage aux tilleuls et à Rodin – Installation de François Morellet*, Exh. Cat., Paris, Musée Rodin, 1990, n. p. Resumed in *François Morellet, sculpteur 1949–1990*, Exh. Cat., Calais, Musée des Beaux-Arts et de la Dentelle, 1990, pp. 22–23; under the title »Die Bildhauerei und ihre Perspektive«, in *François Morellet – Grands formats*, Exh. Cat., Saarbrücken, Saarland Museum, 1991, pp. 117–122; and *in* Paris, Énsba, 1999, pp. 165–168.

»Lettre à une étudiante« (November 23, 1989), *François Morellet, sculpteur 1949–1990*, Exh. Cat., Calais, Musée des Beaux-Arts et de la Dentelle, 1990, p. 42. Resumed *in* Paris, Énsba, 1999, pp. 161–162.

»Le bleu«, *Blau: Kaleidoscop einer Farbe*, Coll. Exh. Cat., Heidelberg, Heidelberger Kunstverein, 1990, n. p. Resumed *in* Paris, Énsba, 1999, p. 164.

*François Morellet, le Ballet des Beaux-Arts*, Ghent, Immschoot, Uitgevers, 1990, n. p. Resumed *in* Paris, Énsba, 1999, pp. 169–171.

»Encore un hommage au carré!«, *Homenaje al cuadrado*, Coll. Exh. Cat., Barcelona, Galería Theo, 1990, n. p. Resumed *in* Paris, Énsba, 1999, p. 172.

### 1991

»Warum, nach 30 bis 40 Jahren.../Pourquoi, 30 à 40 ans après...«, *François Morellet – Dessins/Zeichnungen*, Exh. Cat., Grenoble, Musée de Grenoble/Reutlingen, Stiftung für konkrete Kunst, 1991, pp. 45–46 (in German and in French). Resumed *in* Paris, Énsba, 1999, pp. 173–174.

»Esthétique électrique et pratique éclectique«, *Bulletin d'histoire de l'électricité*, Paris, n° 17, June 1991, pp. 21–26. Resumed *in* Paris, Énsba, 1999, pp. 175–177.

»Miroirs et buvards«, *Buvards bavards: douze dessins originaux avec leurs empreintes*, Saint-Paul-de-Vence, Catherine Issert Éditeur, 1991, n. p. Resumed *in* Paris, Énsba, 1999, p. 178.

»›Or et désordre‹ et plaisir«, *François Morellet – Or et désordre*, brochure, Paris, Théâtre de la Ville de Paris, 1991, n. p. Resumed partly in »François Morellet«, *Museum für konkrete Kunst Ingolstadt*, Heidelberg, Edition Braus, 1993, p. 246; and *in* Paris, Énsba, 1999, pp. 179–181.

## 1992

»Réponse à un mathématicien allemand« (September 1991), *Zufall als Prinzip*, Coll. Exh. Cat., Ludwigshafen, Wilhelm-Hack-Museum, 1992, p. 278. Resumed *in* Paris, Énsba, 1999, pp. 182–183.

»Avertissement« (1991), *Mots relais, Mor elle t, Basel*, Atelier Fanal, 1992, n. p. Resumed *in* Paris, Énsba, 1999, p. 184.

»Mitteilung/Communication«, *François Morellet – Steel Lifes*, Hannover, Sprengel Museum Hannover, 1992, p. 38 (in German and in French). Resumed in *François Morellet – Ordres et cahots*, Exh. Cat., Fréjus, Le Capitou, 1995, p. 68; partly *in* Lemoine, 1996, p. 156; and *in* Paris, Énsba, 1999, p. 186.

»Non!«, *Oui – François Morellet – Série NON*, Exh. Cat., Stuttgart, Galerie Mueller-Roth, 1992, n. p. (in French and in German). Resumed *in* Paris, Énsba, 1999, pp. 190–191.

## 1993

»Mes ›Systèmes à travestir‹«, »Mes ›Relâches‹« and »Mes ›Free-Vol‹«, *François Morellet – ›Relâches‹ & ›Free-Vol‹*, Exh. Cat., Paris, Galerie Liliane et Michel Durand-Dessert, 1993, n. p. Resumed partly in *Art Présence*, Pléneuf-Val-André, n° 2, January–February 1993, p. 33; in *Alliage*, Nice, n° 28, autumn 1996, p. 36. Resumed *in* Paris, Énsba, 1999, pp. 197–199.

»Dommages respectueux à Denys Puech«, *François Morellet – Dommages respectueux à Denys Puech*, brochure, Rodez, Musée des Beaux-Arts Denys Puech, 1993, n. p. Resumed *in* Paris, Énsba, 1999, pp. 195–196.

»Place du Châtelet«, *Paris ville lumière, projets d'artistes pour l'espace public parisien*, Exh. Cat., Paris, Espace Électra/Paris-Musées, 1993, n. p. Resumed *in* Paris, Énsba, 1999, p. 200.

*La Chute des angles (Fallen Angles)*, text for 25 monotypes, Neuchâtel, éditions Média, 1994. Resumed *in* Paris, Énsba, 1999, p. 201.

»Correspondance« (Julije Knifer and François Morellet), *François Morellet/Julije Knifer*, Exh. Cat., Villeurbanne, Galerie Georges Verney-Carron, 1993, n. p.

## 1994

»Refaire les chefs-d'œuvre« (September 1992), *Conservation et restauration des œuvres d'art contemporaines*, records of the colloquium from December 10–12, 1992, Paris, École nationale du Patrimoine/La Documentation française, 1994, pp. 45–47. Resumed *in* Paris, Énsba, 1999, pp. 188–189.

»Istanbul ve Zorlamalar/Istanbul et les contraintes«, *François Morellet*, brochure, Istanbul, Maçka Sanat Galerisi, 1994, n. p. (in Turkish and in French). Resumed *in* Paris, Énsba, 1999, pp. 203–204.

»Savez-vous pourquoi...? 10 questions posées par Gottfried Honegger – François Morellet«, *Conversation, Gottfried Honegger et François Morellet*, booklet, Nancy, Galerie Art Attitude, 1994, n. p.

»Meine Installationen/Mes installations« et »Die Neon-Installation im Chemnitzer Museum/L'installation de néon au Musée de Chemnitz«, *François Morellet – Installations*, Exh. Cat., Chemnitz, Städtische Kunstsammlungen/Stuttgart, Daco-Verlag Günter Bläse, 1994, pp. 10–19 and 66–68 (in German and in French). Resumed partly in *François Morellet – Ordres et cahots*, Exh. Cat., Fréjus, Le Capitou, 1995, p. 48; and *in* Paris, Énsba, 1999, pp. 205–206.

## 1995

»*Néons* – Production et Reproduction/*Néons* – Produktion und Reproduktion«, *François Morellet – Neonly*, Exh. Cat., Munich, Städtische Galerie im Lenbachhaus, 1995, pp. 8–9 (in French and in German). Resumed *in* Paris, Énsba, 1999, pp. 212–213.

»BarocKonKret« (November 1994), *Morellet – BarocKonKret*, Exh. Cat., Vienne, Heiligenkreuzerhof/Hochschule für angewandte Kunst in Wien, 1995, pp. 9 and 11. Resumed in *François Morellet – Ordres et cahots*, Exh. Cat., Fréjus, Le Capitou, 1995, p. 74; and *in* Paris, Énsba, 1999, pp. 207–208.

»L'étonner«, *in* Jean-Louis Pradel, *Julio Le Parc*, Milan, ed. Severgnini, 1995, p. 315. Resumed, under the title »Lettre à Jean-Louis Pradel«, *in* Paris, Énsba, 1999, p. 216.

»50 ans – 50 œuvres/50 Jahre – 50 Werke«, *François Morellet – 50 Werke aus 50 Jahren künstlerischer Arbeit 1945–1995*, Exh. Cat., Oldenburg, Stadtmuseum, 1995, pp. 10–11 (in French and in German). Resumed *in* Paris, Énsba, 1999, pp. 220–221.

»À juste titre?«, *François Morellet – Ordres et cahots*, Exh. Cat., Fréjus, Le Capitou, 1995, p. 9. Resumed *in* Paris, Énsba, 1999, pp. 214–215.

## 1996

*Le Bouche-trou*, leaflet, Neuchâtel, [Media sold out] 1996. Resumed *in* Paris, Énsba, 1999, p. 219.

*L'État tampon* (November 13, 1995), Saint-Benoît-du-Sault, Éditions Tarabuste, collection »Correspondance«, 1996, n. p. Resumed *in* Paris, Énsba, 1999, pp. 222–223.

»À Joël Hubaut«, presented in the black site of the exhibition »C.L.O.M. (contre l'ordre moral) 1, guerilla color«, Marne-la-Vallée, La Ferme du Buisson, Centre d'Art contemporain, 1996. Resumed *in* Paris, Énsba, 1999, p. 224.

»Résister à Descartes«, *Alliage*, Paris-Nice, n° 28, 1996, pp. 41–42. Resumed under the title »À propos du ›Discours de la méthode‹«, in *Morellet – Discours de la méthode*, Exh. Cat., Mainz, Galerie Dorothea van der Koelen/Chorus Verlag/Seoul, Galerie Bhak, 1996, pp. 5–8 (in German, in English, in French and in Croatian); and *in* Paris, Énsba, 1999, pp. 225–227.

»›Entre autres‹ à Bremen«, *François Morellet – Entre autres*, Exh. Cat., Bremen, Kunsthandel Wolfgang Werner/Neues Museum Weserburg Bremen, 1996, n. p. Resumed *in* Paris, Énsba, 1999, pp. 228–231.

»Pour un catalogue du Schloss Morsbroich«, *Museum Vitale*, Coll. Exh. Cat., Leverkusen, Städtisches Museum Leverkusen Schloss Morsbroich, 1996, pp. 87–90. Resumed *in* Paris, Énsba, 1999, pp. 232–233.

»Un musée d'art concret idéal«, 1st version published in *Museum Vitale*, Coll. Exh. Cat., Leverkusen, Städtisches Museum Leverkusen Schloss Morsbroich, 1996, pp. 86–87; text presented on the occasion of the exhibition »Un musée imaginé par des artistes«, Espace de l'art concret, Mouans-Sartoux, November 22, 1997–March 1, 1998/Bregenz, Kunsthaus, 25 April–28 June, 1998. Resumed in *Räume der Kunst/Art Spaces*, Coll. Exh. Cat., Vienna, Galerie im Ringturm, Wiener Städtische Versicherung/Salzburg, Anton Pustet Verlag, 1998, pp. 46–47; and in Paris, Énsba, 1999, pp. 234–235.

## 1997

»François Morellet peintre amateur, 1945–1968«, *François Morellet (peintre amateur) 1945–1968*, Exh. Cat., Angers, Musée des Beaux-Arts, 1997, pp. 9–11. Resumed *in* Paris, Énsba, 1999, pp. 236–238.

»∞ NOENDNEON ∞«, *François Morellet ∞ NOENDNEON ∞*, Exh. Cat., Milan, A arte Studio Invernizzi, 1997, n. p. (in Italian and in French). Resumed in *Le Travail de l'art*, n° 2, June 1998, pp. 96–97 (Ill.); and *in* Paris, Énsba, 1999, pp. 239–240.

»L'Armor relais de l'art Morellet«, *François Morellet – L'Armor relais de l'art Morellet*, Exh. Cat., Rennes, Musée des Beaux-Arts, 1997, pp. 7–8. Resumed *in* Paris, Énsba, 1999, pp. 241–242.

## 1998

»À la portée de tous«, *in* Gérard Denizeau (texts collected by), *Le Visuel et le sonore. Peinture et musique au XXe siècle. Pour une approche épistémologique*, Paris, Honoré Champion, 1998, pp. 195–196.

»Museum konkreter Kunst. Museum of Concrete Art. 1997«, *Räume der Kunst/Art Spaces*, Coll. Exh. Cat., Vienna, Galerie im Ringturm, Wiener Städtische Versicherung/Salzburg, Anton Pustet Verlag, 1998, pp. 46–49 (Ill.). Resumed under the title »Lettre à Herbert Abrell«, *in* Paris, Énsba, 1999, pp. 243–244.

## 1999

»π 1998«, text accompanying a work in the Internet, conceived with Rémi Bréval, inaugurated in Paris, on March 19, 1999, at the Délégation aux Arts plastiques, and on March 20–21, 1999, at the Grande Halle de la Villette. Registered in July 1998 (www.culture.gouv.fr/entreelibre/, extrait). Resumed *in* Paris, Énsba, 1999, p. 246.

Text without title (September 30, 1998), *François Morellet – Gravures 1980–1999*, Vannes, Musée de la Cohue/Cholet, Musée d'Art et d'Histoire, 1999, p. 5. Resumed, under the title »Quand j'étais (ou je croyais être) jeune«, *in* Paris, Énsba, 1999, pp. 249–250.

»Les cheminements de π«, *François Morellet dans l'atelier du Musée Zadkine*, Paris, Musée Zadkine, 1999, pp. 5–9 (in English, under the title »On the Path of π«, pp. 23–24). Resumed in *Art Présence*, Pléneuf-Val-André, n° 32, October–December 1999, pp. 19–31 (Ill.); and *in* Paris, Énsba, 1999, pp. 251–254.

*Mais comment taire mes commentaires*, Paris, École nationale supérieure des Beaux-Arts, collection »Écrits d'artistes«, 1999, 272 pages. Compilation of François Morellet's published texts (see above) and the following unpublished texts: »Sculpture à lire«, pp. 5–8; »À propos d'une intégration architecturale, lettre à la Mairie de Mably« (July 29, 1985), pp. 119–120; »Mur pignon de Manhattan« (January 31, 1986), p. 124; »Au sujet de *Chosen with care*, lettre au Zuiderpershuis« (August 1986), p. 126; »Au cours d'une interview en 1982«, p. 148; »Texte pour le ›livre d'amis‹« (text written in 1988 for the Mondriaanhuis in Amersfoort, Holland), pp. 153–154; »Néon, argon et plafond, Venice 1970–1990« (text written for the exhibition organized by the AFAA at the XLIVe Venice Biennale, 1990), p. 163; »Quand un carré rencontre un autre carré« (text written for the edition of the two engravings in *Éléments*, collective portfolio, Galerie Sollertis, 1992), p. 185; »Texte pour *Il Mito del Moto*« (text written for an exhibition in Rome), p. 187; »Les rayons courbes« (December 1992, text written for the Naturkundemuseum, Stuttgart), p. 192; »Si Jésus-Christ revenait sur terre?« (January 1993, answer to the question of the studio Interrogation, École des Beaux-Arts, Clermont-Ferrand), p. 193; »Fax à Yve-Alain Bois« (March 26, 1993), p. 194; »Lettre à Yvan Mécif« (March 6, 1994), p. 202; »Pour le livre de Ghislain Mollet-Viéville« (December 1994), pp. 209–211; »Les hasards de la République« (May 1995, text to be presented on the occasion of the »parc-auto« in Lyon, inaugurated in 1995), pp. 217–218; »Le rayon de sommeil« (Hôtel Windsor, Nice, March 6, 1998), p. 245; »Le Valais, sa rue et son tunnel« (July 27, 1998, text resumed in the press kit published by the Fonds du Canton and the city of Geneva), pp. 247–248; »Mais comment taire mes commentaires?«, pp. 255–256; »111 Palindromes«, pp. 257–260.

## 2001

»Annäherungen an π / The course of π / Les cheminements de π«, in *François Morellet – Konstruktionen mit der Zahl π / Constructions with the number π / Construction avec le nombre π*, Mainz, Galerie Dorothea van der Koelen, pp. 13–15; »Warum π? / Why π? / Pourquoi π?«, *ibid*, pp. 17–19.

## Monographs

*Morellet*, catalogue of his œuvre as from 1946, Cholet, François Morellet, 1966; enlarged in 1972.

### Gassiot-Talabot, Gérald

*François Morellet*, Milan, Galleria Cenobio Visualità / édition All'insegna del pesce d'oro, 1971 (in French and in English).

### Lemoine, Serge

*François Morellet*, Zurich, Waser Verlag, 1986 (in German, in English and in French); introduction by Margit Weinberg-Staber, »François Morellet aujourd'hui«. New abbreviated and updated edition: Paris, Flammarion, collection »La Création contemporaine«, 1996.

## Interviews

### Beaud, Marie-Claude
»Marie-Claude Beaud, conservateur des musées de la ville, présente: François Morellet, peintre«, *Var Matin République*, Ollioules, July 6, 1980 (Ill.).

### Besson, Christian
»Entretien avec François Morellet«, *Morellet*, Exh. Cat., Paris, éditions du Centre Pompidou/Amsterdam, Stedelijk Museum, 1986, pp. 114–128.

### Besson, Christine
»Entretien«, *François Morellet (peintre amateur) 1945–1968*, Exh. Cat., Angers, Musée des Beaux-Arts, 1997, pp. 21–35.

### Biard, Ida
»François Morellet«, *Flash Art*, Paris, n° 9, autumn 1985, pp. 53–55 (Ill.).

### Brunel, Lise
»La règle du jeu de François Morellet«, *Art Press*, Paris, n° 16, March 1978, pp. 34–35 (Ill.).

### Cohen-Lévinas, Danielle
»Correspondance«, *François Morellet. Tout Chatou*, Exh. Cat., Chatou, Maison Levanneur, 1997, pp. 11–16.

### Cormery, Antoine
»François Morellet: retour à Beaubourg«, *Le Magazine of the exh. de Maine-et-Loire*, February 18, 1992 (Ill.).

### Devolder, Eddy
»Entretien avec François Morellet«, *+ - 0*, Bruxelles, n° 57, October 1990, pp. 26–27.

### Gourmelon-Le Carrérès, Mo
»François Morellet: un rigoureux rigolard«, *François Morellet – Figurations et Défigurations*, Exh. Cat., Rennes, La Criée, Halle d'Art contemporain/Galerie Art et Essai, Université de Rennes 2/Galerie Oniris, 1989, n. p.

### Grenier, Catherine
»François Morellet et la chorégraphie«, *Morellet*, Exh. Cat., Paris, éditions du Centre Pompidou/Amsterdam, Stedelijk Museum, 1986, pp. 209–210.

### Joppolo, Giovanni; Morellet, François; Pacquement, Alfred; and Saulnier, Emmanuel
»Murs, rencontre-débat«, *Opus International*, Paris, n° 83, winter 1982, pp. 12–17.

### Koopmans, Peter
»Entretien avec Peter Koopmans«, *François Morellet*, Exh. Cat., Geneva, École supérieure d'Art visuel, 1988, pp. 44–46.

### Lebert, Muriel
»Commandes publiques: entretien avec François Morellet«, *Les Lettres françaises*, Paris, n° 12, September 1991, p. 25.

### Lecombre, Sylvain
»Morellet: une organisation des hasards«, *Canal*, Paris, n° 10, December 1–15, 1977, p. 9 (Ill.)

### Leering, Jan
»Vragen aan Morellet«, *François Morellet*, touring Exh. Cat., Eindhoven, Stedelijk Van Abbemuseum, 1971 (in German and in Dutch). Resumed under the title »Quelques questions posées par J. Leering à François Morellet«, in *Morellet*, Exh. Cat., Paris, Centre national d'Art contemporain, 1971, pp. 55–59; and *in* Paris, 1986, p. 199.

### Lemoine, Serge
»Commentaires« and »Questions de Serge Lemoine à François Morellet«, *François Morellet – Désintégrations architecturales*, Exh. Cat., Chambéry, Musée savoisien/Angers, Musée d'Angers, 1982, pp. 42–64 and 66–70.

»François Morellet: un entretien de Serge Lemoine. Voilà trente-cinq ans, un peintre entrait dans l'ordre des systèmes«, *CNAC Magazine*, Paris, n° 31, January–February 1986, pp. 11–13 (Ill.).

»Œuvres commentées«, »Projets en cours« and »Quelques projets refusés«, *François Morellet – Sur commande – Désintégrations architecturales et autres interventions en plein air 1982–1988*, Exh. Cat., Calais, Galerie de l'Ancienne Poste, 1988, pp. 27–58. Resumed under the titles »Kommentierte Arbeiten«, »Projekte in Vorbereitung« and »Einige abgelehnte Projekte«, in *François Morellet – Interventionen*, Exh. Cat., Münster, Westfälisches Landesmuseum, 1989, pp. 39–72.

### Le Saux, Marie-Françoise
»De la contrainte comme stimulation. Propos recueillis par Marie-Françoise Le Saux«, *Nouvelles de l'estampe*, n° 163, March 1999, pp. 52–55 (Ill.).

### Molderings, Herbert
»Ungehörige Fragen. Ein anonymes Interview mit François Morellet«, *François Morellet – Lichtobjekte*, Exh. Cat., Münster, Westfälischer Kunstverein/Kunsthalle zu Kiel, 1976, n. p.

## Nabakowski, Gislind

»Fragen an François Morellet«, *Heute Kunst*, Milan, n° 10–11, June–August 1975, pp. 3–7 (Ill.). Resumed under the title »Questions à François Morellet«, *in* Paris, 1986, pp. 199–201.

## Partouche, Marc

»François Morellet: entretien«, *March*, Marseille, n° 24, summer–autumn 1989, pp. 13–14.

»Entretien avec François Morellet«, *Verba Volant...*, Marseille, n° 2, 1990, pp. 62–82.

## Pique, Pascal

»6 questions à François Morellet«, *François Morellet – Néons*, Exh. Cat., Abbaye de Tournus, 1990.

## Quéloz, Catherine

»Questions-réponses de François Morellet à Catherine Quéloz«, *François Morellet*, Exh. Cat., Apeldoorn, Van Reekum Museum, 1992 (in English and in Dutch).

## Reininghaus, Alexandra

»François Morellet«, *Du*, Zurich, n° 12, December 1989, pp. 56–64 (Ill.). Resumed and rewritten under the title »Interview 1989«, in *François Morellet, sculpteur 1949–1990*, Exh. Cat., Calais, Musée des Beaux-Arts ct dc la Dentelle, 1990, pp. 20–21; in *François Morellet*, Exh. Cat., Barcelona/Madrid, Galería Theo, 1990; in *François Morellet – Grands formats*, Exh. Cat., Saarbrücken, Saarland Museum, 1991, p. 95.

## Stoullig, Claire

»Les dessins de François Morellet«, *CNAC Magazine*, Paris, n° 66, November 15, 1991–January 15, 1992, pp. 17–18 (Ill.).

## Anonymous

»François Morellet«, *Architecture intérieure/Créé*, Paris, n° 209, December 1985–January 1986, p. 58 (Ill.).

»Questions à François Morellet« (by the school's students), *François Morellet*, Exh. Cat., Geneva, École supérieure d'Art visuel, 1988, pp. 27–32.

»Interview 1988«, *François Morellet, sculpteur 1949–1990*, Exh. Cat., Calais, Musée des Beaux-Arts et de la Dentelle, 1990, pp. 18–19. Resumed in *François Morellet*, Exh. Cat., Barcelona/Madrid, Galería Theo, 1990; and in *François Morellet – grands formats*, Exh. Cat., Saarbrücken, Saarland Museum, 1991, p. 89.

## Catalogue texts

## Anna, Susanne

»Bemerkungen zu ephemeren Werken von François Morellet / Les œuvres éphémères de François Morellet: Remarques générales«, *François Morellet – Installations*, Chemnitz, Städtische Kunstsammlungen/Stuttgart, Daco-Verlag Günter Bläse, 1994, pp. 20–65 (in German and in French).

## Beaud, Marie-Claude

»François Morellet, le salon d'angle, l'angle DRAC Nantes, Cartier«, *François Morellet – Lichtinstallaties*, Groningen, Groninger Museum/Nantes, DRAC, Salon d'angle, 1987.

## Béchetoille, Alain

»La vision de François Morellet«, *François Morellet – Géométree*, Fontevraud, Abbaye royale, 1985, pp. 66–68.

## Bense, Max

[Without title], *François Morellet – Arbeiten 1971–1988*, Mainz, Galerie Dorothea van der Koelen, 1988, pp. 8–11 (in German, in English and in French).

## Berthier, Pierre

»∞ NOENDNEON ∞«, *François Morellet ∞ NOENDNEON ∞*, Exh. Cat., Milan, A arte Studio Invernizzi, 1997, n. p. (in Italian and in French).

## Besset, Maurice

»Des objets (presque) sans qualités«, *François Morellet – Regards sur l'œuvre 1957–1989*, Innsbruck, Galerie im Taxispalais – Institut français (touring exhibition), 1989, n. p. (in French, in German and in Croatian).

**Bill, Max**
»Ein Standpunkt«, *François Morellet, Uli Pohl, Bernhard Sandfort*, Stuttgart, Studium Generale, Technische Hochschule, 1961.

**Bize, Hervé**
»François Morellet«, *François Morellet*, Nancy, Galerie Art Attitude/Marchal, Musée du Sel/Delme, Synagogue, 1993, pp. 7–14 et 28–32 (in French and in English).

**Bless, Frits**
[Without title], *François Morellet*, Apeldoorn, Van Reekum Museum, 1992 (in English and in Dutch).

**Bless, Frits and Nabakowski, Gislind**
[Without title, extracts from letters, 1975 and 1976], *Désintégrations architecturales de François Morellet*, Ghent, Hoger architectuurinstituut Sint-Lucas, 1983.

**Blistène, Bernard**
»François Morellet et l'ironie de genre«, *Morellet*, Paris, éditions du Centre Pompidou/Amsterdam, Stedelijk Museum, 1986, pp. 8–18.

**Boehm, Gottfried**
»L'analyse du hasard. Contribution à l'analyse d'un problème artistique dans l'œuvre de François Morellet«, *François Morellet*, Berlin, Nationalgalerie/Baden-Baden, Kunsthalle/Paris, Musée d'Art moderne de la Ville de Paris/Nijmegen, Commanderie van St. Jan, Nijmeegs Museum, 1977 (in German, in French and in English).

**Bogner, Dieter**
»La théorie dans les spasmes. Inhalt, eine Kategorie im Werk von François Morellet?«, *Morellet – BarocKonKret*, Vienna, Heiligenkreuzerhof/Hochschule für angewandte Kunst in Wien, 1995.

**Bompuis, Catherine**
»Le dispositif de François Morellet«, *François Morellet – Géométree*, Fontevraud, Abbaye royale, 1985, pp. 32–43.

**Bozo, Dominique**
»Invitation«, *Morellet*, Paris, éditions du Centre Pompidou/Amsterdam, Stedelijk Museum, 1986, pp. 6–7.

**Broniarski, Alexandre**
»Mots-Relais pour Morellet«, *Forme ouverte, John Cage, François Morellet et Milan Grygar*, Prague, Galerie Hlavniho Mesta, 1993.

**Bußmann, Klaus**
»Vorwort«, *François Morellet – Interventionen*, Münster, Westfälisches Landesmuseum, 1989, pp. 6–7.

**Campusano, Alvaro**
»François Morellet«, *François Morellet*, Caracas, Galerie Arte Contacto, 1973.

**Cladders, Johannes**
»Coup de chapeau«, *Morellet*, Paris, éditions du Centre Pompidou/Amsterdam, Stedelijk Museum, 1986, pp. 98–99.

**Colliard, Éric and Douroux, Xavier**
»Relaxe pour vice de formes«, *François Morellet*, Dijon, Le Consortium, 1986, n. p.

**Coulange, Alain**
»Ex ungue leonem«, *Morellet*, Paris, éditions du Centre Pompidou/Amsterdam, Stedelijk Museum, 1986, pp. 90–91.

**Coulon, François; Elkar, Catherine; Lemée, Odile; and Salomé, Laurent**
»Catalogue des œuvres exposées« and »François Morellet dans l'espace public en Bretagne«, *François Morellet – L'Armor relais de l'art Morellet*, Rennes, Musée des Beaux-Arts, 1997, pp. 15–49.

**Dabbeni, Tiziano**
»François Morellet«, *Temporale, Rivista d'arte e di cultura*, Lugano, Edizioni Dabbeni, n° 27, 1991, p. 17.

**Denegri, Jesa**
»François Morellet et la dynamique artistique de Zagreb au début des années soixante (Nouvelles Tendances, Gorgona)«, *François Morellet – Regards sur l'œuvre 1957–1989*, Innsbruck, Galerie im Taxispalais – Institut français (touring exhibition), 1989, n. p. (in French, in German and in Croatian).

**Denizeau, Gérard**
»Le carré basculé de François Morellet«, *Carré basculé – François Morellet*, Saint-Denis, Théâtre Gérard Philippe, 1993.

**Fauchille, Bernard**
»François Morellet, son œuvre«, *François Morellet – Œuvres acquises par la Ville de Cholet*, Cholet, Musée des Arts, 1986, n. p. Resumed under the title »François Morellet, su obra/François Morellet, bere lana«, in *François Morellet*, San Sebastián, Museo San Telmo/Vitoria, Museo de Bellas Artes de Avala/Granada, Palacio de Los Condes de Gabbia, 1989, pp. 7–12 (in Spanish and in Basque).

**Francalanci, Ernesto L.**
»Note sull'arte metodologica a proposito di François Morellet«, *François Morellet*, Venice, Galleria del Cavallino, 1974.

**Francblin, Catherine**
»Le point π«, *François Morellet dans l'atelier du Musée Zadkine*, Paris, Musée Zadkine, 1999, pp. 17–20 (in English, under the title »The π Point«, pp. 26–28).

**Franz, Erich**
»Entzug der Verläßlichkeit. Zu Morellets Neon-Arbeiten«, *François Morellet – Neonly*, Munich, Städtische Galerie im Lenbachhaus, 1995, pp. 10–17.

»François Morellet – Gestaltung des Sehens«, *François Morellet – 50 Werke aus 50 Jahren künstlerischer Arbeit 1945–1995*, Oldenburg, Stadtmuseum, 1995, pp. 13–21.

**Friedel, Helmut**
»Nur Neon«, *François Morellet – Neonly*, Munich, Städtische Galerie im Lenbachhaus, 1995, pp. 6–7.

**Gäßler, Ewald**
»Idee und Realisierung«, *François Morellet – 50 Werke aus 50 Jahren künstlerischer Arbeit 1945–1995*, Oldenburg, Stadtmuseum, 1995, p. 12.

**Genet, Christian**
»Art cinétique Morellet«, *Galerie 2001*, Poitiers, November 1972, n. p. (magazine of the exh.).

**Geslin, Jean**
[Without title], *François Morellet – L'Art-Présentation et Paysage-Marine*, Dunkirk, École régionale des Beaux-Arts-Georges Pompidou/Paris, Galerie Liliane et Michel Durand-Dessert, 1988, p. 7.

**Gheerbrant, Gilles**
»François Morellet«, *Morellet*, Arles, Cloître Saint-Trophime, 1978, n. p. Resumed de *Parachute*, Montréal, n° 10, summer 1978, pp. 4–8. Resumed *in* Paris, 1986, pp. 201–204.

**Gourmelon-Le Carrérès, Mo**
»De la légitime défense à la préméditation«, *François Morellet – Figurations et Défigurations*, Rennes, La Criée, Halle d'Art contemporain/Galerie Art et Essai, Université de Rennes 2/Galerie Oniris, 1989, n. p.

**Graevenitz, Antje von**
»Science platonicienne ou mathématique?«, *Morellet*, Paris, éditions du Centre Pompidou/Amsterdam, Stedelijk Museum, 1986, pp. 207–209. Resumed partly de »Platonisch wijsgeer of ingenieur/Morellet en de kunsttheorie rond 1950«, in *Met eigen ogen, Opstellen aangeboden door leerlingen en medewerkers aan Hans L. C. Jaffé*, Amsterdam, Meulenhoff, 1984.

**Graulich, Gerhard**
»Struktur und Fraktur: François Morellets Konzept architektonischer Intervention«, *François Morellet – Interventionen*, Münster, Westfälisches Landesmuseum, 1989, pp. 19–27.

**Grewenig, Meinrad Maria**
»Die Totalität des Aspekts. Zur Kunst François Morellets«, *François Morellet – Grands formats*, Saarbrücken, Saarland Museum, 1991, p. 41.

**Grisebach, Lucius**
»François Morellet«, *François Morellet*, Grainau, Zugspitzgipfel, 1996.

**Guichon, Françoise**
[Without title], *François Morellet – Désintégrations architecturales*, Chambéry, Musée savoisien/Angers, Musée d'Angers, 1982, p. 4.

**Haks, Frans**
»Perceptieve interferentie in het werk van François Morellet«, *Morellet*, Heerlen, Verfindustrie Jac Eyck, 1976.

»Système et humour chez François Morellet«, *François Morellet – Lichtinstallaties*, Groningen, Groninger Museum/Nantes, DRAC, Salon d'angle, 1987.

**Heckmanns, Friedrich W.**
[Without title], *François Morellet – Prinzip Seriell*, Düsseldorf, Kunstmuseum, 1972.

**Hilgemann-de Stigter, Antoinette**
[Without title], *Kunstinformatie 39, n° 4* »François Morellet, ›histoire d'o‹«, Gorinchem, Kunstcentrum Badhuis, November 1982.

**Hoet, Jan**
»François Morellet«, *François Morellet – L'Art-Présentation et Paysage-Marine*, Dunkirk, École régionale des Beaux-Arts-Georges Pompidou/Paris, Galerie Liliane et Michel Durand-Dessert, 1988, p. 15.

**Holeczek, Bernhard**
»Des Kaisers neue Kleider/The Emperor's New Clothes«, *François Morellet – Werke/Works 1976–1983*, Bottrop, Josef-Albers-Museum/Ludwigshafen, Wilhelm-Hack-Museum, 1983, pp. 12–20 (in German and in English). Resumed in *François Morellet – Géométrees – Neons – Vanishing Points of View 1983–1985*, Bochum, Galerie m,

1985, pp. 10–23 (in German and in English).

»Luigi NONO meets Yoko ONO. En écho non-ONOmatopoétique à la série ›NON‹ de François Morellet«, *Oui – François Morellet – Série NON*, Stuttgart, Galerie Mueller-Roth, 1992, n. p. (in German and in French).

### Honisch, Dieter
»Zur Organisation der Bilder von Stella und Morellet«, *François Morellet*, Berlin, Nationalgalerie/Baden-Baden, Kunsthalle/Paris, Musée d'Art moderne de la Ville de Paris/Nijmegen, Commanderie van St. Jan, Nijmeegs Museum, 1977 (in German, in French and in English).

### Hörmann, Magdalena
»Morellet: ›Martin Knoller: Karl Graf Firmian und Gefolge‹«, *François Morellet – Regards sur l'œuvre 1957–1989*, Innsbruck, Galerie im Taxispalais – Institut français (touring exhibition), 1989, n. p. (in French, in German and in Croatian).

### Imdahl, Max
»Über einige Werke Morellets im Blick auf Stella und Vasarely«, *François Morellet*, Eindhoven, Stedelijk Van Abbemuseum (touring exhibition), 1971, pp. 7–13 (in German and in Dutch). Resumed under the title »Quelques œuvres de Morellet vues par rapport à Stella et Vasarely«, *in* Paris, 1986, pp. 197–198.

»›Grilles se déformant‹ und ›Deux trames superposées‹«, *François Morellet*, Berlin, Nationalgalerie/Baden-Baden, Kunsthalle/Paris, Musée d'Art moderne de la Ville de Paris/Nijmegen, Commanderie van St. Jan, Nijmeegs Museum, 1977 (in German, in French and in English).

### Invernizzi, Carlo
[Poem without title], *Dadaimino – François Morellet – Günther Uecker*, Milan, A arte Studio Invernizzi, 1994, n. p. (in Italian and in English). Resumed in *François Morellet ∞ NOEND-NEON ∞*, Exh. Cat., Milan, A arte Studio Invernizzi, 1997, n. p. (in Italian and in French).

### Knorr, Anneliese
»Bericht in den Gelsenkirchener Blättern 20/69«, *Morellet*, Gelsenkirchen, Galerie Halmannshof, 1969.

### Kotik, Charlotta
»System and Nature in the Work of François Morellet«, *François Morellet: Systems*, Buffalo (New York), Albright-Knox Art Gallery/Montréal, Musée d'Art contemporain/New York, The Brooklyn Museum/Miami, Center for the Fine Arts, 1984.

### Lang, Siegfried K.
»Der heitere Widerstreit im Netzwerk der Wahrnehmung«, *François Morellet – 50 Werke aus 50 Jahren künstlerischer Arbeit 1945–1995*, Oldenburg, Stadtmuseum, 1995, pp. 23–42.

### Lapalus, Marie
[Without title], *François Morellet – Néons*, Abbaye de Tournus, 1990.

### Lemoine, Serge
»La conquête d'un langage impersonnel« et »De l'anti-romantisme à l'art de l'éphémère«, *Morellet*, Paris, Centre national d'Art contemporain, 1971.

»Avertissement au visiteur«, *Morellet*, Paris, Centre national d'Art contempo-rain, 1971, pp. 5–13. Resumed in Paris, 1986, pp. 198–199.

»François Morellet, né en 1926«, *François Morellet*, Lutry, White Gallery, 1972.

»*Blue and Sentimental* ou François Morellet et l'idée de système«, *François Morellet*, Berlin, Nationalgalerie/Baden-Baden, Kunsthalle/Paris, Musée d'Art moderne de la Ville de Paris/Nijmegen, Commanderie van St. Jan, Nijmeegs Museum, 1977 (in German, in French and in English). Resumed under the title »›*Blue and Sentimental*‹ oder ›François Morellet und die Idee vom System‹«, in *François Morellet*, Kreuzlingen, Galerie Latzer, 1977.

»François Morellet und die Idee (Auszug)«, *François Morellet, Objekte, Bilder und Grafik*, Rapperswil, Galerie Seestrasse, 1978.

»A foreign Affair«, *François Morellet – Désintégrations architecturales*, Chambéry, Musée savoisien/Angers, Musée d'Angers, 1982, pp. 5–18. Resumed *in* Paris, 1986, pp. 204–205.

»Sur commande«, *François Morellet – Sur commande – Désintégrations archi-tecturales et autres interventions en plein air 1982–1988*, Calais, Galerie de l'Ancienne Poste, 1988, pp. 9–18. Resumed under the title »Im Auftrag«, in *François Morellet – Interventionen*, Münster, Westfälisches Landesmuseum, 1989, pp. 9–18.

»François Morellet«, *François Morellet*, San Sebastián, Museo San Telmo/Vitoria, Museo de Bellas Artes de Avala/Granada, Palacio de Los Condes de Gabbia, 1989, pp. 14–17 (in Spanish and in Basque).

[Without title], *François Morellet*, Barcelona/Madrid, Galería Theo, 1990.

»Punkt, Linie, Fläche, Raum mit System und Zufall«, *François Morellet – Grands formats*, Saarbrücken, Saarland Museum, 1991, p. 15.

»Vorwort/Avant-Propos« and »The Secret beyond the Door«, *François Morellet – Dessins/Zeichnungen*, Grenoble, Musée de Grenoble/Reutlingen, Stiftung für konkrete Kunst, 1991, pp. 5–6 and 15–42 (in German and in French).

»François Morellet et Grenoble«, *François Morellet – Tableaux blancs, œuvres des années 80*, Grenoble, Musée de Grenoble, 1991, pp. 1–2 (magazine of the exh.).

»Jump De La Ba«, *François Morellet – Ordres et cahots*, Fréjus, Le Capitou, 1995, pp. 10–20.

»Histoire de triangles«, *François Morellet – Le Delta du Doubs*, Besançon, 1999, pp. 2–5.

**Le Nouëne, Patrick**
»François Morellet sculpteur«, *François Morellet, sculpteur 1949–1990*, Calais, Musée des Beaux-Arts et de la Dentelle, 1990, pp. 11–17.

»Des années quarante aux années soixante, l'artiste intérimaire aux deux cœurs«, *François Morellet (peintre amateur) 1945–1968*, Angers, Musée des Beaux-Arts, 1997, pp. 13–18.

**Le Saux, Marie-Françoise**
»François Morellet ou la légèreté de la gravure«, *François Morellet – Gravures 1980–1999*, Vannes, Musée de la Cohue/Cholet, Musée d'Art et d'Histoire, 1999, pp. 7–12.

**Lichtenstein, Jacqueline and Groulier, Jean-François**
»Morellet ou les pouvoirs du neutre«, *Morellet*, Paris, Galerie nationale du Jeu de Paume, pp. 29–38.

**Loisy, Jean de**
»Les disparitions de François Morellet«, *François Morellet – Géométree*, Fontevraud, Abbaye royale, 1985, pp. 10–16.

**Mango, Lorenzo**
»Una contrada di confine/Border Country«, *Dadamaino – François Morellet – Günther Uecker*, Milan, A arte Studio Invernizzi, 1994, n. p. (in Italian and in English).

**Marcadé, Bernard**
[Letter to François Morellet], *François Morellet, sculpteur 1949–1990*, Calais, Musée des Beaux-Arts et de la Dentelle, 1990, pp. 7–9.

**Martin, Jean-Hubert**
»Happπ Birthday, François«, *François Morellet. Konstruktionen mit der Zahl π/Constructions with the number π/Constructions avec le nombre π*, Mainz, Galerie Dorothea van der Koelen, 2001, pp. 22–24, pp. 28–32, pp. 46–48.

**Mavrommatis, Emmanuel**
»François Morellet«, *François Morellet*, Salonika, Institut français, 1992.

**McEvilley, Thomas**
»Morellet, Pythagoricien postmoderne«, *Morellet*, Paris, Galerie nationale du Jeu de Paume, 2000, pp. 11–15.

**Menna, Filiberto**
[Without title], *François Morellet*, Rome, Galleria della Trinita, 1974.

**Mestrovic, Matko**
[Without title], *Morellet*, brochure, Zagreb, Studio G, 1962 (in Serbo-croatian and in French).

**Millet, Catherine**
»Un individu nommé François Morellet«, *Morellet*, Paris, éditions du Centre Pompidou/Amsterdam, Stedelijk Museum, 1986, pp. 56–61.

**Molnar, François**
[Without title], *À la recherche d'une base – Peintures de Morellet*, Paris, Galerie Colette Allendy, 1958, n. p.

**Monery, Jean-Paul**
»Points de repères«, *François Morellet – Tableaux blancs, œuvres des années 80*, Grenoble, Musée de Grenoble, 1991, pp. 3–4 (magazine of the exh.).

**Monory, Michel**
[Without title], *François Morellet à l'Institut français*, London, Institut français, 1990, n. p.

**Moreno Ruiz de Eguino, Iñaki**
»Geometría; azar, ironía, atmósfera/Geometria; zoria; ironia; eguratsa«, *François Morellet*, San Sebastián, Museo San Telmo/Vitoria, Museo de Bellas Artes de Avala/Granada, Palacio de Los Condes de Gabbia, 1989, pp. 5–6 (in Spanish and in Basque).

**Moutashar, Michèle**
»Morellet/Saint-Trophime.........«,
*Morellet*, Arles, Cloître Saint-Trophime,
1978, n. p.

**Normandin, Lucie**
»Géométree ou la buissonnière du système-Morellet«, *François Morellet –
Géométree*, Fontevraud, Abbaye royale,
1985, pp. 44–50. Resumed partly in *Vie
des arts*, Montréal, August 13, 1985.

**Oberhuber, Oswald**
»Das Konkrete ergibt die Wirklichkeit«,
*Morellet – BarocKonKret*, Vienna,
Heiligenkreuzerhof/Hochschule für
angewandte Kunst in Wien, 1995.

**Oelschlägel, Petra**
»Zur Kunst von François Morellet/L'art
de François Morellet« and »Die Steel
Lifes/Les Steel Lifes«, *François Morellet
– Steel Lifes*, Hannover, Sprengel Muse-
um Hannover, 1992, pp. 8–14 and
29–36 (in German and in French).
Resumed in *François Morellet – Steel
Lifes*, Brescia/Milan, Galleria Piero
Cavellini, 1992.

**Oxenaar, Rudi**
»Lettre à François Morellet«, *Morellet*,
Paris, éditions du Centre Pompidou/
Amsterdam, Stedelijk Museum, 1986,
pp. 70–71.

**Perrin, Carmen**
»L'atelier de dessin«, *François Morellet*,
Geneva, École supérieure d'Art visuel,
1988, pp. 8–13.

**Pierre, Arnauld**
»Ce que devrait être le spectateur«,
*Morellet*, Paris, Galerie national du Jeu
de Paume, 2000, pp. 17–27.

**Pique, Pascal**
»Julije Knifer/François Morellet. Une
certaine idée de l'abstraction«, *François
Morellet/Julije Knifer*, Villeurbanne,
Galerie Georges Verney-Carron, 1993,
n. p. Resumed in *Petites Affiches lyon-
naises*, Lyon, n° 9742, 1993 (Ill.).

**Pola, Francesca**
»Formule dello spazio attivo«, *François
Morellet*, Milan, A Arte studio Inver-
nizzi, 2000, pp. 7–10.

**Quéloz, Catherine**
»Préface«, »Rétrospective: les éditions«
and »En biaisant«, *François Morellet*,
Geneva, École supérieure d'Art visuel,
1988, pp. 5, 20–24 and 25.

**Rérat, Alain**
»Avant-propos«, *François Morellet –
Sur commande – Désintégrations architecturales et autres interventions en
plein air 1982–1988*, Calais, Galerie de
l'Ancienne Poste, 1988, pp. 5–7.

**Salomé, Laurent**
»Le Musée des Beaux-Arts de Rennes
et les amateurs de François Morellet en
Bretagne souhaitent la bienvenue au
*Lunatique Neonly n° 1*«, *François
Morellet – L'Armor relais de l'art
Morellet*, Rennes, Musée des Beaux-
Arts, 1997, pp. 11–14.

**Semin, Didier**
»Nu descendant un arbre fruitier«,
*François Morellet – Géométree*,
Fontevraud, Abbaye royale, 1985,
pp. 18–24.

**Sendrey, Gérard**
[Witout title], *François Morellet*,
Lormont, Château Génicart, 1988.

**Skimao, Christian**
»Une trilogie de l'installation«, *Morellet
Carrément – Discrètement – Le grand M*,
Montpellier, Musée Fabre et Carré
Sainte-Anne, 2001, pp. 3–5, 12–13,
18–19.

**Sönmez, Necmi**
»Düsüncede bagimsizlik/Independence
of Thought«, *François Morellet*, brochure, Istanbul, Maçka Sanat Galerisi,
1994, n. p. (in Turkish and in English).

**Sourbier-Pinter, Line**
»Une petite fleur de printemps«, *François Morellet – Regards sur l'œuvre
1957–1989*, Innsbruck, Galerie im
Taxispalais – Institut français (touring
exhibition), 1989, n. p. (in French, in
German and in Croatian).

**Soutif, Daniel**
»Des paysages-marines à l'art-présentation ou deux menus de pique-nique«,
*François Morellet – L'Art-Présentation
et Paysage-Marine*, Dunkirk, École
régionale des Beaux-Arts-Georges Pom-
pidou/Paris, Galerie Liliane et Michel
Durand-Dessert, 1988, pp. 28–32.

»Sur la sellette ou la sculpture infinie«,
*Hommage aux tilleuls et à Rodin –
Installation de François Morellet*, Paris,
Musée Rodin, 1990, n. p.

**Souviron, Claude**
»Préface«, *François Morellet*, Nantes,
Musée des Beaux-Arts, 1973, n. p.

**Stanislawski, Ryszard**
[Without title], *Morellet*, Lódz, Muzeum
Sztuki, 1973, n. p. (in Polish and in
French).

**Toran, Mario**
»Lettre«, *François Morellet – Géométree*, Fontevraud, Abbaye royale, 1985, pp. 26–28.

»Installations lumineuses 64–73«, *François Morellet – Lichtinstallaties*, Groningen, Groninger Museum/Nantes, DRAC, Salon d'angle, 1987.

**Uthemann, Ernest W.**
»Die Unfehlbarkeit der Geometrie und der Witz zum Quadrat!«, *François Morellet – Grands formats*, Saarbrücken, Saarland Museum, 1991, p. 71.

**Van der Koelen, Dorothea**
[Without title], *François Morellet – Arbeiten 1971–1988*, Mainz, Galerie Dorothea van der Koelen, 1988, pp. 3–7 (in German, in English and in French).

»Les expériments de François Morellet pour une nouvelle science de l'art ou un discours de la méthode...«, *Morellet – Discours de la méthode*, Mainz, Galerie Dorothea van der Koelen/Seoul, Galerie Bhak, 1996, pp. 12–67 (in German, in English, in French and in Korean).

**Van der Marck, Jan**
»François Morellet or The Problem of Taking Art Seriously«, *François Morellet: Systems*, Buffalo (New York), Albright-Knox Art Gallery/Montréal, Musée d'Art contemporain/New York, The Brooklyn Museum/Miami, Center for the Fine Arts, 1984, pp. 9–15. Resumed under the title »François Morellet ou la difficulté de prendre l'art au sérieux«, *in* Paris, 1986, pp. 205–207.

**Vasarely, Victor**
»Ce que devrait être la critique d'art«, *Morellet*, Paris, éditions du Centre Pompidou/Amsterdam, Stedelijk Museum, 1986, p. 196. Resumed in *Les Beaux-Arts*, Brussels, n° 907 and 908, October 21 and 28, 1960, pp. 3–9.

**Vilain, Jacques**
»La sellette arborescente ou l'histoire d'un détournement de tilleuls opéré sans la moindre pudeur«, *Hommage aux tilleuls et à Rodin – Installation de François Morellet*, Paris, Musée Rodin, 1990, n. p.

**Wedewer, Rolf**
»Morellet – Vier Aspekte einer Methode«, *François Morellet*, Eindhoven, Stedelijk Van Abbemuseum (touring exhibition), 1971, pp. 15–17 (in German and in Dutch). Resumed under the title »Morellet, quatre aspects d'une méthode«, *in* Paris, 1986, pp. 196–197.

**Zevi, Adachiara**
[Without title], *Enrico Castellani e François Morellet*, Malgrate di Lecco, Galleria Paolo Giuli, 1989 (in Italian and in English).

## Articles

**Alamainos, Eduardo**
»François Morellet a proposito del arte«, *Batik*, Barcelona, n° 48, March 1979, pp. 24–25.

**Alviani, Getulio**
»Dadamaino, Morellet, Uecker a arte«, *Flash Art*, Milan, April 1994, p. 183 (Ill.).

**Amy, Michaël**
»François Morellet at Nicholas Davies«, *Art in America*, New York, vol. 86, n° 5, May 1998, pp. 122–123 (Ill.).

**Arnaudet, Didier**
»La Roche-sur-Yon. François Morellet. Musée municipal«, *Art Press*, Paris, n° 71, June 1983, p. 52 (Ill.).

**Bannon, Anthony**
»Morellet Art: Pursuit of Clarity in Ideas, Forms«, *The Buffalo News*, Buffalo, July 27, 1984.

**Barotte, René**
»Une exposition Morelle«, *L'Intransigeant*, Paris, March 15, 1950.

**Barrau, Frank**
»Les néons bleutés du Choletais Morellet pour le théâtre Graslin à Nantes«, *Ouest France*, Rennes, October 8, 1986, p. 12.

**Barrès, Patrick**
»Des motifs d'un art des surfaces: les arabesques de Matisse et les trames de Morellet«, *Verso*, Paris, October 1997.

**Bartels, Daghild**
»Berlin: François Morellet«, *Die Zeit*, Hamburg, n° 5, January 21, 1977, p. 36.

**Baudson, Michel**
»François Morellet. La règle du jeu«, *Clé pour les arts*, Brussels, n° 19, March 1972, pp. 23–25.

**Beenker, Erik**
»Morellet zet kijker telkens op verkeerde been«, *De Volkskrant*, Amsterdam, June 14, 1986, p. 11.

»François Morellet, Paris, Galerie Liliane et Michel Durand-Dessert«, *Artefactum*, Antwerp, vol. 7, February–March 1990, p. 47 (in Flemish).

**Bellet, Harry**
»Morellet, de la géométrie au baroque«, *Le Monde*, Paris, January 23, 1993.

»François Morellet, abstrait, géométrique, rigolo, donc profond«, *Le Monde*, Paris, August 2, 1995, p. 21 (Ill.).

»Les insondables décimales de François Morellet«, *Le Monde. Télévision*, Paris, December 6, 1999, p. 7 (Ill.).

**Bernstein, Claire**
»François Morellet. Galerie Catherine Issert«, *Temma Celeste*, Syracuse, n° 22–23, October–December 1989, p. 75.

**Berswordt-Wallrabe, Kornelia von**
»François Morellet, the monstrous son of Picabia and Mondrian«, *Artefactum*, Antwerp, November 1986–January 1987, pp. 32–37.

**Beurard, Patrick**
»François Morellet, artiste du refuge«, *Opus International*, Paris, n° 103, winter 1987, pp. 34–35.

**Beyaer, Anne**
»François Morellet, attention verglas!«, *La Voix du Nord*, Calais, April 4, 1988.

**Blakeston, Oswell**
»François Morellet«, *Arts Review*, London, vol. 29, n° 6, March 1977, p. 177 (Ill.).

**Blanch, Maria Teresa**
»François Morellet: un destino minimal«, *Cimal*, Gandia, n° 3, May–June 1979, pp. 25–26.

**Blechen, Camilla**
»Morellet in der Nationalgalerie Berlin. Spielerischer Zufall und ästhetische Notwendigkeit«, *Frankfurter Allgemeine Zeitung*, Frankfurt-on-the-Main, n° 34, February 14, 1977.

**Bluemler, Detlef**
»François Morellet – Grands formats«, *Weltkunst*, Munich, n° 8, April 1991.

**Bordaz, Jean-Pierre**
»Montréal: François Morellet«, *L'Art vivant*, Paris, November 1984.

»Fontevraud – François Morellet«, *Beaux-Arts Magazine*, Paris, n° 31, January 1986, p. 31.

**Bortolotti, Maurizio**
»François Morellet. Galleria Piero Cavellini«, *Temma Celeste* (italian ed.), n° 40, spring 1993, p. 78 (Ill.).

**Bost, Bernadette**
»L'atelier du peintre«, *Le Monde*, Paris, May 31, 1991.

**Boudaille, Georges**
»Au CNAC, Morellet ›l'environneur‹«, *Les Lettres françaises*, Paris, n° 1380, April 7–13, 1971, pp. 1 and 27 (Ill.).

**Breerette, Geneviève**
»François Morellet au Centre Pompidou. Quand le hasard fait bien les choses«, *Le Monde*, Paris, March 26, 1986.

»Or et désordre au Théâtre de la Ville«, *Le Monde*, Paris, September 13, 1991, p. 15.

»Morellet avant Morellet pour la première fois, à Angers«, *Le Monde*, Paris, September 12, 1997.

**Brett, Guy**
»French paintings concerned with light«, *The Times*, London, May 8, 1967.

**Broniarski, Alexandre and Laurent, Bruno**
»Mots relais pour Morellet«, *Kanal Magazine*, Paris, n° 43, June–July 1989, p. 62.

»François Morellet. La forme du jeu et la matière du moi«, *Kanal Magazine*, Paris, n° 11, December 1990, pp. 84–85.

**Cailleteau, Jacques**
»François Morellet«, *303, Arts, recherches et créations*, Nantes, n° 4, 2nd trimester 1985, p. 102.

**Cavallo, Valérie**
»October des arts off: l'éclectisme ostentatoire«, *Opus International*, Paris, n° 112, February–March 1989, p. 46.

**Chamard, Élie**
»Un artiste d'avant-garde: François Morellet«, *L'Intérêt choletais*, Cholet, June 23, 1967 (Ill.).

**Chevrefils Desbiolles, Annie**
»François Morellet«, *Art Press*, Paris, n° 134, March 1989, p. 62.

**Colliard, Éric and Douroux, Xavier**
»Morellet. La Géométrie dans les spasmes«, *Kanal Magazine*, Paris, n° 27–28, January–March 1987, pp. 48–49 (Ill.).

**Costa, Vanina**
»Géométreedimensions n° 2«, *303, Arts, recherches et créations*, Nantes, n° 26, 3rd trimester 1990, pp. 132–134.

**Couderc, Sylvie**
»La seconde vie du Musée Denys Puech«, *Kanal Magazine*, Paris, n° 1, August–September 1989, pp. 28–29.

**Crichton, Fenella**
»François Morellet«, *Art Monthly*, London, n° 5, March 1977, pp. 16–17.

**Criqui, Jean-Pierre**
»François Morellet. Jeu de Paume«, *Artforum*, September 2000.

**Cueff, Alain**
»François Morellet, un géomètre sous influence«, *L'Autre Journal*, Paris, March 26, 1986, pp. 38–39.

**Czartoryska, Urszula**
»François Morellet«, *Projekt*, Warsaw, n° 98, 1974, pp. 50–51.

**Dadamaino**
»François Morellet: Studio Marconi/ Milano«, *Flash Art*, Milan, n° 88–89, March–April 1979, p. 47.

**Darriulat, Jacques**
»Jeux de hasard«, *Combat*, Paris, March 29, 1971.

**Dauzas, B.**
»François Morellet«, *Kanal Magazine*, Paris, n° 37–39, autumn 1988, p. 38.

**David, Guy**
»Nantes. Abstractions«, *Arts*, Paris, February 8, 1952.

**Debailleux, Henri-François**
»Morellet en relâches«, *Libération*, Paris, January 28, 1993.

»Morellet«, *Libération*, Paris, Februar 13, 1997.

**Denizeau, Gérard**
»François Morelle«, *L'Œil*, Paris, n° 448, 1993, pp. 70–77 (Ill.).

»François Morellet: Carré basculé«, *L'Œil*, Paris, November 1993, pp. 89–90 (Ill.).

**Descombes, Mireille**
»François Morellet ou le parti pris de la liberté«, *Hebdo Suisse*, October 17, 1996 (Ill.).

**Ditzen, Lore**
»Ornament und Ironie. François Morellet stellt in der Berliner Nationalgalerie aus«, *Süddeutsche Zeitung*, Munich, February 23,1977 (Ill.).

**Dreher, Thomas**
»François Morellet, Norbert Kricke, Diet Sayler«, *Das Kunstwerk*, Stuttgart, vol. 40, n° 6, December 1987, pp. 85–86.

**Ducros, Françoise**
»Nancy – Delme – Marchal: François Morellet June–September 1993«, *Art & Aktoer. Le journal de l'art contemporain dans l'Est de la France*, n° 3, 1993, p. 10 (Ill.).

**Duparc, Christiane**
»Encore un assassin de la beauté«, *Le Nouvel Adam*, Paris, n° 8, March 1967 (Ill.).

**Dussol, Dominique**
»Morellet ou l'art total«, *Sud-Ouest*, Bordeaux, November 3, 1988.

**Fauchille, Bernard**
»François Morellet, son œuvre«, *Sciences, Lettres, Arts*, n° 55, September 1985, pp. 30–35.

**Faveton, Pierre**
»Morellet et les parallèles«, *Connaissance des arts*, Paris, n° 230, April 1971, p. 27.

**Fayet, Catherine**
»Morellet: Systèmes et paysage«, *Opus International*, Paris, n° 108, May–June 1988, p. 49 (Ill.).

**Feijoo, Katia**
»François Morellet, un penchant ludique«, *Canal*, Paris, summer 1986, n° 2, p. 31.

**Fleck, Robert**
»Lemoine, Serge: François Morellet«, *Critique d'art*, Paris, n° 9, spring 1997.

**Fohr, Robert**
»Les brouillons de Morellet«, *Le Quotidien de Paris*, Paris, May 30, 1991 (Ill.).

**Foucart, Bruno**
»Le monumental minimal de Morellet«, *Le Quotidien de Paris*, Paris, April 10, 1986, p. 27 (Ill.).

**Francblin, Catherine**
»Chambéry. François Morellet. Musée savoisien«, *Art Press*, Paris, n° 66, January 1983, p. 52 (Ill.).

»François Morellet. Galerie Durand-Dessert«, *Art Press*, Paris, n° 91, April 1985, p. 64 (Ill.).

»François Morellet, élémentaire mon cher Watson«, *Art Press*, Paris, n° 100, February 1986, pp. 6–11 (Ill.).

»François Morellet. Les néons mathé-matiques«, *Beaux-Arts Magazine*, Paris, March 1999, p. 29 (Ill.).

**Franz, Erich**
»François Morellet: Trames 0°–90°, tableau à 5°«, *Das Kunstwerk des Monats*, Münster, Westfälisches Landes-museum für Kunst und Kulturgeschichte, January 1991.

**Fuller, Peter**
»Morellet«, *Arts Review*, London, vol. 26, n° 2, January 1974, p. 32.

**Gappmayr, Heinz**
»Im Lichte der Geometrie: Zum Werk von François Morellet«, *Noema*, Salzburg, n° 24–25, summer 1989, pp. 66–71.

**Gassiot-Talabot, Gérald**
»Morellet et l'objet«, *Opus International*, Paris, n° 10–11, April 1969, pp. 58–61 (Ill.).

»Morellet«, *Chroniques de l'Art vivant*, Paris, n° 19, April 1971.

**Gassiot-Talabot, Gérald; Bugaud, Michel; Bréval, José; and Poinsot, Jean-Marc**
»Morellet«, *Opus International*, Paris, n° 24–25, May 1971, pp. 117–120 (Ill.).

**Gauville, Hervé**
»François Morellet à Calais«, *Libéra-tion*, Paris, December 1, 1988, p. 39.

»Morellet, la peinture à blanc«, *Libération*, Paris, January 24, 1989, pp. 29–30.

»Morellet sur la sellette«, *Libération*, Paris, August 24, 1990, p. 31 (Ill.).

»Morellet, système π. De l'art en chiffres au Musée Zadkine«, *Libération*, Paris, December 24, 1999, p. 33 (Ill.).

**Ghaddab, Karim**
»Tours. François Morellet«, *Art Press*, Paris, n° 245, April 1999, pp. 84–85 (Ill.).

**Gheerbrant, Gilles**
»François Morellet«, *Parachute*, Mon-tréal, n° 10, spring 1978, pp. 4–8 (Ill.). Resumed in *Morellet*, Exh. Cat., Arles, Cloître Saint-Trophime, 1978, pp. 4–18; and *in* Paris, 1986, pp. 201–204.

**Gicquel, Pierre**
»François Morellet peintre amateur 1945–1968«, *303, Arts, recherches et créations*, Nantes, n° 54, 1997.

**Giroud, Michel**
»Morellet, Géométree«, *Kanal*, Paris, winter 1985–1986, p. 37.

**Glueck, Grace**
»Art: François Morellet, Austere Abstractionism«, *The New York Times*, New York, February 22, 1985 (Ill.).

**Groult, Catherine**
»François Morellet, Durand-Dessert«, *Flash Art*, Paris, n° 7–8, spring–summer 1985, p. 43.

»François Morellet«, *Flash Art*, Paris, n° 11, summer 1986, p. 51.

**Gubernatis, Raphaël de**
»Un peintre et un chorégraphe sur la route de Louvie-Juzon...«, *CNAC Magazine*, Paris, March–April 1986.

**Guéhennec, Lise**
»Morellet«, *Révolution*, Paris, January 17, 1991.

**Haas, Patrick de**
»Morellet. Galerie Gillespie-Delage«, *Art Press*, Paris, May 1977, p. 38.

**Hahn, Otto**
»Morellet«, *L'Express*, Paris, April 3–9, 1967.

»De traits en trames«, *L'Express*, Paris, March 22, 1971, p. 48 (Ill.).

**Herreria, Michel**
»François Morellet«, *Artension*, Rouen, n° 6, 1988.

**Heyting, Lien**
»François Morellet«, *NRC Handels-blad*, Rotterdam, cultural supplement from March 28, 1986, pp. 1–2.

**Imdahl, Max**
»François Morellet«, *Pratiques*, spring 1996.

**Judd, Donald**
»In the Galleries: Groupe de Recherche d'Art Visuel«, *Arts Magazine*, New York, vol. 37, n° 5, February 1983, p. 45.

**Kennedy, R.C.**
»François Morellet«, *Art International*, Lugano, vol. 15, n° 6, summer 1971, p. 76.

**Kotik, Charlotta**
»Museum Presents Exhibition of Works by François Morellet«, *The Brooklyn Museum*, New York, winter 1985, n. p.

**Kulschewkij, Ralf**
»Künstlerportrait: François Morellet – Disziplinierte Träume strenges Glück«, *Kunst*, Cologne, n° 1, 1996, pp. 12–19 (Ill.).

**Le Bihan, Odile**
»L'univers géométrique de François Morellet«, *Le Républicain lorrain*, June 24, 1993 (Ill.).

**Léchot, Lysianne**
»François Morellet, un message sans information«, *Courrier de Geneva*, Geneva, May 14–15, 1988.

**Legros, Hervé**
»François Morellet. Musée de Peinture«, *Art Press*, Paris, July–August 1991.

**Lemoine, Marianne and Serge**
»François Morellet: l'art systématique«, *XXe Siècle*, Paris, n° 51, December 1978, pp. 78–81 (Ill.).

**Lemoine, Serge**
»Les désintégrations architecturales de François Morellet«, *Beaux-Arts Magazine*, Paris, n° 33, March 1986, pp. 60–65 (Ill.).

»François Morellet«, *Galerie Magazine*, Paris, n° 21, October–November 1987, pp. 114–119.

»François Morellet, wat je altijd al over François Morellet had willen weten«, *Forum International*, Antwerp, n° 2, March–April 1990, p. 34.

**Le Nouëne, Patrick**
»Grilles se déformant«, *La Revue du Louvre et des musées de France*, Paris, vol. 41, October 1991, pp. 90–91.

»François Morellet, escultor«, *Cimal*, Valencia, nos 43–44, special »Francia Periferica«, 1995, pp. 60–63 (Ill.).

**Lepage, Jocelyne**
»François Morellet, pionnier de l'art systématique«, *La Presse*, Montréal, October 13, 1984 (Ill.).

**Manara, Emma Zanella**
»François Morellet: Steel Lifes«, *Titolo. Rivista scientifico-culturale d'arte contemporanea*, Pérouse / Turin, n° 4, December 1993, p. 91 (Ill.).

**Martin, Bernard**
»Tilt Espace Graslin«, *Art Press*, Paris, September 1984, p. 56.

**McEvilley, Thomas**
»François Morellet. Bruno Facchetti Gallery«, *Artforum International*, New York, vol. 27, n° 4, December 1988, pp. 115–116 (Ill.).

**Meinhardt, Johannes**
»François Morellet in der Stiftung für konkrete Kunst«, *Kunstbulletin*, Berne, n° 9, 1991, pp. 49–50.

**Micha, René**
»Lettre de Paris: François Morellet«, *Art International*, Lugano, n° 22, February 1978, p. 40 (Ill.).

**Michel, Jacques**
»La contestation de Morellet«, *Le Monde*, Paris, March 24, 1967, p. 13.

»Points, lignes et surfaces au CNAC. Morellet ou l'imagination programmée«, *Le Monde*, Paris, April 21, 1971, p. 18.

»Morellet au Musée d'Art moderne. Le hasard et le système«, *Le Monde*, Paris, December 15, 1977, p. 20 (Ill.).

**Minne, Florent**
»Morellets luchthartige strengheid«, *De Standaard*, April 11, 1986, p. 7.

**Morgan, Robert C.**
»Morellet reveals magic of systems at Albright-Knox«, *Sunday Democrat and Chronicle*, Rochester (New York), August 5, 1984, pp. 3D–4D (Ill.).

**Narran, Dominique**
»François Morellet«, *Beaux-Arts*, Paris, July–August 1995, p. 35 (Ill.).

**Noetzel-Aubry, Chantal**
»Morellet – Rouiller, le choc de deux énergies«, *Arts*, Paris, June 4, 1982, p. 18.

**Normandin, Lucie**
»Géométree ou la buissonnière du système-Morellet«, *Vie des arts*, Montréal, n° 119, June 1985, pp. 66–67 (Ill.). Resumed partly in *François Morellet – Géométree*, Exh. Cat., Fontevraud, Abbaye royale, 1985, pp. 44–50.

**Nuridsany, Michel**
»François Morellet. Galerie Durand-Dessert«, *Art Press*, Paris, n° 53, November 1981, p. 40.

»Les absurdes impératifs de Morellet«, *Le Figaro*, Paris, February 16, 1993.

**Oesthoek, André**
»François Morellet koud en warm, regel en toeva«, *Provinciale Zeeuwse Courant*, June 7, 1986.

**Ohff, Heinz**
»Gegenwelt zur Wirklichkeit. Retrospektive François Morellet in der Neuen Nationalgalerie«, *Der Tagesspiegel*, January 15, 1977 (Ill.).

»François Morellet«, *Das Kunstwerk*, Stuttgart, vol. 30, n° 2, April 1977, p. 49.

**Oliver, Georgina**
»Lucy Milton: François Morellet«, *The Connoisseur*, London, vol. 180, n° 725, July 1972, p. 237.

»François Morellet: Paintings 1953–1957«, *The Connoisseur*, London, vol. 185, n° 743, January 1974, p. 93.

**Op de Coul**
»François Morellet in Van Abbe«, *Kunst Journaal*, Amsterdam, January 22, 1971.

**Overy, Paul**
»Picnic Areas for the People«, *The Times*, London, March 5, 1974.

**Pallini, Stéphanie**
»Le simple et le sublime: voilà ce que trame François Morellet en art«, *Journal de Geneva*, Geneva, October 5–6, 1996 (Ill.).

**Panzera, Mauro**
»François Morellet. Piero Cavellini«, *Flash Art*, Milan, vol. 26, n° 174, 1993, pp. 110–111 (Ill.).

**Parinaud, André**
»Le monde des formes, la logique et la science«, *Galerie-Jardin des arts*, Paris, n° 175, 1977, p. 15 (Ill.).

**Pasquet, Jacques**
»François Morellet: l'éloge du moins-que-rien«, *Ouest France*, Rennes, January 13, 1989, p. 16.

**Péhourticq, Jeanne**
»Morellet au Fort-Nieulay – l'art déroutant de François Morellet«, *Lundi dernière*, Calais, n° 9, December 1988.

**Petitjean, Dominique**
»François Morellet«, *Galeries Magazine*, Paris, n° 55, 1993, pp. 138–139 (Ill.).

**Piens, Bernard**
»Les murs peints dans l'espace urbain à Paris et en région parisienne – François Morellet«, *Actualité des arts plastiques, Paris*, n° 27, September–October 1975, pp. 26–32.

**Piguet, Philippe**
»François Morellet, le goût du paradoxe«, *L'Œil*, Paris, n° 368, March 1986, p. 74.

»François Morellet«, *L'Œil*, Paris, September 1990, p. 85.

»Morellet ou la tentation du baroque«, *La Croix*, Paris, November 20, 1990.

»Le mikado de Morellet«, *La Croix*, Paris, January 25, 1993 (Ill.).

»Denys Puech / François Morellet«, *La Croix*, Paris, August 12, 1993 (Ill.).

**Pineau, Nathalie**
»Morellet. Lettre et le néon«, *Art actuel*, n° 6, January–February 2000, pp. 74–75 (Ill.).

**Plazy, Gilles**
»Morellet: le désir et la peur de géométrie«, *Le Quotidien de Paris*, Paris, December 8, 1977 (Ill.).

**Posca, Claudia**
»François Morellet: Interventionen«, *Kunstforum International*, Cologne, n° 102, July–August 1989, pp. 344–345.

**Pradel, Jean-Louis**
»Morellet: le discours de la méthode«, *L'Événement du jeudi*, Paris, n° 431, 1993, p. 106 (Ill.).

**Preston, Stuart**
»Art: Anniversaries at Two Galleries«, *The New York Times*, New York, December 2, 1962, p. 22 (Ill.).

**Prévost, Jean-Marc**
»François Morellet. Peintre ou sculpteur«, *Les Lettres françaises*, Paris, December 1990.

**Priot, Franck**
»Vacances géométriques avec Morellet«, *Courrier Sud*, Toulouse, July 5, 1988, p. 14.

**Radlmaier, Andreas**
»Neon-Mond im Rokoko«, *Abendzeitung*, Nuremberg, September 18, 1998.

**Restany, Pierre**
»Morellet«, *Cimaise*, Paris, n° 6, July–September 1958, p. 43.

**Restorff, Jörg**
»François Morellet«, *Kunstforum*, n° 135, October 1996–January 1997, pp. 429–430 (Ill.).

**Rhode, Werner**
»Konkret. Morellet in der National-galerie«, *Frankfurter Rundschau*, Frankfurt-on-the-Main, February 5, 1977.

**Sanna, Iole de**
»Trois environnements. François Morellet, Gianni Colombo, Gerhard von Graevenitz«, *Opus International*, Paris, n° 43, April 1973, p. 67.

**Schwarz, Ralph**
»Skriptural, seriell, konzeptuell: Rolf-Gunter Dienst, Peter Dreher und François Morellet in Stuttgart«, *Frankfurter Allgemeine Zeitung*, Frankfurt-on-the-Main, December 2, 1992.

**Soutif, Daniel**
»Les morelles de Morellet«, *Libération*, Paris, December 9, 1985, p. 36.

»Le système Morellet«, *Libération*, Paris, March 6, 1986.

»François Morellet à Dijon«, *Libération*, Paris, December 26, 1986.

»François Morellet«, *Beaux-Arts Magazine*, Paris, n° 65, February 1989, p. 85.

»François Morellet«, *Artforum*, New York, vol. 27, n° 8, April 1989, p. 176.

**Spies, Werner**
»Zurück zum Museum: Morellet und die Straßenkunst«, *Frankfurter Allgemeine Zeitung*, Frankfurt-on-the-Main, n° 119, May 27, 1971, p. 24.

**Steckel-Weitemeier, Hannah**
»François Morellet«, *Pantheon*, Munich, vol. 35, n° 2, April–June 1977, pp. 152–153.

**Stecker, Raimund**
»Serge Lemoine: François Morellet«, *Das Kunstwerk*, vol. 41, February 1989, pp. 98–99.

**Stoullig, Claire**
»François Morellet au carré«, *Beaux-Arts Magazine*, Paris, n° 82, September 1990, pp. 50–55 (Ill.).

**Tasset, Jean-Marie**
»Le système Morellet«, *Le Figaro*, Paris, March 11, 1986.

**Thompson, Walter**
»François Morellet at Bruno Facchetti«, *Art in America*, New York, vol. 75, n° 10, October 1987, pp. 188–189.

**Tissot, Alain**
»François Morellet ou le goût des systèmes et de la précision«, *Le Courrier de l'Ouest*, June 10, 1999 (Ill.).

**Tomassoni, Italo**
»Morellet: dialettica tra forma e immagine«, *Flash Art*, Milan, n° 20, November–December 1970, pp. 7–8.

**Touraine, Liliane**
»François Morellet: ordre et désordre«, *Voir*, Lausanne, November 1991, p. 39.

**Van Beek, Willem**
»François Morellet als Genie ont-dekt«, *Kunstbeeld*, Alphen aan den Rijn, n° 4, January 1978, pp. 11–13.

»François Morellet retrospektieve tentoonstelling«, *Kunstbeeld*, Alphen aan den Rijn, n° 6, May, 1986.

**Vasarely, Victor**
»Ce que devrait être la critique d'art«, *Les Beaux-Arts*, Brussels, n° 907 and n° 908, October 21 and 28, 1960, pp. 3–9. Resumed *in* Paris, 1986, p. 196.

**Vergereau, Pascale**
»Le Musée s'ouvre à l'art de Morellet«, *Ouest France*, Rennes, October 29, 1997.

**Weder Arlitt, Sabine**
»Picknick für Feinschmecker«, *Züri-Tip. Tages-Anzeiger*, February 2, 1996.

**Winter, Peter**
»François Morellet«, *Das Kunstwerk*, Stuttgart, vol. 29, no 5–6, September–December 1974, p. 164.

**Wolff, Detlef**
»Nachholbedarf an Information über Op-Art«, *Mannheimer Morgen*, Mannheim, May 12, 1971.

**Zahm, Olivier**
»François Morellet: Galerie Durand-Dessert«, *Flash Art*, Milan, n° 150, January–February 1990, p. 142.

**Zoege von Manteuffel, Claus**
»Intervalle, Denk- und Seh-vergnügen mit François Morellet in Berlin«, *Neue Zürcher Zeitung*, Zurich, n° 19, January 24, 1977, p. 17.

## Anonymous

»Morellet«, *Le Peintre*, Paris, April 1, 1950.

»Around Paris Galleries. Morellet«, *New York Herald Tribune*, Paris, March 28, 1967.

»Roman Cieslewicz et François Morellet au Musée de Peinture et de Sculpture de Grenoble«, *Chronique des arts*, Paris, n° 1244, September 1972, p. 18.

»François Morellet«, *Flash Art*, Milan, n° 104, October–November 1981, p. 57.

»François Morellet. Œuvre de 1978 à 1982«, *Le Courrier des Métiers d'art*, Paris, December 1982.

»François Morellet«, *Artension*, n° 8–9, summer 1983, p. 36.

»Bottrop: François Morellet. Ein Spieler lädt zum Picknick ein«, *Art. Das Kunstmagazin*, Hamburg, n° 11, November 1983, pp. 102–104 [signed A. H. W.].

»Géométrees – Morellet«, *Beaux-Arts Magazine*, Paris, n° 24, May 1985, pp. 99–100.

»Morellet François«, *Architecture intérieure / Créé*, Paris, n° 209, December 1985–January 1986, p. 58.

»François Morellet«, *Openbaar Kunstbezit*, Amsterdam, vol. 30, n° 3, May–June 1986, p. 3.

»François Morellet«, *Aborigènes et exotiques*, n° 6, May–June 1987, pp. 4–5.

»Les dix dernières années de commandes publiques de François Morellet«, *Nord littoral*, Calais, December 1, 1988.

»Morellet sur la sellette«, *Art & Aktoer. Le journal de l'art contemporain dans l'Est de la France*, n° 2, 1993, p. 4 (Ill.).

»Rodez: François Morellet«, *L'Œil*, Paris, 1993, p. 99 (Ill.).

»François Morellet expose au Centre Georges Pompidou«, *Le Courrier de l'Ouest*, Angers, October 19, 1993 (Ill.).

»Morellet«, *Kunst + Unterricht*, n° 179, 1994, pp. 10–11 (Ill.).

»Mauvais esprits. Rencontre entre François Morellet, peintre, à Cholet, et Jean-Marc Lévy-Leblond, physicien, à Nice«, *Le Journal du CNRS*, November 1996, p. 13.

»François Morellet«, *Temporale, Rivista d'arte e di cultura*, Lugano, Edizioni Dabbeni, n° 42–43, 1997.

## Fotonachweis / Photo credits

Laure Albin-Guyot: 47 (oben)

Ivan Baschang, Munich–Paris/Collection Würth, Künzelsau: 141–143, 150–153, 183–185, 190–193, 198–199

Christian Blei / Galerie Mueller-Roth, Stuttgart: 204–205

François-Xavier Bouchart / Photothèque Parc de La Villette: 99

Wolfgang von Contzen: 126

Galerie Durand-Dessert, Paris: 173

Jacques Faujour / Centre Georges Pompidou, Paris: 2, 43–45, 100

Béatrice Hatala / Jeu de Paume, Paris: 131–133, 138, 139, 163, 168–170, 174, 175, 178–179, 203, 204–205

Nikolaus Heinrich / Stiftung für konkrete Kunst, Reutlingen: 154–155

Konstantinos Ignatiadis, Paris: 32 und Umschlag-Rückseite

Galerie Dorothea van der Koelen, Mainz: 180–181

Peter Lauri/Kunstmuseum, Bern: 159

Almir Mavignier: 62

André Morain, Paris: 71, 74 (unten) + 82 (oben)

Ad Petersen, Amsterdam: 100 (oben u. Mitte)

Jacques Robert, Cagnes-sur-Mer: 77 (oben)

Philipp Schönborn, Munich: 128

Uwe H. Seyl, Stuttgart: 136

Stedelijk Museum, Amsterdam: 125

Gianni Ummarino, Milan: 85 (unten)

Alle übrigen s/w-Abbildungen stammen aus dem persönlichen Archiv von François Morellet.